Este libro ha sido realizado con el apoyo del Fondo Nacional Suizo para la Ciencia, proyecto 100016_153032 «Modernity and the Landscape in Latin America», y de la Universidad de Zúrich.

Registro de la Propiedad Intelectual N° 286.524
ISBN: 978-956-9843-50-1
Imagen de portada: *Paisagens* (óleo s. madera, 1995), Adriana Varejão.
Colección R. y A. Setúbal.
Diseño de portada: Alejandra Norambuena
Corrección y diagramación: Antonio Leiva
Edición: Victoria Urtubia

E mail: ediciones@metalespesados.cl
www.metalespesados.cl
Victoria Subercaseaux 69, dpto. 301
Teléfono: (56-2) 26328926

Santiago de Chile, marzo de 2018

Impreso por Salesianos Impresores S.A.

Jens Andermann

Tierras en trance

Arte y naturaleza después del paisaje

ediciones / metales pesados

sólo se consuela la tierra
sólo se logra suelo
cuidando del abismo
sólo es suelo lo que guarda el abismo
lo que da cabida a la irrupción y proporción al trance

estar en trance es vivir con asombro un choque de ruptura
y un arranque de abismo

Amereida (Volumen primero, 1967)

Índice

Introducción ... 9
El trance del mundo ... 21

Viaje accidentado: vanguardia y velocidad ... 31
El paraíso del montaje ... 37
Brasil redescubierto ... 45
Historias de accidentes ... 56
Etnografías errantes ... 76

Elementos naturales: arquitectura, jardín, modernidad ... 95
La luz americana ... 104
Estilo austral: Alejandro Bustillo, de *Sur* al Sur ... 119
Barragán: laberintos de soledad ... 142
Burle Marx: la línea y el límite ... 159

La naturaleza insurgente ... 175
La alianza animal ... 185
Historia natural del antropoceno ... 196
Días de la selva: del Putumayo al Quiché ... 221

El giro ambiental: del marco al medio ... 247
Mundo-abrigo: Hélio Oiticica, de Mangueira a Cajú ... 255
Amereida: poesía, arquitectura y travesía ... 277
Del cuerpo a la tierra: giro ambiental y lucha política ... 303
Cuerpo fuera del paisaje: la geopolítica de Ana Mendieta ... 323

Después de la naturaleza: memorias, derivas, transmutaciones 337
Campo expandido: postdictadura y paisaje ... 344
Vidas a la intemperie: precariedad e in-mundo en el cine latinoamericano actual ... 368
Formas vivas: bioarte, arte ecológico y la inespecificidad de lo viviente ... 391

Conclusión ... 425

Bibliografía ... 437
Agradecimientos ... 461

Introducción

Paisagens (1995) de Adriana Varejão narra una historia natural al revés (lámina 1). El cuadro invierte la tradición fisionómica del viaje pintoresco, donde el ambiente surge no apenas como escenario dramático para una acción central sino que *es esa acción*: un juego de fuerzas encarnadas en formas vegetales y animales, entre las cuales la vida humana nativa transcurre en un estado de determinación absoluta. Sólo la mirada anatómica del pintor viajero, al someterlas a su propio juego de representación, terminó por dominar estas fuerzas y someterlas a la voluntad transformadora del «ojo imperial» (Pratt, 1992) que su cuadro solicitaba. En *Paisagens*, Varejão torna visible, en forma literal, ese juego sutil entre una naturaleza corporizada –por tanto, susceptible a ser objetivada– y el sujeto que se abstrae y autonomiza respecto de este mundo incorporado, precisamente gracias a un cálculo que ya no es exactamente el de la perspectiva lineal albertiana. Ahora, más bien, es un cálculo que debe atravesar la superficie visible para indagar en las pulsiones internas, los potenciales productivos y los mecanismos de atracción, repulsión y violencia que rigen (como fuerzas) en las relaciones entre cuerpos, para luego distribuir ese juego de afecciones entretejidas en el espacio y construir con ellas un ambiente «natural» temporalizado, una naturaleza histórica. Son los cuerpos dos veces abstraídos por el naturalismo de los siglos XVIII y XIX, el del sujeto colonizador reducido a una pura función escópica y los cuerpos indígenas que este saber-poder visual someterá a sus propósitos extractivos, los que vuelven a encarnar las pinturas de Adriana Varejão.

Pero esa autonomización de una mirada capaz de abarcar su entorno como un paisaje precisamente cuando deja de pertenecer a él, también contiene una dimensión emancipadora, como nos recuerdan Raymond Williams y Denis Cosgrove en dos estudios clásicos del paisaje poético y plástico en Occidente[1]. Todo paisaje, a pesar de que lo suspenda y desplace más allá de su horizonte, también gesticula hacia un momento en que la mirada volverá a coincidir con una aprehensión sensorial y afectiva de la tierra, un estado de presencia de y en ella. Su doble régimen espacio-temporal recoge y reinscribe así el del mesianismo religioso del que, en la pintura occidental, el paisaje se ha desprendido para constituir una imagen autónoma: imagen de las cosas en sus relaciones mutuas, su orden, su «naturaleza» (Cauquelin, 2008: 64).

Veamos otro ejemplo. Se trata de un dibujo de Miguel Lawner, titulado *Isla Dawson, coigüe moribundo* y lleva la fecha del 7 de marzo de 1974 –esto es, aproximadamente, seis meses después del golpe militar que derrocó al gobierno constitucional de Salvador Allende (Fig. 0.1). «Coigüe» es el nombre en mapundungún de un tipo de árbol perenne, *Nothofagus dombeyi*, que alguna vez abundaba en ambos lados de la cordillera austral entre 35 y 47 grados latitud sur. La isla de Dawson, al sur del canal de Beagle, estaba cubierta de densos bosques de coigüe hasta principios del siglo XX cuando el gobierno chileno la cedió en comisión a la compañía maderera Gente Grande que, en menos de treinta años, no sólo exterminó prácticamente a toda la población indígena, sino que también devastó la cubierta forestal, dejando atrás una estepa pantanosa expuesta a las tormentas –un lugar que hoy figura entre los más inhóspitos de la tierra. Así, no es descabellado imaginar que Lawner, al dibujar ese paisaje desolado donde apenas un árbol solitario aún resiste a la furia de los elementos, haya querido evocar

[1] Según Cosgrove (1998 [1984]: 64), en la «idea del paisaje» surgida en el Renacimiento se mantienen en un balance inestable, por un lado, la objetivación de la tierra como propiedad calculable (la visión «ética» del propietario) y, por el otro, la experiencia subjetiva de quien aún trabaja la tierra y goza de sus frutos (la visión «émica» del paisano). El paisaje «estético» no sería, así, sino la sublimación de una lucha histórica por la tierra, incluyendo los sueños por reposeer esa tierra de quienes esa lucha ha desplazado. Por su parte, Williams (1976: 290) nos recuerda que la «nostalgia» rural que da origen, en una sociedad tempranamente industrializada como la inglesa, al ruralismo decorativo y reaccionario del *gentleman farmer*, también puede articular, desde un punto de vista obrero, una perspectiva liberacionista orientada hacia el futuro.

esa historia de acumulación primitiva en donde, quizás, hallaba también un signo alegórico del infortunio que acababa de caer sobre el país entero.

0.1 Miguel Lawner, *Isla Dawson, coigüe moribundo*. Plumón, 7 de marzo de 1974. En: Miguel Lawner, *Isla Dawson, Ritoque, Tres Álamos. La vida a pesar de todo*. Santiago de Chile: Lom Ediciones, 2003.

Los sentidos de la imagen no se agotan, sin embargo, en esa dimensión alegórica. La presencia de Lawner en la isla no era voluntaria. Director de la agencia de mejoramientos urbanos bajo Allende, Lawner había sido detenido tras el golpe, junto a un gran número de funcionarios y dirigentes, y deportado al campo de concentración establecido por los militares en el archipiélago fueguino. Allí, los prisioneros –varios de edad avanzada– fueron sometidos a un duro régimen de trabajo forzado en condiciones ambientales extremas, además de golpizas, torturas y simulacros de fusilamiento. Pasados algunos meses en los que quedaban estrictamente prohibidas la lectura y la escritura, Lawner y un grupo de compañeros lograron convencer al comandante de encargarles, en lugar de las tareas inútiles impuestas solamente para humillar a los prisioneros, el refaccionamiento de una pequeña iglesia construida en la isla por misioneros salesianos en el siglo XIX. Vista su formación como arquitecto, Lawner recibió permiso de que parientes le enviaran blocs de diseño, carbón y lápices, para realizar los planos de reconstrucción de la iglesia; obra en la que también incluía el proyecto de un pequeño jardín de flores al frente del edificio, en protección del cual se proponía plantar una palizada de coigües. En momentos en que no se encontraba observado, Lawner aprovechaba, además, los materiales de dibujo para hacer la crónica visual de la vida en el campo, escondiendo las hojas entre la ropa o debajo de los colchones. Cuando, en marzo de 1974, la dictadura tuvo que permitir una visita de parlamentarios europeos al campo, los prisioneros lograron sacar de ahí algunos de esos dibujos y pasárselos a parientes y amigos; poco después, otra tanda fue descubierta y confiscada cuando los prisioneros fueron trasladados a la Academia de Guerra Aérea en Santiago –uno de los centros de tortura y exterminio más infames del régimen. Tras estos descubrimientos, Anita Lawner, la esposa de Miguel, fue secuestrada y torturada por la policía secreta en Villa Grimaldi en las afueras de la ciudad capital, exigiéndole que revelara el mensaje secreto que, según los agentes, los dibujos de su marido pretendían comunicar a la resistencia clandestina. «Se sucedieron otras preguntas igualmente disparatadas –recuerda Lawner en el prólogo del libro que reúne los dibujos recuperados–. "¿Qué quiere decir coigüe moribundo?". "¿Qué significa un pañuelo con olor a mate?"» (Lawner, 2003: 5). Sólo al convencerse de que, efectivamente, no había en estas imágenes sino lo que estaba a la vista, los militares dejaban en libertad a Anita, incluso devolviéndole gran parte de los dibujos secuestrados, los cuales, con la ayuda de diplomáticos extranjeros, la pareja consiguió sacar del país cuando se exilió en Dinamarca. Expuestos en varios países europeos y norteamericanos, los dibujos de Lawner seguían circulando todavía por muchos años por las redes de solidaridad internacional con Chile.

A pesar de que su «mensaje cifrado» estaba a la vista de quien quería verlo, tal vez la desconfianza ante los paisajes fueguinos de Lawner por parte de los agentes de la represión no carecía completamente de fundamento. Porque, aun cuando no exponían ante los ojos del mundo las condiciones inhumanas a las que estaban sometidos los prisioneros, estos dibujos representaban un poderoso acto de desafío en su reivindicación de una relación estética con el entorno y, así, también del sujeto humano frente a éste: la dimensión de individualidad sensible y creadora, precisamente, que la violencia concentracionaria buscaba anular. Los paisajes dibujados se hacían eco de ese pequeño acto de resistencia casi imperceptible que era el jardín de flores en la iglesia de Puerto Harris, en cuya «cortina» de coigües se plasmaba la misma actitud de preocupación y cuidado hacia el entorno físico como en los dibujos: una relación de fragilidad y protección mutua ante la intemperie, de cobija y cariño entre hombres y ambiente, que se oponía diametralmente a la violencia que ejercían sobre ambos la represión militar y el capitalismo depredador. Los jardines, observa Robert Pogue Harrison, «no imponen, como se suele afirmar, un orden a la naturaleza: más bien, ordenan nuestra relación con ella. Es nuestra relación con la naturaleza la que define las tensiones al centro de las cuales no se encuentra solamente el jardín, sino la polis humana como tal» (Pogue Harrison, 2008: 48). Dibujo y jardín, paisaje *in visu* y paisaje *in situ*, en la expresión de Alain Roger (1997: 16-20): juntos, éstos también reafirmaban en la producción plástica y jardinesca de Lawner, una *poiesis* política, una idea de co-responsabilidad, compasión y justicia en las relaciones entre individuo y comunidad que debía pasar necesariamente por la atención cuidadosa hacia su entorno –el proyecto, en fin, que la violencia concentracionaria de la dictadura pretendía extirpar del cuerpo social.

Es esta violencia, en consecuencia, contra la que trabajan el paisaje *in visu* y el paisaje *in situ* al proyectar hacia el horizonte de la mirada, o hacia el interior de la comunidad, un espacio y tiempo exentos de ella, una dimensión en la que *no hay lugar* para la violencia. Con los dibujos de paisajes y el proyecto para el jardín de flores, Lawner agrega un suplemento a su crónica aterradora de la vida concentracionaria y que cambia radicalmente los sentidos de ésta: denuncia la *extranjería* de esta violencia, su no pertenencia al terreno que ha usurpado. Su radical inhumanidad surge, precisamente, al ser contrastada a una humanidad que se afirma en y por su relación con un entorno que es su primer «otro». La violencia, propone Michel Serres en referencia a los *Desastres de la guerra* de Goya, es «contra naturaleza»; ella es la «polución» (en el sentido del antiguo lenguaje sagrado) que deforma el orden armónico del mundo en *inmundicie* (Serres, 1990: 46). El entorno no humano, abarcado por la mirada paisajística, ofrece así una lección de ética convivencial, un modelo de cómo coexistir con la diferencia expresada en lo que, precisamente a partir de esa constatación de no-identidad con lo humano, deviene también una imagen externa de lo social. En el paisaje se cifra un modo ético de convivencia social, aún y sobre todo cuando, como en *Coigüe moribundo*, el conjunto «natural» acusa las marcas de esta violencia que la representación trabaja por contrarrestar, por «desnaturalizar» del mismo modo que, en el jardín de Puerto Harris, la palizada de coigües expresa «en lenguaje natural» la voluntad humana de proteger la convivencia entre hombres y flores. La «percepción del paisaje» iguala así a una «invención de ciudadanos», como propone Alain Roger al analizar los orígenes renacentistas de la forma, ya que el ponerse en relación con un ambiente en forma de paisaje «supone al mismo tiempo una retirada y una cultura, una suerte de *recultura*, en suma» (Roger, 1997: 27)[2]. Lo que observan Fernando Aliata y Graciela Silvestri respecto del jardín como punto de encuentro entre arte, técnica y lo que, como «naturaleza», permanece externo a ambas –al mismo tiempo que deviene la vara con que se las mide–, vale también para el paisaje del pintor y del dibujante: ambos «se halla[n] en el filo ambiguo entre lo material y lo espiri-

[2] Todas las traducciones al castellano son mías, a menos que se indique otra fuente.

tual; entre el arreglo a las normas y el necesario respeto a las leyes *naturales*; [...] en fin: entre la técnica y el arte; entre las formas de habitar, de tan larga y persistente duración, y las rupturas abruptas del sujeto» (Aliata y Silvestri, 1994: 27).

Extranjería de la violencia respecto de un tiempo y espacio que, como naturaleza exterior, remiten también al propio colectivo nacional, a la nación tomada en rehén por un mal radical que se expresa en su profanación de la tierra, manchándola con su violencia concentracionaria: nada más lejos de la obra de Adriana Varejão que esta ética del paisaje como propedéutica social y sutura de la violencia histórica. En Varejão, como vimos, acontece todo lo contrario: el cuerpo atormentado es ahí consustancial con la captura de la tierra en forma de paisaje. *Paisagens* (1995), la imagen que comentamos anteriormente, pertenece a una serie de cuadros en los cuales la relación entre cuerpo y naturaleza alude, de manera literal, a la larga tradición occidental de asociaciones simbólicas entre «naturaleza virgen» y cuerpo femenino. Ambos, cuerpo y naturaleza, están así puestos en disponibilidad ante una mirada simultáneamente «fría» y «caliente», removida a una distancia taxativa y, no obstante, estimulada a tornarse háptica, a tomar posesión, no sólo política y económica sino también sensual y eróticamente, del exceso de placer al que la enfrentaba la imagen. El arte de Varejão radicaliza esa figuración mutua llevándola a su límite. Literalmente, la naturaleza visible se convierte en *Paisagens* en la piel de la masa subyacente de carne y sangre. Pero la relación entre ambas se complica aún más al aparecer, por debajo de la primera naturaleza-piel, un segundo paisaje, subyacente al primero o, tal vez, crecido por encima de la herida cicatrizada. Esta piel nueva (o más antigua) es atravesada, a su vez, por una herida, un tajo, en sentido vertical. Entre los dos paisajes heridos se establece una relación metonímica que se yuxtapone –nuevamente, en sentido literal, sobre la superficie material del cuadro– a la relación metafórica entre naturaleza y cuerpo[3].

[3] El juego sutil de intertextos iconográficos con la tradición del paisaje americano responde a esa compleja yuxtaposición de formas figurativas. El primero de éstos, relativo

Observemos además que, contrario a la gramática habitual del género, la yuxtaposición de naturalezas-pieles en *Paisagens* no conduce la mirada desde «fuera» hacia «dentro» del espacio campesino, silvestre o colonial, haciendo del acto espectatorial una anticipación o una repetición performativa de la toma de posesión sobre el ambiente. En cambio, somos llevados desde «dentro» hacia «fuera»: del marco oval de madera a la imagen del bosque en donde ésta fue cortada y, de ahí, al litoral y a ese otro «corte», la herida que atraviesa en sentido vertical el centro de la imagen. El «tajo» completa violentamente la antropomorfización y feminización del ambiente, al remitir –como lo hacen también las otras imágenes de la serie, *Mapa de Lopo Homem* (1992) y, sobre todo, *Filho bastardo* (1992, 1995)– a la genitalidad femenina. La violencia sexual es ubicada así en el centro de la imagen, tanto como una escena originaria en donde «nace» la expansión espacial del colonialismo –el lugar del primer encuentro, la playa–, como también en forma de un umbral que opera dentro del cuadro la violenta transición entre naturaleza-paisaje y sangre-cuerpo: entre la superficie o piel puesta a disposición de la mirada y la penetración del interior que subyace a ésta.

Contrario a lo que acontece en los dibujos de Lawner, la violencia no irrumpe en los cuadros de Varejão desde fuera del paisaje como un elemento extraño que invade y profana la relación cuidadosa que mirada, cuerpo y ambiente mantienen gracias al vínculo paisajista. En su obra, en cambio, lo que subyace a las tecnologías de visualización de la naturaleza (en forma de paisaje) y del cuerpo (en forma de objeto dispuesto para el placer del observador) es la violenta intervención/penetración de ambos que la construcción de una tela-piel ilusionista, al mismo tiempo, esconde y posibilita.

---

al paisaje que vemos en el borde exterior del cuadro, consiste efectivamente en una cita directa de la acuarela *Forêt vierge du Brésil* realizada por el Conde de Clarac y expuesta por primera vez en París en 1819. Convertida en gravura por el mismo Clarac en 1822, *Forêt vierge* se volvió una de las imágenes del Brasil más divulgadas en el siglo XIX. En cambio, la parte central del cuadro de Adriana presenta un típico paisaje litoraleño carioca que remite a las acuarelas y dibujos aproximadamente contemporáneos de Jean-Baptiste Debret, Charles Landseer o Johann Moritz Rugendas, entre muchos otros (Pedrosa, 2013: 90).

La violencia, en los cuadros de Varejão, no sería en realidad la exposición de una carnificidad subyacente a la superficie a través de los «cortes» infligidos por la artista. Más bien, se halla en el encubrimiento de esta carne por el paisaje-piel, anterior a esa intervención que trae a luz la escena originaria invisibilizada –la violación–, de la cual todo paisaje es imagen sublimada. Si el paisajismo occidental se esforzó por disimular esa violencia y, de esta manera, se tornó cómplice de ella a través de su naturalización –parece sugerir Adriana en *Carne à moda de Frans Post* (1996) y *Carne à moda de Taunay* (1997), cuadros en los que la artista «sirve» trozos de telas de ambos pintores en platos sobre una mesa–, la única respuesta posible es la canibalización de la propia forma apropiándose de las técnicas del ilusionismo, en función de subvertir y exponer a la vista no sólo el funcionamiento del mecanismo de ilusión sino también su política naturalizante. Comer la carne del cuadro, una vez pelada la piel ilusoria de la naturaleza-paisaje que encubría los cuerpos violados y mutilados de la expansión colonial, sería una respuesta postcolonial y feminista a esa violencia falogocéntrica. Violencia que, insiste Varejão a través de las múltiples variantes de citación que caracterizan su obra, fundamenta nuestra relación, en cuanto sujetos occidentales, con una naturaleza objetivada y sometida a la voluntad del sujeto portador de la mirada. Es esa mirada, entonces, antes que la «naturaleza» de la cual ésta se apropia, la que busca herir la pintura de Varejão: el corte se dirige hacia el ojo del espectador.

Las imágenes de Varejão y de Lawner nos enfrentan, si bien de maneras radicalmente opuestas, a una constelación de cuerpo, ambiente y mirada atravesada por una tensión entre violencia y deseo, que es la marca de la relación (neo)colonial en la que esta constelación emerge. Una imagen ofrece un punto de lectura y análisis de la otra y es así, quisiera sugerir, como en la modernidad estética latinoamericana –no sólo en las artes plásticas, sino también en la literatura, el cine y la arquitectura– las dos críticas esbozadas por estos cuadros se enfrentan y entremezclan. «Crítica del paisaje», por un lado, en tanto artificio que encubrió y se tornó cómplice de una violencia extractiva que no ha dejado de arrancar la carne de la tierra; «crítica desde el paisaje», por el otro, en cuanto reivindicación de éste frente a las formas no convivenciales de ocupar y violentar la tierra en vez de habitarla. En ambos casos, estamos frente a un afán literalizador del juego de las formas. Al revés del recorrido de la materialidad a la representación, la apuesta ahora es ir «hacia el fondo» del paisaje, atravesar la universalidad genérica de la «forma» hasta llegar a la singularidad del «asunto», ya sea para hacer al paisaje cumplir su promesa o para desvelar por fin su mentira.

Quizás nadie haya ido más lejos en esta, literalmente, *radicalización* de la forma –forzándola a confluir otra vez con el tiempo y lugar de su acontecimiento– que el venezolano Armando Reverón en sus «paisajes blancos». Pintados de manera intermitente entre 1925 y 1945, estos cuadros que captan unos pocos elementos del ambiente playero antes de su evanescencia en la luminosidad, plantean, dice Susan Stewart, «cuestiones conceptuales de emergencia y recesión [...]; las imágenes están infinitamente suspendidas entre un antes y un después, retractándose al mismo tiempo en que van adquiriendo forma» (Stewart, 2005: 67). Así, ellas también llevan a su límite a la figuración como tal, pero no –como en el suprematismo o en el expresionismo abstracto– a través de la autonomización de volúmenes, gradaciones y ritmos tonales, sino, en cambio, por el modo en que hacen estallar contra su límite interno, el tejido del lienzo, la analogía entre luz y materia pigmentada que sostiene, en Occidente, el artificio de la representación plástica.

En *Luz tras mi enramada* (1926), la pared de cañamazo del rancho vuelve así a materializarse en las fibras expuestas del lienzo, escarbadas por debajo de la pintura, las cuales adquieren un rol figurativo más allá de su función de soporte (lámina 2). Lo que «figuran» es, como los tejidos de la pared del rancho, un límite, una interdicción de lo visible por cuyos intersticios se filtra la luz-pintura y los contornos de los objetos que ésta dibuja (las nubes en el horizonte, tal vez unos troncos más allá de la apertura rectangular de la puerta). Pero esta in-visibilidad, marcada por la ausencia de pintura, no obstante permanece visible y vuelve a integrarse en la composición como un objeto figural (la pared del rancho), al mismo tiempo que corta el espacio-tiempo de la representación haciendo emerger, en su lugar, la materialidad del soporte-lienzo. Las fibras del lienzo están, dice Stewart (2005: 67), «en el primer plano, como si las imágenes estuvieran de algún modo cautivas en su tejido», pero al mismo tiempo están también en el segundo plano, en el fondo, al re-aparecer excavadas por debajo de la pintura. Como observa John Elderfield, en los paisajes blancos «la narrativa de representación es constantemente entrecortada por los medios de representación y viceversa [...] la materialidad de estas obras es inseparable de su base perceptiva» (Elderfield, 2007: 28).

En ese límite entre materialidad y representación vuelve a hacerse presente la marca de un cuerpo, en forma de la pincelada que estampa ahí la acción física y gestual de la que surgió la imagen. Sabemos que Reverón producía sus cuadros de un modo altamente ritualizado, que incluía el taparse las orejas y ceñir su cintura a fin de concentrar toda energía sensorial y libidinal sobre el propio acto de pintar. Éste se realizaba sin bosquejos previos, en un trance improvisacional desencadenado por los movimientos danzantes del artista, que iban a culminar, en paulatina aceleración, en la aplicación por momentos violenta de la pintura sobre el lienzo[4]. En palabras de Alfredo Boulton (1966: 81), «en aquel ritual o pantomima con que actuaba ante sus lienzos, aquellos gestos y embestidas ante la tela, la obra iba formándose en una sucesión de puntos, toques y rasgos lineales, o planos que provenían del gesto de un hombre en movimiento constante, pues entonces el artista se hallaba como en trance ante la tela o el papel, como ceremoniando una encantación». Sin volverse pura notación del movimiento por el

[4] El breve documental de Edgar Anzola sobre Reverón, filmado en 1934, muestra algunos de estos preparativos (ya ausentes del corto *Reverón* (1952) de Margot Benacerraf, filmado casi veinte años después con un Reverón ya anciano, sobreviviente de sucesivos internamientos psiquiátricos debido a una dolencia contraída en la infancia).

tiempo –como los *action paintings* de Jackson Pollock (a quien se le ha comparado a menudo)–, los paisajes de Reverón introducen en el cronotopo de la imagen una enunciación deíctica que remite al tiempo y lugar de su producción. La pintura occidental, como observa Norman Bryson (1983: 99), «se basa en la negación de la referencia deíctica, en la desaparición del cuerpo como sitio de la imagen». La pintura aspira a volverse una ventana neutra e invisible hacia un espacio-tiempo artificial hacia donde proyecta su «asunto», teniendo para ello que apagar toda huella o trazo del trabajo de producción del cuadro, del encuentro físico entre cuerpo, luz, soporte y color. En cambio, los paisajes de Reverón, en su reducción al color blanco, a la materialidad del lienzo y a la huella visible del trazo, sin renunciar nunca a la figuración nos devuelven, una y otra vez, al trance luminoso de su creación. Ese instante extático en el que luz y pintura, cuerpo y lienzo, se funden, sin embargo, nunca puede ser retenido en su plenitud por la obra acabada. En su oscilar entre materialidad y representación, la obra apenas alcanza a marcar el lugar de la retirada de ese espacio-tiempo del trance. Contrario a la tradición occidental, esa ausencia no es celebrada aquí como triunfo de la representación: es hacia ella, en realidad, que se dirige la violencia del ritual reveroniano, en una especie de exorcismo que busca empujar cada vez más lejos ese ausentamiento que, no obstante, nunca consigue alejar del todo.

Como Varejão, Reverón busca por debajo del color, de la piel de la pintura, al cuerpo encarnado. Sin embargo, no se trata aquí, como en la obra de la artista brasileña, de un cuerpo omitido y objetivado, que la pintura puede dar a luz sólo al canibalizar el propio artificio ilusionista que ha dado lugar a esta omisión constitutiva. No hay, como en Varejão, ningún más allá de la ilusión pictórica y de sus laberintos barrocos de espejos que no sea el precipitarlos hacia su propio abismo, a través de la cita irónica y de la apropiación antropofágica. Al contrario, Reverón apuesta todo por la promesa de un cuerpo aún por venir que la pintura extiende hacia nosotros: un cuerpo-luz que yace en el fondo de ese paisaje forjado en extática fusión con los elementos. Tanto o más que Miguel Lawner, Reverón confía en la capacidad epifánica del paisaje como umbral y anticipación de *otra* convivencia entre cuerpo y tierra, esto es, entre vidas humanas y no humanas, entre sensaciones y realidades materiales y espirituales de distinta índole –si bien sabe, como Varejão, que sólo la ruptura, el corte tajante, con el género paisaje autoriza alguna esperanza de que esa promesa pueda algún día ser cumplida. La obra de Reverón es así una de las primeras instancias, en el arte latinoamericano del siglo XX, de cruce entre las dos críticas del paisaje. En su fundido al blanco ya se vislumbra toda una trama de agotamientos y de retornos *in extremis* a su legado formal, que constituye el objeto de este libro: el trance de unos cuerpos y entornos al cortarse las amarras que, hasta entonces, habían mantenido en su lugar al mundo.

El trance del mundo

El trance, en las religiones afroamericanas, es un estado extático de posesión divina en el que los mitos fundacionales de la comunidad son reencarnados en los cuerpos de los nóvices: el éxtasis, sugiere Roger Bastide en su estudio clásico del candomblé bahiano, es lo que divide la primera parte de la fiesta –los rituales invocatorios o la imitación de los sucesos y héroes míticos– de la segunda, en la que éstos han vuelto una vez más a convivir en el presente de los fieles. «Lo que entendemos como fenómeno de posesión» –concluye Bastide– «debería entonces más bien definirse como fenómeno de transformación. El rostro se metamorfosea; el cuerpo todo entero deviene el simulacro del dios» (Bastide, 2000: 220). En sus reflexiones sobre el cine postcolonial, Gilles Deleuze vuelve a la noción del trance para pensar el modo en que, a través del recurso no al mito sino a las «presencias vivas» que subyacen a éste, los films de Youssouf Chahine y de Glauber Rocha –de quien Deleuze toma el término– provocan la emergencia de enunciados colectivos, actos de habla que «contribuyen a la invención de un pueblo» (Deleuze, 1985: 283). El pueblo, la posibilidad de un sujeto político colectivo aún por venir, dice Deleuze, en el Tercer Mundo debe pasar por el trance que es la modalidad crítica propia del mito: no su análisis, no la concientización, sino la reconexión de sus formas con las pulsiones propias del mundo contemporáneo –dando luz a un ensamblaje capaz de enunciar sentidos colectivos y de prefigurar el pueblo ausente: «El trance, la puesta en trance, es una transición, un pasaje, o un devenir: es el trance el que posibilita el acto de habla» (Deleuze, 1985: 290). El trance es pues aquello que, en el mundo colonial, vuelve a ensamblar en el inconsciente, el espacio y tiempo del sujeto y la comunidad, escindidos por una violenta historia de desplazamientos y rupturas temporales. El trance produce en el éxtasis una lengua futura, un habla «epifánica» comprensible sólo en ese intersticio pero que ya anuncia desde allí la posibilidad de *otra* convivencia: de un mundo diferente.

Ahora bien, una de las grandes ironías de nuestra modernidad tardía es que ha generalizado, a escala planetaria, el estado de escisión y desarraigo que, en sus comienzos coloniales, había forzado sobre los otros de la expansión europea (y que el capitalismo, en su fase neoliberal, sigue forzando sobre la mayoría de la humanidad en las zonas de excepción donde se funda y desfonda el régimen imperante de acumulación). Sin embargo, la escisión esquizofrénica, que el colonialismo había reservado para las máquinas necropolíticas de encomienda y plantación –escisión de la persona entre cuerpo y cosa y entre la lengua, creencias e historicidad de origen y el espacio-tiempo fantasmal de muerte-en-vida (Mbembe, 2003: 21-22)–, pareciera haberse vuelto hoy la forma generalizada de subjetivación, aunque experimentada en forma y grado vastamente disímil. En el mundo llamado global, como observa Isabelle Stengers, todos estamos «suspendidos entre dos historias» (Stengers, 2015: 17): una, la primera, que continúa informando nuestros actos con su ritmo familiar del noticiero «y con el índice de crecimiento económico por arco temporal» (Stengers, 2015: 17), a pesar de que ya nadie ignora que es a nivel de la segunda historia –la desconocida o, más bien, la ominosa y siniestra– que serán decididas nuestras vidas y muertes y las de quienes nos suceden. Si alguna vez hablar del tiempo fue un modo de esquivar el terreno espinoso de la política, de indulgar en el *small talk*, hoy preferimos distraernos con las nimiedades de las contiendas electorales antes que enfrentar al *big talk* de la meteorología. Nuestra subjetividad, en otras palabras, se ha fracturado de manera irreparable: en la «primera historia», nos seguimos imaginando (algunos pocos que tenemos la suerte de habitar los enclaves de poder financiero y cultura cosmopolita) como sujetos soberanos de nuestros actos, al mismo tiempo que nos sabemos sujetos, a nivel de la «segunda historia», a una acción sin sujeto. A diferencia de la «primera historia» que había prometido liberarnos de su determinación, ya ni siquiera podemos pensar esa acción como Naturaleza exterior, ajena a nosotros –Naturaleza contra la cual, precisamente, nos habíamos constituido en ese «nosotros», si bien, como nos han recordado Giorgio Agamben y Jacques Derrida, ese nosotros inmediata y continuamente se tenía que fracturar para expulsar de él las vidas que debían recaer hacia ese gran exterior) (Agamben, 2004; Derrida, 2008).

La subjetividad esquizofrénica del capitalismo tardío, sugiere Stengers, requiere hoy un régimen permanente de contención del estado de «pánico frío» que nos asalte a toda hora; disposición que se comprueba notablemente en la aceptación resignada de «mensajes abiertamente contradictorios: "sigan consumiendo, el crecimiento económico depende de ello", pero "¡tengan cuidado con su huella de carbono!"» (Stengers, 2015: 32). Se trata, efectivamente, de una crisis constitucional. Se nos ha vuelto imposible seguir manteniendo la aporética afirmación de, al mismo tiempo, inmanencia y trascendencia de la naturaleza y de la sociedad humana que Bruno Latour ha caracterizado como carta constitucional del orden moderno: «la trascendencia de la Naturaleza no impedirá su inmanencia social», al mismo tiempo que «la inmanencia de lo social no impedirá al Leviatán de permanecer en su trascendencia»

(Latour, 1993: 32). Al quedar expuestas en su carácter esquizofrénico –no gracias al esfuerzo crítico del espíritu humano, por cierto, sino por los efectos al mismo tiempo innegables e irrepresentables del hiperobjeto (Morton, 2013) que hemos tratado de nombrar con términos como antropoceno, capitaloceno o chthuluceno, las bases constitucionales del pensamiento moderno se han tornado inconvincentes (como sostiene Latour, la noción de ser modernos ha dejado hoy de encantarnos). Pero ese desencanto no ha impedido que siga operando el efecto principal de la Constitución moderna, a saber, nuestra imposibilidad de construir un pensamiento híbrido (Escobar, 1999), multiperspectívico o multinaturalista (Viveiros de Castro, 2013: 345-99; 2015: 33-69), capaz de dar cuenta de la «naturalezasociedad» a cuya proliferación esa misma Constitución ha contribuido, al mismo tiempo que reificaba la separación entre sus elementos constitutivos.

En la presencia del hiperobjeto –cuyas características de viscosidad, no-localidad, ondulación temporal, *phasing* e interobjetividad nos obligan hoy a repensar nociones de materialidad y de espacio-tiempo– nos encontramos humillados, literalmente devueltos al *humus* del que nuestro espíritu pretendía alzar vuelo. Para colmo, éste es hoy un suelo móvil, efecto de los cambios de presión sobre las placas tectónicas que resultan del calentamiento de los océanos. Incluso la figura del desastre (*dis-astron*, en la astronomía aristotélica y ptolemaica, refería a una estrella que divergía de su lugar en la mecánica de las esferas cósmicas) ya no alcanza, en su contraste entre la catástrofe singular y un fondo estable, para dar cuenta de nuestro presente («presente» que no es sino una fase o intersección de ondulaciones temporales infinitamente más largas). El «fin del mundo», sugiere Timothy Morton, ya está con nosotros: del mundo como totalidad significante, accesible exclusivamente al espíritu humano –pero «este momento es el comienzo de la historia, el fin del sueño humano de que la realidad es significante únicamente para ellos» (Morton, 2013: 108). En nuestras formas de relacionarnos entre nosotros y con nuestro entorno, concluye, el fin del mundo ha dado curso a «una nueva fase de hipocresía, debilidad y parálisis» (Morton, 2013: 2). Sin embargo, al mismo tiempo en que estos términos denuncian nuestra actitud de cansancio, insinceridad y miedo, propone Morton, deberíamos asumirlas también en sentido positivo y literal, como modalidades de un pensamiento al fin consciente de su incapacidad de síntesis totalizadora (*hipo-cresía* no sería, así, sino el saber paralizante por parte de la crítica, de la propia debilidad). Esto es, deberíamos tomarlas como un primer paso hacia el desensamblaje de la «Constitución» moderna que, una vez expuesto el truco de magia que la sustentaba, continúa operando como mera rutina ya desprovista de persuasión, perpetuando los actos igualmente rutinarios, automáticos o zombiescos, de formas globalizadas de gubernamentalidad que ya no comandan fe alguna que no sea la del pánico a asumir las consecuencias de lo que todos sabemos, del secreto público de la «segunda historia». «La imbecilidad [*bêtise*] –dice Stengers– es lo que queda [del poder pastoral] cuando ya no existe mandato alguno, o sólo subsiste una versión empobrecida de éste, preparando la escena para una humanidad recalcitrante, siempre dispuesta a dejarse seducir y a seguir al primer charlatán que se presente [...] La frase de "yo sé, pero igual" que, para [nuestros guardianes] ha ocupado el lugar del pensamiento, es casi audible, pero, de cierta forma, estamos todos en esta posición» (Stengers, 2015: 118).

¿Pueden las artes ofrecer experiencias y saberes alternativos a esa sobrevida fantasmal de la Constitución moderna y de las formas contemporáneas de gubernamentalidad que, desprovistas ya de mandato teleológico, se van deslizando cada vez más hacia modos de administración punitiva y necropolítica? ¿Puede la experiencia estética proveer hoy un «saber ver» (y un saber tocar, oír, oler) que nos ayude a deshacer el ensamblaje técnico-cognitivo que nos constituyó en sujetos ante un mundo objetivado, al precio de habernos olvidado de las transferencias y agenciamientos que antecedieron y siguen sustentando a esta doble constitución? En este libro propongo la figura del trance como un modo de pensar esa suspensión del juicio –en su aceptación moderna y kantiana– que Morton intenta captar con los conceptos de hipocresía, debilidad y parálisis: trance cuyo umbral ya no es el de un devenir-pueblo, como pensaba Deleuze, o sólo en la medida en que, como dice el poeta argentino Juan L. Ortiz, «el pueblo es la naturaleza» o, más bien, «las cosas naturales y no la naturaleza». El trance del mundo es esa forma de «hacer participar al hombre de lo natural» que Ortiz apunta como el oficio del poeta (Ortiz, 2008: 44-45): esto es, el agotamiento del mundo como fondo u horizonte de la subjetividad, como *res extensa* a disposición del sujeto que se afirma y objetiva en su distinción frente a ella, en cuyo lugar –o más bien, en cuyo vacío– se tornan posibles «nuevas alianzas entre humanos y no humanos por igual» (Morton, 2013: 108). Como dice Ortiz: «Cualquier planta me sugiere la vida de relación que mantiene a su alrededor [...] Nosotros creemos que el ritmo, "la voz", es totalmente nuestra, pero resulta que también es de afuera. Y nuestra seguridad está dependiendo de este ritmo» (Ortiz, 2008: 45).

Trance, entonces, de *la tierra* que emerge en esta experiencia humillante y que nos devuelve del mundo-objeto sometido a la visión soberana del sujeto, al suelo interobjetual de «materialidades vibrantes» que abren paso a una ecología política tendiente a «transformar la división entre sujetos hablantes y objetos mudos en un conjunto de tendencias diferenciales y de capacidades variables» (Bennett, 2010: 108): es éste, a grandes trazos, el relato que me propongo esbozar aquí. Su contexto, su *milieu*, como ya se habrá inferido de los ejemplos que fueron apareciendo en estas páginas, es la modernidad estética latinoamericana, o más precisamente, una serie de constelaciones artísticas entre, aproximadamente, la década de 1920 y el presente. Ahí comprendidas están no sólo las artes plásticas sino también la literatura, el cine y la arquitectura, así como –ocupando un lugar de destaque– las mezclas, interfaces e hibridaciones entre varias de éstas. Es en el proceso estético, justamente –así la contención que quisiera poner a prueba–, donde esta puesta en trance va ocurriendo, en un giro paulatino que va desde la crítica y reformulación del paisaje, tal y como lo legaron a la modernidad estética la tradición colonial y decimonónica de imaginar al Nuevo Mundo, hacia nuevas formas de inscripción y coagencialidad en y con el ambiente no-humano. Éstas, si bien surgen en el contexto anterior de revisión crítica del paisaje *in visu* e *in situ*, también tratan de ir más allá de su «doble artialización» (Roger, 1997: 16) en la que, en Occidente, la experiencia estética había estado condicionada a un retiro previo del cuerpo como órgano de placer –delegado, en cambio, a la mediación especializada y diferencial de los sentidos. Como veremos, ya en las primeras relecturas críticas por parte de las vanguardias, de la producción colonial de naturalezas americanas, surge una conciencia, a veces aguda, de los límites del propio género paisajista, en tanto naturaleza entrevista y retratada (visual o verbalmente) por el viajero y en cuanto armonía natural reinventada en forma de parque o de jardín. Es como si las artes latinoamericanas del siglo XX hubieran querido hacer del sustantivo paisaje un verbo: pero aquí el sujeto de ese paisaje-acción no sería exclusivamente el artífice o el observador de una naturaleza sobre la que se forjan identidades individuales o comunitarias, sino también y, al menos en igual medida, eso que no deja de insistir en hacerse presente: el paisajear del país en y a través de las formas que lo representan.

Eso que nos proponemos bosquejar aquí es, entonces, un proceso de aprendizaje a través de objetos estéticos, de re-conocimiento experimental de un entorno en transformación, que tiene no pocas similitudes con el propio giro crítico cuyas lecturas acompañaron este trabajo. En los últimos veinte años, se sabe, hemos pasado de la revisión crítica, por parte de la historia del arte, la arquitectura y la geografía cultural del paisaje como sitio cultural y político de «despaisamientos» (Lyotard, 1991; Nancy, 2005) y de «re-emplazamientos» (Casey, 2002) –esto es, como lugar simbólico y material de la contienda colonial y moderna por la tierra– a las actuales tentativas antropológicas, historiográficas, estéticas y filosóficas de conceptualizar los ensamblajes «postnaturales» del antropoceno. Nada más sorprendente, entonces, que encontrarme con un viraje semejante en el propio proceso estético del último siglo y que, en muchos aspectos, antecedió por varias décadas al trabajo conceptual que hoy permite nombrarlo: fue este hallazgo de un pensamiento ecológico y político que trabaja por dentro de las formas estéticas el que fue ordenando paulatinamente las partes de este libro. Su recorrido está dividido en dos secciones: los dos primeros capítulos están dedicados a los reensamblajes críticos de la forma paisaje por parte de la literatura, el arte y la arquitectura de las vanguardias modernas entre, aproximadamente, 1920 y 1960; los dos últimos indagan en dos momentos del «giro ambiental» que buscaron transformar el entorno en el propio soporte espacio-temporal del acontecimiento estético. El capítulo bisagra, que hace de puente entre ambas secciones, enfoca sobre las contestaciones formuladas a los proyectos cosmopolitas y urbanos de modernización por parte de la narrativa y la ensayística del regionalismo: zona cultural donde emerge por primera vez una sensibilidad de frontera que contempla, en los espacios de acumulación primitiva (la selva, el desierto, la montaña), una deshumanización que da lugar a novedosas alianzas transespecie que perforan al escudo inmunitario de la modernidad capitalista. Son estas alianzas, mutaciones y contagios –más que la antromorfización de animales y plantas– las que se tornan visibles, por primera vez, en los «cuentos de la selva» de Horacio Quiroga y João Guimarães Rosa, como también en los «cuentos del desierto» de Graciliano Ramos y Juan Rulfo. Es en torno a estas «políticas de la naturaleza» que giran, también, dos grandes narrativas de la modernidad postcolonial: la serie literaria de la «novela de la selva» y la serie testimonial y política de la guerra de guerrillas.

Las secciones que anteceden y siguen a este capítulo central se dedican al mapeo de las dos constelaciones separadas por el clivaje que denuncia el regionalismo –nunca con mayor precisión que en un ensayo de Bernardo Canal Feijóo escrito en 1934: «La destrucción del paisaje» (Canal Feijóo, 1934: 61). El primer capítulo analiza el viaje de la vanguardia como práctica experimental de indagar en un nuevo espacio-tiempo atravesado por la tecnología y que si, por un lado, acerca y yuxtapone la ciudad cosmopolita y los márgenes silvestres dando lugar a nuevas estéticas híbridas, lo hace también de un modo desigual y entrecortado, arrojando una experiencia diferente de la relación naturaleza-técnica en contraste con los centros industriales del Norte. Tras estas primeras lecturas dedicadas a las tranformaciones modernas del paisaje *in visu*, el segundo capítulo aborda la revolución contemporánea del paisaje *in situ* en la modernidad arquitectónica latinoamericana; movimiento que hace del jardín el escenario dramático –performativo y pedagógico– de una novedosa relación entre espacio construido y ambiente. En la segunda parte del libro abordo primero una serie de obras que responden desde la plástica, la arquitectura y la poesía a la «politización del espacio» desencadenada por las guerrillas rurales y urbanas. La experiencia estética se incorpora ahí en su acontecer espacio-temporal, del que ya no se abstrae en la objetualidad discreta de una obra, siendo esa incorporación localizada la que, en distintas coyunturas, será movilizada para prácticas resistentes y exílicas en contextos de lucha armada, dictaduras y guerra fría. En el último capítulo, finalmente, procuro trazar algunas líneas de un «arte postnatural» en el presente: ciertas formas contramonumentales e itinerantes de memoria postdictatorial en el Cono Sur; el giro en algunos cines neorregionalistas hacia el «in-mundo» de vidas precarizadas que abisma las cartografías y paisajes del cine moderno latinoamericano; y las producciones actuales del bio-arte y el eco-arte, las cuales responden hoy al devenir inespecífico de la vida. En esta inespecificidad se vislumbra también la promesa de un entendimiento transespecie, una estética líquida que no es otra, a fin de cuentas, que el trance de la tierra que da título a este libro: la puesta en circulación, el vibrar, de lo sólido.

En rigor, entonces, los ejercicios que siguen no son sino el protocolo, la transcripción, del aprendizaje en el que las propias obras me hicieron participar: aprendizaje de un despaisamiento, de cómo forjar del agotamiento de la forma paisaje un estado de crisis transformadora, un trance. Se objetará que esta observación de un objeto en su proceso de desvanecimiento no puede sino producir un corpus desordenado, incluso aleatorio: una constelación caprichosa de obras que no respeta las historias de sus formas en la particularidad disciplinaria o geográfica de su emergencia y recepción crítica, cuyas conclusiones, por ende, serán condenadas a la tautología o al delirio. Pero estas objecciones, pronunciadas con el tono grave de las «ciencias reales», justamente no pueden decir cómo harían ellas para dar cuenta de un objeto desvaneciente, para nombrar su deslizamiento hacia el hiperobjeto, el in-mundo post-natural: tal cosa no existe porque no es pensable dentro de su grilla categórica. Como proponen Deleuze y Guattari, la demanda de fidelidad a los protocolos y a las divisiones de disciplinas, naciones y archivos siempre «implica la permanencia de un punto de vista fijo, exterior a lo que reproduce» (Deleuze y Guattari, 1980: 461). Contra la *gravitas* de las ciencias reales, aquí hemos preferido la *celeritas* de las ciencias nómades, cuya particularidad consiste en «seguir un flujo en un campo de vectores donde se reparten unas singularidades en forma de "accidentes"» (Deleuze y Guattari, 1980: 461). No ha sido por ligereza ni falta de paciencia que hemos optado por ese modo de análisis, sino por constatar, día tras día, cómo las «ciencias reales», de ser meramente incapaces de contribuir a una ecología política de naturalezas híbridas, se han vuelto hoy un impedimento activo que obstruye la posibilidad de cualquier pensamiento emancipatorio. Por otra parte, cabe agregar que son las propias obras las que, en su manera de asumir activamente la inespecificidad, solicitan de nosotros una lectura que parta del interés intrínseco, de la forma particular en que cada una punza mis hábitos de lectura. *Diletante* no por casualidad viene de *delectare*: entre la ley y el placer, siempre opta por el último.

Viaje accidentado: vanguardia y velocidad

> Após léguas de Sertão
> só o carro vai resvalão
> pois a alma que ele carrega
> se arrasta por paus e pedras.
> João Cabral de Melo Neto, «O automobilista infundioso»

«Al paso del automóvil que embestía violentamente la barrera de bruma», el colombiano Eduardo Caballero Calderón describe, en 1936, un viaje en carretera de Bogotá a la cordillera, «el campo, más allá, parecía inmóvil como una cosa eterna, idéntica a sí misma, mientras la carrera huía velozmente bajo las ruedas, y creaba y destruía en un suceder eterno realidades, recuerdos, sueños, dentro de mí» (Caballero Calderón, 1936: 29). Esa descripción del «placer de dejarme llevar y de abrir anchamente las puertas del sueño» (Caballero Calderón, 1936: 29) ante un entorno que ya no exige atención ni vigilia, capta de un modo nítido el «retroceso del paisaje» que Wolfgang Schivelbusch, en su historia de las transformaciones espacio-temporales en la época de la industrialización europea y norteamericana, aún asocia con el ferrocarril: la intromisión del «conjunto maquinal» entre viajero y entorno. «El viajero –dice Schivelbusch (2000: 28)– percibe el paisaje a través del conjunto maquinal» (rieles y tren, más tarde automóvil y carretera), de manera que el primer plano –la zona donde, en pintura, el paisajismo había resuelto las relaciones entre el objeto de la mirada y su portador– desaparece, borrado por la velocidad del avance. Esa «desaparición del intersticio», ahí donde la imagen negocia su propio límite y donde se plasma como elemento formal de la composición la relación práctica, social, entre el viajero y su entorno, marca una separación tecno-ontológica entre el automovilista y un «paisaje», que éste ya sólo percibe como «espacio panorámico». «Visto así el campo, siempre fugitivo, distinto siempre y siempre semejante, pierde uno no sólo la noción del espacio sino la del tiempo», anota Caballero Calderón. «Hoy no he acabado de gritar: Qué bello árbol!, cuando éste se ha perdido en la lejanía y allanado en la línea suave del horizonte, y su imagen fugaz nada ahora en un mar de nuevas imágenes» (Caballero Calderón, 1936: 34-35). De esa fugacidad de instantáneas en sucesión infinita surge un espacio alisado donde la mirada no encuentra anclaje y el viajero, ávido de experiencias de alteridad, se halla, literalmente, encapsulado en su vehículo: «la superficialidad del paisaje y del pensamiento me vuelven sobre mí mismo...» (Caballero Calderón, 1936: 35).

Máquina de visión, un ojo sin cuerpo en puro éxtasis de velocidad (una cámara), el propio automóvil «parecía muchas veces perseguir simplemente, como lo hacía mi espíritu, puntos de vista» (Caballero Calderón, 1936: 34). Pero ahí donde Calderón, ante la falta de espesor de un espacio exterior que se le entrega con demasiada facilidad, decide enfilar por los «caminos subterráneos» del ensueño y de la memoria, para otros esa visión desencarnada –abstraída del entorno social y de la temporalidad histórica de sus prácticas– encierra por el contrario la promesa de realizar por fin la utopía humboldtiana de un «cuadro natural» [*Naturgemälde*], a la vez sintético y totalizante, que reemplace la «visión inmediata» [*unmittelbare Ansicht*] por la «impresión total» [*Totaleindruck*] de las fuerzas creadoras que subyacen a ésta (Humboldt, 2004: 7, 16). «Estamos volando –un exaltado Alejo Carpentier, exiliado en Venezuela, relata en 1947– sobre el filo de la increíble muralla que ha cerrado el paso a tantos y tantos aventureros, arrancándoles lágrimas de despecho que refrescaron y acrecieron el eterno espejismo del oro» (Carpentier, 2005: 11). El avión no sólo facilita el acceso a los lugares que la geografía misma les había vedado a los conquistadores. Más aún, la visión aérea de esa «América virgen» también intercambia el «espejismo» por el cuadro epifánico: «Nuevos ante un paisaje tan nuevo, tan poco gastado, como pudo serlo para el primer hombre el paisaje del Génesis, prosigue para nosotros la *Revelación de las Formas*» (Carpentier, 2005: 13).

No es difícil adivinar en el relato del viaje en avión a Ciudad Bolívar, como en el siguiente –en automóvil— al paso andino de Mucuchíes, las estaciones de la trama de *Los pasos perdidos*, publicada seis años después, así como la tesitura de «lo real maravilloso americano» cuya primera versión, publicada en el diario *El Nacional*, es de 1948. La «revelación» experimentada por el pasajero de avión no es otra, desde luego, que la de «que, en América, lo fantástico se hacía realidad. Realidad de esta Gran Sabana, que es sencillamente lo fantástico hecho piedra, agua, cielo» (Carpentier, 2005: 27). Pero, a diferencia de las dos versiones posteriores (ambas, no casualmente, relatos de viaje también), aquí esa visión revelatoria y fundacional es aún atribuida a un punto de vista también novedoso, a la tecnología moderna del vuelo: «me veo ante un género de paisaje que "veo por vez primera" [...] un género de paisaje que sólo había intuido en sueños, y del que no existe todavía una descripción verdadera en libro alguno» (Carpentier, 2005: 27-28).

Visión de América no sólo mira hacia atrás a Humboldt sino también hacia delante, a la ciudad-avión de Lúcio Costa dibujada en pleno *cerrado* planaltino apenas diez años después y que, por su parte, dialogaba de un modo consciente con las visiones aéreas consignadas por Le Corbusier en su viaje sudamericano de 1929. Aquello que, para el naturalista deminonónico, todavía era una ficción teórica que exigía un esfuerzo previo de síntesis y abstracción de lo visible, ahora es realizado por el «conjunto maquinal» del que participan no sólo el automóvil, el avión y su engranaje de pistas y carreteras, a través de las cuales espacio y tiempo se comprimen. También es integrado por una escritura que transcribe esa «exaltación de un impulso visual y gnóstico» (De Certeau, 1990: 140) y así textualiza a la superficie visible que surge de la separación entre observador y cuadro. La velocidad es la clave de esa fusión entre sueño y vigilia, naturaleza y fantasía, precisamente porque disponibiliza, ante el ojo solar del escritor-piloto, una naturaleza virgen lista para recibir las inscripciones fundacionales de lo moderno. Se trata de una naturaleza que ha sido desprovista de historicidad por efecto de la aceleración cognitiva del ensamble maquinal, devuelta a un Tiempo Cero que permite contemplar y moldear otra vez «lo que en otras partes es fósil» (Carpentier, 1971: 213).

Pero si esa temporalidad demiúrgica, inédita y refundacional a la vez, descansa sobre un espacio alisado por la velocidad, el *pathos* tecnológico invocado por las escrituras de Carpentier y de Calderón, en la década de 1930 y aún en la de 1940, remitía más a una ambición que a una realidad. A pesar de que la utopía de integración aérea del territorio nacional y continental ya surgía con las primeras hazañas de Santos Dumont (el primer hombre a pilotear una nave aérea de mayor peso que el aire en 1906), en la práctica, viajar en avión seguía siendo inaccesible para las grandes mayorías a falta de infraestructura y sustento estatal. Aún ahí donde, como en Colombia, empresas aéreas privadas como la Sociedad Colombo-Alemana de Transporte Aéreo, fundada en 1919, debían compensar por la ausencia de rutas transitables, viajar en pequeñas avionetas comerciales por zonas carentes de soporte técnico –pistas, combustible, cobertura de radar– no dejaba de ser una aventura peligrosa, como demuestran, entre otros, los accidentes fatales del Farman F40 de Jacques Jourdanet en Cartagena (1920) y del trimotor Ford con el que se estrelló Carlos Gardel en Medellín (1935) (Velilla Moreno y Upeguy Montoya, 1982: 122-123). No por acaso, la gran épica aereonáutica en la literatura moderna –*Vol de nuit* de Saint-Exupéry, publicada en 1931– narra las hazañas de tres pilotos postales en vuelo hacia Buenos Aires desde Paraguay, Chile y la Patagonia. En 1937, año en que escribía Calderón, Colombia contaba con sólo 11.478 kilómetros de carretera –apenas una fracción de los 208.325 kilómetros que ya poseía Brasil, aunque, en ambos casos, poco más del siete por ciento del total era transitable durante todo el año (Velilla Moreno y Upeguy Montoya, 1982 1982: 131; Wolfe 2010: 96).

La experiencia de (auto)movilidad de la época de las vanguardias latinoamericanas, en las primeras décadas del siglo XX, distaba todavía mucho del éxtasis rutero de un Calderón y, aún más, del goce escópico de un Carpentier aviador. Por cierto, en textos de los treinta y cuarenta ya se percibe una suerte de *despegue* de una «conciencia acelerada», inducida por un conjunto maquinal que se solidifica con el Estado desarrollista –surgido, en parte, en respuesta a las necesidades de mayor integración infraestructural que reclamaban las nuevas tecnologías de locomoción. Pero, en las primeras décadas del siglo, aún predominaba el contraste entre, por un lado, la fascinación técnica y las nuevas experiencias estéticas que prometía el movimiento acelerado y, por el otro, la persistente necesidad de reacomodar el dispositivo a los obstáculos que se le interponían. «El 11 de diciembre, a mediodía, reanudamos la marcha tomando yo la delantera», relata en 1928 el salteño Juan Carlos Dávalos, a bordo de su Ford descapotable, en un informe sobre el primer *raid* Salta-Antofagasta por el paso andino de Huaitiquina,

> pero no anduvimos medio kilómetro cuando empezaron las dificultades. El camino era puro médano. Las ruedas giraban en falso levantando torbellinos de arena. Y como la cuesta de Chorrillos tiene por lo menos una legua de subida, esa legua nos costó el resto del día: medio día de marchar paso a paso, como un hombre que se viese obligado a caminar de rodillas, subiendo pendientes increíbles y teniendo que ser arrastrado cada coche por tres y aun cuatro mulas y con el motor a toda máquina. La noche nos sorprendió todavía lidiando con los médanos en la cumbre de Chorrillos, nuevamente a cuatro mil ochocientos metros sobre el nivel del mar. Soplaba un vientecillo siberiano («Por las montañas. De Salta a Antofogasta», en Dávalos, 1996: tomo 2, 175).

El viaje de la vanguardia, en América Latina, es un viaje accidentado: no sólo por las dificultades que presentan la geografía y el clima para la extensión de redes viales e infraestructuras de soporte al motorista. Estamos también ante un espacio-tiempo *estriado*

(Deleuze y Guattari, 1980: 592-625) por constelaciones locales que –consecuencia de la implementación sólo parcial del conjunto maquinal– no dejan de entrecortar y contrarrestar el alisamiento provocado por la velocidad. Si las vanguardias latinoamericanas efectivamente esbozaron una crítica del proyecto moderno como *telos* universal, a partir de una preocupación con el espacio antes que con el tiempo –como propone Fernando Rosenberg (2006: 2)–, esa crítica también respondía al desafío de negociar en el tiempo entrecortado del viaje accidentado un contra-ritmo, un tiempo narrativo y poético sincopado que diese cuenta de experiencias de no-simultaneidad incompatibles con el éxtasis futurista de la velocidad en Europa y América del Norte.

Aun así, el viaje proporcionaría una vez más un eje narrativo y poético para hilvanar esos deslocamientos, desde «Aviso a los turistas» (1925) de Huidobro hasta *Macunaíma* (1928) de Mário de Andrade, o desde «El tren expreso» (1923) de Girondo a «Viagem de Sabará» de Drummond (1929) y al «Trenzinho do caipira» de Villa-Lobos, estrenado un año después. Todas esas obras evidencian también una novedosa relación con el viajero europeo por parte de su par criollo, en comparación con el antecesor decimonónico de este último (Süssekind, 1990; Prieto, 1996): ahora el antiguo lector y exegeta crítico del naturalista europeo (quien no viajaba sino a través de las páginas que anotaba y reescribía) se ha transformado en un compañero de viaje del *amateur* ambulante, un «turista aprendiz» en diálogo escrito, plástico y sonoro con el compañero a bordo. Y es que, literalmente, transatlánticos, trenes, aviones y automóviles se vuelven ahora ambientes de convivencia entre viajeros nacionales y ultramarinos, zonas de contacto en donde los emisarios de la modernidad central se miden con sus interlocutores sureños, con quienes intercambian modos de mirar, traducir y trasladar lo visto y oído. Más que en los gestos de apropiación, subversión y desafío del ojo imperial que surgen de esta convivencia, me interesa enfocarme aquí en los nuevos espacios y lugares que esta movilización, entrecortada de miradas y palabras, encuentra y a su vez produce. Al mismo tiempo que bosquejo algunos aspectos de la estética sincopada del viaje accidentado, investigo sus intersecciones con nuevas prácticas turísticas que comienzan a divulgarse por esa misma época y que, al disponibilizar para la recreación y el ocio una naturaleza hasta hace poco externa al proyecto moderno, dialogan y a veces entran en tensión con el viaje de la vanguardia.

El paraíso del montaje

Muchos años después, el paciente de Rodez aún recordaría aquel país «lleno de signos, de formas, de efigies naturales, que no parecen de ningún modo nacidos del azar, como si los dioses, que aquí se sienten por todas partes, hubiesen querido significar sus poderes en esos trazos extraños...» (Artaud, 1956: 350). Es a ese «punto neurálgico de la tierra», a ese paisaje oracular –escribe Antonin Artaud en 1947, ya liberado de los asilos– al que había acudido en «mi primer esfuerzo de regresar hacia mí tras siete años de alejamiento y de castración total. Es un envenenado reciente, secuestrado y traumatizado, el que narra esos recuerdos anteriores a su muerte» (Artaud, 1956: 31). El recuerdo –o la fantasía– de revelación extática que el teórico del Teatro de la Crueldad habría experimentado en el norte mexicano durante su viaje de 1936, antes de ser internado en sucesivas clínicas psiquiátricas, es la de una naturaleza-conciencia todavía anterior (o exterior) a la fractura entre la cosa y su signo; naturaleza aún no afectada por *el mal* –la pérdida de la conciencia-cuerpo o conciencia-tierra– que afecta a Europa, un espacio y tiempo en que las formas de la cultura y las siluetas de las rocas aún obedecen a la misma matemática elemental: «La Naturaleza ha producido a los danzantes en su círculo como ella produce el maíz en su círculo y los signos en el bosque» (Artaud, 1956: 64), escribe Artaud sobre el rito del peyote entre los Tarahumara, «en la montaña tarahumara todo habla sino de lo Esencial, de los principios según los cuales se ha formado la Naturaleza; y todo vive sino de esos principios: los Hombres, los relámpagos, el viento, el silencio, el sol» (Artaud, 1956: 67). Reencontrarse con las fuerzas elementales que laten por debajo del devenir social y así refundar en el presente «una cultura orgánica», es la misión a la que exhorta Artaud a sus interlocutores mexicanos en los *Mensajes revolucionarios*, «la cultura de un espíritu que no cesa de respirar y que se siente vivo en el espacio» (Artaud, 1971: 40). Es en la naturaleza –y no en la historia que es apenas su expresión exterior, su síntoma– donde se halla la verdadera clave de la Revolución, su sustrato cósmico: quiromancia natural en la que coinciden, en efecto, el disidente surrealista y el máximo artífice de la vanguardia soviética, quien había recorrido el país por esos mismos años. Como *La conquête du Mexique* –bosquejo de un guión cinematográfico que Artaud redactara en 1933, tres años antes del viaje a los desiertos de Chihuahua– también *¡Que viva México!*, la malograda película filmada por Sergei Eisenstein entre finales de 1930 y principios de 1932 y sólo reconstruida parcialmente en 1979 por Grigorii Alexandrov (su antiguo asistente de dirección), es sobre todo la relación de un paisaje-emblema con la ritualística popular e indígena que traduce su mandato en cuerpos y constelaciones, y con la historia que, en proceso cíclico, vuelve eruptivamente a su origen telúrico.

Desde las tomas en contrapicado de las pirámides mayas del «Prólogo» –cuyas estatuas de piedra se yuxtaponen a los perfiles de personas indígenas que salen de entre ellas– y el siguiente rito funerario entrecortado por primeros planos de las figuras esculpidas de dioses mayas y aztecas, el film establece la tesis desarrollada posteriormente en el episodio de «Sandunga» –celebrando los ritos nupciales en el mundo edénico del matriarcado de Tehuantepec– y, más aún, en «Maguey», el capítulo dedicado a la opresión del peonaje rural durante el porfiriato. Si en ambas partes estamos frente a una suerte de cápsula de tiempo en donde las formas naturales anticipan y determinan la interacción humana, es en «Maguey» donde la fatalidad de ese mandato natural (en marcado contraste con el primitivismo utópico de «Sandunga») entra en tensión con la visión dialéctica de la historia que busca construir el film (Salazkina, 2009: 107-110). Ambientado en una hacienda pulquera, «Maguey» relata la tragedia de María, la joven prometida del peón Sebastián, quien, al ser presentada al dueño criollo de la hacienda para aprobación del matrimonio, es raptada y violada por un huésped borracho. Buscando venganza, Sebastián y otros peones son rebatidos y perseguidos por los capataces, acompañados por la hija del estanciero, quien muere en el tiroteo. Cuando María (interpretada por la pintora Isabel Villaseñor) logra escaparse del calabozo donde la tenían encerrada los secuaces del estanciero, ya sólo encuentra entre los magueyes los cadáveres de Sebastián y dos otros jóvenes, enterrados hasta el cuello y brutalmente asesinados por los cascotazos de la caballería pasando por encima de ellos a galope: quebrándose en llanto bajo su manta oscura, ella cae sobre el torso quebrado de su amado, mientras que los dos peones de vestimenta y sombrero blanco que vigilaban la escena bajan la mirada en desesperación y rabia.

El blanco y el negro, referidos a lo masculino y lo femenino y a las pulsiones de vida y muerte, son un elemento plástico presente en todo el episodio, desde las primeras tomas aéreas del casco de hacienda, seguidas por un plano de la nevada cumbre del Popocatepetl en la distancia hacia donde se extienden, como manos, las oscuras hojas puntiagudas de tres magueyes en primer plano. Asociado desde el principio con el retrato del dictador entrevisto poco antes, el nevado aparece nuevamente como fondo enmarcando la secuencia del asesinato de los peones, como una suerte de presencia patriarcal entronizada en el propio paisaje, al mismo tiempo que encuentra un eco visual en la vestimenta clara de los campesinos. La planta, cuyas hojas oscuras y puntiagudas forman contraste con el blanco y lechoso corazón del cactus –que los peones deben penetrar a machetazos para insertarle un tubo de calabaza a fin de extraer el jugo espeso–, remite a una sexualidad fatalmente asociada con la violencia y la muerte, en anticipación simbólica del calvario de María. Efectivamente, en la secuencia en la que la joven es entregada por sus padres a Sebastián, su amado, tanto ella como la madre aparecen enmarcadas en una sucesión de plano-contraplano por una aureola de hojas de maguey, como si éstas fueran brotando de sus mantas oscuras y extendiéndose hacia la figura masculina a su lado, insistiendo así con el motivo de una sexualidad ineludible y mortífera que pende sobre sus cuerpos (Fig. 1.1).

1.1 Eduard Tissé, toma de producción de *Maguey*, Tetlapayac, 1931. En: Sergei Eisenstein, Sol Lesser, *Thunder Over Mexico*. Los Angeles: Principal Distribution Corporation, 1933.

El motivo de la sexualidad como punto de encuentro, de choque violento pero también de encuentro extático entre dos extremos, está presente en los cuatro episodios centrales del film –su dimensión de alegoría histórica quizás más evidente en «Soldadera», el abortado episodio de la Revolución narrada desde la sufrida experiencia de la compañera de sucesivos combatientes de bandos enemigos, que culminaría con la entrada triunfante en la ciudad-capital. «¿Usted no sabe lo que es un sarape?», escribió Eisenstein a Upton Sinclair (su financista perpetuamente angustiado por la falta de un guión y cronograma de filmación) en un esfuerzo por convencerlo de la lógica casi orgánica del material aparentemente inconexo que le venía enviando a Hollywood:

> Un sarape es la manta listada que lleva el indio mexicano, el charro mexicano, todos los mexicanos, en una palabra. Y el sarape podría ser el símbolo de México. Igualmente listadas y de violentos contrastes son las culturas de México, que marchan juntas y, al mismo tiempo, media un abismo de siglos entre ellas. Sería imposible urdir ningún argumento, ninguna historia completa de ese sarape, sin que resultara falsa o artificial. Y así tomamos, como motivo para la construcción de nuestro filme, esa proximidad independiente y contrastante de sus violentos colores: seis episodios que se suceden, diferentes de carácter, de gentes, de animales, de árboles y de flores distintas. Y, sin embargo, unidos entre sí por la unidad de la trama: una construcción rítmica y musical y un despliegue del espíritu y del carácter de los mexicanos (Eisenstein, citado en De la Vega Alfaro, 1998: 24).

Equiparando la mesa de edición con el telar, donde eventualmente encontrarán su estructura rítmica los hilos dispersos del material grabado, Eisenstein también esboza en ese fragmento un arte moderno capaz de hacerse cargo de los violentos contrastes entre lo nuevo y lo arcaico. En los saltos temporales entre eslabones históricos que coexisten uno al lado del otro, Eisenstein reconoce una estructura ya de por sí fílmica, un montaje ya realizado por el propio país que se le revela al viajero en su desplazamiento de una punta a otra.

Efectivamente, lo más sorprendente de las imágenes grabadas en México por Eisenstein y su equipo, pese a las persistentes incriminaciones de Sinclair, es la rapidez con la que esbozaron una imagen-síntesis del país convulsionado, de paso también inaugurando en México el noticiero de actualidades. Prácticamente desde el momento de su llegada el 8 de diciembre de 1930, los soviéticos no paraban, en palabras del pintor y crítico Adolfo Best Maugard (confidente y «supervisor oficial» de Eisenstein durante su estadía mexicana), de «viajar por millas y millas en avión, o durante horas en carretas de bueyes por rutas resistentes, de pasarse el día avanzando lentamente a lomo de burro; caravanas de hombres y cámaras marchando durante meses en busca de escenarios naturales sobre cumbres nevadas y por selvas repletas de animales salvajes, trabajando por semanas bajo un calor terrible –a fin de hacer el primer relato cinematográfico del país...» (Best Maugard, citado en Karetnikova, 1991: 28). El 14 de enero de 1931, apenas regresados de unas filmaciones en Acapulco y en plena preparación del viaje a Tehuantepec, Eisenstein, Tissé y Alexandrov se enteran del terremoto que acaba de azotar a Oaxaca y gran parte del suroeste del país. Al día siguiente ya han conseguido alquilar un avión hacia la ciudad de Oaxaca, donde permanecen dos días grabando sin parar. De vuelta al D. F. editan el material con premura y estrenan el 23 de enero, en los intervalos de una función de beneficencia para las víctimas del temblor, *Desastre en Oaxaca*, corto de 12 minutos y 25 secuencias precedidas por intertítulos (De la Vega Alfaro, 1998: 17-18). El desastre, se jacta Eisenstein en su autobiografía, por poco llegó a extenderse a la propia expedición, al constatar en pleno sobrevuelo del Popocatepetl en su regreso a la ciudad-capital el tanque prácticamente vacío (Karetnikova, 1991: 12). El 31 de enero, ya están nuevamente embarcados rumbo a Oaxaca, donde recorren Tehuantepec, Juchitán, San Mateo del Mar y otras localidades del istmo; regresan a la capital el 4 de marzo y de inmediato, tres días después, parten hacia Mérida, Yucatán, en un trimotor Ford 5 de Mexicana de Aviación, acompañados por los toreros David Liceaga y Paquito Gorráez, quienes protagonizarán el episodio «Fiesta». En abril están en Chichen Itzá filmando los planos del prólogo de las ruinas mayas; de ahí regresan en barco a la capital por el puerto de Veracruz, aprovechando el viaje para tomar unos exteriores con gran cantidad de extras en el pueblo colonial de Izamal. A principios de mayo llegan a Tetlapayac, donde tendrá lugar la accidentada filmación de «Maguey» (retratada en su *nouvelle* «Hacienda» por Katherine Ann Porter, quien, igual que sucesivas oleadas de visitantes y curiosos de la *intelligentzia* capitalina, había presenciado una parte del trabajo). Uno de los jóvenes peones enrolados para representar a los compañeros de Sebastián accidentalmente dispara y mata a su hermana con la pistola prestada por Tissé, llegando a ser perseguido por las tierras de la hacienda y golpeado como después en la secuencia del film; el actor protagonista casi muere de una fractura craneal al filmarse la secuencia de la ejecución. En agosto los rusos viajan a la ciudad de México para comenzar la filmación de las secuencias finales del *Día de los Muertos*, luego añadiendo material documental el propio 1 y 2 de noviembre. Regresan a Tetlapayac en septiembre para grabar algunas tomas adicionales. Octubre y noviembre, en medio de crecientes conflictos con Sinclair y su apoderado Hunter Kimbrough y con el régimen estalinista que lo acusa de deserción, Eisenstein y su equipo graban al presidente Ortiz y, en comisión especial, filman el «Desfile atlético del 20 de diciembre» sobre el que estrenan documental a los pocos días en el cine Palacio. En medio del vaivén, Eisenstein todavía debe negociar frenéticamente en varios frentes, tratando de conseguir fondos y permiso de sus referentes estadounidenses y soviéticos para filmar «Soldadera», el último episodio. El 12 de febrero de 1932, la batalla se da por perdida y todo el equipo se embarca, en automóvil, hacia la frontera en Laredo (donde los soviéticos son detenidos durante varios días por la aduana estadounidense, plazo que aprovecha Eisenstein, en un último intento desesperado, para tratar de convencer a las autoridades mexicanas que requisaran el material, declarándolo de interés nacional e impidiendo su uso y comercialización por Sinclair).

¡Que viva México! no registra ese movimiento frenético salvo oblicuamente y en contados momentos. Pero se manifiesta, en cambio, en la extrema compresión del montaje de atracciones

–sobre todo en el prólogo y epílogo– y en la propia composición de muchas tomas donde predominan los picados, contrapicados y el uso del primer plano para resaltar elementos plásticos de valor simbólico y para aplanar el espacio de la imagen; organización visual que ya anticipa algunas de las más famosas tomas del primer *Iván el Terrible* (1945). En ese México tensado entre lo arcaico y lo moderno, en su «dualidad de atracciones» entre la «sencillez monumental y el barroco desenfrenado (en todos sus aspectos, español y azteca)», Eisenstein encontraba «en una suerte de proyección exterior de todas las líneas y rasgos individuales que llevaba y llevo conmigo como en un ovillo» (Eisenstein, 1984: t. I, 491). Pero el ritmo compositivo de su film también traduce el punto de vista móvil del viajero moderno, quien observa el objeto desde una variedad de ángulos en sucesión y en rápido contraste con otros elementos que captan su mirada: ese México multitemporal, de velocidad revolucionaria y petrificación arcaica, que atrae en los veinte y treinta a un vasto elenco de intelectuales y artistas, es también expresión del viaje accidentado que fue su condición de posibilidad. El film transcribe la alternación entre aceleración y estancamiento que muchas veces (como durante las lluvias en Tetlapayac que condenaban al equipo a semanas de inacción) llevaban el rodaje al borde del fracaso. Más allá de si, efectivamente, la «película maldita» de Eisenstein haya revelado al cine mexicano de la primera década sonora, como sugiere Inga Karetnikova (1991: 29), los paisajes más expresivos y su encuadre, lo cierto es que la figura del viajero artístico de vanguardia que encarnaba el cineasta surtía efectos profundos en ambientes intelectuales y artísticos de toda América Latina. El huésped extranjero solicitaba y autorizaba el giro hacia el país interior –hacia lo arcaico, provinciano y popular– tramado muchas veces desde París o Nueva York, donde los jóvenes latinoamericanos se veían interrogados con curiosidad sobre tierras «primitivas» apenas entrevistas hasta entonces.

Brasil redescubierto

De ese recorte de distancias, gracias a las nuevas tecnologías de transporte y comunicación, surgieron también nuevas geografías intelectuales y estéticas: nuevas formas de aliar y de amistarse entre viajeros del Sur y del Norte, un «pacto turístico» que apenas irónicamente alude al pasado colonial. «Una tarde, hacia octubre de 1929, caminábamos juntos por Palermo», le recuerda Victoria Ocampo a Waldo Frank en la carta que abre el primer número de *Sur*. «Entonces, por primera vez, el nombre de esta revista –que no tenía nombre– fue pronunciado». Revista, asegura ella, que le había exigido el amigo del Norte, una y otra vez, pese a su «resistencia pasiva», de esas «que acaban con la tenacidad inglesa en la India»: «Llegó el día de su partida. Todavía no me había inclinado usted hacia ninguna decisión definitiva. Pero me había llenado, en cambio, de inquietudes, de escrúpulos, de proyectos. Esto era el alba de su triunfo. Le prometí ir a continuar el debate en Nueva York». Pero todavía a esta revista que, de ahí en adelante, «será el lugar constante de nuestro encuentro», le hace falta una última confirmación, antes de poder escribir su nombre, el mismo, desde luego, que ya fuera pronunciado aquella vez, al caminar por los jardines de Palermo: «Fue escogido por teléfono, a través del Océano. Por lo visto todo el Atlántico se necesitaba para ese bautismo [...] Entonces llamé por teléfono a Ortega, en España. Esas gentes tienen costumbre de bautizarnos... Así, Ortega no vaciló y, entre los nombres enumerados, sintió enseguida una preferencia: *SUR*, me gritaba desde Madrid» (Ocampo, 1931a: 7, 9, 14).

Desde luego, *Sur* ya era una suerte de desenlace del periplo de viajes cruzados, desde las visitas del propio Ortega y otros invitados del Centenario y los *tours* españoles de Borges y Girondo, hasta el celebrado viaje porteño de Marinetti en 1926, y el «regreso transtelúrico» –en la expresión de David Viñas (1982: 65)– de Güiraldes, cuyo *Don Segundo Sombra* se publicó ese mismo año. Gestada entre viajeros y entre viajes en direcciones contrarias, *Sur* giraba en torno de una constelación cosmopolita articulada por su directora-empresaria y los desplazamientos de ésta: expresaba el variado círculo «de los amigos que están en mi torno y en quienes tengo confianza» (Ocampo, 1931a: 14). El complicado ritual de bautismo que ese entre-lugar exige (antes que nada, para que no se le confunda con un denominador geográfico) involucra viajes de un hemisferio a otro y comunicaciones de larga distancia; operaciones de traslado y de traducción cultural que recuerdan a otras, quizás aún más intensas, acontecidas unos años antes entre París y San Pablo, en torno al poeta franco-suizo Blaise Cendrars y un grupo de jóvenes paulistas nucleados alrededor del ensayista y latifundista cafetero Paulo Prado. El recorrido colectivo del interior minero y el carnaval carioca emprendido por el pequeño grupo en 1924 marcaron un verdadero hito fundacional de la modernidad estética brasileña. La figura del antropófago, conceptualizada en 1928 por Oswald de Andrade –quien había procurado al autor de *Poèmes élastiques* en París en mayo de 1923, acompañado por su pareja, la pintora Tarsila do Amaral– es apenas otra modalidad, menos tilinga y más agresiva, de referirse a esa convivencia entre viajeros artísticos a la que también alude *Sur*: su inspiración, según la propia Tarsila, probablemente se remontara a un encuentro acontecido en Tiradentes, durante el viaje compartido a Minas Gerais, con un prisionero que se vanagloriaba de haber comido el corazón de su víctima, historia referida con entusiasmo por Cendrars en «Éloge de la vie dangereuse» (Amaral, 1997: 67-68).

Por invitación de Prado, Cendrars se embarca a Santos en enero de 1924, arribando a San Pablo a comienzos del mes siguiente. El 21 de febrero expone en el Conservatorio Dramático y Musical sobre «La nueva poesía francesa», charla seguida el 12 de junio por otra sobre pintura actual (con exposición de cuadros de Léger, Delaunay y Gleizes en posesión de Tarsila, Paulo Prado y Olívia Guedes Penteado, así como de obras de Lasar Segall y de la propia Tarsila) y una conferencia sobre «A litteratura negra» en Villa Kyrial, el salón literario regenteado por José de Freitas Vale, el 28 de mayo[5]. El 1 de marzo, corregidas y enviadas a París las pruebas de *Kodak*, su primer volumen de poemas «documentales», Cendrars viaja a Río en compañía de Tarsila, Oswald y Dona Olívia para presenciar el carnaval. Ese mismo mes el *Correio da Manhã* publica «Manifesto Pau-Brasil» de Oswald, inspirado, según dice el texto, en «una sugerencia de Blaise Cendrars: –Tenéis las locomotoras llenas, vais a partir» (Andrade, 1990: 66).

Volviendo a San Pablo, Cendrars anuncia a René Hilsum, su colaborador en la editorial Au Sans Pareil en París, un libro de poesías en cinco volúmenes, titulado *Feuilles de route* e ilustrado por Tarsila. El 1 de abril envía los primeros textos y dibujos a la vuelta de una pequeña excursión en automóvil a las *fazendas* São Martinho y Morro Azul, en el interior paulista. Allí también conoce a Luís Bueno de Miranda, dueño de Morro Azul: astrónomo, devoto de Sarah Bernhardt y descubridor –según su propia afirmación– de la Torre Eiffel celestial, a quien Cendrars dedicará el relato más largo de *Le lotissement du ciel* (1942). El 16 de abril, nuevamente acompañado por D. Olívia y Tarsila, así como por René Thiollier, Mário de Andrade, Oswald y su hijo Nonê, Cendrars llega a São João del Rei, Minas Gerais, visitando en los quince días siguientes las antiguas ciudades de Mariana, Ouro Preto, Divinópolis, Sabará y Congonhas, donde los profetas y el grupo de figuras de la Pasión del Aleijadinho en el Santuário do Bom Jesús de Matosinhos dejan una profunda impresión sobre el grupo. Al mes siguiente, Cendrars solicita bibliografía al gobierno de Minas para preparar una gran novela histórica sobre el escultor y arquitecto barroco, al tiempo que redacta los estatutos de la Sociedad de Amigos de los Monumentos Históricos del Brasil –dirigida por Oswald, Paulo Prado y D. Olívia, que el grupo resuelve fundar a su regreso–, impresionado por el estado de abandono de las antiguas ciudades mineras.

[5] Sobre las actividades de Cendrars en Brasil y sus contactos con viajeros brasileños en Francia, véase la cronología preparada por Alexandre Eulálio y Carlos Augusto Calil, en Eulálio, 2001: 268-364.

De nuevo en San Pablo, pocos días antes que lo sorprenda el levantamiento armado del general Isidoro Dias Lopes –llevándolo a refugiarse con Paulo y Marinette Prado en la *fazenda* que ellos poseen en Santa Cruz das Palmeiras–, Cendrars había empezado a trabajar en el guión de «una gran película de propaganda por el Brasil»; proyecto para el que se habría barajado, todavía desde París durante los preparativos del viaje, un guión de Oswald con el poeta suizo dirigiendo el rodaje y Paulo Prado encargado de la producción[6]. Al haberse reestablecido el orden, Cendrars vuelve unas semanas a San Pablo antes de embarcarse rumbo a Cherbourg el 19 de agosto. A bordo del buque *Gelria* bosqueja el esquema de *Le Brésil*, libro que contaría, además del propio viaje a San Pablo, Río y Minas, la colonización del país, con otros capítulos dedicados a «la cuisine; la musique; la vie dans une fazenda; les nègres; voyage à l'intérieur, les indiens; les arts; le cinéma; les églises; arts populaires; aventuriers [...]; les églises de Minas» (Eulálio, 2001: 289). El proyecto (como el film) nunca verá la luz pero en diciembre de 1924, hospedado en la casa del poeta en Tremblay, Oswald recibe de la mano de éste el primer ejemplar de *Feuilles de route*; obsequio retribuido en agosto del año siguiente por uno de *Pau-Brasil*, publicado por la Au Sans Pareil y asimismo ilustrado por Tarsila (a quien, en billete a París desde la casa de campo de Cendrars, Oswald había pedido casamiento poco antes). La dedicatoria rezaba: «A Blaise Cendrars, por ocasião da descoberta do Brasil».

Como el viaje eisensteiniano a México unos años después –cuya visión del país se forjó en contacto estrecho no sólo con Rivera y con la vanguardia plástica nacional sino, además, con la colonia de artistas e intelectuales extranjeros–, también el de Cendrars a Brasil desencadenó una proliferación poética y plástica, reanudada en los viajes siguientes de 1926 y 1927-28, una corriente infinita de visitantes tropicales a París y Tremblay y un intercambio epistolar mantenido durante toda la vida del poeta.

[6] Así lo afirmaba Oswald en carta a Mário de Andrade, refiriéndose a un inminente viaje cinematográfico de Cendrars. Véase Pires da Silva, 2009: 34.

Oswald y Tarsila, sobre todo, desde aquel primer encuentro en la rue du Mont-Doré en 1923, formaban el núcleo de esa conversación artística móvil que se desplazaba, al decir de Lourival Gomes Machado, en «el itinerario doble de los navíos que van a Le Havre y de los trenes que conducen a Ouro Preto» (Machado, 1946: 104). Como elenco secundario figuran Paulo Prado –amigo íntimo de por vida, en cuya casa en Higienópolis Cendrars solía reunirse con sus amigos paulistas– y los compañeros del viaje de descubrimiento a Minas, sobre todo Mário de Andrade y René Thuillier (quienes escribirán un largo poema y un relato dedicados a la experiencia: «Nocturno de Belo Horizonte» y «De São Paulo a São João del Rei»). De la adopción del punto de vista itinerante de su huésped por parte de los jóvenes paulistas surge así una novedosa puesta en valor de lo propio-ajeno, de enormes consecuencias artísticas e incluso políticas, como demostrará la patrimonialización de Ouro Preto en 1933, a escasos años de haberse fundado la Sociedad de Monumentos. «Cendrars ha descubierto, pues, a América –escribirá W. Mayr al regreso del poeta a París en el *Journal Littéraire*– la América del Sur, y el Brasil en particular [...] Mejor aún: él ha hecho descubrir el Brasil a un número de brasileños que lo desconocían» («Chez Blaise Cendrars», *Le Journal Littéraire*, Paris, 3 janvier de 1925, citado en Amaral 1997: 16). Pero como insiste Haroldo de Campos, antes que una relación entre el maestro metropolitano y sus discípulos provincianos, el viaje compartido incitaba una transferencia de saberes e inspiraciones en ambas direcciones que, si a los brasileños les abría la posibilidad de colocarse en la distancia y fugacidad de una mirada turística que desfamiliarizaba los paisajes recorridos, a Cendrars le permitía traspasar la mera visión de superficie y dotar de densidad antropológica a sus *kódaks*: «Cendrars descubrió el Brasil de la mano de Oswald y de sus compañeros modernistas, como un momento nuevo, excitante, en su itinerario de peregrino sensible en busca de la pureza salvaje» (Campos, «Uma poética da radicalidade», en Andrade, 1990: 34).

Hay, no obstante, diferentes acentos y modulaciones de este lenguaje plástico-poético forjado *en route*. Ahí donde la poesía de Oswald se ensancha con discursos literarios e históricos convocados por alusiones irónicas, la de Cendrars tiende a la inmediatez de la imagen fotográfica; instantáneas que los bosquejos de Tarsila traducen en siluetas elementales de trazo rápido y firme: apenas una línea curva le alcanza para señalar una montaña, una recta vertical con cinco puntos para una palmera, una horizontal para el mar y el horizonte (Fig. 1.2). Poeta de la velocidad y de lo sensorial, Cendrars no procura como Eisenstein o Artaud las sedimentaciones milenarias de culturas precolombinas –hasta el«museo colonial» minero lo antecede apenas por un siglo y lo impresiona menos por lo antiguo que por su caracter de pasado reciente ya desvanecido. «J'adore cette ville –anota en el último de los seis poemas firmados en San Pablo– Ici nulle tradition/ Aucun préjugé» (Adoro esta ciudad/ aquí ninguna tradición/ ningún prejuicio) (Cendrars, 1944: 236). Esa metrópolis de escasa edad se convierte,

1.2 Tarsila do Amaral, «Cidade da Serra – Vitória». Lápiz s. papel, 1925. San Pablo: Instituto de Estudios Brasileños.

para el poeta-viajero, en una respuesta sorprendente a sus plegarias de olvido y *ennui* civilizatorio todavía teñidas, al pasar por las costas africanas, de primitivismo vitalista («Adieu Europe [...]/ Je veux tout oublier ne plus parler tes langues et coucher avec des nègres et des négresses des indiens et des indiennes des animaux des plantes» [Adiós Europa [...]/ Quiero olvidar todo no hablar más tus idiomas y acostarme con negros y negras indios e indias animales plantas] (Cendrars, 1944: 203)). San Pablo, destino del viaje que había empezado en París, la ciudad-luz, no marca aquí el retorno a un tiempo anterior a Occidente, prehistórico y aún en sintonía con la naturaleza y con el cuerpo. Por el contrario, representa su futuro feliz, una nueva primitividad sin memoria, *originalmente moderna* y no constreñida por historia alguna, donde «[s]euls comptent cet appétit furieux cette confiance absolue cet optimisme cette audace ce travail ce labeur cette spéculation qui font construire dix maisons par heure...» [sólo cuentan ese apetito furioso esa confianza absoluta ese optimismo esa audacia ese trabajo esa labor esa especulación que hacen construir diez casas por hora] (Cendrars, 1944: 236). San Pablo es el paraíso de la simultaneidad, superficie virgen para desplegar impresiones sin orden ni jerarquía, tal como, en los apuntes del cuaderno de Tarsila que elige Cendrars para ilustrar el texto, aparecen uno al lado de otro los elementos plásticos aún por ordenarse en cuadro, en paisaje: «Je vois une tranche de l' avenue Sao-Joao/ Trams autos trams/ Trams-trams trams trams» [Veo un trecho de la avenida São João/ trams coches trams/ trams-trams trams trams] (Cendrars, 1944: 236).

La imagen poética moderna busca fundirse con la máquina, que es al mismo tiempo su objeto y su condición de enunciación, su base tecnológica, arrojando un espacio-tiempo alisado por la aceleración perceptiva que, igual que los nuevos medios de transporte, disuelve el mundo material exterior en una extensión de la conciencia replegada sobre sus propios procesos estéticos: «Le rapide fait du 110 à l'heure/ Je ne vois rien» [El rápido va a 110 por hora/ No veo nada] (Cendrars, 1944: 197), anota Cendrars al salir de París. La propia escritura se reconoce como parte de ese ensamblaje maquinal que interrumpe y sabotea cualquier ilusión contemplativa como cuando, a la salida de Le Havre, la máquina de escribir del poeta viajero distrae de sus ensueños a una joven compañera de a bordo: «La bruit de ma machine à écrire l'empêche de mener ce rêve jusqu'au bout/ Ma belle machine à écrire qui sonne au bout de chaque ligne et qui est aussi rapide qu'un jazz/ Ma belle machine à écrire qui m'empêche de rêver à babord comme à tribord...» [El ruido de mi máquina de escribir le impide llevar este sueño hasta el fondo/ Mi bella máquina de escribir que suena al final de cada línea y que es tan rápida como un jazz/ Mi bella máquina de escribir que me impide soñar a babor y a estribor…] (Cendrars, 1944: 200-201). En la materialidad de la letra, ese tiempo-conciencia maquinal se manifiesta por la eliminación de puntuación: sólo la versificación (el corte entre una línea y la próxima) y la prosodia interna de la frase le imponen un ritmo y una acentuación melódica a la corriente de elementos igualados en un mismo plano-movimiento indiferenciado.

Viaje poético, transposición lírica de la experiencia de exteriorización del yo, el texto de Cendrars va a contramano de lo que Gonzalo Aguilar (2009: 173) señala como la característica principal del viaje de vanguardia, la compresión del «espacio [que] se transforma en el intervalo –cada vez menor– entre una ciudad y otra […] Ciudades y tecnología, continuidad en el espacio y ruptura en el tiempo: nuevos puntos de partida para las prácticas artísticas y culturales». *Feuilles de route* no es sino una poesía de ese intervalo, un canto de ese movimiento eliminador del espacio pero que aquí ocupa prácticamente todo el espacio poético: «Une heure de taxi le long de la plage/ Vitesse klaxons présentations rires…» [Una hora de taxi a lo largo de la plata/ Velocidad bocinas introducciones risas…]; «Nous faisons encore un tour en auto avant de prendre le train/ Nous traversons des bananeraies poussiéreuses/ Les abattoirs puants…» [Hacemos todavía una gira en auto antes de tomar el tren/ atravesamos bananales polvorientos/ los mataderos apestosos]

(Cendrars, 1944: 220, 226). La belleza tropical estriba para Cendrars precisamente en esa fusión violenta entre los ritmos «elementales» de la maquina y la naturaleza, emblematizada por los postes telegráficos de la línea Santos-San Pablo que, en menos de tres meses, ya han echado raíces y empezado a brotar. En su fuerza expresiva y elemental, la naturaleza tropical es *ya moderna* antes de su re-conocimiento por una plástica poética de rápidos trazos: «La terre est rouge/ Le ciel est bleu [...] La forêt a un visage d'indien...» [La tierra es roja/ El cielo es azul [...] El bosque tiene cara de indio] (Cendrars, 1944: 228). Naturaleza que, como los afiches y la arquitectura de las favelas, no provee apenas la materia prima, el «contenido» exótico, a la expresión poética, sino que participa de ésta a nivel formal, como las islas de la costa entrevistas desde el buque que son interrogadas por sus propiedades plásticas (proponiendo símiles figurativos que, poco después, serán recogidos por Tarsila en cuadros como *O ovo (Urutu)* [1928] *o Floresta* [1929]): «La côte du Brésil est semée d'ilôts ronds nus [...] On dirait des oeufs bigarrés qu'un gigantesque oiseau a laissé choir/ Ou des fientes volcaniques / Ou des sphingtéas de vautour...» [La costa del Brasil está sembrada de islotes redondos desnudos [...] Se diría que son los huevos variopintos que un pájaro gigantesco ha dejado caer/ O heces volcánicas/ O esfinges de buitre] (Cendrars, 1944: 217).

Es ahí donde la poesía de Oswald, en *Pau-Brasil*, se aleja de la de Cendrars, con la que comparte la forma del cuaderno poético y el montaje discontinuo de elementos plásticos, apenas separados por el encabalgamiento entre líneas carentes de puntuación –sobre todo en «Roteiro das Minas» y «Lóide Brasileiro», las dos secciones que narran, respectivamente, el periplo minero de 1924 y un viaje transatlántico de regreso a Santos. Pero ahí donde, para Cendrars, esa visión sintética busca captar al mundo exterior en su inmediatez relampagueante, en Oswald esa postal turística exige un trabajo previo de desfamiliarización para poder proceder, en la expresión de Décio Pignatari, a la (re)posesión del objeto enfocado. Hay una carga de conocimiento previo que debe ser exorcizada para despojar la imagen de capas de sentido que, no obstante, siguen ahí presentes bajo forma de desmentida irónica: un «realismo auto-expositivo» construido a partir de la «sátira continua del propio verso»; una «poesía de la posesión en contra de la propiedad» (Pignatari, citado en Andrade, 1990: 26). «Convite», el primer poema del itinerario minero, resume bien ese montaje de atracciones poético que convoca no meras superficies visuales expuestas al ojo de la cámara, sino un conjunto de sentidos histórico-geográficos que esta imagen desmonta críticamente al yuxtaponerlos:

> **São João del Rei**
> La fachada del Carmo
> La iglesia blanca de San Francisco
> Las colinas
> El arroyo del Leñador
>
> Id a São João del Rei
> De tren
> Como los paulistas fueron
> A pasos de hierro
>
> (Andrade, 1990: 127)[7]

Hay también, anticipándose a algunos de los poemas que Mário de Andrade publicara en *Clã do jabuti* unos años después, el puro goce de la musicalidad del idioma popular homenajeada desde el manifiesto-prólogo, como en la imagen sonora del canto de los pájaros silvestres formada por sus nombres vulgares: «Codorna tucano perdiz araponga/ jacu nhambu juriti» (Andrade, 1990: 128). No deja de ser nunca «poesía documental», poesía-kódak calcada sobre el ritmo mismo del viaje ferroviario, como en el bellísimo «Longo da linha» que parece responder directamente a «Îles», el poema de *Feuilles de route* que Cendrars publicara en abril de 1924

[7] «A fachada do Carmo/ A igreja branca de São Francisco/ Os morros/ O córrego do Lenheiro// Ide a São João del Rei/ De trem/ Como os paulistas foram/ A pé de ferro».

en la revista *Novíssima*: «Coqueiros/ Aos dois/ Aos três/ Aos grupos/ Altos/ Baixos' [Palmeras/ De a dos/ A tres/ En grupos/ Altas/ Bajas» (Andrade, 1990: 132). No obstante, la escritura de Oswald está simultáneamente envuelta en una tensa y polémica política de la lengua que oscila, por un lado, entre la sarcástica reescritura de Gonçalves Dias o de los «Anúncios de São Paulo» –redactados por la Secretaría de Agricultura–, y el *pathos* de la invocación de los paisajes de Lagoa Santa o de Sabará y, por otro, entre la compresión sintética del *poème-blague* y la transcripción de letreros, menús de vagón-restaurante, fichas de biblioteca o indicaciones de camino encontradas al paso. El *ready-made* oswaldiano, como propone Haroldo de Campos, está compuesto de dos vertientes, «la *destructiva*, de-sacralizante, y la *constructiva*, que re-articula los materiales previamente desjerarquizados [...] El *ready-made* contiene al mismo tiempo elementos de destrucción y de construcción, de desorden y de orden nuevo» (Campos en Andrade, 1990: 24-25). Poesía, anota Oswald, es «a descoberta/ Das coisas que eu nunca vi» [el descubrimiento/ De las cosas que nunca vi]: es un modo verbal de exploración, «poesia bandeirante» que encuentra, por tanto, en el viaje por el espacio urbano, nacional e intercontinental un símil de sus propias operaciones hacia el interior de la lengua. «Poesía de exportación», como declara el «Manifesto Pau-Brasil», de apertura hacia los lenguajes cosmopolitas de vanguardia al hacer el levantamiento de la materia prima nacional; la producción lírica y programática de Oswald en la década del veinte puntualiza y reflexiona mejor que cualquier otra sobre la íntima relación del modernismo paulista con el *boom* cafetero que, como apuntó Sérgio Miceli (1979: 14), abrió espacios de experimentación blindados de las presiones del mercado, gracias al mecenazgo por parte del latifundio cafetero. Así como «el tren divide al Brasil/ Como un meridiano», también la cartografía poética de *Pau-Brasil* des- y reterritorializa al país con el arco de tensión San Pablo-Ouro Preto/Congonhas, proporcionando el nuevo eje giratorio de un relato cultural no sólo des- sino también (re) sacralizador –notoriamente en el poema «Ocaso», donde «No anfiteatro de montanhas/ os profetas do Aleijadinho/ monumentalizam a paisagem» [en el anfiteatro de las montañas/ los profetas del Aleijadinho/ monumentalizan el paisaje] (Andrade, 1990: 135-36).

El espacio-tiempo «accidentado» que Tarsila, Oswald y Cendrars van forjando en su diálogo plástico-poético de 1924 no remite así a la avería técnica, al colapso del «conjunto maquinal», a pesar de que Cendrars, en las estrofas de «Sud-Américaines» y aún más en los relatos en prosa de los cuarenta y cincuenta en los que vuelve sobre sus experiencias brasileñas de los veinte, se jactará extensamente de sus peligrosas hazañas de automovilista-pionero. Pero en *Feuilles de route* y en *Pau-Brasil*, antes que la ruptura violenta del flujo de percepciones brindado por la velocidad, se trata de su intersección con temporalidades otras, condensando intensidades locales que la mirada móvil no sólo capta sino que también se deja captar por ellas en una suerte de contra-ritmo gozoso, abandonándose a la contemplación de unas cabras pastando al lado de las rieles, o a la escucha de relatos pueblerinos de crímenes pasionales. Como en las tintilaciones de una cinta de cine mudo, el viaje poético del descubrimiento de Brasil no es éxtasis del movimiento continuo, sino secuencia relampagueante de aceleración y quietud, de partidas y de altos en el camino.

Historias de accidentes

La declaración de Ouro Preto como patrimonio artístico nacional en 1933 y la de Diamantina, São João del Rei, Tiradentes y Mariana en 1938 (un año después de la creación del Servício do Patrimônio Histórico e Artístico Nacional, cuyo anteproyecto había sido redactado por Mário de Andrade), como también la extensión de la red iniciada bajo el gobierno federal de Washington Luís (1926-1930), hablan de la estrecha relación, en las décadas del veinte y el treinta, entre las prácticas artísticas de viaje y revalorización de la cultura material, plástica y sonora nacional con

1.3 Erich Hess, «Ouro Preto». Fotografía, 1939. Archivo de IPHAN, Río de Janeiro. Nótese en la parte central de la imagen el recientemente terminado Grande Hotel de Oscar Niemeyer.

un emergente Estado emprendedor y con una industria turística –aliada, por su parte, con petroleras y con la industria automotriz. La automovilidad, promovida por esos distintos actores como alternativa a la tecnología linear y arborescente de la red ferroviaria, prometía abrir al conductor individual acceso a un campo abierto de nexos y destinos poniendo al alcance de la máquina los espacios y tiempos aún no alcanzados por la red ferroviaria. El automóvil, como herramienta de desplazamiento y percepción móvil del entorno, ponía así al alcance lo no-moderno, proporcionando la base tecnológica para la yuxtaposición de tiempos no-simultáneos sobre un mismo plano de representación que caracterizaba las estéticas modernas de vanguardia en Latinoamérica.

El Grande Hotel de Ouro Preto, proyectado por Niemeyer en 1938 y construido entre 1940 y 1944, no hace más que emplazar materialmente, *in situ*, esa reapreciación del pasado a la luz de la modernidad técnica (Fig. 1.3). En su combinación audaz entre citas de elementos barrocos –el tejado, el *piano nobile* de la recepción y cafetería, y la rampa curva en diálogo con las escaleras del Palacio Gubernamental al frente– con un lenguaje geométrico funcionalista, que revisita los diseños del Ministerio de Educación y Salud carioca y del Pabellón de la Exposición Universal de Nueva York de 1939, el Grande Hotel transcribe material y ediliciamente un pasado reapreciado gracias a la tecnología. Es así como, en su defensa del proyecto, Lúcio Costa identifica al automóvil y al hotel moderno como dos partes complementarias del patrimonio histórico rescatado y puesto en valor para su disfrute turístico:

> De la misma manera en que el automóvil de última generación recorre las veredas de la ciudad-monumento sin causar daño visual alguno a nadie, e incluso colabora en hacer más viva aún la sensación del «pasado», así también la construcción de un hotel moderno de buena arquitectura no perjudicará en nada a Ouro Preto, ni siquiera bajo el aspecto sentimental ya que, al lado de una estructura como ésta, tan leve y nítida, tan niña, si podemos decirlo así, los antiguos techos deslizándose uno sobre el otro, las bellísimas estuquerías de las portadas de S. Francisco y del Carmo, la Casa dos Contos, pesadísima, con esquinas hechas en piedra de la sierra de Itacolomy, todo eso forma parte de ese pequeño pasado tan espeso para nosotros [...] parecerá mucho más distante, ganando al menos un siglo en ancianidad (Costa, citado en Dias Comas, 2005: 172)[8].

La automovilidad vehiculiza, por así decirlo, una configuración novedosa de integración nacional y de dependencia tecnológica que, a partir del papel más activo del Estado exigido por sus requerimientos infraestructurales, también desencadena una producción plástica, literaria y, sobre todo, arquitectónica destinada a

---

[8] «Da mesma forma que o automóvel de último modelo trafega pelas ladeiras da cidade monumento sem causar dano visual nenhum a ninguém, concorrendo mesmo para tornar a sensação de "passado" ainda mais viva, assim também a construção de um hotel moderno, de boa arquitetura, em nada prejudicará Ouro Preto, nem mesmo sob o aspecto turístico sentimental, porque, ao lado de uma estrutura como essa, tão leve e nitida, tão moça, se é que posso dizer assim, os telhados velhos se despencando um sobre o outro, os rendilhados belissimos das portadas de S. Francisco e do Carmo, a Casa dos Contos, pesadona, com cunhais de pedra do Itacolomy, tudo isso que faz parte desse pequeno passado para nós tão espesso [...] parecerá muito mais distante, ganhará mais um século, pelo menos, em vetustez».

1.4 Erich Hess, «Diamantina». Fotografía, década de 1930. Archivo de IPHAN, Río de Janeiro.

nacionalizar, como paisajes patrimoniales, los espacios hacia donde se lanzan las avanzadas turísticas (Fig. 1.4). Como veremos en el capítulo siguiente, el auge de la arquitectura como área de confluencia de contiendas estético-políticas en los treinta y cuarenta también responde a esa necesidad de re-enmarcar las relaciones materiales y simbólicas entre ciudades y campañas, cultura y naturaleza, a la luz de su mutuo acercamiento gracias a la tecnología. Pero no sólo la arquitectura, también la pintura, la fotografía, la poesía y la crónica no son apenas representaciones de ese proceso de compresión espacio-temporal, sino que contribuyen activamente al ensamblaje técnico-cognitivo en el que nuevas formas de percibir y vivenciar espacios y lugares repercuten directamente sobre sus usos. La patrimonialización de la herencia cultural, a la zaga del viaje modernista y la designación de reservas naturales y parques nacionales en las antiguas fronteras selváticas y desérticas, revalorizadas ahora desde lenguajes estéticos, son sólo los ejemplos más marcados de esta multidisciplinaria producción del espacio.

La llegada del automóvil a la región –los primeros modelos aparecen en Brasil y en el Río de la Plata antes de 1900[9]– ponía de relieve las contradicciones entre una modernidad agro-exportadora, oligárquica y latifundista, y un capitalismo industrial que necesitaba abrir nuevos mercados de exportación para absorber su sobreproducción de mercancías. A falta de un suministro organizado de repuestos y de mecánicos con conocimiento técnico (que los primeros propietarios de automóviles solían contratar y traer de Europa y Estados Unidos, junto con las máquinas), hasta aproximadamente principios de la década de 1910, el automovilismo

[9] El primer automóvil importado a la América del Sur, un Peugeot de 3.5 caballos, perteneció a Henrique Santos Dumont, hermano de Alfredo, quien trajo la máquina a San Pablo en su regreso de un viaje a París en 1891. Por esos mismos años, el fabricante de chocolate Álvaro Fernandes da Costa Brava trajo a Río de Janeiro un Benz de 6 caballos y cilindro único, para entrega y promoción de sus bombones. En Argentina, el primer importado fue un Benz Victoria, traído al país en 1895 por Dalmiro Varela Castex (valiéndole a su propietario el apodo de «Señor Cacerola»). Uruguay experimentaba la llegada del primer triciclo motorizado en 1900; en Venezuela, el primer automóvil, un Cadillac Ávila, desembarcó en abril de 1904.

no pasaba de una práctica de ocio y ostentación limitada a un pequeño sector de la élite, confinada además a unas pocas calles pavimentadas de los principales centros urbanos. «El monstruo rodó pesadamente, trepó las calles y chocó los tranvías: sus pasajeros salían gritando. A veces el ruido sugería que iba a reventar», un cronista carioca describía el estreno, en 1897, del Serpollet de ocho caballos que acababa de traer de Francia el periodista José do Patrocínio (Casal Tetlock, 1996: 62). La nómina de automovilistas en esos primeros años incluía a los grandes barones del café, en Brasil, como Francisco Matarazzo, Antônio Prado Júnior y Francisco Leite de Bittencourt Sampaio (portador de la primera licencia nacional de conducir, otorgada en Río en 1903) o al futuro presidente Marcelo T. de Alvear, en Argentina, quien en 1906 participó en la primera carrera de automóviles en el hipódromo de Núñez. En Caracas, el propio dictador Juan Vicente Gómez asistía, en 1913, a la fiesta de inauguración del Automóvil Club de Venezuela, organizada, como informaba la revista *Elite*, por un grupo de «caballeros amantes de los deportes y de las mujeres bonitas» (Bátiz, 2007: 74). Aun así, con las primeras importadoras y garajes que aparecieron poco después de 1900, la tenencia de automóviles como señal de estatus social se extiende rápidamente, poniendo los países latinoamericanos a la par –y en algunos casos incluso por encima– de la media europea: en Argentina, de los nueve importados en 1900 se pasa a 16 en 1901, 28 en 1902 y 62 en 1903; Río de Janeiro sólo cuenta seis automóviles en 1903 y 99 en 1907; San Pablo pasa de cinco en 1901 a 84 en 1904; Montevideo cuenta 59 vehículos en 1905 y 109 en 1906. Hacia finales de la década ya se registra el crecimiento exponencial de las importaciones: Argentina tiene 4.800 unidades en 1910, 75.000 en 1921 y 420.000 en 1931, convirtiéndose no sólo en el país latinoamericano con más automóviles, sino también en el cuarto a nivel mundial entre 1920 y 1930. Uruguay, por esos mismos años, ocupa el tercer lugar en el mundo en cuanto al número de automóviles por cantidad de habitantes. Brasil, entre 1908 y 1920, importa un total de 24.475

unidades, representando el cuarto o quinto mercado de exportación más importante para la industria automotriz estadounidense –superado todavía por México, el segundo país más importante de la región en cuanto al número total de vehículos (Casal Tetlock, 1996: 20, 92; Piglia, 2014: 17; Wolfe, 2010: 16, 26).

La proliferación de automóviles en las primeras décadas del siglo no contaba con una expansión paralela de rutas y redes de soporte. Los primeros automovilistas todavía debían acudir a almacenes y farmacias para comprar combustible en forma enlatada: sólo en 1925, tres años después de dictarse la Ley de Hidrocarburos, los caraqueños disfrutaban de un suministro regular de gasolina gracias a las bombas instaladas en la ciudad por la Standard Oil Company[10]. A partir de los años veinte, con las manufacturadoras estadounidenses apostando fuertemente al mercado latinoamericano, se multiplican las plantas de ensamblaje en la región: en 1920, Ford establece en San Pablo su primera planta ensambladora de partes importadas desde Detroit; General Motors inaugura la suya en Montevideo en 1926, año en el que la marca rival negocia un gigantesco contrato para fabricación de gomas en la región del río Tapajós. Fordlândia, un enclave de un millón de hectáreas en el estado de Pará, en cuya plaza central cerca de tres mil obreros trabajan bajo jurisdicción efectiva de la compañía –que también tiene los derechos exclusivos sobre cualquier yacimiento petrolífero o mineral que se descubriese en su territorio–, representa el primer

[10] En San Pablo, el primer garaje abre sus puertas en 1904, pero hasta la entrada en acción de los primeros automóvil clubes –el Automóvil Club Argentino data de 1904, el Touring Club de 1907; el Automóvel Club do Brasil se crea en Río en 1907, el de San Pablo en 1910, el Automóvil Club de Uruguay en 1918 y el Touring Club Paraguayo en 1927– la asistencia mecánica al conductor no traspasa el umbral de las ciudades capitales. El ACA aún tardará hasta 1927 para inaugurar su primera estación de descanso en Maipú, sobre el camino de Buenos Aires a Mar del Plata, además de una casilla caminera a la altura de Lezama provista de combustible, lubricantes y teléfono para emergencias. Es sólo tras el convenio firmado con YPF en 1936 (que incluye un crédito generoso para construcción de estaciones gasolineras) que el ACA pasa a convertirse de un club social porteño en una institución de alcance nacional, con más de cuarenta mil socios y ochenta estaciones (además de campings y casas de turismo) repartidas por todo el país (Piglia, 2014: 27, 114-115).

intento sistemático de implantación de un polo industrial en la Amazonia. La mayor versatilidad de los modelos estadounidenses en condiciones adversas es rápidamente explotada en campañas publicitarias dirigidas al mercado hemisférico: el Ford Model T, explica en 1908 un aviso del Almacén Americano William H. Phelps, representante exclusivo de la marca en Venezuela, «es más angosto y corto que otros automóviles y por consiguiente mucho más fácil de maniobrar en nuestras angostas calles». Todavía en 1913, la casa Phelps insiste: «Si hay en su localidad malos caminos, éste es el automóvil que necesita. Si tiene que cruzar pasajes arenosos, puede hacerlo en un automóvil Ford» (Bátiz, 2007: 51, 53).

En Brasil, la marca contrata como su estrella publicitaria al Marechal Cândido da Silva Rondon, legendario jefe del cuerpo de ingenieros militares y explorador amazónico, quien en 1926, en un telegrama enviado –según el aviso publicitario– desde Cuiabá, Mato Grosso, a la central paulista de la compañía, asegura haber cubierto los 1.140 kilómetros entre ambos puntos en apenas 43 horas, para concluir: «Considero a Ford uno de los benefactores de la civilización industrial y un socio venerable en la penetración de los sertones del Brasil» (Wolfe, 2010: 71). Otra espada publicitaria de la marca, el novelista y editor Monteiro Lobato, traduce tres libros del propio Henry Ford y en 1926 escribe una serie de artículos celebratorios en *O Jornal,* en apoyo de la concesión amazónica, reunidos ese mismo año en su libro *Como Henry Ford é visto no Brasil.* Las marcas norteamericanas también financiaban una gran muestra de automóviles y construcciones viales en la Exposición del Centenario de Río de Janeiro en 1922, incluyendo la proyección de películas como *The Story of an Automobile* y *An Oil Field Dodge: Automobile Picture.* Para aumentar las ventas en el interior (donde se ofrecían descuentos especiales a personajes de prestigio simbólico como médicos y curas) las marcas norteamericanas implementaban «caravanas de ventas» como los dieciséis Fords de distinto calibre y potencia que recorrían el interior paulista en mayo de 1926, cubriendo 25 ciudades en 43 días. Juan Shaw, representante de la marca en Uruguay, había realizado una gira similar por el interior en 1911 en un Model T, a fin de demostrar la adaptabilidad del vehículo a los precarios caminos orientales. Hitos similares iban a figurar pronto como atracción principal de los salones de automóviles, celebrados regularmente desde 1918, en Argentina, y 1923, en Brasil, en los que se organizaban *raids* y pruebas de resistencia: en 1926, Studebaker auspiciaba una carrera entre Santos y Florianópolis; Hupmobile y Ford hicieron lo propio unos años después para un *raid* San Pablo-Buenos Aires, de más de cinco mil kilómetros de distancia. En el *test de resistencia* del salón paulista de 1929, un Ford Model T se mantuvo en movimiento por 202 horas sin parar (Wolfe, 2010: 76; también Casal Tetlock, 1996: 91; Piglia, 2014: 29, 106).

Los clubes, muchas veces con aportes discretos de las marcas importadoras, eran también los voceros principales de la necesidad de construir redes viales. En la Argentina, el ACA y el TCA intervenían ante las autoridades municipales, provinciales y nacionales a favor de leyes de vialidad y extensión de caminos, con la organización de eventos-faro como el Congreso Nacional de Vialidad, en 1922, y el Congreso Panamericano de Carreteras, en 1925, ambos auspiciados por el TCA, o la Conferencia Nacional de Turismo, realizada por el ACA en 1928 en Alta Gracia, Córdoba[11]. En San Pablo, Washington Luís, al mismo tiempo que ocupaba el cargo de

[11] Los propios clubes se adelantaban en las primeras décadas del siglo a la acción estatal en materia de construcción y señalización de caminos: el TCA, en 1908, se encargaba de la construcción del camino Mar del Plata-Necochea, y en 1910 del camino Avellaneda-La Plata; sólo a partir de mediados de la década, con vehículos de mayor peso y velocidad requiriendo pavimentaciones más estables y costosas, el eje principal se trasladaría de la intervención directa al *lobbying* de autoridades públicas y a la acción promovedora del turismo en automóvil y el *camping*. El ACA, a través de su Oficina Técnico-Topográfica creada en 1922, confeccionaba y distribuía planos y guías de regiones del interior apoyándose en los levantamientos y señalización previamente realizados por el propio club. En la década siguiente, la Oficina de Turismo Nacional del ACA ofrecía a los socios un servicio integral de planificación de sus viajes, incluyendo itinerarios detallados con indicación de atracciones, hoteles y lugares de aprovisionamiento. El TCA haría lo propio con la creación de una Oficina de Tráfico en 1927, ofreciendo a los socios información sobre el estado de las carreteras. Ver Piglia, 2014: 38-44, 56-60, 63-65, 126-127.

prefecto, también se desempeñaba como presidente de la Asociación de Carreteras del Estado (Antônio Prado Júnior, hijo de su predecesor, futuro prefecto carioca y hermano del mecenas del grupo modernista, hacía de tesorero). En esa doble capacidad, jugaba un papel decisivo en la primera mitad de los años veinte en la expansión de la red vial paulista y su interconexión con Minas Gerais y Río de Janeiro: ya en 1916, con trabajadores prisioneros, se había completado la ruta a Santos; el camino San Pablo-Río tardaría aún hasta 1925 debido a postergaciones en la parte carioca de las obras. Para su ascensión presidencial en 1926, Luís hacía cuestión de trasladarse a la capital federal al volante de su propio automóvil, invocando uno de sus lemas centrales: «governar é fazer estradas» (Wolfe 2010: 34).

El «Movimento de Boas Estradas» (inspirado en el *Good Roads Movement* estadounidense) presionaba desde hacía tiempo por la extensión de redes viales hacia el interior. En 1925, la causa ya contaba con sucursales en Pernambuco, Rio Grande do Sul, Mato Grosso, Minas Gerais, Río y San Pablo, además de una revista, *A Estrada de Rodagem*, de circulación nacional. En enero de 1926, con el auspicio de esas asociaciones, gobernadores y funcionarios de varios estados del nordeste se reunían en Recife para celebrar el primer «Congresso de Boas Estradas, Instrução e Saúde Pública», nombre indicativo de la «misión civilizatoria» atribuida a la automovilidad. Es sugerente, cuanto menos, la cercanía de fechas con el primer Congresso Brasileiro de Regionalismo, celebrado en Recife al mes siguiente, cuyo discurso-manifiesto de inauguración, pronunciado por Gilberto Freyre, incluía una encendida defensa de las viejas y estrechas calles nordestinas: «Bien ubicadas, ellas son, entre nosotros, superiores no sólo en lo pintoresco sino también en cuanto a higiene a las calles grandes. Las calles grandes son necesarias, nadie dice que no, debido a las exigencias del tránsito moderno, pero ellas no deben excluir a las estrechas» (Freyre, 1996: 53)[12].

[12] «Bem situadas, são entre nós, superiores não só em pitoresco como em higiene às largas. As ruas largas são necessárias –ninguém diz que não, desde que exigidas pelo tráfego moderno; mais não devem excluir as estreitas».

Efectivamente, gracias a subsidios del programa federal contra las sequías durante la presidencia del paraibense Epitácio Pessoa (1919-1922), la construcción de rutas por fuera de los principales estados cafeteros recibió un primer empujón, para languidecer durante la administración de Arturo Bernardes (1922-1926) y volver a tomar fuerza en la de Washington Luís, con la primera Ley Federal de Carreteras entrando en vigencia en enero de 1927, por la cual las tasas de importación sobre automóviles se destinaban a subsidiar la ampliación vial por parte de los estados (Wolfe, 2010: 37, 51-56). En Venezuela, el primer Plan de Construcción de la Vialidad de 1910 obligaba a cada entidad administrativa a construir y mantener al menos una carretera central pavimentada según el sistema Mac-Adam, con dos capas de piedras picadas aplanadas mediante cilindros de acero. Según Manuel Caballero, además de fomentar el desarrollo económico en el interior, el régimen de Juan Vicente Gómez también buscaba facilitar así «la movilización terrestre de las tropas para que puedan cumplir las funciones de una policía nacional, lista para reprimir los posibles alzamientos» (citado en Bátiz, 2007: 36).

La rápida expansión de la automovilidad conllevaba disputas políticas y culturales por el espacio público, el acceso a los nuevos regímenes de velocidad o su falta, nivelando vertiginosamente la fisonomía social y geográfica de América Latina con una violencia de la cual los frecuentes accidentes eran sólo como la cara más visible. A pesar del intento por parte de las autoridades municipales por reglamentar el tránsito motorizado e imponer límites de velocidad –las primeras normas en San Pablo, decretadas en 1903, preveían un límite general de 40 km/h y, en las zonas céntricas urbanas, de 12 km/h; las de Caracas, en vigencia desde 1908, una velocidad máxima de 10 km/h– éstos raramente eran vigilados por la policía. Aún en 1920 *O Estado de São Paulo* advertía al desdichado peatón sobre los «automóviles innumerables que, haciendo rugir estrepitosamente a los motores desinhibidos, vuelan sobre el asfalto y las calzadas en arremetidas locas y fantásticas, arrojando a la muerte y al desmembramiento las personas y vehículos que intenten cruzar esas avenidas» («Os automóveis», *O Estado de São Paulo,* 4 de diciembre de 1920: 5. Citado en Sevcenko, 1992: 76)[13]. «Los coches raramente se detienen después de haber atropellado un peatón –un diplomático inglés informaba secamente a Londres desde San Pablo– y la policía no parece hacer esfuerzo alguno por identificar los chóferes ni tampoco por prevenir la recurrencia de accidentes similares» (citado en Wolfe, 2010: 41)[14]. En Río de Janeiro, donde el Automóvel Club se había opuesto con éxito a la introducción de límites de velocidad, entre 1908 y 1918 se registraban 20.907 accidentes, de los cuales 279 tenían consecuencias fatales. «Suicida manía de la velocidad», se quejaba, en 1912 en Caracas, el editorialista de *El Cojo Ilustrado*, un año antes del primer accidente fatal en Venezuela: «¡Qué vértigo es ese! A qué objeto devorar sesenta kilómetros por hora, como si tras de nosotros, a todo correr de sus bridones, corrieran los lanceros de Zuazola o Antoñazas! [...] Al tiempo que la terrible máquina nos aligera el paso, nuestros miembros ambulatorios se atrofian» (citado en Bátiz, 2007: 60).

A diferencia de esas voces aisladas, el grueso de la cultura literaria y artística compartía el entusiasmo con que João do Rio saludaba al «automóvil, señor de nuestra época, creador de una vida nueva, caballero encantado de transformación urbana» (citado en Azevedo y Sacchetta, 1989: 14). Revistas asociadas con la modernización cultural como *Fon-Fon* y *Klaxón* no sólo invocaban con sus mismos nombres a la tecnología automovilística para emblematizar su propia arremetida contra la tradición sino que, además, regularmente publicaban piezas literarias y hasta información técnica sobre nuevos hitos del automovilismo. A la par de los nuevos

[13] «... inúmeros automóveis que, rugindo estrepitosamente pelos motores desimpedidos, voam sobre o asfalto ou sobre o calçamento em doídas e fantásticas arremetidas, levando a morte e o desmantelo às pessoas ou veículos que acaso tentem transpor aquelas avenidas».

[14] «Cars rarely stop after knocking down pedestrians, and no effort seems to be made by police either to identify the drivers or to prevent the recurrence of similar accidents».

magazines como *Auto-Propulsão* y *Auto-Sport*, en Brasil, *Motor* y *Automovilismo*, en Argentina, las revistas literarias seguían enfervorecidas las hazañas de los pilotos: en 1908, el conde francés Pierre Lesdain emprendió el primer ascenso del Corcovado a bordo de un Brasier de cuatro cilindros y 16 caballos; en 1908, el mismo Lesdain cubrió la distancia entre Río y San Pablo en un viaje de 34 días plagados de averías y emergencias. En 1905, el mendocino José M. Piquero fue el primero en cruzar los Andes en un Oldsmobile, habiendo hecho el viaje entre Las Cuevas y Santiago en apenas siete días. Entre 1913 y 1916 la periodista y escritora Ada Elflein recorrió la Patagonia argentina y chilena (Becerra, 2012), acompañada por su amiga Mary Kenny, remitiendo sus aventuras a las lectoras de *La Prensa* como «una forma de educación física y moral» por la cual «la mujer extiende sus propios horizontes, adquiere conocimientos geográficos valiosos, comprende y se vincula más al alma nacional y desarrolla energías que son fuerzas vitales, latentes en todas las mujeres condenadas [...] a vivir ovilladas por meses o años, en las ciudades» (Elflein, 1926: 60).

El 12 de septiembre de 1926, acompañado de su esposa, Marthe-Emma, y del mecánico Júlio Kotzent (ambos brasileños de origen germano), Roger Courteville, agregado militar de la Embajada francesa, partió de Río de Janeiro a bordo de su *camionette* Renault de seis ruedas, para llegar a Lima en agosto del año siguiente –en un vehículo que poco se parecía al que había dejado la capital brasileña casi un año antes (Figs. 1.5-1.6). Al cruzar Matto Grosso, en plena *caatinga* se estropeó el motor y sólo la suerte de encontrarse con una patrulla motorizada del ejército salvó al trío de morir de sed. Por cortesía de los militares, Courteville obtiene del Cuartel General en Campo Grande un motor y radiador Ford Model T, y con el híbrido emprende el viaje Corumbá-Santa Cruz de la Sierra, donde un herrero local le fabrica de modo artesanal unos repuestos para engranajes rotos de la máquina. Al comprobar que, aun así, el motor no resiste el cruce de la cordillera, Courteville y Kotzent desarman el vehículo y lo llevan a Tortora sobre el lomo

1.5 Cruce del Matto Grosso. En: Roger Courteville, *La première traversée de l'Amérique du Sud en automobile, de Rio de Janeiro à La Paz et Lima*. París: Plon, 1930.

1.6 «Desmontando el automóvil». En: Roger Courteville, *La première traversée de l'Amérique du Sud en automobile, de Rio de Janeiro à La Paz et Lima*. París: Plon, 1930.

de 38 mulas. Allí, durante el reensamblaje, se parte el chasis y deben reconstruirlo con materiales improvisados por carpinteros locales. Los contratiempos no terminan ahí: en La Paz, en pleno desfile de honor que se ha organizado en bienvenida de los expedicionarios, los frenos del automóvil dejan de funcionar y sólo logran detener el vehículo enfilando hacia la subida más próxima; al llegar a Lima, también se deshace la caja de cambios y Courteville regala los vestigios de la máquina destrozada al presidente peruano, quien ha acudido personalmente a recibirlo.

El automovilista-*gentleman* y la pilota-periodista encarnados en Courteville y Elflein son dos *performances* emblemáticas de una modernidad en pleno proceso de expansión hacia sus propios confines. Es del contraste vertiginoso –y a veces literalmente del choque– con los espacios y tiempos aún no alcanzados plenamente por el conjunto maquinal de donde extraen la tensión, la fuerza vital que alienta sus relatos: la *camionette* de Courteville rodeada de indios bororós posando para la cámara (Fig. 1.7) es un emblema casi tan elocuente de esa «modernidad primitiva» como lo será dos años después el antropófago de Oswald de Andrade. Zona móvil de contacto y corpus tecnográfico donde la bohemia artística se encuentra con los sueños *bricoleurs* de nuevos sectores obreros y pequeñoburgueses; ese otro viaje de vanguardia –el *raid* automovilístico– es también una punta de lanza en la creciente puja por un nuevo tipo de Estado, capaz de hacerse cargo de las obras infraestructurales exigidas por la automovilidad. De ahí el salto que representa la centralización del poder estatal hacia comienzos de la década del treinta, independiente del signo político que la promueve: en Argentina, tras el golpe militar de 1930, la realización de las carreteras troncales Buenos Aires-Rosario-Córdoba y Buenos Aires-Bahía Blanca, hasta entonces empantanada en el Congreso, sube a la cima de la agenda estatal; en Brasil, el gobierno de Vargas duplica entre 1930 y 1938 la extensión de la red vial gracias a

1.7 «Camino a Cuiabá, los indios se interesan por la mecánica». En Courteville. *La première traversée de l' Amérique du Sud en automobile, de Rio de Janeiro à La Paz et Lima.* París: Plon, 1930.

la concentración del financiamiento y supervisión de las obras en manos de la autoridad federal.

Aun así, el alcance limitado y desigual de esta extensión de rutas, de redes de estaciones de combustible y de soporte mecánico impedía a la gran mayoría de automovilistas latinoamericanos experimentar aquella automatización de reacciones de la que hablaba John Steinbeck en la década del cincuenta, remarcando que «casi toda la técnica de manejar está soterrada en una suerte de inconsciente maquinal» dejando a «un área grande de la mente en libertad para el pensamiento» (John Steinbeck, *Travels* (1959), citado en Lackey, 1998: 70-71). A diferencia de la red ferroviaria, el conjunto maquinal del automovilismo requería un marco socioeconómico exterior como el de los propios Estados Unidos, caracterizado por una diseminación del consumo muy por encima de las capacidades de unas sociedades con enormes concentraciones de riqueza. Es así como el automovilismo latinoamericano separa al conductor de su entorno no, como propone Schivelbusch (2000: 52-53) respecto del pasajero de tren europeo, debido a su inmovilización arriba del proyectil de velocidad, desde donde el espacio paisajista deviene un espacio geográfico de pura sucesión abstracta de cuantidades de tamaño, forma, volumen y movimiento; espacio removido del contacto multisensorial que antes mantenía con el caminante y el pasajero de móviles de tracción animal. Más bien, el automovilista y el motoquero latinoamericano no perciben el entorno circundante porque deben concentrar toda su atención sobre el propio camino: «... no estaba en condiciones, en la accidentada ruta, de darle charla al paisaje», como todavía resumirá con ironía el joven Che Guevara, embarcado rumbo a Chile en 1952 (2004: 50).

No sorprende, por tanto, el destaque que en la región se le confiere, entre las distintas modalidades del deporte automovilístico, a las carreras de larga distancia –espectáculo que, en Europa, se había abandonado tempranamente por la proliferación de accidentes, dando prioridad a las pruebas de velocidad en autódromos que servían de campo de experimentación y muestrario de innovación tecnológica a las compañías automotrices. En Latinoamérica, en cambio, prevalecía el énfasis en la *adaptabilidad* de los vehículos a las difíciles condiciones locales así como en la habilidad de los conductores. Como sugiere Melina Piglia (2014: 72), las carreras a distancia «ponían en el centro al piloto y al mecánico "criollos", las ingeniosas innovaciones de los modelos originales, el coraje y la destreza para vencer los obstáculos en competencias en las que los autos terminaban prácticamente destrozados»[15]. En estos *raids* gigantescos se fue construyendo la idea de un estilo nacional sudamericano de conducir (reforzada poco después por las hazañas de Juan Manuel Fangio y Froilán González en los premios europeos de los cuarenta y cincuenta). Frecuentemente, «el piloto nacional es descrito con una exaltación de su inventiva, temple y temeridad. Si en las carreras europeas parecen enfrentarse las máquinas [...], en las carreras locales en carretera se enfrentan los hombres, que ganan gracias al valor, a las maniobras arriesgadas y el ingenio criollo» (Piglia, 2014: 85). Son leyenda el coraje y la viveza de los pilotos-estrella como Raúl Riganti, Antonio Vásquez o Daniel Musso, quien, en el Gran Premio Argentino de 1936, arregla con un trozo de tela su tanque perforado; tres años después,

[15] El Gran Premio del ACA, disputado por primera vez en 1914 (entre Buenos Aires y Rosario: Juan Cassoulet en su DeDion Bouton se impuso ganador en 30 horas y 45 minutos), se corría una vez al año en carreteras de una extensión no menor a los 500 kilómetros; desde 1924 (cuando el itinerario fue de Buenos Aires a Córdoba) se convierte en la competencia más extensa de Sudamérica. En Uruguay, el primer «Raid Internacional de Turismo Montevideo-Punta del Este» data de 1921 (Lorenzo Iruleguy en su Franklin gana con un total de dos horas y 22 minutos); en Brasil, la primera carrera São Paulo-Ribeirão Preto, con ida y vuelta de más de 700 kilómetros, se celebra en 1924. En 1935, el ACA anuncia el primer Gran Premio Internacional, con pruebas de velocidad en Chile (en respuesta a los límites impuestos en Argentina por la Dirección Nacional de Vialidad), en 1940 y 1948 –en apoyo del proyecto de la carretera Panamericana– el club argentino organiza los «Grandes Premios Internacionales de América», el primero con un trayecto Buenos Aires-Lima (pasando por Tucumán, Potosí, La Paz, Arequipa y Nazca), con un total de 9.445 kilómetros, el segundo comprendiendo los tramos Buenos Aires-Caracas (pasando por Santiago del Estero, Salta, Potosí, La Paz, Lima, Guayaquil, Quito, Cali y Bogotá) y Lima-Buenos Aires (vía Tacna, La Serena, Santiago de Chile, Mendoza y Córdoba), extensión total 14.413 kilómetros. Ver Casal Tetlock, 1996: 98-100; Piglia, 2014: 71; Wolfe, 2010: 47.

Fangio introduce en el tablero de su Chevrolet una manguera por la que su copiloto puede verter aceite nuevo sin necesidad de bajarse del auto en marcha, soplando para que llegara al motor. Es esta idea del piloto nacional como jinete motorizado, como domador de la tecnología y la naturaleza al mismo tiempo entre los cuales tiende un puente precario, como autor-escritor del camino más que sólo como su lector-usuario, a la que suscribe el cronista de *La Nación* cuando afirma sobre los corredores del Gran Premio de 1937 que «es generación de la campaña ruda y vigorosa –hecha a penuria de las huellas profundas, de los pantanos, de las asperezas de los caminos secos no conservados, como a los más lisos, en que las obras de arte o el pavimento permiten acelerar sin miedo» (*La Nación,* 1937: 9).

La gran frecuencia de accidentes, por causa del mal estado de los caminos o de animales y transeúntes embestidos por los vehículos, sólo contribuía a enaltecer esa imagen épica y aguerrida del piloto criollo. En 1940, Óscar Gálvez debió abandonar el Gran Premio al destrozarse el parabrisas de su automóvil por el impacto de un pájaro. En 1925, Eduardo Luro y su copiloto Roberto Fígoli murieron al estrellarse contra un árbol en La Tablada, Córdoba; varios espectadores sufren lesiones por el impacto de los restos de la máquina, una mujer con consecuencias fatales. Sólo en la década del treinta, el ACA finalmente resolvió introducir alambrados en el área de llegada de las carreras, luego de que en varias ocasiones espectadores entusiasmados hayan invadido la pista para celebrar al ganador siendo atropellados por los perseguidores más cercanos. Mientras que, desde sectores menos afines al deporte automovilístico (sobre todo a partir de la profesionalización de los corredores en la década del veinte, cuando el automovilismo deja de ser una forma de ocio restringida a las élites) se despotrica contra –según el editorialista de la revista del Touring Club Argentino en 1925– el obsceno espectáculo de «suicidio público»; la prensa deportiva construye con esos accidentes y fatalidades una épica popular del camino. En 1934, el cronista de *El Gráfico* afirma sobre la muerte de Paris Giannini en Arrecifes, Provincia de Buenos Aires:

> Los caminos habían llegado a ser sus amigos, sus confidentes. Uno de ellos se quedó con su último secreto, el de su muerte, cuando la había vencido en innumerables ocasiones, en Arrecifes se le tendió la emboscada definitiva. Hacia ellos Paris Gianinni habrá ido con su sonrisa bonachona, hecha un poco de coraje y buena intención [...] si le hubieran dejado hablar nos habría dicho que no nos afligiéramos, porque cayó abrazando a su amigo, el camino (Félix Fráscara, «Deportistas malogrados por la fatalidad», *El Gráfico* 787, 11 de agosto de 1934: 13. Citado en Piglia, 2014: 87).

El conflicto acerca de los sentidos y valores del automovilismo deportivo (que revisita tópicos de larga duración en la conquista y civilización del interior salvaje) derivaba también en tensiones políticas: en 1933, tras la muerte de Domingo Bucci en el Gran Premio de Arrecifes, el gobierno bonaerense prohibió las carreras en rutas provinciales; en respuesta, el ACA llevó su Gran Premio del año siguiente a las provincias del norte, donde, en un accidente en la llegada del pelotón a Resistencia, Chaco, murieron once personas[16].

El conflicto entre el ACA y las agencias estatales sobre el carácter y los sentidos sociales de los grandes premios, cristalizado en torno a la velocidad y sus límites, remite también a debates más amplios sobre cómo reconfigurar y valorizar los espacios y tiempos que la automovilidad había acercado y yuxtapuesto unos a otros. Por un lado, el peligro y los accidentes contribuían al atractivo sensacionalista de las carreras como acontecimientos en un tiempo y espacio excepcional en el que la cobertura en la prensa gráfica y en la radio trazaba mapas imaginarios del país o incluso del continente, en una simultaneidad espectacular configurada por las

[16] A raíz de ese conflicto, por intervención de la Dirección Nacional de Vialidad, creada apenas en 1932, se suspendieron entonces las carreras de velocidad en todo el país hasta que, en 1937, las partes llegaban a un acuerdo creando la nueva categoría de «Turismo Carretera» en la que podían competir solamente automóviles comunes, con velocidad limitada, y se reanudaron las carreras anuales.

posiciones respectivas de los corredores. Por otro lado, los clubes y agencias estatales de vialidad buscaban incentivar a través del trazo del itinerario la construcción o extensión de carreteras que, muchas veces, recién los premios «inscribían» en un territorio que ellos mismos configuraban, ya sea a través de operaciones simbólicas (planos, mediciones de distancias y de alturas relativas) o del amojonamiento y la señalización que «contribuían a construir el camino como entidad, separándolo visualmente del campo que lo circundaba» (Piglia, 2014: 82). Pero si recién el cronotopo espectacular del Gran Premio movilizaba los recursos para *territorializar* fracciones hasta entonces periféricas del mapa nacional y continental, el afán por reconvertir esos caminos abiertos por las carreras en ejes duraderos para una nueva cultura de turismo motorizado también conllevaba la necesidad de imponer límites al espectáculo. La nueva categoría de «Turismo Carretera» respondía precisamente a ese interés por promover una «aventura» que cualquier propietario de automóvil podía emular, en una nueva forma de ocio y disfrute de la naturaleza que privilegiaba el movimiento por sobre el destino. «Conozca su patria: ¡veranee!», exhortaba, en 1931, la revista *El Hogar* a sus lectores; «É preciso revelar o Brasil aos brasileiros», se hacía eco, un año después, una campaña lanzada por los automóvil clubes brasileños para incentivar el turismo al nordeste (Piglia, 2014: 185; Wolfe, 2010: 97).

Lo accidentado de los caminos nacionales, que los Grandes Premios resaltaban como riesgo y peligro, debía quedar atenuado en esta reconversión turística del paisaje carretero como variedad pintoresca y oportunidad de vivir el contacto tonificante con la naturaleza –experiencia estimulada también por la novedosa práctica del *camping* que los automóvil clubes promovían ya desde la década del veinte, precisamente como alternativa «saludable» al modelo *belle époque* de veraneo en los grandes balnearios. Estos nuevos modos de ver, sentir y consumir el patrimonio natural e histórico requerían de intervenciones «curatoriales»: una producción de relatos, imágenes y arquitecturas que recodificaran un «paisaje nacional», de acuerdo con la nueva territorialidad discontinua que había arrojado la automovilidad, para la cual se enlistaban desde 1930 los antecedentes plásticos y poéticos forjados por las vanguardias en las primeras décadas del siglo. El viaje de la vanguardia será así cooptado y reinscrito como pedagogía turística de alcance popular; modalidad ante la cual, por esos mismos años, algunas escrituras ensayaban nuevas líneas de fuga.

Etnografías errantes

¿Cuál es la relación entre una escritura y un medio de transporte?, se preguntan algunos textos latinoamericanos de las décadas de 1920 y 1930. ¿Cómo interviene y transforma el *pasaje* de un cuerpo, que viaja a bordo de una máquina, al *paisaje* que inscribe espacialmente esa experiencia temporal? No se trata sólo, como afirma Jorge Bracamonte, del movimiento novedoso que «adquirió la narración [...] a partir de la irrupción de los medios mecánicos de transporte», ni de apenas testimoniar a través del desplazamiento veloz «las diferentes temporalidades y espacialidades coexistentes de la modernidad, en particular aquella oposición que más las expone: lo urbano/rural y sus paisajes de tránsito» (Bracamonte, 2011: 34-35). Si bien, como vimos, las vanguardias latinoamericanas buscaban capitalizar sobre la *aceleración* que las nuevas tecnologías ponían a su alcance, el modo accidentado de su implementación también exigía modos más complejos y críticos de verter esa velocidad en un ritmo de escritura. Más que la confluencia, en algunos textos que surgen hacia fines de la década de 1920 se explora sobre todo la *divergencia* entre un viaje mecanizado y su escritura –el margen de autonomía que se abre entre el espacio y el tiempo del texto respecto de la secuencia cognitiva del desplazamiento que éste transcribe– precisamente ahí donde esa relación es casi inmediata:

> La máquina en la cual escribo esa nota –relata Roberto Arlt en un aguafuerte de 1933– está encima de una mesa de cocina, y la mesa de cocina colocada en la popa, junto a la borda, de manera que cuando levanto la vista del papel, o me lo veo a don Pablo, segundo maquinista del buque motor «Rodolfo Aebi», o al río Paraná, en su anchura bloqueada por altas paredes de álamos y sauces cuyas cabelleras grises lamen el agua verdosa. Vamos a diez millas por hora, sobre un casco de acero estremecido por el motor a explosión [...] estoy navegando desde las siete de la mañana, y son las cuatro de la tarde... (Arlt, 1933a).

En las aguafuertes de viaje que Arlt empieza a enviar a *El Mundo* desde 1930 –cuando el diario lo envía a Río de Janeiro– las máquinas de locomoción ocupan un lugar de destaque: trenes a Leopoldina y Petrópolis, el buque fluvial en el que remonta el Paraná hasta Resistencia en 1933, nuevamente trenes y automóviles (y caballos) en el viaje al Neuquén al año siguiente y en el recorrido por Santiago del Estero azotado por la sequía en 1937. Como Cendrars a bordo del transatlántico, Arlt explora en estos pasajes la posibilidad de poner en sintonía y en equivalencia la velocidad motorizada del viaje y su escritura también mecanizada: dos ritmos de atravesar espacio y tiempo cuyo encuentro abre nuevas posibilidades críticas. Las velocidades diferenciales de cada vehículo repercuten así en una escritura altamente consciente de su propia temporalidad acelerada –de trazo rápido, a ser publicada al día siguiente– que se mide con aquella de la máquina: «Cada vez falta menos para llegar: ahora, nada más que treinta y seis horas de navegación [...] Ahora faltan treinta y cuatro horas...» (Arlt, 1933g). No es sólo el efecto de inmediatez y presencia el que le interesa a esa escritura, sino también cuán lejos se puede llevar la analogía entre viaje y texto, entre las actitudes del pasajero ante el paisaje y del lector ante la letra; analogía que tal vez el viaje fluvial represente mejor que cualquier otro, con la doble separación entre el viajero y la tierra firme, puesta a distancia no sólo por el encapsulamiento vehicular del primero sino también por el marco acuático que se convierte en algo así como la (in)materialización externa del pensamiento mismo. «Flotando en el río, trece horas», anota Mário de Andrade, en 1927, a pocos días de haber entrado en el Amazonas a bordo del «vaticano» *São* Salvador:

> Me gusta esa soledad abundante de los ríos [...] Es extraordinario como todo se llena de seres, de dioses, de seres indescriptibles que vienen de atrás, sobre todo si tengo enfrente una curva en el río [...] Es fulminante. El río gira al final del hoyo, una masa indiferente de verdes tapa el horizonte y todo se llena de misterios vivos que se esconden ahí atrás. En cada instante siento que la revelación se va a producir, grandiosa, terrible, ahí en la vuelta del río. Y me quedo así, como si fuera, lleno de compañía, compañía de mí mismo, más peligrosa que buena, dolorida de recelos que reconozco como injustificados pero que son reales, más legítimos, completos e indiscutibles por lo vagos, de este peligro terrible de vivir (de existir). Pero basta que llegue alguien, una voz que sube de la primera clase hasta aquí, y la fascinación se desvanece (Andrade 1983: 76)[17].

Arlt y Mário, como observa Fernando Rosenberg, coinciden a finales de los veinte y principios de los treinta en un doble esfuerzo «por distanciarse tanto del proyecto *modernista* como del *ethos* del viajero metropolitano», para explorar en cambio «los límites de las estrategias narrativas disponibles en función de articular nación, cultura y territorio» (Rosenberg, 2006: 110). Representan un modernismo errante, en la expresión de Esther Gabara que, en su rechazo activo del saber producido por la visión

[17] «Eu gosto desta solidão abundante de rio. [...] É extraordinário como tudo se enche de entes, de deuses, de seres indescritíveis por detrás, sobretudo se tenho no longe em frente uma volta do rio. [...] É fulminante. O rio vira de caminho no fim do estirão, a massa indiferente dos verdes barra o horizonte, e tudo se enche de mistérios vivos que se escondem lá detrás. A cada instante sinto que a revelação vai se dar, grandiosa, terrível, lá da volta do rio. E eu fico assim como que cheio de companhia, companhia minha, mais perigosa que boa, dolorida de receios que eu sei infundados, mas que são reais, vagos, e por isso mais completos e indiscutíveis, legítimos, deste perigo brutal de viver (de existir). Mas basta que chegue alguém, uma voz que suba da primeira classe até aqui, e a fascinação se esvai».

epistofílica del viajero metropolitano, también «interrumpe la promesa unificadora y fundacional de la escritura de viaje» (Gabara, 2008: 40). «El viaje que haremos no tiene nada de aventura ni de peligro» (Andrade, 1983: 51), anuncia Mário al partir de San Pablo hacia el Amazonas en 1927, confesándose «antiviajero [...] viajando siempre machucado, alarmado, incompleto» (Andrade, 1983: 49) –aprendiz de un turismo que sabe futil de antemano en su promesa transformadora: «¡Qué sensación desagradable! Adiós, todos – ¡Buen viaje, Mário! [...] Mi sensación es que todo está equivocado» (Andrade, 1983: 201)[18]. «Y yo –agrega por su parte Arlt, embarcándose en Carmen de Patagones hacia el Nahuel Huapi– con mi indumentaria mitad inglesa y mitad linyera, represento al turismo; un turismo que me estoy tragando con resignación para satisfacer la curiosidad de mis lectores porteños» (Arlt, 1934a; también 1997: 55).

Antiviajeros y turistas a desgano, Mário y Arlt, en sus notas de viaje a los nuevos confines selváticos y desérticos del interior brasileño y argentino, no pretenden contribuir ya a la acumulación territorial puesta en marcha por los aparatos estatales y privados de patrimonialización. En cambio, sus escritos de viaje exploran por medio de la ironía y la autorreflexividad una semántica alternativa de la «sensación» turística –a saber, las nuevas relaciones entre espacio y subjetividad, entre tiempo y representación, abiertas por los modernos conjuntos maquinales de transporte y comunicaciones. Son escrituras que permanentemente ponen en escena y en tela de juicio su propio acto de escribir andando, replegándose sobre las condiciones mismas de posibilidad del viaje y preguntándose por los alcances y límites del conocimiento arrojado por cada vehículo. La fotografía de la propia sombra proyectada sobre las aguas del río, que saca Mário en su viaje amazónico –subtitulada «Quê dê o poeta?» [¿Dónde está el poeta?]–, desdobla y juega de manera literal con esa reflexión sobre el viaje y su sujeto, al proyectarse de un

[18] «Que sensação desagradável! Adeus, gente! – Boa viagem, Mário! [...] Minha impressão é que está tudo errado».

modo al mismo tiempo efímero y duradero sobre la pantalla movediza del agua y registrando en la superficie sensible de la película esa paradójica presencia/ausencia corporal en el ambiente (lámina 3).

Las similitudes entre ambos cronistas-viajeros abarcan así desde los modos de viajar hasta los formatos de publicación y modalidades de escritura: los textos de Arlt, apenas terminados son telegrafiados al diario *El Mundo,* donde aparecen al día siguiente, acompañados de una fotografía o un dibujo; también los de Mário, del viaje de 1928-29 al noreste (y también algunos del anterior al Amazonas en 1927), son enviados enseguida a San Pablo para ser publicados en la columna del *Diário Nacional* titulada, precisamente, «O Turista Aprendiz». El comentario reflexivo sobre la visión fotográfica (cuyo resultado revelado su autor generalmente desconoce todavía a la hora de escribir) forma en ambos una suerte de primer texto crítico; la escritura es anotación de la imagen construida por la memoria, aunque no sea más que para dejar constancia de las circunstancias de su producción: «Cruzamos el pasaje de las Ánimas. El sol pone, en el agua gredosa del Paraná, una oblicua vereda de movedizas chapas de oro, que cruza hasta la costa. Tomo apuntes en una libreta, a lápiz, sentado en el escalón de hierro de la despensa» (Arlt, 1933c). Ambos cronistas, también, se embarcan en toda la variedad de vehículos que pone a disposición del viajero la nueva industria del turismo, desde barcos fluviales y marítimos a aviones (Mário vive su primera experiencia aeronáutica en Paraíba, en 1929; Arlt, al regresar de Río a Buenos Aires en 1930); desde automóviles a trenes e incluso caballos. Son, finalmente, textualidades sólo parcialmente exploradas por la crítica: en el caso de Mário, casi toda la atención ha sido acaparada por el primer viaje de 1927, pre-texto de la gran novela-rapsodia de 1928. Pero dejan de lado el viaje etnográfico por los sertones nordestinos, a pesar del rico y complejo debate con el emergente regionalismo literario que se subtiende a sus páginas. En el caso de Arlt, apenas las aguafuertes patagónicas, además de los viajes por España y África, han despertado algún interés, en tanto las del viaje fluvial a Corrientes, al Chaco y a las del noroeste argentino casi no se han vuelto a leer ni a reeditar.

Pero es en estos últimos textos, sugiero, donde va adquiriendo forma una poética del accidente o del error; poética que se aparta de las estéticas de síntesis, contraste y superposición en las que artistas-viajeros como Cendrars, Oswald y Eisenstein intentaban plasmar por esos mismos años las experiencias de no-simultaneidad y co-presencia discontinua de elementos dispares que arrojaban los medios modernos de transporte. En Arlt y en Mário, en cambio, es menos en la experiencia de la velocidad y en su impacto sobre la percepción formal del entorno que se enfoca la escritura que en los intersticios e interrupciones que sufre el movimiento mecanizado, de por sí banal: «Otra vez en el tren», anota Arlt, atravesando el desierto patagónico. «Resuelvo no mirar por la ventana. Este paisaje me da bronca. Ya empiezo a considerarlo como enemigo personal. Es un inaguantable latero, que siempre dice la misma cosa» (Arlt, 1934a; también 1997: 57). Aun cuando, ya arriba del automóvil que lo traslada a San Carlos de Bariloche, Arlt ve por primera vez al Nahuel Huapi, «como si un maravilloso truco escenográfico hubiera levantado el telón de fondo de este escenario prodigioso», la visión no deja de ser convencional, carente de sorpresas: «La cordillera de los Andes me resulta familiar. La silueta de sus cimas dentadas y nevadas, recostada nítidamente sobre un cielo de índigo, la he visto en fotografías». En cambio, lo que está más cercano, literalmente por delante del telón paisajístico, es aquí objeto de un interés activo, como el chofer que conduce el automóvil de Arlt: «Mientras el hombre enfila por una cuesta empinadísima, yo lo contemplo. Este hombre, que habla como un gaucho criollo, tiene pinta de gringo. Le pregunto su nombre» (Arlt, 1934b; también 1997: 62-63). «Las paradas son numerosísimas –anota también Mário, embarcado en el rápido de la Great Western entre Recife y Guarabira–. Personas que bajan, personas que suben, ¡un griterío! Los nordestinos, por lo general, no sólo hablan cantando, incluso lo hacen dando un concierto. Estudio las conversaciones...»

(Andrade, 1983: 227)[19]. La fotografía que ilustra este tramo del viaje, tomada desde el vagón, deja fuera de foco al paisaje en la lejanía; en cambio, enfoca en picado sobre unos hombres refrescándose en un charco al lado de un cerco de madera. Mário subtitula: «Great Western – R. G. do Norte 14-XII-28. Pessoal do trem numa parada onde tem àgua, se atira para beber» [Gente del tren en una parada donde hay agua, acuclillándose para beber] (Andrade, 1983: 229) (Fig. 1.8). En el viaje accidentado, el primer plano no desaparece, alisado y eliminado por el conjunto maquinal, sino que, por el contrario, se introduce como interrupción –parada– entre el movimiento del vehículo y el punto de fuga en la lejanía. El accidente no es aquí lo que destruye al vehículo y pone en peligro a los pasajeros –aunque a veces también es eso– sino ante todo aquello que perfora la continuidad del espacio-tiempo objetivado y puesto a distancia por el conjunto maquinal. Es aquello que des- y reensambla la constelación entre vehículo y entorno, como el automóvil de Courteville que en su travesía americana se va ensanchando cada vez más con materiales locales al tiempo que pierde uno por uno sus componentes originales.

El interior provinciano no interesa al cronista, en tanto postal turística. Con la excepción de Bariloche, que Arlt visita antes de su reforma por parte de la Dirección de Parques Nacionales en 1937, los destinos de sus viajes evitan las rutas turísticas, dirigiéndose más bien hacia zonas de colonización y conflicto agrario: Corrientes, el Chaco, Santiago del Estero. Incluso en la Patagonia son más los universos sociales que las bellezas naturales los que atraen su atención: los «hombres y mujeres fuertes de Bariloche», «formidables muchachones de tez morena, cabello oscuro y ojos celestes» (Arlt, 1934d; también 1997: 118), que hablan en una mezcla de acentos germanos y chilenos, pero también los raquíticos niños de una escuela en El Bolsón, «tan hambrientos que cuando

[19] «As paradas são numerosíssimas, toda a viagem. Gente que sai, gente que entra, uma gritaria! Nordestino, em geral, não só fala cantando, como dá concerto. Estudo as conversas...».

1.8 Mário de Andrade, «Great Western – R. G. do Norte 14-XII-28. Pessoal do trem numa parada onde tem água, se atira para beber». Colección fotográfica Mário de Andrade, Instituto de Estudios Brasileños, USP, San Pablo.

uno come pan, los otros se agachan para recoger las migas» (Arlt, 1934e; también 1997: 123). En La Paz, Entre Ríos, Arlt visita el único cine del pueblo para sentir de cerca «la sed de pasiones que la cinematografía, en su conjunto, provoca, despierta y agudiza en estos pueblos, creando al margen de la vida rutinaria, problemas que no tienen posibilidad de solución» (Arlt, 1933d) (resumen anticipado, si los hay, del mundo de *Boquitas pintadas* de Puig). En Resistencia, Chaco, el cronista se maravilla con la lectura de la guía telefónica en un café –contando nada menos que «¡Ochocientos teléfonos! [...] 16 tiendas, 12 talleres mecánicos, 5 fábricas de aceite, 15 fábricas de productos varios, 8 farmacias, 2 frigoríficos, 51 almacenes»– y rechazando con cierto malhumor las imágenes que un librero local le alcanza para ilustrar su texto: «Me traen las clásicas postales de los indios con el arco de flechas soslayando la espalda y un as de flechas en la mano. Lo miro al dependiente, y le digo: –Pero dígame... ¿usted no ve la ciudad donde vive?» (Arlt, 1933g).

«He sido un turista, simplemente un turista que no podía referirse honestamente sino a lo que veía –admite Arlt al término de su viaje fluvial–. Si más allá existían realidades excelentes de conocer o dignas de encomiar, no he podido descubrirlas porque, desgraciadamente, el buque que me conducía no navegaba por la tierra sino por el agua. Mi visión ha sido puramente cinematográfica». Sin embargo, agrega, si bien no ha pretendido escudriñar en las rendijas de la cultura lugareña, sí se ha «detenido en la calle, que es la única posesión indiscutible del pueblo. El pueblo y el paisaje me impresionaron. Por eso preferí mezclarme con los hombres y mujeres [...] Fui en busca de naturaleza y de humanidad y traté de reflejarlos objetivamente en mis vistas» (Arlt, 1933h). Unas semanas antes, al embarcarse en el *Rodolfo Aebi*, Arlt había contrastado aún más su modo de viajar con el del pasajero de cabotaje, encerrado en «un mundo aparte» cuidadosamente separado del tiempo y espacio circundante:

> Hay dos formas de viajar. Una, en naves de recreo, realizando la molesta vida social que imponen los cruceros de placer. Otra, la que he escogido yo, deliberadamente, conviviendo con gente que trabaja a bordo, imponiéndose de sus costumbres, convirtiéndome en casi uno de ellos. Reconozco que esto es imposible por una parte, y accesible en lo que atañe al conocimiento de su oficio. ¿Cómo vive la gente que trabaja a bordo? ¿Cómo pasan sus días y sus noches? (Arlt, 1933a).

Mundos de trabajo que, efectivamente, anudan el punto de partida y el destino en una contemporaneidad de lo no simultáneo, ya que todos ellos (y los obreros de tierra y proletarios de mar que habitan y producen continuamente esos mundos) están sujetos al mismo régimen de equivalencia impuesto por la mercancía que circula entre unos y otros. «De este mecanismo que absorbe las energías del trabajador, no se libra ni el capitán», afirma Arlt (1933b). Contemporaneidad de contrastes que, casi, hace pensar en un desliz deliberado cuando la redacción de *El Mundo*, en la primera de las «Viñetas santiagueñas» de 1932, equivoca el título y rubrica la crónica como «aguafuerte porteña». Porque es ese interés en la con-vivencia de lo disímil el que agudiza la percepción del cronista en los momentos de espera que, en otros observadores, hubieran presentado meros obstáculos, contratiempos –pero que, aquí, representan elipsis significativas, dignos de ser consignados ya que es a través de ellos que temporalidades locales permean el espacio-tiempo mecanizado del viaje:

> Subo a un coche de la «Ahora... Trini». A los diez minutos emprendemos la marcha. No hemos andado tres cuadras, cuando un chico de piernas extraordinariamente sucias se allega corriendo y le dice al conductor: –Dice mi mamá, si puede esperarla–. El chauffeur dice que sí, y el chico parte como un podenco. Esperamos a la señora. Pasan tres minutos y, por fin, atareada, resoplando, llega la excelente dama ataviada en un batón color ceniza. «Ahora Trini» se pone nuevamente en marcha (Arlt 1933f).

La espera, por parte del *reporter* viajero y los demás pasajeros del ómnibus a Resistencia, de la señora del rancherío empilchándose para su salida a la «gran ciudad», para Arlt es digna de figurar en el aguafuerte del día siguiente porque representa un cruce de temporalidades, de ritmos, de velocidades; un instante (tres minutos, precisa Arlt) de coincidencia y superposición entre vidas no simultáneas. Es algo así como el revés del pequeño episodio estampado por Mário de Andrade en 1929, en pleno recorrido por los sertones del noreste:

> El sertanejo estaba con un deseo loco de probar el automóvil. Cuando pasaba por el pozo de agua se encontró con uno vacío. Pidió andar en él un ratito, el chofer lo dejó. Amarró a la bestia en un árbol oiticica y se fue por el camino manso. El chofer preguntó si era suficiente, pidió andar un ratito más. Finalmente le bastaba, y el auto se marchó dejando al sertanejo agradecido en medio de la ruta, ¡qué solazo había! (Andrade, 1983: 299)[20].

El nordestino curioso se transforma, así, de un objeto de visión etnográfica en un compañero de recorrido, por «um bocado» apenas. Pero es el momento de despedida y la caminata posterior del otro, desandando el camino para volver al caballo atado bajo un sol hirviente, el que termina acaparando la atención del cronista. Es de ahí, de la renovada separación entre direcciones y velocidades opuestas, que el episodio recibe su carga de tensión, al revelar la diferencia radical entre las dos vivencias que, por un lapso breve, han coincidido arriba del vehículo. Como Arlt, el antiviajante Mário sale en busca de estos paradójicos espacios y tiempos de convivencia, de encuentro y de choque entre velocidades y ritmos vitales. El antiviaje, como práctica ambulatoria y escritural, busca forjar oportunidades de encuentro inesperado

[20] «O sertanejo estava com um desejo danado de experimentar o automóvel. Quando atravessava o Olho d'água topou com um, vazio. Pediu pra andar nele um bocado, o chofer deixou. Amarrou a besta numa oiticica e lá foi no macio. O chofer perguntou se bastava, pediu pra andar mais um bocado. Afinal bastou e o auto foi embora deixando o sertanejo agradecido no meio da estrada, que solão!».

entre mundos cuya separación el uso turístico del conjunto maquinal moderno ha naturalizado.

En el primer viaje –el amazónico de 1927 en compañía de Doña Olívia y de las jóvenes «Mag» y «Dolur» (Margarida Guedes Nogueira, sobrina de D. Olívia, y Dulce do Amaral Pinto, la hija de Tarsila)– predomina aún el uso irónico de las convenciones del viaje tropical, en un juego de mezclas y parodias de sus modalidades sucesivas (la «crónica del descubrimiento», el «naturalismo etnográfico» decimonónico, el turismo moderno de ocio); juego que genera efectos de subversión a través de la intercalación de largos trechos de etnografía fantástica, como las descripciones de los indios Do-Mi-Sol, especie de primer cuaderno de apuntes para *Macunaíma*) (Antelo, 2002: 118-19). En otros momentos, Mário invierte burlonamente las relaciones entre viajero y ambiente:

> Directamente no puedo cenar, con esa ironía insistiendo en mi pensamiento. El primero en verlos llamó a todos. Y nos quedamos mucho tiempo mirando las pirañas en el agua, relámpagos voraces de color ceniza y carne, comiendo carne. ¡Cómo ellos comen carne! Ahora, tengo la impresión de que todas las pirañas deben estar espiándonos desde el agua, impresionados, comentando entre ellos que nosotros comemos carne... (Andrade, 1983: 182)[21].

Pero ya cuando va atravesando la selva acreana rumbo a Bolivia arriba del tren Madeira-Mamoré, cuya construcción, a finales del siglo anterior, cobró las vidas de «miles de chinos, de portugueses, bolivianos, barbadianos, italianos, árabes, griegos, viniendo a cambio de unas libras» (Andrade, 1983: 151), el aprendiz de turista pasa de la subversión irónica a la crítica amarga. Ahora, lo que se interpone entre viajero y paisaje es la violenta expansión capitalista representada por la máquina y su pasajero, cómplices

[21] «Não posso jantar direito com essa ironia sobrando no meu pensamento. O primeiro que viu, chamou todos. E ficamos muito tempo vendo as piranhas n'água, relâmpagos vorazes de cinzento e encarnado, comendo carne. Como elas comem carne! Agora, tenho a impressão que as piranhas todas estão nos espiando d'água, impressionadas, comentando que nós comemos carne...».

de una acumulación original homicida cuyos fantasmas persiguen al viajero, mirándolo con «ojos de luz débil» por la ventana de su cabina:

> ¿Qué vine yo a hacer aquí? [...] Hoy el poeta viaja con sus amigas en el Madeira-Mamoré, en un vagón panorámico limpiecito, bien sentado sobre asientos de cipó-títica [...] Hoy el poeta comió pavo asado, preparado por un maestro chef de primo cartello que subió en el *Vitória*, enviado por la Amazon River para endulzar nuestras vidas. A veces paramos, los paisajes serán kodaquizados, ¡hasta cine trajimos! [...] ¿Qué vine yo a hacer aquí?... ¿Cuál es la razón de todos esos muertos internacionales que renacen en el rugido de la locomotora y que vienen con sus ojitos de luz debil a espiarme por las ventanitas del vagón? (Andrade, 1983: 151-152)[22].

Ese segundo Mário, crítico de una modernización tecnológica que proyecta sobre el ambiente la presencia fantasmal de violencias, miserias y abandono, es el que prevalece en el segundo viaje. Entre finales de 1928 y principios de 1929, Mário se vuelve a embarcar a las capitales del nordeste (Recife, Natal, Maceió, João Pessoa) y, en un *raid* automovilístico en compañía de Cícero Dias y Antonio Bento, a los sertones de Rio Grande do Norte, Pernambuco, Alagoas y Paraíba (Fig. 1.9). «Viaje sólo de hombres», observa Telê Ancona Lopez, el recorrido por el nordeste tiene otro ritmo que el amazónico del año anterior, no sólo por la diferencia entre medios de transporte (automóviles, trenes y hasta una avioneta en lugar de los barcos fluviales) sino también por la intensa rutina de trabajo que el viajero se impone, editando diariamente sus notas para una crónica en el *Diário Nacional*. Visita fiestas populares

[22] «O que eu vim fazer aquí! [...] Hoje o poeta viaja com suas amigas, na Madeira-Mamoré, num limpadinho carro de inspeção, bem sentado em poltronas de cipó-titica [...] Hoje o poeta come peru assado feito por um mestre cook de primo cartello, que subiu no *Vitória*, destinado pela Amazon River pra adoçar nossa vida. Às vezes se pára, as paisagens serão codaquizadas, até cinema se traz! [...] O que eu vim fazer aqui! ... Qual a razão de todos esses mortos internacionais que renascem na bulha da locomotiva e vêm com seus olhinos de luz fraca me espiar pelas janelinhas do vagão?».

y trabaja con cantores rurales transcribiendo sus músicas al piano: «El diario, de ritmo pausado en 1927, se reduce a breves notas, cada tanto hay análisis un poco más largas que, en realidad, ya anticipan los textos del *Diário Nacional.* Todo muy rápido, inmediato, periodístico [...] Al revés de la filigrana de sentimientos que era una constante en el primer Turista, el segundo proclama algo así como una liberación de los padrones familiares, o un viaje superpuesto – "coca" y sedol» (Ancona Lopez, 1993: 118).

1.9 Mário de Andrade, «Sertão de Seridó», 1929. Colección fotográfica Mário de Andrade, Instituto de Estudios Brasileños, San Pablo.

«Viagem etnográfica», como subtitula Mário, el recorrido a través de las zonas azotadas por la sequía, por caminos sembrados de cruces que conmemoran a víctimas de la violencia cangaçeira, adquiere un tono más sombrío y urgente que en el viaje anterior. El antiturista irónico, al salir de las ciudades costeras, no puede sino transformarse en un improvisado inspector de carreteras y de pozos, denunciando la inacción gubernamental:

> *Automóvil, 22 de enero.* [...] Ruta excelente que corta un paisaje casi exclusivamente de piedra. [...] La vía, de planificación inteligente, corre por la divisoria de aguas entre el Río

Seridó y el Barra Nova. [...] Las obras de arte de la ruta, puentes de cemento, lomas de burro, todo recto. Es monumental (Andrade, 1983: 299-300)[23].

Automóvil, 27 de enero. [...] Las pinchadas son de una monotonía insoportable, con el caminito pésimo tirándonos del auto. Entrar en el pedregal no soluciona nada. La ruta empeora aún más, llena de troncos. Y francamente no hay nada más divertido que parar cada quince minutos para tirar del camino un maldito palo (Andrade, 1983: 306)[24].

La autovía de Caicó a Catolé da Rocha, conectando Rio Grande do Norte con Paraíba y dando empleo a 400 trabajadores –que quiere decir, 400 familias alimentadas– con el pago diario ridículo de 2$500, fue eliminada de un tirón por el Gobierno Federal. En plena sequía, ese poblado se quedó en la miseria completa, muriéndose de hambre. No hay servicio alguno [...] Pero el Gobierno Federal hace una ruta de lujo entre Rio y Petrópolis... (Andrade, 1983: 294)[25].

Aquí, el brusco final de las rutas transitables no arroja ningún trofeo turístico de autenticidad campesina: sólo abandono, «paisajes horribles, miseria mezquina, insoportable, espeluznante» (Andrade, 1983: 295). En el camino, cada tanto los viajeros se encuentran con retirantes caminando en dirección opuesta, rumbo a las grandes ciudades del sur: «Me quedo emperrado. Ni dinero les doy. El viaje se ha vuelto una desgracia» (Andrade, 1983: 290)[26]. En lugar del juego intertextual con fantasías amazónicas, la visión

[23] «*Automóvel, 22 de janeiro.* [...] Estrada excelente cortando uma paisagem quase que exclusivamente de pedra. [...] A rodovia inteligentemente estudada vai no divisor das águas entre o rio Seridó e o Barra Nova. [...] As obras-de-arte da estrada, pontes de cimento, mata-burros de trilho, tudo reto. É monumental».

[24] «*Automóvel, 27 de janeiro.* [...] O taboleiro fica duma monotonia insuportável com a estrada ruinzinha atirando a gente pra fora do auto. A entrada no carrasco não adianta nada. A estrada piora mais, cheia de tocos. E positivamente que não diverte nada a gente parar quarto de hora pra tirar um bruto de galho no camino...».

[25] «A estrada de rodagem de Caicó pra Catolé da Rocha, ligando o Rio Grande do Norte com a Paraíba, empregando 400 trabalhadores —o que quer dizer 400 famílias alimentadas— com o jornal ridículo de 2$500, o Governo Federal suspendeu de sopetão. Esse povaréu ficou na miséria completa em plena seca, morrendo de fome. Serviço não há nenhum. [...] Mas o Governo Federal faz uma estrada de luxo Rio-Petrópolis...».

[26] «Fico besta. Nem dinheiro atiro pra eles. A viagem virou desgraçada».

de un nordeste en plena catástrofe social induce la amarga denuncia de un «regionalismo sentimental» y de las «literatices heróicas» de un Euclides da Cunha, culpables de haber transformado «en brillo de frases sonoras e imágenes *chic* lo que es ceguera insoportable de este solazo [...] en heroísmo lo que es miseria pura...» (Andrade, 1983: 295). Estéticas, sugiere Mário, que embellecen nostálgicamente un mundo en descomposición, mundo que, una y otra vez, desorienta y hace perder el rumbo al pequeño grupo de excursionistas: «Ni una hora de bajada y ya el primer error [...] Vamos errando por cada sendero y cada huella de carro de bueyes que se encuentre»; «Estamos perdidos, equivocamos el camino. Bajo el solazo de las tres de la tarde, atravesando el juremal reseco pisoteando la huella de los carros de buey»; «Errancias. Preguntamos a cada hombre, en cada casa, por el camino...» (Andrade, 1983: 290-292)[27]. El error y la errancia dejan aquí de ser una estrategia deliberada y antiturística, forzando por medio del desvío la aparición de la cosa real por detrás de la postal de superficie: aquí no hay superficie, no hay imagen que ordene los elementos sueltos. Esa otra errancia, el encontrarse de repente en el límite extremo del mundo transitable, adquiere un potencial crítico al constatar que, ahí donde la propia naturaleza parece haberse enemistado con los viajeros, emisarios de modernidad cosmopolita, «tudo está errado» [todo está equivocado] (Andrade, 1983: 299). El nordeste es el mundo de la errancia; y ésta de repente se convierte en peligro real al extraviarse el trío en plena sierra bajo una lluvia torrentosa:

> Estamos subiendo la sierra y ya llueve hacia la izquierda, ¡hay cada relámpago! ¡Rayos de un grosor así! Los faros no valen nada [...] Y la tormenta nos alcanza. Relampaguea dentro del automóvil, llueve, estruendos de trueno. Las ramas van pegando el auto. Ya de un lado, ya del otro, el abismo se abre, exagerado por la noche. [...] Estamos en un peligro muy serio

[27] «Nem bem uma hora de descida e primeira errada [...] vamos errando por quanto trilho e carro-de-boi se encontra»; «Estamos perdidos, o caminho errou. No solão das 15 horas, através do juremal ressecado, pinoteando no trilho dos carros-de-boi»; «Erradas. Cada homem, cada casa, perguntamos caminho...».

> [...] También tuvimos a un paso el momento de la muerte, un clásico de esas ocasiones. El automóvil enfiló hacia el abismo, de manera inconsciente giré hacia la izquierda y me interpuse a la maniobra del chófer, casi nos fuimos... (Andrade, 1983: 291)[28].

El abismo, la súbita presencia de un peligro existencial ahí donde la ruta se pierde en el ambiente y aparece una naturaleza atormentada y amenazadora, traza un límite nítido en el espacio y el tiempo del texto. Como el automóvil, también la narración, allí, o bien «envereda» en dirección al abismo, o bien se da vuelta y gira de nuevo hacia el camino, al cronotopo alisado del conjunto maquinal moderno. El límite es donde la violencia experimentada como presencia ominosa, fantasmal, en la travesía ferroviaria de la selva acreana se pone repentinamente de relieve en la «naturaleza hostil» del sertão. Lo que estalla en ese clásico del viaje accidentado –la salvación por un pelo del choque fatal– no es en cuanto al régimen narrativo, sino lo que este relato de viaje había estado invocando sin cesar como objeto de sus ironías y parodias: el mundo salvaje derrotado por la técnica.

Pero esta «victoria de la civilización», como observan los aprendices de turista en las décadas de 1920 y 1930, no arroja un mundo ordenado y pacífico. Por el contrario, contribuye a la expansión voraz de una violenta máquina extractiva que avanza sobre las campañas y sus bordes silvestres, agotando sus recursos vitales y desencadenando conflictos violentos entre vidas humanas y no humanas, entre materialidades terrestres y atmosféricas en desorden y a la deriva. Es en este violento mundo de frontera, apenas a vuelta de camino de las nuevas geografías turísticas del Estado-nación, en donde, sin darse cuenta, han incursionado los

[28] «Estamos subindo a serra e já chove na esquerda, cada clarão! O trovões são desta grossura! O farol não vale nada. [...] E a tempestade nos pega. Dentro do automóvel relampeia, chove, o trovão estronda. Os galhos batem na gente. Ora dum lado, ora do outro o abismo aumenta, exagerado pela noite. [...] Estamos num perigo muito sério. [...] Tivemos também o momento da morte pertinho, clássica dessas ocasiões. O automóvel enveredou pro abismo, inconscientemente torci pra esquerda e atrapalhei a manobra do chofer, quase que fomos!».

etnógrafos automovilizados y que, enseguida, ellos se apresuran a abandonar otra vez. Pero es ese mundo abismal, precisamente, hacia donde se va encaminando por esos mismos años un nuevo regionalismo estético en nada nostálgico del orden rural pasado: se afana por hacer de esos estallidos de violencia entre distintos órdenes de lo viviente su propio principio formal. Esta historia natural novedosa forjará unas tramas inéditas de voces entretejidas, cuyos sonidos humanos, animales y vegetales se hacen eco de la «naturaleza insurgente» que yace del otro lado del abismo. Abismo que, aunque sea por un pelo, aún consiguen esquivar los turistas aprendices de las vanguardias urbanas.

Elementos naturales: arquitectura, jardín, modernidad

> Desde el avión, he diseñado para Rio de Janeiro una inmensa autopista que conecta a una altura media los dedos de los promontorios abiertos hacia el mar [...] El sitio entero se ponía a hablar, en el agua, en la tierra y en el aire; hablaba en arquitectura. Ese discurso era un poema de geometría humana y de una inmensa fantasía natural. El ojo veía alguna cosa, dos cosas: la naturaleza y el producto del trabajo del hombre.
>
> LE CORBUSIER, *Précisions*[29]

¿Cómo poner en movimiento, cómo dotar de *fluidez* lo que debe permanecer fijo? ¿Cómo hacer de la arquitectura un arte, tanto del *lugar* como del *espacio*? Sobrevolando la cuenca del Paraná a bordo de un hidroavión Latécoère rumbo a Asunción del Paraguay, el urbanista franco-suizo Charles-Édouard Jeanneret, mejor conocido como Le Corbusier, experimentaba en octubre de 1929 la revelación de lo que, de ahí, se convertiría en una suerte de refrán de sus conferencias porteñas y cariocas: la Ley del Meandro. «Maravilloso símbolo [...] para introducir mis propuestas de reformas urbanas o arquitectónicas por apoyarse en la naturaleza», explica Le Corbusier, el meandro representa en la corriente de las aguas como de las ideas la tendencia a desviarse ante un obstáculo de la línea recta, la cual sólo se recupera en el momento de mayor ondulación, cuando los bucles se tocan «en el punto de mayor hinchazón de la curva». Como el agua que retoma bruscamente la

[29] «D'avion, j'ai dessiné pour Rio de Janeiro une immense autostrade reliant à mi-hauteur les doigts des promontoires ouverts sur la mer [...] Le site entier se mettait à parler, sur eau, sur terre et dans l'air; il parlait architecture. Ce discours était un poème de géométrie humaine et d'immense fantaisie naturelle. L'oeil voyait quelque chose, deux choses: la nature et le produit du travail de l'homme».

recta ante el peligro de estancamiento, así también «la idea pura ha surgido [...]. Los momentos de lo "simple" son el resultado de las crisis álgidas...» (Le Corbusier, 1960: 5, 142). Ésta, precisamente, será la imagen a la que recurre Le Corbusier para justificar, ante la Asociación Amigos del Arte, su «solución» para el «martirio» de Buenos Aires: «la ciudad más inhumana que he conocido», donde, tras semanas de recorrer sus «calles sin esperanza», desprovistas de aire y luz, «en el momento mismo del abismo que se abría, veía la solución. Es mi famoso "meandro"» (Le Corbusier, 1960: 199)[30].

Más bien, es la recuperación de la perspectiva distante del aeronauta y su visión morfológica de las grandes estructuras naturales; «visión humboldtiana», como proponen Jorge Francisco Liernur y Pablo Pschepiurca (2008: 126), donde «lo natural y lo humano se entrelazan, y el registro del detalle que caracteriza el *Viaje a Oriente* es reemplazado por los grandes apuntes geográficos de ríos, estuarios, nubes y amaneceres». Es así como, desde el fondo de la cuadrícula congestionada, Le Corbusier volverá a recordar el momento en que, sobre la cubierta del buque que atravesaba el río en la noche, *vio* por primera y única vez a Buenos Aires, o más bien su halo luminoso, «esa fenomenal línea de luz que comienza a derecha hacia el infinito y se fuga a la izquierda hacia el infinito, a ras del agua. Nada más, salvo, al centro de la línea de luces, la crepitación de un brillo eléctrico que emite el corazón de la ciudad [...] Simple encuentro de la Pampa y el Océano, en una línea, esclareciendo la noche de un costado al otro» (Le Corbusier, 1960: 200). En esta visión lejana, Le Corbusier encuentra cifrado el destino de Buenos Aires como la gran capital sudamericana, «el puesto de comando en el orden, en la organización, en la reflexión,

[30] Jorge Francisco Liernur y Pablo Pschepiurca sugieren que el viaje aéreo de Le Corbusier al Paraguay debe haber tenido lugar entre el 20 y el 27 de octubre; es decir, *después* del ciclo de conferencias que el urbanista diera en Buenos Aires entre el 3 y el 17 de octubre, y donde Le Corbusier ya había recurrido a la metáfora hidrológica del meandro para explicar su proyecto de transformación del centro porteño. La escena de «revelación aeronáutica» del «Prologue Américain» habría sido por lo tanto un mito de origen construido *a posteriori* durante el viaje de regreso a Francia. Ver Liernur y Pschepiurca, 2008: 77.

en la grandeza [...] en la belleza», al mismo tiempo que abstrae y, literalmente, borra de un solo trazo la ciudad construida. En su lugar se abre, en la línea luminosa que indica el encuentro entre pampa, mar y cielo, una suerte de superficie pura para la invención urbanística: entre-lugar suspendido entre los elementos que, luego, encontrará su materialización en la gran plataforma de cemento con los doce rascacielos de la nueva *cité d'affaires* a ser construida sobre el río –primera de las grandes intervenciones proyectadas por Le Corbusier para las estaciones de su viaje sudamericano de 1929. Suspendida entre dos «infinitudes», Buenos Aires proporciona también una suerte de modelo ideal para un urbanismo de trazos gigantescos, así como un primer antecedente del Plan Obus para Árgel del año siguiente. Si el viaje corbusierano marcaba así una suerte de hito fundacional para la arquitectura moderna sudamericana, propone Graciela Silvestri (2011: 281), «Sudamérica es también central para Le Corbusier: es después de este viaje en que, admirado por la gran dimensión americana, ensaya propuestas urbanísticas que alterarán los caminos de las ciudades modernas».

No se trata sólo de la imposición de una racionalidad abstracta sobre la fuerza ciega de la naturaleza y del crecimiento orgánico, como podría sugerir la antítesis entre el peatón enjaulado en la cuadrícula y el viajero a bordo de buques y aviones con su capacidad no sólo de ver las grandes estructuras naturales, sino también de comprender las leyes subyacentes a éstas. «Desde las casas, nadie ve [Rio de Janeiro]», escribe Le Corbusier en *La ville radieuse* (1964: 223): «Si usted camina por el laberinto de las calles, pierde rápidamente todo sentido del conjunto. Tome usted un avión y verá, y entenderá, y decidirá». Efectivamente, aquello que la tecnología del vuelo permite comprender es una dialéctica entre naturaleza e idea, la emergencia de la síntesis trascendente *desde* la misma inmanencia natural, tal y como en el desborde del meandro por la línea recta la propia naturaleza celebra «la victoria sobre sí misma» (Le Corbusier, 1960: 142). Dejando atrás las agrias disputas en el seno de la CIAM –donde, en la reunión de Frankfurt del mismo año, los portavoces del ala izquierda con sus exigencias de una arquitectura social al servicio de las necesidades obreras habían tomado las riendas[31]–, Le Corbusier descubre en su viaje sudamericano de 1929 a «la Tierra». Ésta será, de ahí en adelante, el soporte orgánico de la máquina urbana de cuyas funciones interconectadas (circulación, recreación, habitación, trabajo) ella provee el modelo: «una masa líquida esférica [...] en función constante de evaporación y de condensación» (Le Corbusier, 1960: 5). La ciudad nueva, al superar la sedimentación de capas previas de convivencia humana y al volver a abrir canales de circulación para luz, aire y agua, se abre también hacia el elemento natural: «Cuando las soluciones son grandes –concluye Le Corbusier– y la naturaleza viene a casarse alegremente con ellas, o mejor: cuando la naturaleza viene a integrarse a ellas, entonces nos habremos aproximado de la *unidad*» (Le Corbusier, 1960: 245).

Unidad que, para Le Corbusier, ya no supone ninguna relación mimética entre ambiente y arquitectura. Más bien, la solución urbanística es el resultado emplazado y concreto de una operación de lectura. En ella resuenan y se plasman en un destino urbano los mandatos de naturaleza e historia (la topografía sublime de Río y el gran vacío de Buenos Aires; el cruce de las antiguas rutas a Santos y a Río en el centro de San Pablo). Ese texto urbano se vuelve legible –como indica la pequeña avioneta en el borde inferior del croquis para San Pablo– desde la distancia del pasajero de avión, capaz de apreciar geográficamente el conjunto ciudad/paisaje. «La visión desde el avión es la más calma, la más regular, la más precisa que se pueda desear –escribe Le Corbusier–. Todo adquiere la precisión de un bosquejo: el espectáculo no es precipitado sino

[31] La CIAM [*Conférence Internationale d'Architecture Moderne*] fue fundada en 1924 por 24 arquitectos y urbanistas europeos para promover el espíritu nuevo en arquitetura. El grupo se escindió rápidamente entre quienes, como Mart Stam, Hannes Meyer, Hans Schmidt y Rudolf Steiger, defendían una arquitectura al servicio de causas sociales y proyectos revolucionarios, y el ala representada por Le Corbusier y sus aliados, para quienes, según el famoso eslogan del maestro, la arquitectura constituía por el contrario la alternativa a la revolución: la contención de la lucha de clases por la alianza entre estética y técnica.

muy lento, sin ruptura...» (Le Corbusier, 1960: 8). Pero también, crucialmente, es la visión del extranjero, del viajero desprejuiciado quien recorre el mundo con los ojos abiertos y exhorta a sus oyentes a emularlo, para así reconocer con él, en las austeras fachadas posteriores del suburbio porteño con sus molinetes y sus proporciones armónicas, un modelo de modernidad nacional. Hay que colocarse en distancia, en extranjería, propone Le Corbusier, para poder apreciar equivalencias y resonancias morfológicas entre elementos de naturaleza y de cultura; de ese distanciamiento surgirá la modalidad particular y única de *emplazar* lo moderno, de reconciliar sus principios universales con el «destino local» que ese ejercicio de lectura acaba de revelar.

Alejarse para emplazar, tomar distancia gracias a una visión tecnológica para, desde ella, reconocer las correspondencias entre formas cosmopolitas y naturaleza local: es ésa, precisamente, la fórmula, el «juego entre afirmación-hombre y presencia-naturaleza», a la que se están abocando por esos mismos años los integrantes de un emergente modernismo arquitectónico latinoamericano, desde la casa Rivera-Kahlo de Juan O'Gorman (1932) y los edificios de Grigorij Warchavchik y Luiz Nunes en San Pablo y Recife, al nuevo Ministério de Educación y Salud carioca, iniciado en 1936. Gracias a ese afán compartido por «regionalizar lo moderno», América Latina se convertirá por un breve lapso en «the boom-province of the Modernist Movement» (Bill, citado en Bergdoll, 2015: 21), como anota en 1954 Max Bill, en un texto que ya anticipa con su ataque frontal contra Niemeyer el cambio de fortunas críticas que culminará pocos años después en la condenación rotunda de Brasília por parte de Siegfried Giedion. Pero entre los treinta y cincuenta, cuando el avance fascista y la guerra habían prácticamente parado la construcción de arquitectura moderna en Europa y Estados Unidos, América Latina aún más que los países escandinavos se convirtió en el embanderado de un nuevo modernismo, capaz de «comprender y realizar plásticamente [...] todas las necesidades vitales del pueblo, materiales y culturales», en palabras de Hannes

Meyer pronunciadas en México en 1938 (citado en Gorelik, 2005: 104). «Brasil se lanzó en una corrida aventurosa aunque inevitable –se hacía eco Philip L. Goodwin, en 1943, en su introducción al catálogo de *Brazil Builds: Architecture New and Old 1652-1942*, la primera muestra de arquitectura latinoamericana organizada por el MoMA que ese mismo año también fue exhibida en el Palacio de Bellas Artes de México:

> Hay que considerar el trabajo de los últimos años en relación con un movimiento que se extiende a todas partes del mundo. Primero, tiene el carácter del propio país y de los hombres que lo lanzaron. Segundo, se ajusta al clima y a los materiales de los que dispone. En particular, el problema de protección contra el calor y los reflejos de luz fue corajosamente encarado y brillantemente resuelto. Tercero, ha adelantado la evolución del movimiento entero unos pasos hacia el desarrollo pleno de las ideas lanzadas en Europa y América bien antes de la guerra de 1914 (Goodwin, 1943: 102-103).

El *quebra-luz*, el sistema ingenioso de persianas ajustables de cemento diseñado por el equipo comandado por Lúcio Costa, que permitía la regulación individual de luz y ventilación al mismo tiempo que confería una identidad plástica al edificio, cuya fachada ofrecía así un mapa movedizo de superficies opacas y reflexivas, es resaltado por Goodwin como emblema triunfal del modernismo arquitectónico brasileño: al mismo tiempo tributo respetuoso del «modelo europeo» y su concretización tropicalizante en un gesto de apropiación transformadora. «Ya en 1933 –escribe Goodwin– Le Corbusier recomendó el uso de *quebra-luzes* móviles externos en su proyecto no ejecutado para Barcelona, pero fue en Brasil donde esa teoría se puso en práctica por primera vez. Tal como los desarrollaron los arquitectos del Brasil, estos parasoles externos son a veces horizontales, a veces verticales, a veces móviles, a veces fijos» (Goodwin, 1943: 85). En su amalgamiento de funcionalismo y plasticidad moderna con la particularidad del ambiente natural y el diálogo con formas locales de construcción, el *quebra-luz* condensa en un solo elemento el éxito de toda la propuesta. Partiendo de un bosquejo inicial encomendado a Le Corbusier en 1936, el proyecto final del grupo, conformado además por Carlos Leão, Jorge Moreira, Affonso Reidy, Ernani Vasconcelos y Oscar Niemeyer, con la contribución de Roberto Burle Marx en el diseño de la plaza y jardines, y de Cândido Portinari para los azulejos que flanqueaban la entrada principal, representa una suerte de *Bildungsroman* fundacional en los anales de la arquitectura moderna latinoamericana[32].

Novela de aprendizaje cuyos sentidos cambian según el narrador que los maneja: unos –como Goodwin y más tarde Henry-Russell Hitchcock en su *Latin American Architecture since 1945*– ponen el acento en la orientación inicial brindada por Le Corbusier en su visita de julio/agosto de 1936; otros resaltan, más bien, la acción creativa de los «discípulos», quienes, según esa versión, habrían acudido al maestro suizo más en función de aumentar su capital simbólico frente al *establishment* local, que buscando una colaboración efectiva. Lo cierto es que, de las propuestas corbusieranas iniciales para la playa de Santa Lúzia, frente al Hotel Glória donde acostumbraba hospedarse el urbanista no quedaban en el proyecto final del equipo brasileño sino los *pilotis* sosteniendo la caja rectangular del bloque principal. Del segundo proyecto bosquejado por Corbusier para el sitio de Castelo, en cambio, los brasileños retuvieron la estructura del bloque en forma de T, pero girando el eje este/oeste a norte/sur, de modo que deje el edificio menos expuesto al sol y permita abrir las vistas desde los pisos altos hacia el puerto y el viejo centro, por un lado, y hacia el flamante aeropuerto Santos Dumont, el Pan de Azúcar y las playas de Flamengo y Botafogo, por el otro[33]. Si el proyecto inicial de Le

[32] Véase, sobre la construcción del MES y su recepción en Brasil y en la crítica arquitectónica internacional, Lissovsky y Moraes de Sá, 1996; Quezado Dekker, 2001: 25-53.

[33] También fue aumentado de diez a quince pisos el ala principal, el auditorio y bloque inferior para exposiciones que se reubicaron de manera asimétrica hacia la rua da Imprensa, abriendo una plaza pública hacia el lado de la avenida Graça Aranha. También se agregaron dos extensiones sostenidas por *pilotis* al bloque de exposiciones en la parte posterior, aumentando así el contraste entre ambos lados del conjunto.

Corbusier partía otra vez de una imagen de la ciudad destinada al viajero ultramarino (con la gran estatua del *Homem do Brasil* de Bruno Giorgi mirando hacia la bahía como si lo fuera a recibir), el edificio diseñado por el grupo brasileño decididamente toma su lugar en la ciudad, definiéndose en relación con sus ejes y flujos, reconfigurándolos a través del espacio que abre en su seno.

2.1 Marcel Gautherot, Ministerio de Educación y Salud, fachada sur, Río de Janeiro, década de 1940, Archivo de IPHAN, Río de Janeiro.

Como después en los diseños de Niemeyer en Pampulha y aun en los de la dupla Costa/Niemeyer en Brasilia, el éxito del proyecto para el ministerio pasa sobre todo por su capacidad asombrosa de encontrar soluciones funcionales adecuadas no sólo para las particularidades locales (luminosidad, ventilación, etc.) sino, además, de tramar con éstas un relato épico de modernidad nacional. En el edificio carioca, los elementos a la vez funcionales e icónicos, como el *quebra-luz* o el granito rosado usado en los muros de la plaza y el barniz de los *pilotis*, se potencian a través de la «integración plástica» con formas decorativas como los azulejos de Portinari –aludiendo con su emblemática marítima a la tradición luso-colonial pero también a la geografía e historia portuaria de la ciudad– y más aún con la jardinería de Burle Marx que, en contrapunto, invita la selva tropical al centro urbano. Apartándose de las propuestas bosquejadas por Corbusier que homenajeaban la geometría clásica de las avenidas de palmeras reales (ya frecuentadas por el urbanismo imperial del siglo anterior), Burle Marx introduce en el *roof-garden* del ala de exposiciones y en las áreas plantadas de la plaza pública un contra-ritmo de senderos curvos y canteros en formas orgánicas que, en palabras de Valerie Fraser (2000: 176), hacen recordar a «islotes en aguas poco profundas, y ahí donde penetran por debajo del edificio, los pilotis surgen de la vegetación inferior como troncos de árboles gigantescos» (Fig. 2.1). Los canteros fueron plantados con grupos monocromáticos de arbustos y hierbas nativos a los que, en la plaza, se agregaban grandes palmeras y árboles pau-brasil. En sus diseños provocativamente ondulatorios y meandrosos, los jardines de Burle Marx también representaban una suerte de contestación irreverente, de «antropofagia vegetal», a las intervenciones corbusieranas de la década anterior en la América del Sur. Sus diseños curvos realizan una interrupción crítica de la geometría rectilinear del edificio, al mismo tiempo que la inscriben en su entorno. Aquí, aún más enfáticamente que en la reja de cactus que O'Gorman hizo plantar en torno de la casa Rivera-Kahlo –aludiendo al modo tradicional de desmarcar campos y sembrados en el interior mexicano–, los jardines de Burle Marx en el MES interpretan y definen los sentidos del emplazamiento proclamado por la composición arquitectónica. Si el propio edificio es también un discurso sobre la naturaleza brasileña, es recién a través de su envoltura jardinesca que ese discurso deja de ser una mera figuración emblemática del paisaje circundante y, en cambio, se abre paso hacia éste. En la trama de la arquitectura moderna latinoamericana, el jardín representa así la zona de contacto entre el espacio construido y un «paisaje nacional» que la arquitectura puede abarcar prospectivamente como zona de expansión futura, precisamente al dejarse atravesar por ella. El jardín marca el paso desde la visión exterior y distante del viajero corbusierano a lo que, con Heidegger, podríamos llamar coligación: como el puente que, al poner en relación la corriente del río, los barrancos y las orillas, «coliga la tierra como paisaje en torno a la corriente» (Heidegger, 1994: 5), el jardín del paisajismo latinoamericano establece en la juntura entre arquitectura y entorno un «paisaje» al mismo tiempo nacional y cosmopolita, simultáneamente moderno y natural.

La luz americana

De regreso de un viaje a la Patagonia donde, a instancias del director del recientemente inaugurado Parque Nacional Nahuel Huapi, Exequiel Bustillo, había estado inspeccionando sitios y vistas para el proyecto, finalmente frustrado, de un libro-ensayo sobre el paisaje lacustre que iba a ser ilustrado con imágenes de la fotógrafa germano-francesa Gisèle Freund[34], Victoria Ocampo

[34] El proyecto de producir un libro sobre los parques patagónicos con texto de Ocampo y fotografías de Gisèle Freund había sido ideado por Exequiel Bustillo como un medio de atraer al turismo internacional de élite, y fue motivo de un intercambio de cartas entre los tres entre 1941 y 1943. El libro nunca se realizó, entre otras razones, porque Bustillo (ya acusado por ese entonces de practicar el favoritismo en el otorgamiento de títulos de propiedad a amigos y socios políticos) se rehusaba a interceder a favor de Ocampo en la adquisición de tierras en el área del Nahuel Huapi. Véase al respecto Scarzanella, 2005: 12, 20.

comentaba con entusiasmo las flamantes instalaciones del Hotel Llao Llao, diseñado por Alejandro Bustillo –hermano de Exequiel, quien ya había firmado en 1928 el proyecto de la propia casa de Ocampo en Palermo Chico. Pero si, en la casa porteña, Bustillo se había sometido a desgano, según sus propias afirmaciones, al programa racionalista exigido por su clienta, en el gran hotel que desde su plataforma elevada comandaba magníficas vistas de los lagos Moreno y Nahuel Huapi, escribía Ocampo, Bustillo había inventado un lenguaje arquitectónico absolutamente idiosincrático y propio de su entorno natural: «No ha estropeado la naturaleza y ha respetado todo lo que en ella había de grandioso, de salvaje, a la vez que lo ha vuelto accesible. [...] Hasta en lo que concierne a los detalles, no ha cometido un solo error, una sola falta de gusto. Ni una sola vez ha traicionado y contradicho el espíritu del lugar» (Ocampo, 1946: 208). A pesar de que, en el momento de la visita de Ocampo, el edificio original revestido enteramente en madera, que se había inaugurado en 1938 e incendiado poco después, ya había sido reemplazado por uno nuevo que sustituía los muros sándwich de madera solapada por una estructura de hormigón y las tejuelas de alerce de los muros laterales por tejas cerámicas, la arquitectura de Bustillo conservaba, según la editora de *Sur*, su capacidad por captar e incluso por resaltar un *genius loci* que recién se revelaba a partir de esa intervención.

¿Cuál era ese «espíritu de lugar» que una arquitectura historizante y pintoresquista, como la que Bustillo inventaba para sus intervenciones en la Patagonia, podía reclamar con la misma legitimidad con que lo hacía una arquitectura de inspiración funcionalista como la del Palacio Capanema en Río? Las palabras de Ocampo sobre el hotel rústico de Bustillo coinciden en un grado sorprendente con las que José Lins do Rego pronunciara casi simultáneamente sobre el edificio del equipo de Costa, ambos resaltando el juego de resonancias entre espacio construido y paisaje natural: «Le Corbusier era el punto de partida que enseñaba a la nueva escuela de arquitectura brasileña a expresarse con gran espontaneidad y llegar a soluciones originales [...]. Como la música de Villa-Lobos, la la fuerza expresiva de un Lúcio Costa y de un Niemeyer era una creación intrínsecamente nuestra, algo que surgía de nuestra propia vida. La vuelta a la naturaleza y el valor que fue atribuido al paisaje como elemento sustancial, salvaron a nuestros arquitectos de lo que podría considerarse formal en Le Corbusier» (Lins, citado en Xavier, 1987: 303). Como lo resumía en 1930, en su comunicación ante el tercer Congreso Internacional de Arquitectura Moderna, el ruso-brasileño Gregorij Warchavchik, «nuestros aliados más eficientes, al menos en Brasil, son la naturaleza tropical, que envuelve tan favorablemente a la casa moderna con cactus y otras plantas soberbias, y la luz magnífica que destaca los perfiles claros y nítidos de las construcciones sobre el fondo verde-oscuro de los jardines» (Warchavchik, citado en Mazza Dourado, 2009: 53)[35]. Irónicamente, era con el mismo argumento de fluidez entre formas naturales y arquitectónicas que José Vasconcelos, de visita en Río de Janeiro para asistir a la Exposición del Centenario, había elogiado en 1922 los palacios neomanuelinos de la feria que anunciaban, según el mexicano, a la ciudad futura donde «una civilización refinada e intensa responderá a los esplendores de una Naturaleza henchida de potencias» y «la conquista del trópico transformará todos los aspectos de la vida; la arquitectura abandonará la ojiva, la bóveda y, en general, la techumbre [...]; se levantarán columnatas en inútiles alardes de belleza y, quizás, construcciones en caracol, porque la nueva estética tratará de amoldarse a la curva sin fin del ser en la conquista del infinito» (Vasconcelos, 1925: 24). Curva que, sin ir más lejos, veremos reaparecer unos años después en la línea de los *grattes-terre* que bosquejaría el propio Le Corbusier en su primer paso por Río de Janeiro y aun en el famoso poema con el que Niemeyer le contestará, años después, al «Poème de l'angle droit» del maestro suizo.

---

[35] «... os nossos aliados mais eficientes, pelo menos no Brasil, são a natureza tropical, que emoldura tão favorávelmente a casa moderna com cactos e outros vegetais soberbos, e a luz magnífica que destaca os perfis claros e nítidos das construções sobre o fundo verde-escuro dos jardins».

Pero si, en los vaivenes del debate arquitectónico y urbanístico latinoamericano la naturaleza podía figurar como testigo y garante de propuestas tan adversas, ¿en qué medida se le puede atribuir un papel determinante en la composición del espacio construido? ¿Es la noción de fidelidad, ya sea al entorno natural como en la elogiosa reseña del Llao Llao por Ocampo, ya sea a la versión más amplia de un paisaje cultural como en la celebración del modernismo brasileño por Goodwin, realmente una vara útil con la cual medir el éxito o constatar el fracaso del modernismo arquitectónico en América Latina? Más bien, quisiera sugerir, en ese reclamo de naturalidad, la arquitectura formulaba discursos menos analíticos que prescriptivos sobre el tiempo y el espacio de ciudad y nación, y sobre las formas políticas, sociales y culturales de habitarlos. Más que tomándola (como hacen los textos de Ocampo, de Lins, de Vasconcelos o de Warchavchik) como un hecho irrefutable y previo a la inscripción arquitectónica, habría que interrogar a esa naturaleza por su función ideológica y formal en la composición espacial y por el tipo de vínculo que esta última proponía construir con su entorno a través de esa enunciación de su naturalidad. ¿Cuáles eran, pregunto, las «naturalezas americanas» en las que proponía asentarse la nueva arquitectura? ¿Cómo las enunciaban los edificios y cómo proponían integrarlas como paisajes al espacio habitado? ¿En qué medida la regionalización, ya sea como emplazamiento del modernismo cosmopolita, ya sea como su refutación en nombre de un patrimonialismo neocolonial o nativista, llegó de veras a construir relaciones de reciprocidad con tramas históricas y ensamblajes ecológicos propios de su localidad?

En Buenos Aires, el círculo martinfierrista fue de los primeros en acudir con entusiasmo al llamado corbusierano de «abrir los ojos», no sólo hacia las propuestas más avanzadas de la «Edad de la Máquina» sino también hacia la belleza espontánea de la creación anónima, «las pequeñas viviendas populares, simples y puras, no contaminadas aún por la falsa cultura ciudadana», como escribe Alberto Prebisch (1931b: 181) en su reseña de *Précisions*, publicada en el primer número de *Sur* dos años después del viaje de Le Corbusier. En el número siguiente, Prebisch elabora la idea al contraponer las «absurdas variedades de disparate arquitectónico» de la Buenos Aires actual, propias del «rumboso capricho personal del "parvenu"», con la sobriedad y modestia de la ciudad del novecientos, que aún «era [...] lo que hoy sólo podremos asegurar que es si damos crédito a la geografía: una ciudad de América». Humilde, «sin diagonales, subterráneos ni pretensiones», esa ciudad apenas anterior a la inmigración masiva y que aún subsistía –como había comprobado el mismo Corbusier en sus caminatas por el arrabal porteño– en los suburbios lindantes con la pampa, «era, todavía, arquitectura de hombres y no de arquitectos; es decir, que su estilo provenía del cumplimiento natural de necesidades bien concretas [y] obedecía lógicamente a las imposiciones del clima y las costumbres» (Prebisch, 1931a: 218-220). Esa idea de la «ciudad americana», más clasicista que moderna, que aún subyace al proyecto del propio Prebisch para el Obelisco y la Plaza de la República, elaborado cuatro años después, dialogaba asimismo con la primera nota que firmaba Victoria Ocampo en *Sur*, «La aventura del mueble», y donde –remontándose ya desde el título a las conferencias corbusieranas– ella desechaba los salones abigarrados de antigüedades europeas a favor del espacio vacío y abstracto que acoge y se deja modelar por su ambiente: «Me gustan las casas vacías de muebles e inundadas de luz. Me gustan las casas de paredes lacónicas que se abren, amplias, dejando hablar al cielo y a los árboles» (Ocampo, 1931b: 171).

En el curso del texto y de manera sutil, Ocampo pasa así de la pregunta corbusierana por el vínculo entre funcionalidad y belleza en el objeto material a la de su adecuación al contexto físico, a la relación entre interior y exterior; tergiversación del original que es ya en sí misma un ejemplo de la traducción regionalizante de lo moderno en que consiste todo el proyecto de Ocampo y de *Sur*: proyecto «insuflado al comienzo del americanismo de Waldo Frank» –al decir de Patricia Willson (2004: 83)– sin que por eso le «vuelv[a] la espalda a Europa». En otro desplazamiento llamativo, Ocampo al final del texto consigue vislumbrar esa relación *reflexiva* entre ambiente habitado y ambiente físico (mediada por la luz que pone en relación los elementos del paisaje y el mobiliario) en otro hemisferio y en otra lengua: en el departamento neoyorquino del fotógrafo Alfred Stieglitz, sobre cuya puerta ella lee, al entrar, las palabras «An American place». Y efectivamente, comprueba, del mismo modo en que se compenetró con el espíritu de la máquina fotográfica al punto de arrancarle a la realidad material su dimensión alucinatoria, Stieglitz también habría conseguido transformar «este modesto departamento que recibió los primeros Cézanne, los primeros Matisse, los primeros Picasso, llegados a Nueva York» en un lugar plenamente americano: «el único lugar al que se le podía conceder plenamente tal título [...] en esta fastuosa isla de Manhattan» (Ocampo, 1931b: 173). En esta casa donde los hitos de modernidad plástica europea están puestos en diálogo visual con el «gran germinar de rascacielos» del paisaje urbano neoyorquino, Ocampo se siente como en la suya propia: «Comprendí que también *I belonged there*, como dicen los yanquis». La casa de Stieglitz (dice ella que le dijo Waldo Frank, el amigo norteamericano cuya primera visita en 1929 coincidió con la de Le Corbusier) es «un refugio para esos pocos hombres y mujeres que sufren del desierto de América porque llevan aún en ellos a Europa, y sufren del ahogo de Europa porque llevan ya en ellos a América. Desterrados de Europa en América, desterrados de América en Europa» (Ocampo, 1931b: 173-74).

No es difícil ver en la nota sobre la casa de Stieglitz –ese texto al margen del primer número de la revista que aspiraba a convertirse también ella en un «refugio» y una zona de contacto y de traducción entre América y Europa– una suerte de declaración de principios para las casas que la propia Victoria estaba construyendo y amueblando por esos mismos años: la de Mar del Plata, «primera casa moderna de la Argentina», construida en 1927 «según mi fantasía» (si bien tomando como modelo la casa diseñada por Robert

Mallet-Stevens para los vizcondes de Noailles en Hyères, Francia). Vendida al año siguiente, la casa era, no obstante, el sitio donde «quería recomenzar todo lo relativo a la arquitectura y al amueblamiento a partir de cero [...] la quería absolutamente simple, absolutamente desnuda» («La primera casa moderna en Mar del Plata», 1941, citado en Berjman, 2007: 242). Enseguida, al año siguiente, la casa urbana de Palermo Chico, con diseño de Alejandro Bustillo tras haber desechado la propuesta encomendada a Le Corbusier («en el estilo que nosotros amamos [...] algo del género [...] de la casa de Garches» (Ocampo, citada en Liernur y Pschepiurca, 2008: 67)) para un lote alternativo sobre la calle Salguero. En torno de la casa compuesta por cubos rectangulares horizontales y verticales, un jardín cubista con cactáceas plantadas en canteros de cemento mirando hacia un acortinado de cipreses, jazmines del cabo y palmeras en el límite de la propiedad, y dialogando con los grandes cactus al interior de la casa que integraban, por sus propiedades esculturales, el paisaje exterior con los Léger y Picasso en las paredes y el escaso mobiliario. Si Bustillo era «constructor consagrado, experto en depurar e interpretar el estilo francés tan caro a los porteños» (Grementieri, 2010: 10) y, junto con Ángel Guido, uno de los portavoces de la resistencia local a las prédicas corbusieranas, resultaba a primera vista una elección curiosa para un proyecto de intenciones vanguardistas. El resultado respondía plenamente a la búsqueda de un balance entre la funcionalidad moderna radical y el «clasicismo de espíritu ruskiniano» (Liernur y Pschepiurca, 2008: 70), al que adherían tanto Bustillo como Ocampo desde sus primeras coincidencias, ahí por el 1912, en el grupo Parera (integrado también por Ricardo Güiraldes, Adelina del Carril y Alberto Lagos). Finalmente, en 1930, ahora con asesoría de Prebisch, se inicia el refaccionamiento de la casona familiar en San Isidro que Victoria hereda ese mismo año y cuyas reformas de interiores y jardines, con la subdivisión de la propiedad entre las hermanas, continuarán durante más de una década al paso de la revista y del emprendimiento cultural al que la casa servirá de centro de recepciones.

Sur, cuenta María Rosa Oliver, fue gestada en los jardines de Villa Ocampo durante el verano de 1930, de manera simultánea con la reacomodación de la casa; los diseños de ambos, casa y revista, se confundían hasta volverse un solo proyecto. *Sur* «nació bautizada y con ajuar: bajo los jirones de corteza, los troncos de los eucaliptos nos dieron los tonos de mapa que llevarían las tapas» (Oliver, 1969, citada en Berjman, 2007: 60). La arquitectura y el triángulo de sitios entre el barrio-parque céntrico, la casa patricia de verano en el río y el balneario atlántico, representaban así un espacio y un lenguaje complementario al de la revista a la que las casas servían de escenario, alojando a sus huéspedes ilustres de la misma manera en que las traducciones de *Sur* proponían introducir y alojar a la modernidad europea en el espacio cultural de América. Las casas de Victoria Ocampo *representaban* el proyecto de *Sur* –lo desglosaban, comentaban y extendían– al mismo tiempo que la revista traducía (y construía) los sentidos de las casas, los objetos que contenían y los jardines que las rodeaban. «Las casas de Ocampo», dice Beatriz Sarlo (1998: 185), «traducen en el espacio, la actividad de traducción en la cual ella ya está embarcada. Así como las casas representan los esquemas del modernismo, también representan las prácticas de la traducción que definirían el espacio de *Sur*».

Haciéndose eco de los elogios pronunciados por Le Corbusier el año anterior, Waldo Frank en *América Hispana* se refiere a la casa de Palermo Chico en términos notablemente parecidos a los que la propia Victoria usaba para describir el departamento de Stieglitz:

> Doña Victoria ha copiado muchas cosas de Europa: los tapetes son de un francés y de un español contemporáneos, las mesas son inglesas, el amplio globo del hall es del Renacimiento y las líneas arquitectónicas son deudoras de las escuelas de Alemania y de Francia. Pero todos estos detalles han sido transfigurados y dispuestos por una argentina, por una voluntad americana. La clave de esa casa es la luz, una luz americana en cuya movilidad renacen todos los colores de los mundos antiguos. El

tema es la estructura –una manera de estratificar, de conservar y de ordenar la luz para convertirla en la sustancia de una vida americana (Frank 1931, citado en Pereira, 1984: 54)

Disponer en el espacio y así exponer, a la luminosidad americana, los lenguajes formales de la modernidad cosmopolita: es ése el proyecto que *Sur* pretende albergar y que las casas de Victoria escenifican con cada uno de sus huéspedes extranjeros[36]. En San Isidro, la mansión familiar construida por su padre por vuelta de 1890 en un estilo victoriano mezclado con elementos franceses, Ocampo pondrá en práctica sus conocimientos de jardinería, alimentados por una nutrida colección de libros sobre paisajismo y botánica (especialmente ingleses), además de su familiaridad con los jardines del grupo Bloomsbury y con Dartington Hall –el proyecto pedagógico-paisajista del matrimonio Elmhirst a quienes conoce a través de Rabindranath Tagore[37]. Tras la subdivisión de la propiedad, Victoria distribuye por el predio nuevos sotobosques

[36] De ese propósito de «ambientación americana» de lo moderno dan cuenta también las ilustraciones de los primeros números de la revista: no sólo las cuatro fotografías de paisajes argentinos (Iguazú, Tierra del Fuego, la Cordillera y «las pampas») –el «manual de geografía» de Victoria «para mostrarlo a sus amigos de Europa», como comentará Borges con ironía mordaz– sino también dos de Brasil en el primer número, dialogando con los relatos de viaje por la selva y por Minas Gerais de Waldo Frank y Jules Supervielle, además de dos contrapicados de un palo borracho tomados por Víctor Delhez, colaborador frecuente de la revista, en páginas contiguas con grabados de Picasso. El segundo número anuncia «28 láminas documentales y artísticas» entre las cuales destacan los dípticos en páginas opuestas de anatomías vegetales fotografiadas en ampliación múltiple y contrapuestas con herramientas y máquinas «primitivas» y «modernas»: una suerte de morfología general de las formas que *«reconoce»* en los seres vivientes una volición formal y en la técnica una recuperación de lo orgánico. Aquí como en los cactus de la casa de Palermo Chico, lo moderno coincide así con una plasticidad orgánica, tesis que las casas y los jardines de Victoria pondrán a prueba.

[37] Dartington Hall, una mansión medieval cerca de Totnes, Devon, fue adquirida por Dorothy y Leonard Elmhirst (secretario y amigo de Rabindranath Tagore) en 1925. En el terreno, reformado con asesoría de Beatrix Farrand y Percy Cane según conceptos del «flower garden» y del «wildlife garden» moderno y sucesivamente enriquecido con obras de escultoría (Henry Moore, Wilhelm Soukop), fundaron en 1928 el Dartington Hall School, escuela progresista de artes donde estudiaron Lucien Freud y el actor Ivan Moffat. Ocampo, quien tenía en su biblioteca un ejemplar del libro de Dorothy, *The Gardens of Dartington Hall*, publicó un ensayo sobre la escuela y sus jardines en *La Prensa* en 1968.

y canteros en función de definir los nuevos límites del parque, y elimina las canchas de tenis reemplazándolas con césped para crear un espacio más aireado y abierto visualmente. Elimina también varias palmeras, pese a las protestas de su hermana Silvina, para abrir vistas desde lo alto. El rasgo sobresaliente del predio, sugieren Berjman y Ricciardi (Berjman, 2007: 169), es la ubicación de la propiedad sobre la barranca del río que pone los jardines en relación visual con el circundante paisaje ribereño, principio organizador resaltado por el pequeño kiosco-mirador y por los claros que abren perspectivas al río, mientras árboles y arbustos tapizan la calle y las propiedades vecinas. Así, en el sector ubicado a la izquierda de la casa desde la calle, un grupo de árboles de gran porte –tipas, ombúes y sequoias que rodean la estatua de Diana, simbolizando el mundo silvestre–, genera una sensación de penumbra y misterio que se interrumpe en dirección a la barranca por el pequeño prado de césped y fresias asilvestradas, donde Victoria hizo plantar dos gingkos que actúan como marco-umbral de la escalinata de acceso al sector. Hacia el noroeste, un jardín boscoso de tipas, cedros, lapachos y olivos cierra el área en la barranca; bosquecillo que opera visualmente la transición entre parque y río, al mismo tiempo que tamiza visual y auditivamente el impacto de la calle que bordea la propiedad. En la parte superior de la barranca, Victoria hizo plantar cactáceas y xerófilas componiendo así una suerte de pequeña serranía, encima de la cual se ubica el mirador-glorieta. Más hacia la izquierda, en el sector posterior de la casa, se encuentra un vestíbulo jardinesco, frente a la veranda. El vestíbulo está formado en torno de la *pélouse* de césped con una fuente escultórica al centro, y dos líneas de árboles rodeándola, entre los que sobresalen las palmeras y, más al fondo, las tipas y los eucaliptos que aportan al escenario una cortina frondosa. Alrededor de la casa, una serie de canteros visten el edificio en ropaje vegetal, en la que cada fachada cuenta con un color floral predominante: rojos al frente (nandinas domésticas y *ampelopsis*), blancos en la parte posterior (rosas y jazmines), rosados y celestes al noroeste (laureles, oleander, bougainvilleas, gardenias), verdes oscuros y naranjas al sureste (clivias, *acanthus*, *nephrolepsis*). La reforma del parque «bajo la influencia de una estética de jardines de cuño eduardiano, practicada por el grupo de Bloomsbury», resume Fabio Grementieri, «constituye una operación similar a la que efectúa Victoria Ocampo sobre la casa misma. En ambos casos tomó una pieza típica del 1900 y respetando su estructura general la recicló según cánones innovadores resultando en una integración de tradición y modernidad que sería prototípica del último tercio del siglo XX» (Grementieri, citado en Berjman, 2007: 170-171) (lámina 4).

El jardín es así una más de las figuraciones de la máquina cultural construida por Ocampo en distintos ámbitos, que van desde la actividad editorial y la traducción hasta la arquitectura, la moda y la política. Como su escritura que acumula volúmenes de testimonios y autobiografías, es una zona de transiciones y vaivenes entre la invención de un sujeto «moderno» (a través de la traducción, el coleccionismo, las amistades y relaciones pasionales) y el anhelo nostálgico por preservar una memoria infantil y familiar, que el mismo ímpetu modernizador torna escurridiza. El jardín es, en su relación con los muebles y objetos del arte novísimo de ultramar dentro de la casa, un puente hacia la tierra y el pasado, un despertador de recuerdos involuntarios porque, escribe Victoria, «los olores y los sonidos [...] son los fijadores más poderosos del recuerdo, y porque un jardín, además de entrarnos por los ojos, nos entra por las narices, esas puertas de nuestro ser que nunca se pueden cerrar» (Ocampo, 1963: 162). Reformar, modernizar el jardín de Villa Ocampo, introduciendo en él los elementos paisajísticos aprendidos en el cubismo (Guévrékian, André Véra) y en el *wildlife garden* inglés (Getrude Jekyll), es también trabajar sobre *la forma* de los recuerdos de infancia. El jardín, con su poder proustiano de despertar memorias a través de la inmersión háptica y olfática que retrotrae a una experiencia íntima y corporal con la localidad, es la contraparte de una escritura autobiográfica *menor* que, si bien nunca pretende anular la distancia con la niña del pasado, sí recupera de ésta la pasión por el detalle, las pequeñas preciosidades que alguna vez componían el mundo infantil:

> Los niños son aficionados a los detalles. Empiezan por aquello que está al alcance de su boca. Para el grupo de chicas que veraneaba en una quinta junto al río, San Isidro era el higo apenas abierto entre las hojas ásperas y el durazno tibio de sol, los coquitos que la palmera inaccesible dejaba caer, el barro de la ribera cuando nos permitían chapalear con los pies desnudos en el agua color dulce de leche. El río era la esperanza de poder ir a pescarle un bagre con una caña de bambú verde, era meter la mano en la tierra negra, allí donde la azada del jardinero sacaba de su escondite alguna lombriz buena para el anzuelo; era ocultar entre las hortensias una caja de jabón, cofre donde guardábamos nuestras piedras preciosas: piedritas recogidas en los caminos del jardín. El paisaje, en aquella época, no iba más allá de esas cosas (Ocampo, 1963: 52-53).

El jardín es, como la escritura que lo invoca, la elegía de un tiempo y lugar anterior. Los canteros y plantaciones que diseña y mantiene la Victoria adulta no son sino memoriales al éxtasis infantil que ya sólo perdura en forma de idea: «¿Cómo pueden entrar en un paisaje la tos ferina y el llanto?», se pregunta comentando uno de los *Sonetos del jardín* (1948) de su hermana Silvina, para enseguida contestarse a sí misma: «Estamos hablando de un paisaje no sólo exterior sino interior. [...] Esta afluencia de detalles, insignificantes en apariencia, prueba de que estamos hablando ya de algo más que de un paisaje: se trata de una tierra novia, de quien alguien está enamorado» (1963: 56). Cuidar el jardín de la casa paterna es, como la escritura autobiográfica, una forma de valorizar las «pequeñas cosas», los detalles de la vivencia infantil, desde la distancia del recuerdo (y de un *cuerpo* adulto ya atravesado por el tiempo y por los desplazamientos en el espacio). Es saber «poner en perspectiva» ese lugar íntimo y personal para así ofrecerlo al huésped extranjero como «marco de lectura» de un paisaje indescifrable desde la mera visión distante, fotográfica: «No se puede fotografiar con una máquina, por perfecta que sea, ni por mucha habilidad que tenga el que la maneja», escribe Ocampo en 1941 en el prefacio de *San Isidro*, libro ilustrado por setenta y ocho fotografías de Gustav Thorlichen: «Sólo puede ser fotografiada por la magia de las palabras. Por el poeta, por el novelista». La atmósfera del lugar es inaccesible a la vista y sólo se abre al poder evocativo de la palabra poética, ya que remite a las «varias generaciones que han vivido felices y han sufrido»: «Sus barrancas, sus árboles, el canto de sus pájaros, su río, sus quintas, sus senderos y callejones, hasta el olor del aire que allí se respira están mezclados a toda mi vida, como estuvieron mezclados a la vida de los que me han precedido» (Ocampo, 1946: 188-189).

La novedad de esa figura del jardín, como *locus* de una infancia vivida en contacto sensorial con la patria chica del suburbio, se comprende al contrastarla con otra inmediatamente anterior: el jardín crepuscular y lujosamente ornamentado del modernismo. Son de éste, o más bien de su referente *belle-époque* finisecular, grutesco e ilusionista, los elementos que propone eliminar Victoria: no sólo bancos, faroles y pérgolas sino también estanques, castillos y miradores. Pero en realidad, más que una referencia a cualquier lugar en particular, el jardín modernista era un puro topos poético: doble y espejo de la propia poesía que celebraba en él su artificio. El simulacro de naturaleza realizado por el jardín correspondía a una relación entre poesía y goce erótico, entre palabra y cuerpo, donde alternaban incesantemente la excitación y la postergación: «Entre columnas, ánforas y flores/ y cúpulas de vivas catedrales,/ gemí en tu casta desnudez rituales/ artísticos de eróticos fervores», escribe Herrera y Reissig (1978: 41) en *Los parques abandonados*. Este jardín casi siempre crepuscular, entrevisto en «muelle laxitud» de «tarde ligeramente enferma», «nemoroso parque» de una «majestad de catafalco», celebra de los elementos naturales apenas lo perecedero y moribundo sólo para referirse, a través de ellos, a la deliciosa fragilidad de lo poético en tanto artificio no-mimético, imagen-palabra desprendida de cualquier referencialidad que no fuera a ella misma. El parque, esa «segunda naturaleza» ya exenta de propósitos productivos o de vitalidad silvestre, propone Lugones (1982: 10) desde los primeros versos de *Los crepúsculos del jardín*, es el *locus* mismo de la poesía, el eco que responde a su llamado extático: «Las nobles fuentes que el jardín decoran/ gimen en la abismada lejanía,/ con esos balbuceos que ya lloran/ y que no son palabras todavía». El tiempo vegetal de emergencia y ocaso («en el agua se duplica/ como un joven ciprés ya moribundo») es aquí el articulador entre la fugacidad del artificio y la de los cuerpos, cuya inmanencia erótica éste capta momentáneamente como flor que estalla del capullo. El jardín modernista es así ante todo una herramienta de *deslocalización*, un paisaje verbal compuesto puramente por tópicos y figuras ya poetizadas: sus cisnes, sauces, rosas y madreselvas no pretenden en realidad componer lugar alguno, del mismo modo en que la celebración de atuendos, prendas y adornos no evoca tanto al cuerpo como su envoltura, celebrando su sublimación completa por el artificio verbal: «Evidenciaban en moderna gracia/ tu fina adolescencia de capullo,/ el corpiño y la falda con orgullo/ ceñidos a tu esbelta aristocracia» (Herrera y Reissig, 1978: 45).

«Recuerdo mío del jardín de casa:/ vida benigna de las plantas» (Borges, 1990: t. I, 84) empieza la invocación borgeana del jardín familiar en Palermo. La dislocación del jardín al tiempo de la infancia y a la geografía barrial es, pues, manifestación del corte con el modernismo poético que traza la vanguardia criollista urbana. Introduce una sensualidad que, en vez de huir de ellas, procura devolver experiencias directas, táctiles, aún no mediadas por el artificio de la palabra: «... besábamos la corteza áspera de una rama, la dulzura fresca y húmeda de una hoja que nos rozaba el rostro», cuenta Norah Lange (1957: 106-107) en su despedida de la casa familiar mendocina: «A veces era necesario que nos alzáramos sobre la punta de los pies, para alcanzar una rama muy alejada. Otras, procurábamos que un tronco demasiado rugoso no nos lastimara los labios». La poética del recuerdo, en Lange como en Ocampo, convoca a esa inmediatez táctil desde la distancia de un lenguaje que ya no se propone *regresar* a ella. La evocación autobiográfica transforma el roce físico en *idea* de rugosidad que no obstante impregna el lenguaje nemónico en forma de trazo o de huella. Así, también, el jardín-monumento que reclama la Victoria adulta no es tanto una reconstrucción posterior del escenario infantil de Villa Ocampo, como más bien su idealización ante el horizonte de experiencias y aprendizajes por los que ha pasado el Yo autobiográfico. Es la acomodación feliz de esa raigambre local en un juego de intercambios, pasajes y traducciones cosmopolitas que, por otra parte, como sugiere Ocampo en diálogo epistolar con Gabriela Mistral, ya habían estado presentes ahí desde siempre. En 1953, la autora del «Poema de Chile» le pide a su corresponsal transandina ayuda para «devolverme nuestra vegetación» y así compensar el hecho de que «todos nuestros jardines viven de pura botánica europea»: «Apenas tengo unos libritos de meras especies de flores y flores... ay de jardín. Me faltan árboles, es cosa de gritar el hallar algo de flora indígena. [...] Fuera de la palmera chilena y de la araucaria ídem y del maitén ídem, no tengo más dear» (Mistral, citada en Berjman, 2007: 68). La contestación de Ocampo desaconseja el indigenismo botánico; en cambio, le llama la atención a la amiga sobre las múltiples trasplantaciones ocurridas entre mundos distantes en las que, más que un indicio de colonialidad y de relaciones económicas extractivas y violentas, ella vislumbra un cosmopolitismo vegetal que realiza en el jardín el proyecto literario y cultural de *acomodación* de lo foráneo:

> Cómo me gustaría darte nombres de plantas para tu poema. Pero no me desprecies a las plantas europeas. No te pongas nacionalista (coté Indio), mi querida Lucila. Además, muchísimas flores puramente americanas son hoy día adoradas en los jardines europeos, como ser las petunias y las xinnias, las dahlias y los tagetes (o copetes). Y cuántas han venido de Persia y de la India... empezando por el tan *répandu* jazmín, el paraíso (melia azedarach, con sus flores lilas que huelen a lila y crecen en la

> puerta de cada rancho que se respeta en la provincia de B.A.) que si bien es árbol y da sombra da también en primavera (en este mismo momento en que te escribo) esos maravillosos racimos perfumados que invaden el aire de todos los pueblitos del norte (Vicente López, Rivadavia, Olivos, Martínez, San Isidro, San Fernando, Tigre). Ese olor entra por la ventanilla de los trenes suburbanos, cuando se paran en las estaciones. [...] Ay! cómo me ha gustado y cómo me gusta el gusto de esta tierra y de todas las tierras! Sabes, Gabriela, que tenemos aquí muchas plantas del cabo de Buena Esperanza y de Australia? Las hemos visto tanto que no imaginamos que no sean nuestros. Te parece que el eucalipto, ese australiano, es menos *nuestro* que el aguaribay peruano o el timbo o la tipa argentinos? A mí no (Ocampo, citada en Berjman, 2007: 170-171).

El perfume del paraíso persa que invade el tren suburbano en su camino de la ciudad-puerto rumbo al delta del Paraná es algo así como una *esencia* del proyecto cosmopolita que Ocampo persigue a través de su revista y de su jardín: un emisario olfático, inmaterial y etéreo, de la gran zona de contacto que ya es y siempre fue el mundo, y donde el arte debe enseñarnos a hacer nuestro hogar.

Estilo austral: Alejandro Bustillo, de *Sur* al Sur

El paso del jardín modernista como *espacio* de creación estética, como repertorio de figuras poéticas que emblematizaban el movimiento de la naturaleza al artificio, hacia el jardín como *lugar* arraigado e íntimo, vinculado a vivencias infantiles y a la ciudad del Novecientos, que introducía el criollismo urbano de vanguardia, forma parte del reajuste más extenso de las valencias de lo local y lo cosmopolita. En términos políticos, corresponde al lapso que va desde las primeras elecciones libres y el auge de los gobiernos radicales al golpe del treinta y a la restauración conservadora de la «Década Infame». Es entonces, también, que la arquitectura pasa a ocupar un lugar clave en la Argentina –semejante a lo que ocurre en la misma época en Brasil o en México bajo banderas muy diferentes– como un lenguaje monumental de Estado. Será ella la encargada de expresar en forma tangible y habitable los programas de integración nacional impulsados desde el gobierno. Y es ahora que la generación de arquitectos que había hecho su nombre en la década previa y que había protagonizado las polémicas en torno al viaje corbusierano, se abocará a la tarea de formular expresiones monumentales de la nacionalidad, desde el Obelisco porteño de Prebisch (1936) y la serie de edificios municipales construidos por Francisco Salamone en la provincia de Buenos Aires, hasta el Monumento de la Bandera rosarino (cuyo proyecto inicial, firmado por Ángel Guido, Alejandro Bustillo, José Fioravanti y Alfredo Bigatti, es de 1938).

La figura de Bustillo emerge como un referente central en este lapso. Formado entre las primeras camadas de la escuela superior técnica Otto Krause y luego en la Facultad de Arquitectura donde estudió con Alejandro Christophersen y René Karman, el arquitecto de la Casa Ocampo en Palermo Chico fue también uno de los opositores más vocales del funcionalismo moderno. Consideraba a éste una fetichización intelectualista de lo que, en cambio, debía destacar discretamente al oficio del buen constructor: el manejo de materiales y volúmenes. Iniciándose a través de una serie de encargos para casas y edificios en el interior bonaerense entre 1914 y 1918, aprovechando sus vínculos familiares con la oligarquía terrateniente, a partir de 1921 Bustillo se establece por dos años en París a invitación del banquero Carlos Tornquist, quien, a su regreso a Buenos Aires, le encarga en 1924 el diseño de su casa particular en Palermo Chico y, al año siguiente, el proyecto para la sede central del banco. En París, su relación con el arquitecto francés Charles-George Raymond –con quien diseña un edificio en la capital francesa– le permite incorporar principios modernistas para sus casas de renta y profundizar la exploración del neoclasicismo dieciochesco, manteniéndose a equidistancia entre la vanguardia racionalista corbusierana y el tradicionalismo rígido. Si sus *petits-hotels* en los primeros años tras el regreso a Buenos Aires (como el que proyecta para Alberto del Solar Dorrego en avenida del Libertador, hoy Embajada del Perú) todavía se ubican en un historicismo beauxartiano, su producción hacia finales de los veinte va envolviendo gradualmente hacia un funcionalismo estético de expresión neoclásica caracterizado por «el abandono progresivo del ornato murario, la reducción de lo elemental de la composición clásica y sus elementos significativos, el creciente ensanche de las aperturas, el uso más frecuente de la ventana apaisada y la desaparición gradual del frontispicio» (Ramos, 1993: 7). Las casas para el escultor José Fioravanti en Acoyte 741 (1930) y el fotógrafo Manuel Gómez en Olazával 4779 (1931) dan cuenta de esa búsqueda de síntesis formal ya despojada de referencias historicistas que culminará en el estudio personal del arquitecto en Plátanos (1930) –«pequeño universo», en las palabras elogiosas de Leopoldo Marechal– «de construcciones armoniosas que se dirían hechas "para que cante la luz"» (Marechal, 1944, citado en Levisman, 2007: 459). Del mismo modo que el edificio Volta sobre Diagonal Norte (1931), estos proyectos retoman en otro contexto la preocupación anterior de sus casas rurales por formular un «clasicismo nacional». Para Claudia Shmidt, en ambas series «Bustillo desarrollará principalmente dos temas claves. Por un lado, la aplicación de esquemas de distribución "funcionalista", en los que prueba la eliminación de transiciones, antecámaras, *pochés*; por otro, el problema de la luz, para asomarse a uno de los temas más caros a la modernidad: la continuidad espacial» (Shmidt, en Levisman, 2007: 451).

Esa adecuación de lo pampeano con una abstracción tensada entre lo clásico y lo moderno –reconfiguración «transtelúrica» del desierto romántico que se hacía eco de la literatura apenas anterior de un Güiraldes o un Larreta donde, al decir de Viñas (1982: 65), «la pampa se convierte en lo esencial y puro frente a la corrompida contingencia de Europa»– también lo ubica a Bustillo como precursor de un Amancio Williams cuyo trabajo en las décadas posteriores, según Graciela Silvestri (2011: 291), habría continuado y ahondado en ese «carácter "abstracto" de las pampas [...] entendido no como rémora nostálgica sino como fuerza que ordenaba idealmente el futuro». Idea que, según la misma autora, más que en interrelación con el ambiente físico se habría forjado en la transposición arquitectónica de sus representaciones literarias; de una «*naturaleza pampeana* [que] no es otra cosa que una construcción intelectual, un paisaje creado por la palabra. Y la arquitectura moderna que triunfó en esta orilla del Plata, radicaliza esta abstracción, esta pureza mítica, esta falta de carácter» (Silvestri, 2011: 293). El Bustillo de los años treinta –década en que, gracias a sus aceitadas conexiones con la dirigencia conservadora, el grueso de su obra se trasladaba a las grandes comisiones públicas[38]– es también uno de los primeros artífices de una monumentalidad pampeana que las bóvedas blancas y volúmenes en forma de cruz de Williams desarrollarán a partir de los cuarenta.

Si la mayoría de estos proyectos buscan acomodar el repertorio clasicista europeo a un horizonte pampeano leído en clave más lugoniana que martinfierrista –Bustillo compartía y defendía en sus libros *La belleza primero: hipótesis metafísica* (1957) y *Buscando*

[38] Empezando por la remodelación de la Casa de Bomberos en Recoleta para ubicar allí el Museo Nacional de Bellas Artes –proyecto que le es encomendado en 1931 dejando sin efecto los resultados del concurso celebrado tres años antes– Bustillo realiza en los treinta y primeros cuarenta una serie de edificios públicos entre los que se destacan, además del coloso de la sede central del Banco Nación en el centro porteño (iniciado en 1939) –inspirado en el Panteón ateniense– y la coautoría del monumento rosarino, la residencia del gobernador de Misiones en Posadas (1935), el Pabellón Argentino para la Exposición Universal de París de 1937 y la Municipalidad de Mar del Plata (1937-38) donde, respondiendo a las afinidades fascistas del gobernador Manuel Fresco, proyecta un edificio que referencia al Palazzo Vecchio florentino. También en 1938 (gracias al apoyo de su hermano José María, ministro de Obras Públicas de la provincia) recibe la encomienda de la Playa Bristol marplatense, nuevamente tras anulación del concurso nacional ganado por Andrés Kalnay y Gustavo Meincke en 1928. Bustillo resuelve la encomienda proyectando para el Casino y Hotel Provincial «dos edificios iguales, colosales y regulares, que acompañan la amplia curvatura de la costa, separados por una plaza seca central y unidos por una amplísima explanada peatonal sobreelevada, frente al mar. En la obra coexisten lo áulico y lo pintoresco, dando cuenta de la tensión entre arquitectura oficial autoritaria y programa de tiempo libre» (Ramos, 1993: 12) que debía transmitir la obra.

el camino (1965) las ideas del bardo sobre la filiación ibérica y greco-latina de la «raza argentina» que debía resultar en una arquitectura «monumental de tipo netamente helénico» (Bustillo, 1957: 97)–, su actuación como asesor de la Dirección de Parques Nacionales muestra una faz distinta. En la Intendencia del Parque Nacional de Iguazú, proyecto de 1935 donde opta por una «arquitectura regional con líneas típicamente coloniales» –incluyendo una galería exterior de dos pisos con arcadas y «el clásico aljibe», en palabras de un folleto promocional de la época (Dirección de Parques Nacionales, 1937a: 12)– y, aún más, en la serie de comisiones públicas y privadas que realiza en el Parque Nahuel Huapi, Bustillo esboza un tipo de «expresión regional» más afín a los modernismos regionalizantes que afloran en la arquitectura latinoamericana de los treinta y cuarenta. En tanto lenguaje simbólico de la Dirección de Parques –en la época un verdadero «estado dentro del estado, un feudo desde el cual dispensar prebendas y favores» (Scarzanella, 2005: 12), regentado con mano férrea por Exequiel Bustillo, hermano de Alejandro–, la arquitectura debía inventar representaciones de la naturaleza patagónica y misionera que, al mismo tiempo que impulsara la transformación física del entorno, resolvían imaginariamente las demandas contradictorias de preservación y explotación del ambiente natural, de colonización y desindigeneización de zonas de frontera y de custodia de una mítica «esencia salvaje». La intervención arquitectónica, a través de la cual la naturaleza se *parquiza* –tornándose asequible, como «paisaje nacional», a una mirada turística apoyada sobre las plataformas (los miradores) que le proporciona la infraestructura de caminos, refugios, muelles y hoteles–, representa así una gran zona de contacto entre cultura y naturaleza y también entre estilos cosmopolitas y regionalistas que dialogan de manera sutil con los espacios metropolitanos de transculturación como la revista *Sur* y las casas y jardines de Victoria Ocampo.

La actuación de Parques Nacionales a partir de 1934 –año en que se aprueba la Ley 12103 que confiere a la nueva repartición poderes de gobierno *de facto* sobre las zonas bajo su custodia– se inscribe en una serie de usos del paisaje como lenguaje pastoral del Estado cuyos orígenes se remontan, en América Latina, al reformismo urbano de la segunda mitad del siglo XIX. Complementando a los nuevos escenarios del «complejo expositivo» (Bennett, 1995), el parque urbano ofrecía también un espacio ejemplar de cómo ordenar y civilizar lo no-urbano, en su intervención moderadora sobre los elementos naturales: «el Parque será un modelo presentado al público, de lo que el país entero puede ser», proponía Sarmiento (1875: 13) al inaugurar en 1875 el Parque Tres de Febrero, rediseño monumental de los antiguos jardines plantados en Palermo por el dictador Juan Manuel de Rosas (Berjman, 2001: 8-9). Como colchón vegetal en los límites de la ciudad para desmarcar y definirla contra «el desierto» circundante, el parque de Sarmiento es, sugiere Adrián Gorelik, el dispositivo inverso del Central Park neoyorquino de Olmsted que es su inspiración inmediata: es «un parque excéntrico a la ciudad», encargado de la «civilización de un *hinterland* en el que se identifican indistintamente la naturaleza y el pasado bárbaros [...] en Palermo, al urbanizar la naturaleza, Sarmiento quiso culturizar la pampa» (Gorelik, 1998: 73-75).

Para forjar esas naturalezas cultas y urbanizadas, en toda América Latina se reclutaban paisajistas europeos, muchos de ellos discípulos directos de Adolphe Alphand, director del *Service des Parques et Jardins* de París durante la primera prefectura de Haussmann y promotor del sistema mixto, que buscaba reconciliar el racionalismo geométrico francés con el naturalismo pintoresco de William Kent o Lancelot «Capability» Brown en Inglaterra. El Imperio del Brasil, en 1858, le había encomendado a Auguste-François Glaziou, discípulo y colaborador de Alphand, la creación de un jardín público en el Campo de Sant'Anna –hoy Praça da República– y un parque en la nueva residencia imperial en la Quinta de Boa Vista, además de la arborización de las calles y avenidas de Río de Janeiro. En Chile, el inglés Wharton Peers Jones fue contratado para la creación del Parque Cousiño (hoy O'Higgins) en las afueras de Santiago, construido a partir de 1873, usando luego prisioneros peruanos de la Guerra del Pacífico como mano de obra. En Uruguay, otros dos discípulos de Alphand, Ernest Racine y Charles Thays, fueron puestos a cargo del diseño y construcción del Parque Urbano (hoy Parque Rodó), creado en 1903 (Domínguez V., 2000; Mazza Dourado, 2009: 35-39; Torres Corral, 2000). La mano de paisajistas europeos debía garantizar el carácter civilizado de esas naturalezas públicas, como escenarios heterotópicos para la formación de una ciudadanía progresista: «Sólo en un vasto, artístico y accesible Parque», afirmaba Sarmiento (1875: 12), «el pueblo será pueblo: sólo aquí no habrá ni extranjeros, ni nacionales, ni plebeyos». Paradójicamente, ese paisajismo civilizatorio se valía del mismo vocabulario ilusionista, con sus grutas, glorietas y ruinas artificiales, a través del cual el paisajismo del Segundo Imperio había fantaseado con lo arcaico y exótico. Sin embargo, el parque urbano en Latinoamérica era también desde sus inicios un lugar experimental de trasplantación y transculturación. En Río, Glaziou incentivó la creación de la reserva forestal de Tijuca –hacia donde emprendió excursiones regulares de colección, llegando a ensamblar un herbario nativo integrado por 24.000 especímenes– y plantaba oitís, embaúbas (cecropias), palmeras babacúes y árboles pau-ferro y pau-brasil en las calles y jardines de la ciudad. En Santiago, Peers Jones hizo plantar olmos, acacios y fresnos; en el Parque Urbano montevideano, la forestación mezclaba especies nativas (sauces, pinos) con otras exóticas de longa aclimatización (eucaliptos, tamariscos). Thays, quien había asumido la dirección del Departamento de Parques de Buenos Aires en 1891, hizo plantar en Palermo ombúes, jacarandás, quebrachos, tipas y muchos otros árboles del país; en 1913, las colecciones del Jardín Botánico ya contaban con muestras vegetales de más de diez mil especies sudamericanas. A diferencia del eclecticismo académico en arquitectura o del decadentismo simbolista en la poesía y prosa modernista, en el ramo de la jardinería finisecular los modelos europeos sufrían en su pasaje atlántico una transculturación mucho más inmediata, debido a la misma materialidad de su soporte: no sólo las plantas sino también las condiciones del suelo, el clima, las características de los ciclos estacionales y la interacción con la fauna local. Aun cuando debía forjar una naturaleza dócil para el disfrute citadino, el paisajismo urbano en el Nuevo Mundo no podía sino buscar adaptaciones novedosas de su repertorio europeo al entorno sudamericano.

La creación de los parques nacionales en la región a principios del siglo XX buscaba trasponer esa naturaleza domesticada a una escala territorial y geopolítica, presentando al turismo hacia antiguas zonas de frontera como una épica del ocio. Como rezaba el lema de la Dirección de Parques Nacionales en Argentina: «Conocer la patria es un deber» (Berjman y Gutiérrez, 1988: 22). Como en el caso norteamericano, donde con el «Yosemite Grant» de 1864 y la creación del Yellowstone en 1872 comienza a instalarse –en tierras cuyos habitantes nativos fueron violentamente desterrados– la idea del parque como refugio de una mítica y fundacional naturaleza fronteriza, en la América del Sur la reinscripción del antiguo «desierto» de la barbarie como reserva natural bajo protección directa de la autoridad federal es expresión de un nuevo repertorio oficial de la naturaleza ya no como antagonista sino como recurso y como lenguaje sublime de la nacionalidad. En Argentina, a partir de una donación de tierras patagónicas por Francisco P. Moreno en 1903, en 1916 se dispuso la creación del Parque Nacional del Sud, con una superficie de 785.000 hectáreas entre la frontera con Chile y el Paso Cajón Negro hacia el este, inaugurado por ley en 1922. En paralelo, a partir de un proyecto encargado a Thays en 1902, en 1909 se autorizaba la compra de 25.000 hectáreas en la zona de las cataratas del Iguazú para la creación de un parque nacional, proyecto al cual se agregaron otras 55.000 hectáreas en 1928. Su contraparte, el Parque Nacional do Iguaçú creado en enero de 1939, fue apenas el segundo parque nacional brasileño, precedido dos años antes por el Parque Nacional do Itataia en el límite entre Minas Gerais y Rio de Janeiro. En Chile, el Parque Nacional

Benjamín Vicuña Mackenna, con más de 70.000 hectáreas, se crea en 1925 en tierras que, desde 1912, pertenecían a la reserva forestal Villarrica (con lo cual el antiguo enfoque de garantizar al Estado reservas madereras se desplaza hacia la protección de un ambiente natural de particular belleza).

Bajo la gestión de Exequiel Bustillo –un operador político hábil con aceitadas conexiones en los gobiernos de la «Concordancia» (1932-1943), quien supo intercambiar el acceso a tierras en lugares pintorescos contra fondos y obras de infraestructura– la Dirección de Parques Nacionales en Argentina pasaba a convertirse en un verdadero instrumento de colonización, sobre todo en el área del Nahuel Huapi, donde el mismo Bustillo había comprado tierras en 1931. Como apunta Pedro Navarro Floria en un análisis del ideario geopolítico que inspiraba la actuación de Bustillo en la Patagonia, «la cuestión territorial entra en una inflexión distinta en el momento en que, bajo el nuevo régimen conservador instalado por el golpe de Estado de 1930 [...], el Estado nacional retoma la iniciativa en la región». Esta intensificación de la presencia estatal, concluye, «produce un reajuste del colonialismo interno al constituir a la nueva Dirección de Parques Nacionales [...] en la principal agencia estatal de territorialización en la zona, habilitado para construir un verdadero mini-Estado totalitario –el Estado-Parque– dentro del Estado» (Navarro Floria, 2008a: 2). Desechando la visión de «los ortodoxos», para quienes «los Parques Nacionales equivalen [...] a un santuario, a un verdadero templo, casi a un museo de la naturaleza», según sus propias palabras, Bustillo optaba por una visión «más ecléctica o realista» de los objetivos de la dirección, según la cual «esa conservación debe ser regulada de acuerdo con el interés nacional que, a veces, más que con un respeto religioso del paisaje, puede coincidir con la explotación de una mina, el aprovechamiento industrial de una caída de agua y hasta con la radicación de propietarios dentro del perímetro, si hay en ello un beneficio superior para la Nación» (Bustillo, 1972: 72). Contra las protestas de asociaciones civiles como la Federación de la Fauna Sudamericana y los Amigos de los Parques Nacionales Francisco P. Moreno, Bustillo enseguida revocó la prohibición sobre la venta de tierras fiscales sostenida por los gobiernos radicales en los años veinte, apostando en cambio a la integración económica, demográfica y vial de zonas limítrofes en base al «turismo como avanzada, acompañado de una racional conservación de la naturaleza y de un buen y meditado programa de colonización» (Bustillo, 1999: 15).

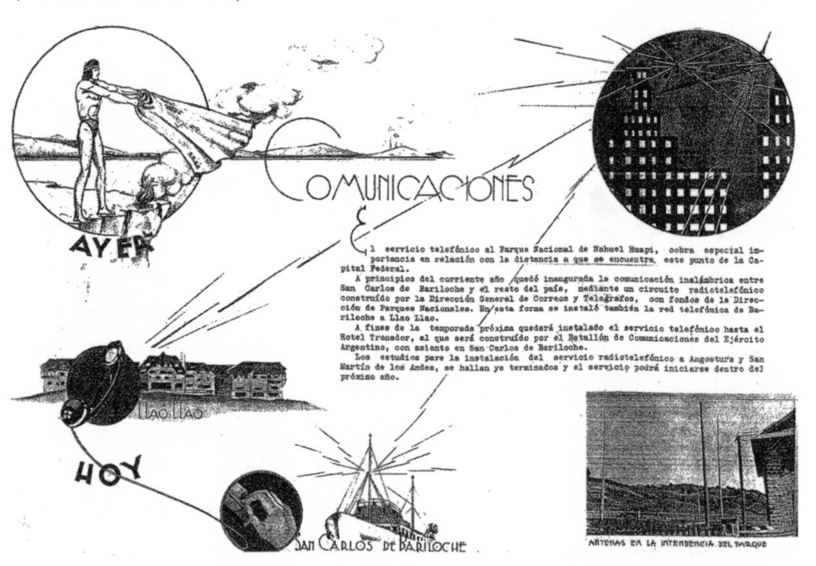

COMUNICACIONES

El servicio telefónico al Parque Nacional de Nahuel Huapi, cobra especial importancia en relación con la distancia a que se encuentra, este punto de la Capital Federal.

A principios del corriente año quedó inaugurada la comunicación inalámbrica entre San Carlos de Bariloche y el resto del país, mediante un circuito radiotelefónico construído por la Dirección General de Correos y Telégrafos, con fondos de la Dirección de Parques Nacionales. En esta forma se instaló también la red telefónica de Bariloche a Llao Llao.

A fines de la temporada próxima quedará instalado el servicio telefónico hasta el Hotel Tronador, el que será construído por el Batallón de Comunicaciones del Ejército Argentino, con asiento en San Carlos de Bariloche.

Los estudios para la instalación del servicio radiotelefónico a Angostura y San Martín de los Andes, se hallan ya terminados y el servicio podrá iniciarse dentro del próximo año.

2.2 «Comunicaciones». En: *Obra pública, cultural y turística realizada en los Parques Nacionales*. Buenos Aires: Dirección de Parques Nacionales, 1937.

Un folleto ilustrado de Parques Nacionales publicado en 1937 destaca, no la naturaleza prístina e intocada sino las actividades de desmonte para la construcción de puentes y caminos que representan, según el texto, «la tarea más ardua» en «la conquista de la roca y la selva». «Limpieza de bosques, movimiento de tierra y piedra, dinamita, perfilación, obras de arte (alcantarillas, puentes, muros de piedra, consolidación de cunetas, etc.) y enripiado. Después, mejoramiento y conservación. Todo esto: para turismo» (Dirección de Parques Nacionales, 1937a: s/p), explica el texto de otra página mostrando cuadrillas de hacheros en pleno trabajo.

En una serie de collages, la creación de infraestructuras turísticas, caminos y núcleos de población es inscrita gráficamente en la continuidad de una épica civilizadora que libera de la barbarie a los lejanos paraísos cordilleranos para su aprovechamiento por la ciudad y el progreso. Contraponiendo en márgenes opuestos de la página imágenes que representaban el ayer y el hoy, el folleto en el rubro «Comunicaciones» (Fig. 2.2) muestra el dibujo de un indígena haciendo señales de humo con su manta frente al telégrafo cuyos impulsos eléctricos conectan el Hotel Llao Llao y la moderna motonave navegando en el lago con los rascacielos iluminados de una gran ciudad nocturna; en la página dedicada a las nuevas líneas de colectivos, unos indios con su tropilla de caballos ceden su lugar a una caravana de automóviles subiendo por un camino enripiado; en la sección hoteles, la tapera «miserable» de un grupo de indígenas en tren de descarnar un caballo contrasta con las modernas instalaciones del Hotel Llao Llao.

Efectivamente, la intervención de Parques Nacionales (que a partir de 1936 iba a abarcar la mayor parte de las áreas cordilleranas del sur, con la creación de los nuevos parques Lanín, Los Alerces, Perito Moreno, Los Glaciares y Laguna Blanca) resultaba en una *desindigeneización* sistemática, tanto en lo que concernía a los pueblos originarios todavía residentes en la zona como a la ecología vegetal y animal de ésta. Mientras en el Nahuel Huapi se arrasaban extensiones enormes de monte nativo para crear un campo de golf y proveer de madera a las obras en el Llao Llao y en el Centro Cívico de Bariloche –además de puentes, caminos y villas en todo el parque–, en muchos sectores del área administrada por Parques Nacionales fueron desalojados los pequeños pastores mapuches y chilotas a quienes se les acusaba de practicar la tala o quema indiscriminada del bosque. Como sugería el informe de la Comisión Exploradora del Parque Los Alerces, publicado por la dirección en 1937, siendo «elementos indolentes que hacen caso omiso del mañana y el porvenir de su tierra es lo que menos les importa», los indígenas «chilenos» habrían venido «a poblar el suelo argentino con cierto espíritu de destrucción, acostumbrado y autorizado en su país, de poner fuego a los bosques para desmontar el terreno y utilizarlo luego como mejor le[s] parecía» (Dirección de Parques Nacionales, 1937b: 40, 43). Mientras tanto, para «mejorar» el paisaje lacustre y atraer a sus costas un turismo cosmopolita de élite, Bustillo mandó reforestar 17.000 hectáreas en los alrededores del lago Nahuel Huapi introduciendo desde Europa y Norteamérica 42 especies de árboles y otras plantas exógenas, además de traer para la pesca y la caza deportiva a salmones, alces, truchas *rainbow*, jabalíes y faisanes. La introducción por Parques Nacionales de ciervos rojos europeos prácticamente extinguió en pocos años la población de los pequeños ciervos huemul y pudú en gran parte de su hábitat nativo. Esa adecuación del paisaje andino a su supuesto modelo europeo se completaba con la creación de estaciones de esquí (con asesoría del maestro Hans Nöbl, oriundo del Sestriere italiano) y la instalación del cablecarril al cerro Catedral, importado desde Milán (Pastoriza, 2007: 184-185). A Bustillo, concluye Graciela Silvestri (2011: 369), «poco le importaba la conservación del "paisaje primitivo" en tanto las acciones estuvieran destinadas a promover un cierto tipo de belleza [...] cuyo modelo podía encontrarse ubicuamente en Norteamérica o Europa [...] Los aspectos restrictivos del parque sólo perjudicaron, gracias a la ingeniería legal, a los sectores más pobres –sectores que no eran "argentinos"»[39].

---

[39] Como explican Paula Gabriela Núñez, Brenda Matossian y Laila Vejsbjerg, el intercambio poblacional entre ambos lados de la frontera trazada recién en 1902 por arbitraje inglés antecedía a la organización política de la Patagonia y Araucanía, incluyendo también la colonización germánica que se extendía desde Valdivia hacia los lagos transcordilleranos. Entre otros, «la presencia de la Compañía Chile-Argentina fue un actor clave en la dinamización de la región a través de múltiples emprendimientos comerciales, entre los que se puede mencionar la actividad turística a través de una red de hospedaje y transportes (lacustres, a caballo y con automóviles)». Recién a partir de la década de 1920 y a partir del auge de discursos de cuño nacionalista y antisindicalista, surge el tópico de la chilenización de la Patagonia y la consecuente necesidad de argentinización por medio de la intervención gubernamental. Véase Núñez, Matossian y Vejsbjerg, 2012: 47-59.

Paradójicamente, para radicar en los lagos patagónicos «lo más rápido posible, capitales y población argentina» y emprender «una acción orientadora de nacionalismo» en una zona «desvinculada de todo sentimiento de argentinidad», como advertía la «Memoria» de Parques Nacionales en 1940 (citado en Berjman y Gutiérrez, 1988: 22), había que importar hacia allí un paisaje construido a imagen y semejanza de los Alpes europeos y de los parques nacionales estadounidenses y canadienses. Mientras tanto, la naturaleza subtropical e indócil del Parque Nacional de Iguazú, en opinión de Bustillo, poco tenía que ofrecer al turista sofisticado: «las cataratas constituyen un espectáculo que puede contemplarse sobradamente en dos días y el resto de la estadía resulta pesado», se quejaba: «El clima era también húmedo, amén de los barigüí y mosquitos que en esa época habían convertido esa zona en palúdica» (Bustillo, 1999: 438). Durante los años treinta e inicios de los cuarenta, Iguazú solo recibía una vigésima parte del presupuesto de Parques Nacionales invertido en la Patagonia, que alcanzó apenas para la construcción de la intendencia y el refaccionamiento del viejo Hotel Cataratas –«una barraca», le habría advertido a Bustillo el ministro de Agricultura, Ramón Cárcano, en su visita al parque en 1936– y para el enripiado del camino a los saltos.

A diferencia del norte misionero, que aún padecía el estigma de unos trópicos indolentes e insalubres, la naturaleza tonificante del sur cordillerano poseía en la visión de Bustillo un valor escénico que convertía su disfrute turístico en una lección de nacionalismo. La Patagonia, una vez más, ofrecería la pantalla sobre la cual proyectar una Argentina deseada –blanca, europea y patricia, «de verdadera "first class"» (Bustillo, 1999: 132-33), tanto más porque, como área directamente sujeta a la acción estatal a través de Parques Nacionales, despertaba fantasías de restauración de un orden aristocráctico surgido «de los consejos áulicos de la República» y anterior a la política «de comité» (Bustillo, 1999: 13). No sólo la estatua ecuestre de Roca en el Centro Cívico de Bariloche sino, aún más, el monumento a San Martín en las orillas del Nahuel Huapi, proyecto finalmente inconcluso de Alejandro Bustillo, expresaban esa vocación refundacional: estatua de unos diez metros de altura, este último habría de parecerse a los colosos de Memnón en el valle del Nilo, según la descripción hecha por Exequiel Bustillo al intendente Emilio Frey en 1941. La acción de Parques Nacionales en la Patagonia se enfocaba así menos en la conservación de la naturaleza y más en inscribir en el territorio una voluntad gubernamental, «un proyecto articulado de caminos, hoteles y turistas» (Ospital, 2005: 75) que regulase y contuviese «la explotación desordenada de personas irresponsables», como rezaba el informe de la Comisión Exploradora del Parque Los Alerces. Allí, como en los otros informes encargados por Parques Nacionales en 1936, el «valor estético e histórico imposible de apreciar» del paisaje natural expuesto a la visión del turista se contrapone una y otra vez a «la explotación [que] reviste características de una simple destrucción del monte», requiriendo así la intervención reguladora del Estado para reconciliar la extracción de materias primas con el aprovechamiento de su valor estético-paisajista (Dirección de Parques Nacionales, 1937b: 67).

La obra arquitectónica comisionada por Parques Nacionales debía encontrar una forma de expresión coherente para esa voluntad de tutela gubernamental sobre todas las actividades realizadas dentro del perímetro de los parques, ya sean las turísticas de ocio y deporte, ya sean de carácter comercial y extractivo. Inmediatamente después de aprobada la Ley de Parques en 1934, los hermanos Bustillo se embarcaban rumbo a Bariloche en el Ferrocarril del Sud que acababa de extenderse a la ciudad, para determinar la ubicación de un gran hotel de lujo, sitio que Alejandro establecía en una pequeña meseta de la península Llao Llao desde donde la vista abarca los lagos Nahuel Huapi y Moreno y la cordillera con el cerro Tronador al fondo. En el concurso celebrado dos años después, el proyecto «Mari Quillá» de Bustillo, con una construcción en «H» elaborada casi enteramente en madera, se impone por dos votos contra uno. También en 1936 se construyen la intendencia del parque en Bariloche y la capilla La Asunción en La Angostura, ambos con anteproyecto de Bustillo. El hermano de Exequiel revestía entonces como «asesor» omnipotente de la dirección, con el arquitecto Miguel Ángel Cesari, encargado de los diseños estructurales y supervisión de las obras. Ese mismo año, también fue incorporado al equipo el joven Ernesto de Estrada, formado en París con Alfred Agache (con quien había trabajado para proyectos de barrios-jardín en Brasil y Portugal), quien, en 1937, entrega su plan de urbanización para Bariloche, uno de los primeros implementados en todo el país. El énfasis central gira en torno al Centro Cívico –complejo edilicio con anteproyecto de Bustillo, al que Estrada agrega instalaciones para un museo, una biblioteca y otras funciones comunitarias– y la avenida Costanera sobre el lago, bordeada por jardines. Las obras terminaron en 1939, estrenando en los edificios públicos las cubiertas de grandes pendientes que Bustillo utilizaría luego en el Llao Llao y cuyo tejado, además de cumplir funciones de desagüe en una zona de lluvias torrenciales, resaltaba «la voluntad formal pintoresquista [que] gobernaba las condiciones del diseño» (Berjman y Gutiérrez, 1988: 26).

A partir de 1936, la dirección mandó construir numerosas casas para guardaparques sobre un prototipo de vivienda diseñado por Estrada (Fig. 2.3), adaptado luego, con algunas modificaciones para las casas económicas de las nuevas villas construidas, para aglutinar allí la población y crear polos de servicios para turismo: Colonia Pastoril Nahuel Huapi, La Angostura, Traful y Llao Llao, proyectados en 1936; Villa de Turismo Cerro Catedral, El Rincón y Mascardi, agregadas hacia 1940, nuevamente con proyecto urbanístico de Estrada. Además, para dotar a la zona de una identidad arquitectónica unificada, Parques Nacionales mandó diseñar una serie de iglesias y capillas, todas con proyecto de Bustillo: San Eduardo, en la península de Llao Llao (1938), Cerro Catedral (1940), la pequeña Ermita de Quetrihué, todas construidas en madera y emulando a la arquitectura eclesiástica chilota de los siglos XVIII y XIX, así como, finalmente, la catedral Nuestra Señora del

Nahuel Huapi en Bariloche (1942), en estilo gotizante. En 1935 se estableció en toda el área un Reglamento de Construcciones restringiendo el uso del ladrillo a interiores y exteriores no revocados y prohibiendo construir en barro, zinc y «materiales que no sean típicos de la zona» (ejemplos de uso de materiales locales de construcción se exhibían en la Oficina de Muestras de la Intendencia del Parque)[40].

2.3 Ernesto de Estrada, «Bosquejo para casa económica». En: *Obra pública, cultural y turística realizada en los Parques Nacionales.* Buenos Aires: Dirección de Parques Nacionales, 1937.

[40] Bustillo, además de las comisiones públicas, también realizó una serie de encomiendas privadas en el área en las que divulgaba y ampliaba el repertorio del estilo Bariloche forjado en el Llao Llao y el Centro Cívico, destacándose las casas que proyectó para su hermano Exequiel y Ángel Pacheco (1933-37) y para Enrique García Merou (1942-43) en Villa La Angostura, con tímpanos y frontones recortados y volúmenes escalonados encastrados en el terreno inclinado. La casa del conde Sangro (1943), también en La Angostura, repite la estructura de dos pisos y techo a dos aguas del hotel, cubierto con tejuelas de alerce; la del propio Alejandro Bustillo en la península San Pedro, en la Colonia Nahuel Huapi (1940), nuevamente presentando un techo a dos aguas con cumbrera a cuatro metros de altura, paredes de tablones al interior y exterior y tímpano saliente emulando un estilo rural normando, agregaba una torre-mirador de piedra que, aprovechando la plataforma panorámica, permitía abarcar gran parte del lago y de las obras realizadas en sus orillas.

Si el Parque Nacional representaba así también un modelo ideal de integración «orgánica» entre paisaje, arquitectura y Estado modernizador –modelo que, con propósitos muy diferentes, sólo se volvería a poner en práctica a semejante escala en Brasilia–, su centro de irradiación, aún más que el Centro Cívico de Bariloche, era el Hotel Llao Llao. «Era el imán que necesitaba para provocar la corriente de visitantes que vivificase el parque», explicaba Exequiel Bustillo, «algo así como el Soubreta House o el Palace que habían dado a St. Moritz el rango mundial que –quimera o no– se aspiraba también para Bariloche» (Bustillo, 1999: 128). Desde su pedestal natural entre los dos grandes lagos –mirador panorámico a la vez que imán visual que concentraba sobre sí todas las miradas–, el hotel representaba el sitio fundacional, sitio hallado por Alejandro Bustillo, en palabras de Exequiel (1999: 133), «sin vacilar un solo minuto y descartando cualquier otra ubicación [...] como quien descubre un brillante» (Fig. 2.4). A partir de ese «hallazgo», la solución arquitectónica para toda la zona del parque, se habría dado de manera «espontánea», sugerida por la propia naturaleza: «El estilo lo logré fácilmente», afirmaba Bustillo en un reportaje para

2.4 Anónimo, «Vista del Hotel Llao Llao», ca. 1950. Colección Britos, Archivo Visual Patagónico.

La Nación poco antes de su muerte, «imaginé un estilo rústico que más bien es una técnica de construcción. Era una zona de bosques, había mucha madera. [...] Yo trato de conservar o completar los paisajes» (Bustillo, citado en Berjman y Gutiérrez, 1988: 42).

Pero ese lugar «natural» cuyo «espíritu» recoge y traspone el gesto arquitectónico no es, en realidad, anterior a su intervención, sino que surge recién de la inscripción arquitectónica que, literalmente, recorta y redistribuye en torno de sí misma a la naturaleza circundante. Marta Levisman, comentando la imagen aereofotográfica tomada durante el relevamiento de la zona en 1934 y sobre la cual Bustillo determinó la ubicación del hotel, explica que «Bustillo escribió sobre la foto los nombres de cada uno de los elementos del paisaje natural y agregó, prefigurando la futura obra, "Puerto Llao Llao" en el lugar que luego fue Puerto Pañuelo. Un pequeño rectángulo sobre la imagen dice "Hotel"». A partir de este aislamiento inicial de los elementos naturales y su puesta en relación con el espacio construido, dice Levisman, «Bustillo ha descubierto el sitio en esta inmensidad, lo ha hecho visible. En este gesto primordial de marcar el terreno ponía en juego su sensibilidad pictórica, demarcando una visión panorámica, un espectáculo, dentro de una naturaleza monumental» (Levisman, 2007: 284). Descubrimiento de un sitio en medio de una «inmensidad» que deja de ser tal precisamente a partir del acto que nombra y pone en relación a sus elementos: ya sea como sitios (puerto, hotel) recortados para determinadas funciones del nuevo ensamble turístico, ya sea como postales de una «naturaleza» fraccionada y recompuesta en forma de encuadres («la magnificencia de los paisajes que, como un cuadro representaba cada ventana», se entusiasmaría Exequiel Bustillo (1999: 153) en la inauguración del primer hotel el 8 de enero de 1938).

El hotel, «cabaña monumental» de unos 120 metros en sus frentes principales (orientadas en dirección noroeste y sudeste, coincidente con la orientación de la propia península, como para aprovechar las vistas hacia el Nahuel Huapi y el valle del Limay y hacia el Moreno y la cordillera, respectivamente) se dirige hacia esa naturaleza cinematográfica, recortada y reensamblada en función del marco arquitectónico en el que reaparece en forma de cita material. Emulando un estilo *block-house*, el proyecto original del hotel empleaba en las fachadas principales y corredores unos «muros sándwiches de tablas solapadas, machihembradas con lengüeta, troncos con orillas al exterior, rústicos o recuadrados, que en algunos casos [eran] reemplazados por tejuelas de alerce» (Levisman, 2007: 312). Apariencia rústica que se combinaba con innovaciones tecnológicas a fin de abrir espacios amplios y continuos, como el salón-comedor, con altura de dos pisos y vigas curvadas en la transición de la galería superior al techo para acomodar un balcón de orquesta, y la cubierta metálica removible en la galería-terraza nornoroeste que podía convertirse según la estación en espacio interior o exterior.

2.5 Anónimo, «Construcción del Hotel Llao Llao, Bariloche, Nahuel Huapi», 1937. Colección Beveraggi, Archivo Visual Patagónico.

La naturalidad del gesto arquitectónico requería así un recorte previo de lo natural, tanto en sentido escénico como literal: para construir el primer hotel y limpiar la plataforma panorámica, así como para crear el área parquizada en descenso hacia el muelle y el campo de golf, había que realizar un enorme desmonte en la península y en zonas vecinas. Las alusiones historizantes como el gran tímpano central en pendiente contraria a la del techo y las altas chimeneas en piedra tampoco obedecían solamente a una inspiración espontánea (Fig. 2.5). Bustillo difícilmente podría haber desconocido las grandes construcciones hoteleras llevadas a cabo en esos mismos años por Ferrocarriles de Chile en Pucón (1933-34), Puerto Varas (1936), Termas del Puyehue (1937) y Tejas Verdes (1937), varias de las cuales también recorrían a versiones monumentalizadas del lenguaje pintoresquista. En Pucón, además, ya había sido empleada una estructura de techo a dos aguas quebrado por un tímpano central y dos laterales (Booth y Lavín, 2013). El propio salón-comedor del Llao Llao (Fig. 2.6), desde luego, con mobiliario historizante que decía referenciar los muebles de campaña usados en el cruce de los Andes por San Martín, era una réplica casi exacta del «Dining Room» principal del Old Faithful Inn, el hotel del Yellowstone National Park originalmente diseñado por Robert Reamer en 1903, referente central del «National Park Service Rustic». Bustillo partía, sin duda, de esas referencias de arquitectura hotelera y de sus ensamblajes entre primitivismo rústico

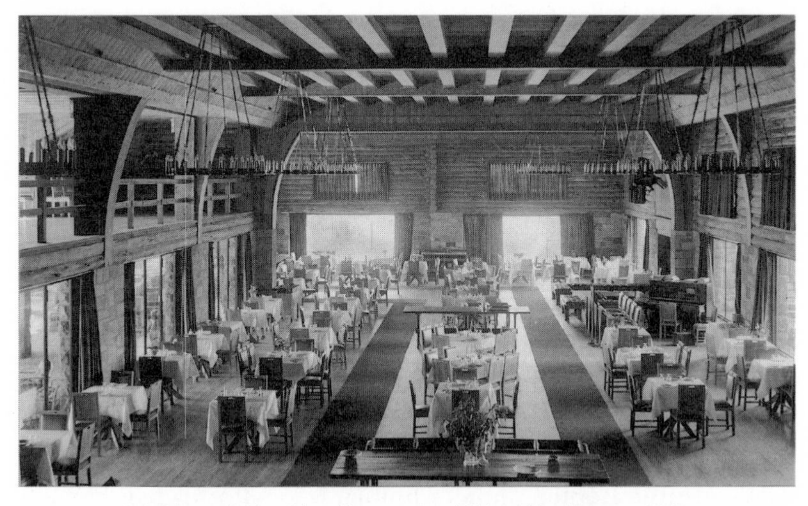

2.6 Griensu (fotógrafo), salón comedor del Hotel Llao Llao, ca. 1940. Colección Bustillo/Perkins, Archivo Visual Patagónico.

y funcionalidad moderna que escenificaban mundos vacacionales de escape y fantasía. A partir de ellas, construía una «regionalidad» en base a técnicas de construcción ya existentes en la zona pero refinadas y adaptadas por él a las necesidades volumétricas y formales de un edificio monumental y moderno: el revestimiento con tejuela de alerce (marca característica de la construcción chilota) y los muros en sándwich, de costanera de troncos al exterior y tablones de madera al interior o viceversa introducida en la zona por carpinteros suizos y alemanes.

La «regionalidad» del edificio surge, así, de la apropiación modernizante de elementos identificados con las poblaciones que la propia Dirección de Parques tildaba al mismo tiempo de peligrosas y extranjerizantes. Pero estos elementos, como la misma naturaleza convertida en panorama y en trofeo museal, son sometidos ahí a un cuidadoso proceso de selección y relectura, de des- y recontextualización, tras el cual han sido despojados de su peligrosa y centrífuga extranjería, pasando a integrar una imaginaria identidad patrimonial. La adaptación de esos elementos «impuros», en forma de cita monumental, realiza con ellos –en sentido temporal, como historia– la misma operación de limpieza y distanciamiento que la arquitectura está imponiendo, en sentido espacial, a la naturaleza transformada en panorama. Cabe destacar la ausencia, en este sistema de citas, de cualquier referencia a las comunidades originarias de la zona, a las que se alude sólo en el nombre del proyecto sometido a concurso, como una suerte de chiste privado del que no subsiste ninguna marca en el edificio construido. El gran hotel incorpora, como objetos de consumo turístico, a un recorte de elementos de su entorno y celebra esa apropiación en una arquitectura de trofeo que, como afirma Bustillo en el «Decálogo del Buen Hotel» redactado para el concurso de 1936, «modula la fisonomía del paisaje [...] en un terreno consagrado al culto del turismo» (Bustillo, citado en Levisman, 2007: 306). A través del recorte arquitectónico de tiempo y espacio, el hotel produce un *lugar* que le es ofrecido al turista como posesión, como algo que es y ha sido siempre suyo: «La misteriosa región de los lagos es mía», celebraba Victoria Ocampo en 1941 tras su estadía en el Llao Llao: «He ido a apoderarme de un trozo de mi tierra que me pertenecía [...] Tengo ahora lagos, bosques, cascadas, montañas cuya belleza no había yo llegado a imaginar...» (Ocampo, 1946: 209-210).

La incorporación como propiedad imaginaria del entorno convertido en «sistema de vistas», en la conocida expresión de Dean MacCannell (1976), es común en la arquitectura de *resorts,* gesto al que no es ajena la modernidad arquitectónica latinoamericana: el Grande Hotel Ouro Preto (1939) de Niemeyer, el Hotel Jaragua de González Sánchez en Santo Domingo (1939-42), o el Caribe Hilton en San Juan, Puerto Rico, de Osvaldo Toro y Miguel Ferrer (1947-49) comparten todos a su manera ese gesto imperial. Pero el Llao Llao y la arquitectura de Parques Nacionales en su conjunto, además, acomodan ese gesto a los propósitos de una política de acumulación espacial implementada desde el Estado en una zona fronteriza: una des- y reterritorialización en gran escala de la cual los edificios e instalaciones oficiales y particulares diseñados por Bustillo y su equipo no son apenas mojones en el paisaje, sino que también naturalizan esa toma de posesión a través del relato *sobre* el entorno que componen desde el espacio construido. El estilo Bariloche, en su propuesta de «regionalidad» –a partir de la apropiación transculturizante de elementos hasta entonces resistentes a la captura regional/nacional–, elaboraba relatos mítico-fundacionales sobre la naturaleza y la historia que no narran otra cosa que la propia creación del parque, pero en clave épica: la conquista de la frontera por el turismo.

Las implicaciones ideológicas de ese «regionalismo» turístico son fáciles de discernir en una arquitectura que celebra en sus gestos precisamente la *desregionalización* de su entorno, sometido a la propiedad latifundista y al *jet set* cosmopolita. «El mismo servicio del hotel, unido al conjunto de la gran realización lo hacía trasladar a uno a cualquier centro de Europa, no obstante encontrarnos en el corazón de la solitaria y todavía salvaje cordillera», se felicitaba

Exequiel Bustillo (1999: 153) en la inauguración del Llao Llao en 1938. Pero quizás sean más interesantes las preguntas que esa monumental re- y sobreescritura arquitectónica del paisaje plantean al modernismo arquitectónico latinoamericano en su conjunto. ¿En qué medida eran más «auténticas» que las de Bustillo –menos explotativas, más recíprocas y horizontales hacia las dimensiones naturales y culturales de la localidad– las «regionalizaciones» de la modernidad arquitectónica esbozadas en estos mismos años por Villagrán, O'Gorman y Del Moral en México, por Villanueva y Domínguez en Venezuela, o por Costa, Niemeyer y Villanova Artigas en Brasil? Más allá de su mayor audacia formal y voluntad experimental en comparación con el clasicismo austral de Bustillo, ¿son realmente menos expropiantes y verticalistas las representaciones de la localidad como tradición y como paisaje que sustentaban a estas expresiones edilicias y jardinescas de nación y región? Para empezar a contestar estas preguntas, sugiero, habría que desprenderse de las oposiciones maniqueas entre la celebración acrítica del supuesto arraigo geográfico e histórico de la arquitectura moderna en Latinoamérica y la condena no menos sumaria de su escasa fidelidad hacia formas comunitarias y orgánicas de habitación y cultivo de lugares. Cualquier hecho arquitectónico *toma su lugar*; lugar que sólo emerge como tal en ese momento de la toma, cuando es re-conocido por un acto de emplazamiento. Hacer de la supuesta «fidelidad» hacia la localidad la medida del juicio estético es ignorar el carácter intrínsecamente relacional y dinámico de los lugares, su carácter de «eventos espacio-temporales» donde se «negocia un aquí y ahora», en la expresión de Doreen Massey (2005: 131, 139). ¿Por qué no hacerle a un edificio o un parque, entonces, las preguntas que le haríamos a un poema o un cuadro, preguntas acerca de las historias que narra sobre ese lugar, y de cómo lo acomoda a nuestras miradas y nuestros cuerpos para que lo habitemos?

Barragán: laberintos de soledad

Pocos arquitectos modernos, quizás con excepción de Frank Lloyd Wright, han sido objeto de una devoción tan sostenida como Luis Barragán, «figura clave –afirma William Curtis en su *Modern Architecture Since 1900*– del descubrimiento de una arquitectura moderna llena de ecos mexicanos» (Curtis, 1996: 495). Para Emilio Ambasz, curador de la muestra monográfica de Barragán en el MoMA en 1976, el arquitecto, en sus casas y jardines del Pedregal, en el club Las Arboledas o en el monasterio de Tlalpán, habría transformado la naturaleza «inhóspita en un jardín vivible donde el Hombre y la Naturaleza podrán reconciliarse. [Barragán] la sentía como una misión sagrada» (Ambasz, 1976: 11). Esa recepción hagiográfica –en marcado contraste con las respuestas hostiles hacia el decorativismo de su obra por parte del medio arquitectónico mexicano de los años cincuenta y sesenta– no se cansa de repetir y elaborar sobre los escasos pronunciamientos del propio Barragán, sobre todo su discurso en 1980 en ocasión del otorgamiento del Premio Pritzker. Allí, Barragán había elaborado una suerte de catequismo donde desglosaba su concepción de términos claves como «Belleza», «Soledad», «Religión y Mito» y «Nostalgia», pero también «Arquitectura», «Fuentes» y «El Arte de Ver». El apartado más largo pertenecía a «Jardines»: en el jardín, dice Barragán, «el arquitecto invita a colaborar con el reino vegetal. Un jardín bello es presencia permanente de la naturaleza, pero la naturaleza reducida a proporción humana y puesta al servicio del hombre, y es el más eficaz refugio contra la agresividad del mundo contemporáneo» (Barragán, 2000: 59). Como «lugar de reposo, de placer apacible», el jardín surge de una doble operación de recorte: del entorno natural cuyas proporciones excesivas superan la cognición humana, y también del mundo contemporáneo, de un entorno social que es percibido como agresivo, susceptible a la intrusión de una otredad indefinida que exige compartir el espacio del Yo. «Debemos devolver al hombre, por medio del jardín privado, el tesoro de tener una mayor vida privada» Barragán había exhortado a sus colegas en un discurso ante el Consejo Californiano de Arquitectos en 1952: «Este jardín ayuda al desarrollo de la personalidad y evita la estandarización de la mente» (Barragán, 2000: 38). Un jardín recluido y privado, como los patios amurallados de la Alhambra o los pequeños valles fértiles hallados –recuerda Barragán– en una caminata entre bloques de lava basáltica en el Pedregal de San Ángel, al sur de la ciudad de México, brinda al individuo contemplativo pequeñas miniaturas que se tornan universos precisamente gracias a su expulsión del mundo exterior y la recomposición, en una escala menos excesiva y más abarcable, de un cosmos unificado, lejos de la aterradora presencia del otro. «Lo que debe contener un jardín bien logrado», concluye Barragán, es «nada menos que el universo entero» (2000: 60).

Lo que expulsa la naturaleza amurallada y miniaturizada del jardín, entonces, es el horizonte abierto de una naturaleza atravesada por la historia pasada y presente –historia que aparece en el mundo barraganiano apenas a título de antigüedad coleccionable, plenamente en posesión y bajo control de su dueño actual. En el modernismo arquitectónico mexicano de los treinta y cuarenta, en cambio, la encrucijada del espacio «natural» y una historia caracterizada por la yuxtaposición vertiginosa de tiempos eran presupuestos compartidos por distintas vertientes estético-ideológicas. El propio Barragán había militado en bandos opuestos, primero en su obra jalisqueña de ecos neocoloniales, adhiriendo a un lenguaje funcionalista tras la mudanza a la capital en 1935 –momento en que, debido al rápido crecimiento poblacional y a la fuga de capitales posterior a la nacionalización del petróleo, la propiedad inmueble incrementaba exponencialmente. Por esos años, de un lado, se profesaba una arquitectura de inspiración y expresión históricas –de proveniencia precolombina, en la obra de postguerra de Juan O'Gorman o en las contribuciones a la Ciudad Universitaria de Alberto Arai, Augusto Pérez Palacio, Raúl Salinas Moro y Jorge Bravo Jiménez; de carácter colonial y provinciano en Enrique del

Moral y Juan Sordo Madaleno. Por otro lado, se proclamaba la adhesión al «International Style» apenas temperado por el uso de materiales y técnicas vernáculas de ventilación y control de luminosidad, como en el primer O'Gorman y su maestro José Villagrán García, o más adelante en la arquitectura social de un Mario Pani. La emergencia del jardín, del paisaje humanizado, como elemento distintivo del estilo barraganiano, resolvía la insatisfacción experimentada con la afiliación historicista de sus trabajos en Guadalajara, como también con la funcionalista y cosmopolita de sus comisiones en el D. F. Al mismo tiempo, encontraba una justificación estética para lo que, hasta entonces, había sido meramente una opción empresarial: la predilección por las comisiones privadas y el escaso interés por las grandes obras públicas (incluyendo edificios escolares y viviendas sociales) que dominaban el debate arquitectónico postrevolucionario.

El «abandono de la arquitectura» que separa, en la obra de Barragán, el período neocolonial de los primeros años treinta y el funcionalista de la segunda mitad de la década, de la obra madura que propagará una integración entre abstracción y funcionalidad moderna con la tradición nacional a través de la materialidad de los elementos y el uso del color como valor plástico, pasa por un período de unos cinco años de exclusiva dedicación al paisajismo. Desde el pequeño jardín que le diseñaba a su hermana Luz Vázquez para su casa en Chapala en 1940 a los «Jardines de El Pedregal» –el barrio residencial en las afueras de la ciudad de México, vecino de la casi contemporánea Ciudad Universitaria, que marcaría, hacia 1945, el retorno a la actividad arquitectónica–, Barragán se dedicaba de manera intensa al estudio y a la creación paisajística que aún después seguirá siendo una de las marcas distintivas de su carrera. No es ilícito suponer que fue a través de su particular concepción del jardín, como conjugación entre forma y lugar, que Barragán encontró las claves para sintetizar la referencia a la tradición local y el compromiso con la funcionalidad de las formas. En los jardines de Chapala y Tacubaya, Barragán venía experimentando con modos sutiles y tenues de intervenir la localidad, que el emprendimiento en gran escala de El Pedregal trasladaría del jardín al plano barrial y del recinto doméstico al problema de convivencia entre ciudad y campaña. Más que abandonar la arquitectura, entonces, Barragán parece haber llevado literalmente *fuera de la casa* al jardín, las preguntas para las que no hallaba respuestas en su práctica arquitectónica: ¿cómo encontrar un balance entre el rigor formal funcionalista y una espiritualidad arraigada, más que en los grandes relatos nacionalistas de la Revolución, en un mundo rural y provinciano –en «los recuerdos del rancho de mi padre donde pasé años de niñez» y que, según el propio Barragán, «intento de trasponer al mundo contemporáneo» (2000: 60).

El giro barraganiano del espacio construido al ambiente coincide y al mismo tiempo se aparta de un momento de sensibilidad excepcional hacia las consecuencias ambientales del avance modernizador. Entre 1934 y 1940, bajo la administración de Lázaro Cárdenas, fueron creados más de cuarenta parques nacionales –haciendo de México el país con más parques en todo el mundo– con una superficie total superior a 800.000 hectáreas y repartidos entre catorce estados, si bien la gran mayoría se concentraba en áreas de bosques coníferos a no más de cien kilómetros de distancia de la ciudad-capital. Como explica Emily Wakild (2012: 192-195, 197), la decisión de apartar la Dirección Forestal, encargada de la demarcación y administración de los nuevos parques, de la Secretaría de Agricultura, ponía estas áreas boscosas cuya degradación ya había sido una fuente de preocupación para los «científicos» del porfiriato (Wakild, 2007: 107-110), a salvo de ser confiscadas y transformadas en tierra arable. En cambio, los parques pretendían reconciliar el uso sustentable de productos forestales por parte de la población campesina con objetivos de preservación y recuperación de bosques –como un modo de contener la erosión de suelos y caída de las napas de agua en el Valle Central–, aprovechando el atractivo turístico de esas áreas cercanas a los centros urbanos como fuente alternativa de ingreso para sus habitantes. En 1938, el Parque Lagunas de Zempoala, en el límite entre los estados de México y Morelos, recibía un promedio de 1.500 visitantes por mes; el total de visitantes de todos los parques del país en el mismo año era de unas 50.000 personas (Wakild, 2012: 195; 2011: 2). A diferencia de la Argentina o de los Estados Unidos, donde la parquización conllevaba la expulsión forzada de poblaciones nativas y campesinas, en el México postrevolucionario, junto con tierras ejidales devueltas a formas tradicionales y comunitarias de cultivo, los Parques Nacionales en la visión de los foresteros cardenistas y sus aliados intelectuales (entre quienes revestía el pintor-escritor Dr. Atl, alias Gerardo Murillo, también asesor de Barragán en la exploración de los terrenos de El Pedregal unos años después) promovían la «visión armónica» de un país al mismo tiempo moderno y agrario: «un paisaje configurado para extraer productividad de toda su población en beneficio de familias campesinas y de la economía nacional [...] Los pastizales envolvían a los ejidos, y obras intermitentes de irrigación humedecían los paisajes áridos. Reservas protegidas de bosques bordeaban los márgenes de esos diseños aportando estabilidad a los proyectos de irrigación y colaborando en la regulación del clima» (Wakild, 2011: 3).

El interés de Barragán por el jardín y su relación con el ambiente-paisaje circundante surgía casi al mismo tiempo en que Miguel Ángel de Quevedo, antiguo fundador de la Junta Central de Bosques, asumía la titularidad de la Dirección Forestal. Pero, característicamente, Barragán seguía manteniéndose lejos de las tensiones que envolvían la política cardenista de tierras. En su segundo viaje a Europa, en 1931-32, Barragán conoció al escritor, ilustrador y paisajista francés Ferdinand Bac y visitó los jardines que éste había creado en la mansión de Les Colombières en Menton, sobre la Côte d'Azur. En el libro ilustrado, de una estética onírica entre tardorromántica y surrealista, que Bac había publicado sobre su trabajo paisajístico, *Les Colombières* (1925) –así como en *Les jardins enchantés*, del mismo año, una suerte de novela ilustrada, inspirada en el romancero español, que contaba un viaje amoroso por jardines y paisajes provenzales y andaluces, a la vez que proponía un análisis itinerante y ensoñador de la obra arquitectónica del francés–, Barragán hallaba una idea del jardín como refugio escénico que despierta sueños diurnos y encadena en el paseo del visitante pequeñas series narrativas. Contra la politización del paisaje público que caracterizaba la reforma agraria más ambiciosa de toda América Latina, Barragán habría de oponer así un modelo decididamente privado y despolitizado del jardín-refugio, una naturaleza enclaustrada que idealiza el ambiente exterior al mismo tiempo que lo abstrae y aleja a una distancia segura.

Remontándose al morisco español, Bac concebía al jardín como intervención sutil que apenas acentúa, por medios arquitectónicos como muros y fuentes, una «idea de lugar» ya sugerida por el ambiente natural. El jardín, en otras palabras, debe idealizar el paisaje que la vista encuentra o compone a su alrededor. Por otra parte, el jardín también funciona como extensión de la casa, a la que prolonga en una serie de «habitaciones en la naturaleza», idea a la que Barragán ya se había suscrito en unas anotaciones hechas en 1930: «Hay que buscar que las casas sean jardines y los jardines sean casas» (Barragán, 2000: 15). En sus diseños arquitectónicos de la década de 1930 en Guadalajara (donde proyecta en 1934-35 los jardines y la plaza de juegos del Parque de la Revolución), Barragán empezaba a poner en práctica esos conceptos, todavía adhiriendo al estilo mediterráneo aprendido en Bac, enriquecido por elementos indígenas que había empezado a estudiar incentivado por su amigo el pintor Jesús «Chucho» Reyes. Pero recién en los jardines de los años cuarenta, Barragán avanzará de la cita ornamental a una incorporación más sustancial de los principios formales.

El jardín de la casa Mago Vázquez en Chapala, Jalisco, diseñado en 1940, todavía demuestra claramente la inspiración de Bac en su estructura de pequeñas terrazas conectadas por escaleras de pavimentación variada que dan un carácter individual a cada ambiente. En el terreno inclinado Barragán hacía abrir canales de drenaje para el agua de lluvia, para así asegurar la irrigación de cada desnivel de la vertiente. Los contrastes entre la materialidad y la textura de muros y escalinatas y el follaje de plantas locales como ciruelos, guamuchiles y magueyes crean una serie de pequeños espacios-cuadros intermedios entre la casa y el paisaje de fondo del lago Chapala, recordando el modo en que los jardines de Bac en Menton proporcionan «marcos vegetales» para la mirada hacia el Mediterráneo o hacia la mansión en la cima del acantilado. De manera similar, los jardines de la Casa Ortega que Barragán empieza a construir en 1945 para su propio uso en la avenida Madederos, Tacubaya, citan elementos de la Alhambra granadina en su disposición de habitaciones separadas por muros y arboledas, nuevamente ubicadas en diferentes niveles del terreno. Aquí, también, Barragán comienza a explorar más sistemáticamente el uso plástico del agua, ya sea en pequeñas fuentes y estanques, ya sea en acueductos y cascadas artificiales, enriqueciendo la textura y la profundidad de campo de los ambientes por el movimiento y la reflexividad del agua, así como por su sonoridad y contraste con la piedra y con la vegetación circundante, como si repitiera por dentro del propio lenguaje jardinesco la oposición entre la casa y el verde. A través de la nivelación de terrazas y la separación del terreno en salas, vestíbulos y patios mediante arboledas, setos y muros, Barragán consigue crear un sentido de profundidad laberíntica mucho mayor que la actual gracias a la sensación de sorpresa al pasar de un ambiente a otro. Ese carácter de «extensión de la casa» sugerido por la estructura de habitaciones y corredores, así como por la transición gradual entre jardín y casa a través de unos patios semiabiertos, se acentúa todavía por la presencia al aire libre de muebles y objetos decorativos. Adentro de la casa, el jardín sigue presente, además, no sólo a través de las vistas desde los grandes ventanales (mientras, hacia la calle, la casa se protege y encierra tras altos muros que cortan la visibilidad) sino también por las citas y reminiscencias del mundo campestre como el muro del living, realizado en ladrillos sin hornear a la manera de las casas de hacienda del norte de México.

Entre 1945 y 1950 Barragán vuelve a la arquitectura lanzándose a la planificación y urbanización del barrio «Jardines de El Pedregal», cerca del jardín que había creado en 1945 en la avenida San Jerónimo al suroeste de la ciudad de México, en un lugar conocido como El Cabrío: una zona basáltica de origen volcánico de suelos accidentados donde, amparado por el desuso y el clima neblinoso, proliferaba una vegetación indígena de musgos, helechos, cactus, orquídeas y suculentas. La oportunidad de adquirir un lote enorme de tierras a bajo precio se le había presentado a Barragán cuando quería extender el predio de El Cabrío hacia unas tierras adyacentes a las que el Dr. Atl había comprado recientemente a un estanciero. Ante la negativa de éste a sublotear el terreno, que en cambio ofrecía vender en su totalidad a un precio irrisorio, Barragán formó con los inmobiliarios José Alberto y Luis Bustamante una compañía de desarrollo que rápidamente incorporó a unos quince accionistas adicionales, entre ellos el arquitecto José Villagrán García. A pesar de su cercanía de la ciudad, El Pedregal aún conservaba en las primeras décadas del siglo XX su carácter rural, con sus intermitentes áreas verdes aprovechadas por pequeños pastores arrendatarios. Era un mundo aparentemente fuera de tiempo que había llamado la atención a pintores como Joaquín Clausell, José Clemente Orozco o el mismo Dr. Atl, quien, a principios de 1945, pasaba varios meses acampando y dibujando en los terrenos recién adquiridos por Barragán y sus asociados. La vecindad de dos de los más antiguos yacimientos arqueológicos –Copilco, un antiguo centro ceremonial datado en 1200 a.C., al noroeste, y Cuicuilco al sur, ciudad construida en torno a una pirámide circular y habitada entre 600 y 200 a.C.– incrementaba todavía el atractivo simbólico de la zona en tanto cuna de la mexicanidad: «Bajo esa lava –declaraba en 1952 Carlos Lazo, director general de obras en la nueva Ciudad Universitaria, construida en inmediata vecindad al barrio residencial proyectado por Barragán– yacen los restos de la cultura más antigua del continente americano. [...] No podía, pues, estar más lleno de sentido, de destino y de simbolismo la futura Ciudad Universitaria de México» (Lazo, 1952: 177).

A mediados de la década de 1940, la idea de una futura expansión urbana hacia El Pedregal ya estaba relativamente instalada en el discurso público: en 1945, apenas unos meses antes del comienzo de obras en la zona adquirida por Barragán y sus asociados, Diego Rivera –quien, en 1944, había comenzado a construir en la vecindad su propio museo de antigüedades mexicanas, el «Anahuacalli», diseñado en asociación con Juan O'Gorman– hizo público su ensayo *Requisitos para la organización de El Pedregal*, que pregonaba la armonización de la intervención arquitectónica con el paisaje, manteniendo su carácter de parque, y descalificaba el estilo colonial californiano; ideas que Barragán citaba con aprobación en sus propias propuestas de desarrollo. Había que edificar, decía Barragán, en sintonía con la naturaleza local: «para no dañar y estropear la belleza de estos paisajes y para crear formas arquitectónicas bellas sin competir con éstos, deben ser de una gran simplicidad –de cualidades abstractas, preferiblemente con líneas rectas, superficies llanas y formas geométricas primarias» (Eggener, 2001: 24).

Partiendo del modelo anglosajón del suburbio-jardín (que Barragán probablemente conocía de primera mano de su visita a Chicago en 1930, sitio del barrio Riverside diseñado por Olmsted y Vaux), El Pedregal pretendía trasladar al plano urbano la fusión armónica entre las propiedades inherentes del lugar y las formas de su integración al ambiente doméstico que Barragán había explorado en sus jardines. Al quebrar la grilla urbana por calles onduladas que seguían las corrientes agrietadas del suelo volcánico, y al aprovechar los desniveles naturales como base del loteamiento para crear muros y terrazas naturales que delimitaran las unidades residenciales, Barragán proyectó una forma de habitación que se apegaba al terreno accidentado. Terminados los primeros jardines y pabellones de muestra, fue ese el programa difundido a través de folletos fotográficos en blanco y negro, destinados al mercado inmobiliario mexicano e incluso estadounidense, donde se resaltaban los contrastes entre los rectángulos claros de las casas y los tonos oscuros de la roca escarpada, muchas veces con un arbusto escultórico en primer plano (Fig. 2.7) o con la serpiente emblemática del portal de entrada, obra del pintor y escultor Mathias Goeritz. Pequeños parques y plazas comunitarias, algunos de ellos diseñados por Barragán, estaban distribuidos por el barrio y del asfalto de las calles sobresalían bloques de roca cubiertos de musgos y helechos, como pequeñas islas de naturaleza «virgen» que señalaba el apego telúrico del conjunto.

2.7 Armando Salas Portugal (fotógrafo), vista al jardín, casa Eduardo Pedro López, Jardines del Pedregal, 1951. Fundación Armando Salas Portugal, México, D. F.

Barragán ya había publicado en julio de 1945 en la revista *Arquitectura México* una serie de fotografías de sus dos jardines en

Tacubaya, imágenes realizadas por Armando Salas Portugal con quien colaboraría casi exclusivamente de ahí en adelante, tanto en el proyecto de El Pedregal como en emprendimientos posteriores y en el relevamiento de sus entornos físicos. La publicación, que también incluía planos de piso del jardín de la casa Ortega y del predio de El Cabrío, referenciado apenas como «San Ángel, D. F.», anunciaba no tanto el «regreso» de Barragán a la actividad arquitectónica como el hecho de que, en realidad, nunca la había abandonado ya que, sugería la serie de imágenes, cualquier forma de construcción era antes que nada intervención del paisaje («La arquitectura del paisaje es una arquitectura sin techos», diría Barragán en una entrevista con Mario Schjetnan en 1982 (Barragán, 2000: 124)). Barragán era uno de los primeros arquitectos mexicanos en comisionar y dirigir la documentación fotográfica de su obra, e incentivaba la tendencia de Salas Portugal por focalizar desde una distancia corta sobre un elemento particular de la construcción –una escalera, la superficie reflexiva de una ventana o una fuente– en contraste con la textura del follaje de unos árboles o una superficie rocosa, ambos abstraídos de su contexto a modo de formar conjuntos de estructuras geométricas y ritmos orgánicos. En su predilección por marcos y umbrales que encuadraran el fondo «natural» y, a la vez, lo integraran a la composición como elemento-textura abstracta, la fotografía de Salas Portugal demostraba una afinidad hacia la propia arquitectura barraganiana y sus aperturas hacia el paisaje-jardín que muchas veces, como en el famoso ventanal cuadrado del living de la casa Ortega, dividido en cuatro por vigas en forma de cruz, asemejaban ellos mismos el visor de una cámara. Tomadas desde ángulos bajos, con frecuencia dejando fuera de encuadre al cielo de modo que el follaje de los árboles figurara como una suerte de techumbre, las fotografías de los jardines de Tacubaya reforzaban todavía su carácter de «ambientes al aire libre». En la serie dedicada al jardín de El Cabrío, mientras tanto, una pileta rectangular, excavada directamente de la roca volcánica oscura y bordeada por un muro de piedra natural, es enfocada resaltando su contraste tonal con la plataforma clara de tierra pisada. Al centro de la pileta, una escultura de un torso masculino semihundido y descabezado interrumpe la superficie lisa, elemento escultural que se repite en los bañistas que Barragán disponía por una pileta «natural» formada por cuatro cascadas artificiales en un costado del predio. Aquí como en otras imágenes de la serie, ya se anuncia la estética fotográfica desplegada más adelante en la documentación de las obras en El Pedregal, atenta a los contrastes tonales y sobre todo al juego entre la opacidad sombría de la vegetación, la piedra y las superficies acuáticas reflexivas que desdoblan al interior de la imagen su propio carácter fotográfico, imitando la materialidad del celuloide y del papel emulsionado. El carácter literal y figurativamente reflexivo de los jardines es enfatizado, además, por el modo en que la composición visual individualiza determinados elementos, ya sea artificiales (como unos escalones) ya sea orgánicos (como un tronco de árbol), los cuales van anticipando en su «habitación» del ambiente que se compone alrededor de ellos al sujeto humano que paseará por estos jardines. En una nota publicada en el diario *Mañana*, el poeta e historiador Salvador Novo describía su recorrido por el jardín de El Cabrío:

> Ya un domingo yo había visitado el terreno que acaba de decorar [Barragán] en San Jerónimo, cerca de la fortaleza de Don Maximono. Es un terreno como de quince mil metros, [sic.] barado con piedra y con grandes trozos de pedregal en su interior. En vez de trazar un jardín convencional, Luis estableció grandes planos, unos con piso de tepetate, de cuyo amarillo surgen viejos árboles trozados y patéticos. Si uno sube a un grupo de rocas por la imperceptible pequeña escalinata que le ha construido, contempla otro plano cuyo piso es de polvo de ladrillo, con otros grupos de árboles viejos. El pasto ha sido tratado para realizar los planos próximos a otras rocas, llega a su pie y les imparte una gloriosa dramaticidad. Hay uno o dos espejos de agua de fondo negro y en el centro, una estatua rota y tirada, Narciso náufrago que se contempla entre las nubes y las ramas de aquella impresionante serenidad. La enorme barda

> ha sido oxidada para que se liguen los colores de la piedra con los de las mezclas que la fraguan, y a largos trechos, abre la pequeña sorpresa de una ventana amarilla, de otra azul, de otra verde (Novo, 1965: 177-178).

El uso del color sobre la piedra, resaltando su valor plástico al mismo tiempo que transformándola en requisito escenográfico, sintetiza ese carácter dramatúrgico del jardín barraganiano. En su despliegue de dramas silenciosos entre naturaleza y cultura, los jardines de Barragán remiten a los parques renacentistas como el Giardino di Bóboli en Florencia o el «bosque sagrado» de Bomarzo cerca de Viterbo, cuyos diseños se tensan (en sentidos opuestos) entre la afirmación apolínea de armonía y voluntad formal ejemplificada en el manejo habilidoso de los cursos acuáticos y la reemergencia de lo dionisíaco desde los bordes tupidos y grutescos; una escenografía pasional que, como plantea Denis Cosgrove (2008: 51-67), en el paisajismo renacentista también pretendía reordenar un universo cosmológico y moral vertiginosamente amplificado y descentrado tras el «descubrimiento» de América. El jardín, nos recuerda Martin Jay (2007: 58), fue incluido por Foucault entre las llamadas heterotopías, lugares física o simbólicamente apartados en función de acoger espacialmente momentos y fases de crisis y transición (como los internados y las chozas menstruales), de excluir del continuo espacial lo desviado y ominoso (como los hospitales, las prisiones y también los cementerios) o de superponer en un solo lugar físico temporalidades y espacios desgarrados e incompatibles (como los jardines, los teatros y los museos) (Foucault, 1994: 752-762).

Los jardines de Barragán, en El Cabrío primero y en los parques y jardines del barrio El Pedregal después, resaltan esa calidad heterotópica y dramática del jardín: «En los jardines de El Cabrío he querido crear espacios de pasión –sugería Barragán–. La pasión es locura, es ambiente de ebriedad. Todas mis locuras –las que no me atrevo a hacer en vigilia– las hago en mis jardines» (Barragán, 2000: 30-31). Trabajando en terrenos accidentados, de «vegetación asombrosa», los jardines de El Cabrío y El Pedregal convocan a su drama silencioso tanto a una naturaleza cuidadosamente compuesta por zonas de roca desnuda y plantíos aislados de arbustos y árboles (muchos de los cuales Barragán y sus colaboradores seleccionaban individualmente en viveros de la zona por sus apariencias torcidas), como a los propios volúmenes arquitectónicos, a veces en contraste contundente como para en- y desmarcar las formas geológicas y vegetales, a veces en transición tenue como la escalinata casi imperceptible por la que Novo había subido en El Cabrío.

2.8 Armando Salas Portugal (fotógrafo), jardines de muestra, Pedregal de San Ángel, 1945. Fundación Armando Salas Portugal, México, D. F.

En sus jardines, Barragán –en palabras de Marc Treib– «definía espacios, la coreografía del movimiento, la tiranía de la pared planar, y el impacto cromático brillante, paisajes que exhiben su estructura» (Treib, 2001: 116). Las fotografías tomadas por Salas Portugal de los jardines de muestra en El Pedregal parecen nuevamente conjurar ese drama ausente: grandes bloques de piedra oscura son entrecortados por superficies lisas de tierra clara y grupos aislados de árboles y plantas secas (Fig. 2.8). Otras, de la plaza de las Fuentes, contrastan el chorro escultural de agua blanca con los rectángulos oscuros de los muros que enmarcan las siluetas claras de las montañas en la distancia. Ya sea vacías o pobladas de individuos y grupos humanos a la manera de un cuadro de Magritte, Delvaux o De Chirico –artistas por cuya «sensación de soledad» Barragán profesaba gran admiración (2000: 119-120)–, esas imágenes invitan a nuestra mirada a completar imaginativamente los escenarios que despliegan, avivándolos con nuestras propias escenas mentales. El visitante en su paseo actualiza y dinamiza así el drama silencioso interpretado por los elementos de este jardín-laberinto. Esa forma de pasear también reproduce el curioso proceso de creación arquitectónica adoptado por Barragán y su equipo. Según relata su colaborador Raúl Ferrera, tras haber definido un marco programático general, el arquitecto solía entregarse a una suerte de recorrido imaginario o «retrato hablado» del edificio aún por construir (Pauly, 2002: 138-139). Se trataba, sin ir más lejos, de la misma narrativización secuencial del espacio arquitectónico en tanto *lugar habitado* que Barragán había aprendido en el jardín-itinerario de los textos de Bac. Sólo una vez finalizado este ejercicio imaginativo, Barragán –notoriamente reacio al dibujo técnico– solía dar comienzo al diseño arquitectónico propiamente dicho, en unos bosquejos rápidos como para no dejar que se esfumara el lugar soñado –que sus colaboradores tenían que traducir luego en planos y dibujos formales.

Pero si el jardín-ambiente efectivamente lo llevaba a Barragán a una nueva concepción de la casa y de la práctica arquitectónica como «imaginación de lugares», partiendo de la experiencia sensible de sus habitantes, la concepción privativa, visual y escenográfica de sus jardines también limitaba la posibilidad de extender este programa más allá de la casa particular o de reductos cerrados de sociabilidad aristocratizante, como las caballerizas de Las Arboledas (1958-1961) y las fuentes del barrio residencial Los Clubes (1963-1964). El tipo de uso que solicitaban los jardines de Tacubaya –la ensoñación del paseante solitario perdiéndose en su laberinto– y que Barragán buscaba extender a un modo de convivencia suburbana en El Pedregal, revelaba también una actitud profundamente antiurbana, apartándose de la tradición cívico-pedagógica que el paisajismo urbano decimonónico había inaugurado en Latinoamérica. Pero al mismo tiempo, el carácter contemplativo, no-inmersivo, del paisaje barraganiano, su convocación de un observador aislado a quien el jardín, por fin, le brinda el ansiado refugio frente a la «vida pública que invade toda vida privada» (Barragán, 2000: 37), también los apartaban a estos jardines de las décadas de 1940 y 1950 del ruralismo politizado del sexenio cardenista. El paisaje agrario-silvestre de los Parques Nacionales mexicanos creados en la segunda mitad de los años treinta procuraba reconciliar a través de una articulación novedosa entre la racionalidad científica de los modernizadores liberales y la reivindicación revolucionaria de modos nativos del uso de la tierra, las demandas que ejercían el crecimiento urbano y el proyecto sociopolítico de emancipación de la población campesina. En cambio, el paisajismo que Barragán proponía con sus jardines y más explícitamente con el emprendimiento de El Pedregal para el problema del desborde urbano, daba la espalda a cualquier dimensión política o social. A pesar de que, en sus borradores de reglamentos urbanísticos para la zona, Barragán profesaba su adhesión a las reflexiones mucho más detalladas de Rivera sobre la preservación de un balance sustentable entre construcciones y ambiente nativo (a ser garantizado, según el artista, por un consejo estético compuesto por representantes estatales así como de la Universidad y del Colegio de México), el arquitecto dedicaba igual o mayor espacio a la ubicación de hoteles y las estrategias de publicidad más eficaces para atraer inversores y recuperar el capital invertido.

Es por eso que convence poco la idea, sugerida por Ambasz, de un Barragán que, a los pocos años de lanzar el proyecto, se retira desilusionado del «paraíso perdido» (Ambasz, 1976: 12) a causa del subloteamiento y de la construcción excesivamente densa y estéticamente heterogénea. ¿Acaso alguien con el instinto de negocios de Barragán podía ignorar los límites que la especulación inmobiliaria impondría sobre el rigor formal de su esquema? Pareciera más productivo pensar en El Pedregal como un proyecto imaginativo y no tanto como un programa urbanístico efectivo: Barragán casi no construyó en la urbanización, fuera de unas pocas intervenciones escultóricas (la casa Prieto López, atribuida a Barragán, es en gran parte obra de su colaborador Max Cetto) y no volvería a construir más que esporádicamente de ahí en adelante. Su «regreso a la arquitectura» era más bien otra estación de un largo abandono y de su escasa obra en el sitio ya casi sólo sobreviven las fotografías de Salas Portugal: imágenes que, casi inmediatamente, se transformaron de anuncios anticipatorios de un lugar futuro en recuerdos de algo que nunca existió más que virtualmente. Tal vez convenga retornar a la idea divulgada por sus detractores en los cuarenta y cincuenta, de un Barragán diletante –un arquitecto sin título que no sabía dibujar, «soñaba» y narraba edificios– pero para buscar en estas proto-arquitecturas lo más valioso de su obra: obra que, en la medida que se realizaba materialmente, no podía sino traicionar ese carácter onírico, fuera de tiempo y lugar. Quizás lo que Barragán, en su discurso del Pritzker, llamaba nostalgia –la capacidad «de llenar con belleza el vacío que le queda a toda obra arquitectónica una vez que ha atendido las exigencias utilitarias» (Barragán, 2000: 61)– sea precisamente la conciencia anticipada y convertida en expresión formal de la obra, del carácter irrecuperable de ese origen onírico; tiempo-lugar de ensueño en que la imaginación queda liberada de los constreñimientos de la naturaleza y del mundo contemporáneo. Hacia ese no-lugar imaginario (y por definición inalcanzable) pareciera proyectarse la obra barraganiana, una de cuyas figuraciones sería, precisamente, el jardín-escenario, diseñado menos para ser habitado que para ser contemplado desde el otro lado de la gran ventana-visor.

Burle Marx: la línea y el límite

La obra paisajística de Roberto Burle Marx surge desde sus comienzos del diálogo intenso con otras voces y lenguajes de la modernidad arquitectónica, plástica y poética brasileña. En su breve temporada berlinesa (1928-29) conoce de primera vista a la pintura expresionista como también a la obra de Cézanne, Van Gogh y Picasso, además de visitar asiduamente los ambientes tropicales creados por Adolf Endler en el Jardín Botánico de Dahlem –ámbito donde, según sus propias palabras, «percibía de veras la fuerza originaria del trópico» (citado en Leenhardt, 2000: 67). De vuelta a Río, Burle Marx se inscribe en la Escola Nacional de Belas Artes durante el breve y turbulento período de dirección de Lúcio Costa. Ahí, también, conoce al grupo de jóvenes arquitectos con quienes habrá de colaborar poco después en el Ministério de Educação e Saúde. Impresionado por el jardín de la familia Burle Marx en Copacabana, a cargo del joven Roberto desde que empezara, a los siete años, a coleccionar y cultivar plantas de la mata vecina, Costa sugiere su nombre a Grigorij Warchavchik para asistir en el paisajismo de la casa Schwartz (Río de Janeiro, 1932), donde opta por un diseño cubista dominado por cactáceas y palmeras plantadas en canteros rectangulares de cemento. También pintor, escultor y músico, Burle Marx traba amistad, en el período entre 1934 y 1937 en que se desempeña como director de Parques y Jardines en Recife, con Gilberto Freyre, Cícero Dias, Luiz Nunes y Clarival do Prado Valladares, quienes lo inician en las expresiones populares nordestinas.

Como la poética de Oswald de Andrade o la arquitectura de Niemeyer en Ouro Preto, también los jardines de Burle Marx obtienen su expresividad al mismo tiempo «moderna» y «nacional» de su contraste y armonización entre elementos dispares –entre «a floresta e a escola», como rezaba el «Manifesto Pau-Brasil»– explorando la vitalidad de la materia natural al mismo tiempo que relacionándola con un lenguaje formal abstracto, en un juego de resonancias y equivalencias plásticas. Esa formulación, en los años treinta y cuarenta, de una expresión moderna del paisaje «natural» brasileño es contemporánea, además, de la puesta en valor de los «paisajes históricos» del país por parte del Servicio del Patrimonio Histórico y Artístico Nacional (SPHAN), creado en 1937. Coordinados desde la central carioca por Rodrigo de Andrade, los fotógrafos viajeros del SPHAN (muchos de ellos refugiados europeos, como los alemanes Erich Hess y Paul Stille) realizaban por esos mismos años el relevamiento visual del Brasil dieciochesco (Figs. 1.3 y 1.4) –con predominio de sitios y monumentos mineros, bahienses y cariocas– que asomaba asimismo en la pintura de Guignard, Cícero Dias o Ismael Néry. La investigación plástica y botánica emprendida por Burle Marx proporcionaba un marco exterior a esas revalorizaciones plásticas, poéticas y arquitectónicas del «patrimonio» cultural. Sus parques y jardines extendían hacia lo orgánico y viviente la operación de captura y recombinación a la que el modernismo estético estaba sometiendo al tiempo histórico y a sus legados materiales: emplazaban y naturalizaban al emergente Estado-nación desarrollista y su proyecto de modernización nacional, en vivo contraste con la jardinería doméstica e individualizante de Barragán en México.

La afinidad del paisajismo burlemarxiano con la pintura –la decisión, en sus propias palabras, de «utilizar a la topografía natural como superficie de composición y a los elementos encontrados de la naturaleza –minerales, vegetales– como materiales de organización plástica» (Burle Marx, 1987: 11)– facilitaba esa tendencia hacia lo icónico y legible de sus composiciones (lámina 5). En particular, es el énfasis en «el valor arquitectónico del color» –en la expresión de Léger–, en el color como sujeto y principio organizador del cuadro antes que como portador de un contenido, el que Burle Marx encontrará plasmado en las formas elementales y conjuntos vivos de la vegetación tropical. Aunque apoyándose inicialmente en las ideas del nativismo vegetal y de la organización cromática del cantero, tal como habían sido formuladas en Inglaterra por pioneros del paisajismo moderno como William Robinson y Gertrude Jekyll[41], el «descubrimiento» berlinés del arte moderno y de la flora tropical lo llevó a Burle Marx a dar un paso más allá del uso puntillista de los ciclos florales y bordes mixtos empleados por los ingleses. En los ambientes construidos en Berlín por Endler –uno de los pioneros de la fitogeografía moderna y un temprano adherente al concepto del parque ecológico– el joven brasileño se encontraba por primera vez frente a conjuntos vegetales organizados tanto a raíz de su pertenencia ambiental como de sus efectos plásticos, notablemente distintos de aquellos exhibidos por la flora europea, los cuales también exploraban por esos mismos años pintores y escultores como Víctor Brecheret, Anita Malfatti o la Tarsila de los años antropófagos. Contra la estética *belle-époque* que aún predominaba en los jardines y parques brasileños, las composiciones de Burle Marx de los años treinta y cuarenta pondrían el énfasis en la volumetría y la tonalidad del follaje sobre los efectos de color propios de la flor, creando grandes áreas monocromáticas a través de plantíos de una sola especie. Al mismo tiempo, la nitidez formal del área plantada componía, en términos visuales, un primer plano en oposición al fondo natural de bosques o montañas. El diseño revelaba así de forma abierta y legible su propia artificialidad, claramente desmarcada del espacio silvestre, ya que el jardín, en lugar de recomponer efectos de naturalidad, debía preocuparse con «la adecuación del medio

[41] Robinson, editor de la revista *The Wild Garden* y amigo de John Ruskin, fue un divulgador temprano de ideas ecológicas en la composición de jardines. Jekyll, quien también se desempeñó como pintora y fotógrafa, fue la autora de *Colour in the Flower Garden* (1903) y una referencia central para los jardines *art-nouveau* de Josef Maria Olbrich y André Véra.

ecológico a las exigencias de la civilización» (Burle Marx, 1987: 11). En sus escritos sobre el paisaje como forma de arte, el propio Burle Marx resaltaba esa afinidad del paisajismo con la pintura, al mismo tiempo que insistía en los distintos ritmos temporales que los valores plásticos adquieren al trasladarse al jardín:

> ... el jardín obedece a ciertas leyes que no son propias de él, sino, por el contrario, inherentes a cualquier forma de manifestación artística. Son los mismos problemas de forma y de color, de dimensión, de tiempo y de ritmo. Sólo que, en paisajismo, ciertas características tienen mayor importancia que en otras formas de arte. Hay que tener en cuenta para la composición a la tridimensionalidad, la temporalidad, la dinámica de los seres vivos. Y las otras características, en el jardín, tienen su propia manera de participar. El color, en la naturaleza, no puede tener el mismo sentido que el color en pintura. Depende de la luz del sol y de la luna, de las nubes, de la lluvia, de la hora del día, y de todos los otros factores ambientales (Burle Marx, 1987: 25)[42].

El jardín, insiste, debe encontrar una solución expresiva para estas «asociaciones» complejas entre elementos, trasladando la observación del hábitat fitogeográfico y sus redes de apoyo y compatibilidad entre organismos, suelos y condiciones climáticas a un lenguaje expresivo que, sin confundirse nunca con esa dinámica natural, debe no obstante dejarse permear e inspirar por ésta. Para Burle Marx, «la "asociación" está relacionada de cerca con la idea de "composición": es a través de un proceso de cadenas asociativas permeando lo sensorial y lo inteligible que va surgiendo una "composición", ya sea en la música, en la pintura o en el diseño

[42] «... o jardim obedece a certas leis que não lhe são peculiares, mas sim inerentes a qualquer forma de manifestação de arte. São os mesmos problemas de forma e de cor, de dimensão, de tempo e de ritmo. Apenas que, em paisagismo, certas características têm importância maior que nas outras formas de arte. O tridimensionalismo, a temporalidade, a dinâmica dos seres vivos têm que ser levados em conta na composição. E as outras características têm, no jardim, sua maneira própria de participar. A cor, na natureza, não pode ter o mesmo sentido da cor, na pintura. Ela depende da luz do sol, das nuvens, da chuva, das horas do dia, do luar e de todos os demais fatores ambientais».

de paisajes» (Duarte, 2011: 504). Componer, en paisajismo, es así «criar associações artificiais», según la expresión del propio Burle Marx: «Crear paisajes artificiales no significa negar ni imitar servilmente a la naturaleza. Es saber trasponer y saber asociar, en base a un criterio selectivo, personal, los resultados de una observación prolongada e intensa» (Burle Marx, 1987: 39)[43].

Los primeros proyectos en gran escala, realizados durante el período pernambucano, todavía participan del nacionalismo alegórico de la poesía Pau-Brasil o de las composiciones nativistas de Villa-Lobos, en su uso escultórico de plantas nativas –palmeras, cactus, palos blancos y suculentas– como emblemas de *brasilidade*. En el «Jardim da Casa Forte» de la capital pernambucana, la decisión de reemplazar un monumento a la victoria sobre los holandeses en el período colonial por un conjunto de pequeños lagos causa polémica: el llamado del paisajista –expresado en una nota publicada en 1934 en el *Diário da Tarde*– por «sembrar en nuestros parques y jardines el alma brasileña» a través del uso decorativo de la «inmensa variedad de plantas que nos ofrecen nuestras matas magníficas» (Mazza Dourado, 2009: 59), es contestado públicamente por el presidente del Instituto Arqueológico de Recife, Mário Melo, quien lo acusa a Burle Marx de querer «devolver la ciudad a la selva» (Siqueira, 2001: 18).

En Casa Forte, el lago circular del área central contiene plantas acuáticas amazónicas, mientras los rectangulares a cada extremo acogen la vegetación tropical americana y exótica. Bordeando el conjunto, una arboleda doble ofrece sombra para paseos, de la misma manera que los bosquecillos de palmeras en las cuatro esquinas del jardín, realizados enteramente con especies locales (Fig. 2.9). Todavía más audaz, aunque sin abandonar aún la geometría rígida del diseño general, la intervención de la «Praça Euclides da Cunha» establece un jardín enteramente compuesto por plantas

---

[43] «Fazer paisagem artificial não é negar nem imitar servilmente a natureza. É saber transpor e saber associar, com base num critério seletivo, pessoal, os resultados de uma observação morosa, intensa e prolongada».

2.9 Benício Whatley-Dias (fotógrafo), Plaza de la Casa Forte, Recife, 1938. Acervo Fundación Joaquim Nabuco/ Ministerio de Educación y Cultura.

del sertón árido, en su mayoría cactáceas, en una suerte de homenaje vegetal a la celebración euclidiana de la naturaleza heroica del sertanejo y de su lucha contra condiciones adversas. Dando un lugar destacado a los grandes nopales y cactus *céreus*, Burle Marx crea una suerte de sertón escultural donde «cada uno aparece como si evocase, por su forma y por su soledad, la memoria del combate por la supervivencia que había sido obligado a librar en el medio hostil donde había crecido» (Leenhardt, en Cavalcanti & el-Dahdah, 2009: 94). Como las plantas silvestres no habían sido cultivadas antes para la jardinería, Burle Marx y su equipo tuvieron que emprender excursiones colectoras al interior pernambucano, en algunos casos también encomendando plantones desde Río de Janeiro e incluso desde Alemania.

El paso más allá de ese nacionalismo vegetal emblemático que sus jardines pernambucanos compartían, como sugiere Davi Arrigucci Júnior (1997: 16), con la iconografía cactácea de la pintura modernista y con poemas como «O cacto» de Manuel Bandeira (1924), fue dado por Burle Marx a su regreso a Río de Janeiro, convidado por Lúcio Costa a participar en el equipo del Ministério de Educação e Saúde. La «curva biomórfica» que ahí traslada por primera vez la expresión de «brasilidad» del material vegetal a la expresión plástica misma, es explorada posteriormente por el paisajista en una serie de grandes comisiones obtenidas en Minas Gerais entre 1942 y 1945, gracias al apoyo del interventor Benedito Valadares y del por entonces prefecto de Belo Horizonte, Juscelino Kubitschek. En la ciudad-capital colabora con Oscar Niemeyer en el diseño del complejo de Pampulha (1942-43), incluyendo los jardines del Casino, la Casa de Baile, el Yate Clube (lámina 5) y varias plazas, de las cuales sólo algunas se terminan debido a la caída del Estado Novo, mientras otros espacios como el Golfe Clube –primera colaboración con el botánico Henrique Lahmeyer de Mello Barreto, con quien Burle Marx emprende una investigación geobotánica de la vegetación del cerrado mineiro– permanecen en estado de proyecto. Entre 1943 y 1945, nuevamente por invitación directa de Valadares, Burle Marx y Mello Barreto vuelven a trabajar en común para el proyecto del Parque do Barreiro en el complejo termal de Araxá, la primera tentativa en gran escala por acomodar el organicismo abstracto del lenguaje visual forjado en el MES y en Pampulha con el concepto de asociación ecológica. Ahí, sin renunciar a un diseño formal de bordes rígidos, Burle Marx y Mello Barreto buscan recomponer conjuntos vegetales estables que compartan necesidades mutuamente compatibles de suelo, irrigación o exposición a la luz y el viento. Trabajando sobre el lienzo de un terreno extendido, Burle Marx profundiza el uso de grupos arbóreos y herbáceos homogéneos, plantados en áreas relativamente extensas, de modo a explorar su potencial de expresión y mutabilidad cromática a lo largo del año, así como su juego de contraste y armonía con respecto a las zonas realizadas en materia mineral. Va tomando forma así un arsenal paisajístico que, sin renunciar nunca a la soberanía de su lenguaje plástico, tiende a aprovechar los ciclos fisiológicos propios de plantas y conjuntos para crear ambientaciones permanentes sin necesidad de replantaciones y mantenimiento horticultural intenso.

Dándole la espalda al hotel-casino neocolonial diseñado por Luiz Signorelli (ya terminado cuando Burle Marx obtuvo la comisión paisajística), el Parque do Barreiro está formado por vastas unidades curvilíneas alrededor de un lago artificial en forma de ameba. Cada unidad representa un ambiente específico de la fitogeografía de Minas Gerais, aprovechando las asociaciones vegetales ya existentes. Los visitantes entran al parque por un bosquecillo de palmeras, adyacente a los baños termales, del que pasan al sector de plantas xerófilas (cactus y bromeliáceas), típicas de las estepas áridas del sertón. Sucesivamente, se entra en una porción rocosa del predio, plantada con vegetación montañesa compuesta de árnicas y orquídeas. Todavía siguiendo el recorrido circular alrededor del lago, se vuelve hacia un área de plantas semi-xerófilas y, pasando el puente a la «isla de amor» en medio del lago, un bosquecillo frondoso de cinamomos y árboles ipê.

En Araxá, Burle Marx comenzaba a aprovechar los grandes espacios para introducir en sus jardines un ritmo estival de contrapuntos cromáticos, distribuyendo gradaciones tonales por diferentes áreas del parque, cuyos colores se intensificaban o palidecían de acuerdo con los ciclos de floración y maduración de las plantas. En el parque de la residencia Odette Monteiro, Petrópolis, diseñado pocos años después, esa relación «sinfónica» entre colores –en palabras del mismo Burle Marx– aparece enmarcada a su vez por el verde de los pastos y los azules y verdes oscuros del bosque circundante, coronado por el granito negro de las montañas; un juego de colores presentes en la localidad, señala Jacques Leenhardt, que recién lo no-local del jardín torna plenamente visible (Leenhardt, 2000: 23). Al mismo tiempo, empieza a perfilarse en estas comisiones de la década de 1940 una predilección del paisajista por formaciones fitogeográficas relativamente alejadas de la exuberancia selvática y, en cambio, tendientes a cierta «abstracción natural» con variedad reducida de elementos: los palmerales de buritíes, las restingas costeras, los campos rupestres del cerrado y de las alturas de la mata atlántica. Estas formaciones morfológicas, sugiere

Luiz Fernando Dias Duarte (2011: 504), por su número reducido de especies y el contraste tonal nítido entre vegetación y suelos o zonas rocosas, proporcionaban una suerte de modelos naturales de la volumetría, nitidez y zonificación características del jardín burlemarxiano.

La obra madura del paisajista brasileño permite comprobar ese conocimiento botánico cada vez más vasto en su combinación con el manejo del potencial estético inherente en plantas individuales y conjuntos ecológicos. Al mismo tiempo, Burle Marx complejiza su diálogo con la volumetría arquitectónica al re-introducir (como también lo hacía Barragán) en su lenguaje formal los ángulos rectos, las grandes superficies planas de soportes minerales y las propiedades reflexivas de los espejos de agua, elementos que le permitían agregar al diseño una novedosa dimensión de profundidad. La interacción con la arquitectura deja así de limitarse a una reconciliación entre la «geometría pura» y las «curvas de la naturaleza tropical» (Montero, 2001: 39), como se entusiasmaba Bruno Zevi aún en 1957, y más bien sugiere un diálogo entre dos lenguajes materiales construidos sobre una misma tensión entre espacio y lugar. Un buen ejemplo es la residencia Edmundo Cavanellas (1954) en las cercanías de Teresópolis, donde la combinación entre formas curvas y rectilíneas y la alternación entre transparencia y opacidad hacia sierras y bosques circundantes del edificio diseñado por Niemeyer es recogida y transformada en los jardines. Ahí, en los canteros irregulares y senderos ondulatorios del frente, el conjunto se emplaza en el entorno, mientras el pasto en forma de tablero de ajedrez por detrás de la casa (usando diferentes variedades de pasto y hojas de sangre), enmarcando una piscina también rectangular, establece un contraste fuerte entre primer plano y fondo que desmarca el jardín de su entorno serrano.

Es tras estas primeras experiencias de diseño en gran escala, hacia finales de la década de 1940, que Burle Marx sistematiza su práctica profesional. Por un lado, comienza a emprender expediciones periódicas de observación y recolección de plantas; por el otro, a través de la creación de su propio repositorio botánico en los terrenos de una vieja *fazenda* cafetera en las afueras de Río establece un modelo de taller paisajístico inédito hasta entonces. Las expediciones, que solían durar entre una y dos semanas y que reunían equipos multidisciplinarios de botánicos, arquitectos y artistas plásticos, recorrían una variedad de ambientes tropicales y subtropicales. Entre sus propósitos estaba no sólo la recolección de muestras vegetales sino también la observación *in situ* de la morfología, las asociaciones ecológicas y las características plásticas de plantas individuales, especies y familias. Como explica Vera Siqueira (2001: 7), «el viaje de Burle Marx modifica el sustrato pintoresco de la noción de colección en la que se apoya. No se trata ya de buscar lo diferente, lo raro o lo exótico sino, en cambio, de valorizar aquellas especies que son consideradas como "yuyos" en sus lugares de origen».

En la medida en que iba conociendo a través de esos recorridos por el interior las dimensiones del daño ecológico que causaban el desbosque, la expansión de los monocultivos, la ganadería y los proyecto hidroeléctricos –procesos que lo tornaban uno de los primeros y más vocales ambientalistas del Brasil– Burle Marx empezaba también a interesarse por las zonas de transición fitofisonómica y la vida vegetal quasi-entrópica de las áreas de deforestación. En ambas encontraba modelos de resistencia, plasticidad y capacidad de adaptación de la vida vegetal, al mismo tiempo que memoriales elocuentes de su fragilidad y delicadeza en tanto conjuntos vivos y sociales. La planta –escribió en 1962– «vive en la medida en que se transforma. Sufre una mutación constante, un desequilibrio permanente, cuya finalidad es la búsqueda misma de equilibrio» (Burle Marx, 1987: 37). Su atractivo estético –su capacidad de encantar y dar placer– está por eso íntimamente relacionada con esa misma mutabilidad, así como con su carácter de ente social, la relación de «resonancia» que mantiene con sus vecinos y su hábitat: por lo tanto, «crear jardines muchas veces es "realizar" microclimas» (Burle Marx, 1987: 41). Hacer paisajes es realizar en el medio urbano la habilidad adaptativa de las plantas, en la que el paisajista encuentra asimismo «una expresión del acomodamiento entre el ser y el medio, el animal y la planta, el hombre y la naturaleza, el hombre y la ciudad» (Burle Marx, 1987: 23).

El sitio Santo Antônio da Bica, la estancia cafetera en Guaratiba al sur de Río de Janeiro, donde Burle Marx estableció su «laboratorio paisajístico» en unas tierras ubicadas en la vertiente de una pequeña sierra costera, contenedora de varios microclimas y áreas fitogeográficas, se convirtió rápidamente en el mayor repositorio de plantas tropicales en el mundo (lámina 6). También ofrecía un sitio único de experimentación con las asociaciones vegetales y su desarrollo a través del tiempo. En ese interés por la temporalidad evolutiva del jardín, que se superpone pero también se enlaza, como observa Leenhardt (2000: 36), con el tiempo kinético del visitante en su recorrido por el ambiente, los jardines de Burle Marx no son sino enunciaciones situadas en su doble relación con la ecología local y con la arquitectura y las artes contemporáneas, de un proyecto en continua reformulación. Ese proyecto incorpora y reinventa en su propio proceso creativo las dos grandes series de la tradición moderna del paisaje: la exploración espacial del viajero y el gesto localizador del jardinero; el paisaje *in visu* y el paisaje *in situ.* Rearticula el afán del naturalista, quien se desplaza hacia el borde del mundo habitado para observar las leyes de una naturaleza «otra», con el restablecimiento, en el corazón de la polis urbana, de esa «naturaleza» observada en función de proponer un modo de convivencia más «pacífica» entre ambas. Aunque no cuestionara y mucho menos invirtiera la relación apropiativa y jerarquizante que subyace al paisaje *in visu* e *in situ*, la investigación jardinesca de Burle Marx enfatizaba, no obstante, la dimensión hermenéutica de ese modelo, su preocupación por inventar formas de convivencia a largo plazo con y entre plantas. A través de la investigación multidisciplinaria, Burle Marx encontraba modelos expresivos en los propios fenómenos botánicos de fitocenosis, o sociabilidad vegetal, «cuando conjuntos de plantas que conviven en un lugar específico dentro de un ecosistema alcanzan el grado máximo de su evolución y forman comunidades estables» (Montero, 2001: 24); lección viviente que los parques y jardines públicos de Burle Marx tratarían de comunicar a sus usuarios.

Es en las grandes comisiones públicas, desde los jardines del Museu de Arte Moderna y el Parque do Flamengo en Río (1954-56 y 1961-65) hasta el Parque del Este caraqueño (1956-61), el jardín zoobotánico de Brasilia (1961) o la avenida Atlântica en Copacabana (1970), donde el paisaje burlemarxiano encuentra su expresión cabal al combinar la elegancia y audacia del diseño plástico con la didáctica cívica del parque urbano. La «misión social» del parque, escribe Burle Marx, no se reduce a «comunicar a las multitudes el sentimiento de aprecio y de comprensión de los valores de la naturaleza» (Burle Marx, 1987: 43), sino que también formula «una invitación a la convivencia, a la recuperación del tiempo real de la naturaleza de las cosas, en oposición a la velocidad ilusoria de las reglas de la sociedad de consumo. El jardín puede y debe ser un medio de conscientización de una existencia a la medida verdadera del hombre, de lo que significa estar vivo» (Burle Marx, 1987: 34)[44]. Lección ecológica permanente, el parque público es al mismo tiempo una lección cívica y social, al proponer formas de con-vivencia exentas de las presiones del mercado cuya temporalidad atraviesa el espacio urbano. Es por eso que fechar las obras de Roberto Burle Marx es engañoso, ya que privilegiaría el diseño (el costado plástico y objetual de su trabajo) sobre la dimensión material y orgánica que fundamenta su plasticidad y establece su diferencia respecto del origen pictórico de donde surge. Una vez «terminada» una comisión, el paisajista seguía atendiendo sus transformaciones, las cuales solían enfrentarlo a nuevas preguntas y desafíos, tanto a causa de los procesos naturales de crecimiento y

[44] «... um convite ao convívio, à recuperação do tempo real da natureza das coisas, em oposição à velocidade ilusória das regras da sociedade de consumo. O jardim pode e deve ser um meio de conscientização de uma existência na medida verdadeira do homem, do que significa estar vivo».

desgaste como de las formas de uso social que se iban configurando con el tiempo. Los grandes proyectos públicos como el Parque del Este o el Parque do Flamengo proveían, como elemento esencial del propio diseño, la creación de un vivero educativo que debería entrar en funcionamiento desde el momento mismo de planificación y que continuaría en funciones más allá de la terminación de las obras, replicando, en forma miniaturizada, el dispositivo del laboratorio paisajístico del sitio Santo Antônio da Bica. Esos talleres paisajísticos, creados en función tanto de la formación del personal y de la reposición de las plantas dañadas como de la sensibilización del público general, muchas veces terminaron víctimas del abandono municipal después o aun antes del apogeo del Estado desarrollista, que todavía servía de horizonte a esta idea cívica y pedagógica del parque. Como bien lo resume Rossana Vaccarino (2002: 228), «al incorporar la temporalidad y el cambio Burle Marx generaba proyectos con el carácter de un organismo vivo. La construcción demorada y la posibilidad de observar el crecimiento paulatino proporcionaban, tanto para Burle Marx como para los usuarios del parque, el tiempo requerido para establecer una relación profunda con el paisaje, semejante al tipo de relación que establecemos entre seres humanos».

Si su rigor formal, su afán por mantener sobre todas las cosas la transparencia y legibilidad del diseño, hoy pueda parecer datado, el jardín burlemarxiano fue saludado por sus contemporáneos como localización feliz de la racionalidad abstracta y universal de la modernidad arquitectónica: como un lugar donde, en palabras de José Lins do Rego, «el hombre y el paisaje ya no serán enemigos» («O homem e a paisagem», 1952, citado en Fraser, 2000: 180). Al emplazarlas, el jardín proporcionaría para las formas arquitectónicas, sociales y ecológicas una caja de resonancias mutuas. En las historias de la arquitectura latinoamericana, la cuestión de si fue el uso temprano de la curva biométrica por parte de Burle Marx el que abrió el camino a Niemeyer o si, por el contrario, fue el arquitecto quien se lo habría sugerido al jardinero, sigue siendo objeto de controversia. Sea como fuese, lo importante es que, en ambos casos, se reconoce en un elemento distintivo de la composición la dialéctica entre, por un lado, la apertura hacia el entorno orgánico y, por el otro, la autonomía soberana del diseño que se expresa precisamente a través del trazo de la línea y su insistencia en la relación abstracta, no-mimética, entre naturaleza y forma. La línea curva, por lo tanto, es también el límite donde, a pesar de reconocer e incorporar la dinámica procesual del lugar, los paisajes de Burle Marx siguen subscribiéndose a una ética moderna que concibe la relación entre el diseño y la práctica social en términos, ante todo, pedagógicos (si bien de carácter lúdico y participativo). El desarrollo del jardín a través del tiempo nunca deja de remitir así a la labor fundacional del diseñador. Si bien el jardín burlemarxiano reconoce los múltiples planos de historicidad con los que entra en contacto –las temporalidades de la ciudad y sus habitantes, del suelo, de las plantas y sus asociaciones–, al mismo tiempo reafirma la autonomía radical del diseño como *producción moderna de espacio*. La línea curva se encarga precisamente de inscribir esa tensión fundante entre el tiempo vital de los ingredientes del jardín y la forma atemporal y abstracta del diseño. La planta, en su mutabilidad, es la clave misma de lo viviente en su relación dinámica con lo inorgánico y con el resto de los elementos vivos (es ésta, sin ir más lejos, su gran lección cívica), pero no por eso ella deja de subordinarse a una voluntad plástica que traduce estas pulsiones vitales en una expresión única y eterna[45].

[45] ¿Cuál sería, en cambio –pregunta Matías Ayala– una «historia de los jardines» que, en vez de ponerlos en relación con la trayectoria de las vanguardias arquitectónicas y plásticas, y con la tensión cosmopolitismo/nacionalismo en torno de la cual éstas se organizan, pusiera en primer plano esa otra «historicidad» de las plantas o incluso de los ensambles geológicos y climáticos en los que ellas entran? ¿La materialidad y organicidad del jardín no funcionaría entonces como una suerte de deconstrucción del diseño, y como una perspectiva analítica y crítica *distinta de la que propone una lectura estilística* como la que esbozamos aquí? Dice Ayala: «Quizás el jardín [...] al ser parte de diversas comunidades ecológicas locales reconfigure radicalmente la oposición cultural modernidad/local ya que su materialidad viviente suplementa y excede su diseño original. El diseñador del jardín no puede saber nunca (puede quizás pronosticar) el complejo sistema de vidas múltiples y de interacción entre plantas, agua, luz, humedad, insectos

¿Cuáles son hoy día los legados del jardín moderno? ¿Han tenido una sobrevida los jardines de Victoria Ocampo, de Barragán y de Burle Marx, o les ha tocado, en cambio, volverse cementerios, memoriales ruinosos de proyectos truncos? La sobrevida de los jardines también representa un índice vivo de las suertes y desventuras que experimentaron las sociedades que los recibieron en custodia. Desde ese punto de vista, no han tenido mejor suerte los jardines de Barragán, quien depositaba su fe en el individuo solitario, privado y propietario, que los de Burle Marx, quien encomendaba algunos de sus mejores trabajos a un Estado que en los años cincuenta y sesenta aún podía imaginarse como aliado en la empresa de modernización social en la que intelectuales y artistas se veían embarcados. Pero es notable que, aun tras la derrota (o la bancarrota) del Estado desarrollista, algunos de los jardines y plazas burlemarxianos se han ido confundiendo con la vida de las ciudades, a diferencia de muchos parques *belle-époque*, hoy transformados en refugios de expulsados y marginados precisamente por haber sido abandonados, también ellos, por la ciudad. Son parques, estos últimos, que se volvieron puntos ciegos, reductos de otra «vida natural» que la ideada por sus creadores. Pero esta «vida nuda» que ha tomado a su cargo muchos de los espacios públicos imaginados por la modernidad –los «sin techo», habitantes de un espacio público degradado, son quizás los últimos guardianes que aún contienen hoy la maleza y la desecación entrópica– no sólo habla de la catástrofe social que arrojaron las dictaduras y los ajustes neoliberales. También apunta hacia un exceso incontenible que las «naturalezas» jardinescas de la modernidad arquitectónica buscaban contener en vano: una violencia inscrita en lo viviente mismo, de la que hablan unos relatos de «insurrección ambiental», narrativas que surgen casi al mismo tiempo en que Ocampo,

---

y vida. La vida del jardín puede que esté en otro plano de realidad y de visibilidad también...» (Matías Ayala, comunicación personal, 2015). Esa *otra historicidad* y sus irrupciones, por cierto omnipresentes en cualquier jardín y quizás más visibles que en cualquier otro en el jardín moderno, serán objeto, precisamente, del próximo capítulo.

Barragán y Burle Marx se dedican a cultivar sus primeros jardines, y que, como veremos, pueden leerse de cierto modo como el revés de la trama moderna del jardín.

La naturaleza insurgente

> ... insectos, plantas, agua, aire, el hombre mismo, se confunden en su arbolado espejismo y todas las vidas sorben allí su propio instante como una simple emanación del bosque. Para producir fruta, el suelo ha de hallar una semilla capaz de incorporarse a la esencia entrañable de la tierra, de transformar sus elementos químicos en hojas y flores. Para producir una cultura humana, la selva ha de encontrar una raza capaz de poseer su hondura y destilar a la luz su fuerza sombría.
>
> WALDO FRANK, «La selva», *Sur* 1 (1931)

En un cuento escrito a principios de los años veinte, «El Simún», Horacio Quiroga anticipa en clave de un duelo narrativo entre dos ambientes hostiles –la selva y el desierto– el tópico de una resistencia natural contra el avance modernizador sobre el que volverán a trabajar en las décadas siguientes una extensa serie de textos latinoamericanos. En su gran mayoría, se trata de escrituras asociadas a corrientes que la historia literaria conoce como «regionalistas». En la «insurrección ambiental» llevada a cabo por las propias fuerzas naturales, el regionalismo figuraba también a su propia resistencia contra las vanguardias cosmopolitas. En el cuento de Quiroga, esa tensión en la que, eventualmente, el desierto se impone sobre la jungla, se realiza a través de un desdoblamiento al interior de la voz narrativa. El narrador-protagonista inicial es desafiado, en el punto más extremo de su recorrido, por otra voz, fronteriza y colonial, que le arrebata la narración para no devolvérsela nunca más. El primer narrador, un joven de la capital quien trabaja a desgano como inspector de estaciones meteorológicas en el Ministerio de Agricultura, cuenta su viaje remontando el río Paraná hasta el límite con Brasil, donde se encuentra con el francés

Briand, obrajero y encargado de la estación, con quien debe convivir por un tiempo prolongado debido a una temporada de lluvias torrenciales. Eventualmente, la monotonía y el alcohol terminan provocando una crisis nerviosa en el joven huésped, ante la cual Briand toma las riendas relatándole sus propias penurias como oficial militar en el Sáhara francés; un calvario de calor, luz y arena que acabó por destruir una larga amistad con un compañero de armas. Ambos relatos, pues, son en realidad uno mismo; apenas diferenciados por el grado de intensidad con que una naturaleza hostil va triturando el espíritu de cada protagonista y por el modo en que cada narrador transmite su experiencia. En esa competencia, el desierto triunfa también por la mayor destreza de su narrador, quien, a diferencia de su predecesor y «doble» selvático, quien mantiene la cronología y el realismo descriptivo aún en los momentos más tensos, sabe valerse también de la discontinuidad y las elipsis para transmitir lo inenarrable de su experiencia: «Yo estuve siete meses … No había sino una horrible luz y un horrible calor, día y noche … Y constantes palpitaciones de corazón, porque uno se ahoga […] Y esto cuando no hay siroco…» (Quiroga, 1996: 367-368).

«El Simún» puede pensarse así como una temprana reflexión metaliteraria sobre una serie de «relatos de viaje infernal» que recién está por comenzar, como también sobre las relaciones entre ambiente y cuerpo, voz y escritura, que surgen del encuentro con una «naturaleza insurgente» que rechaza activamente el avance del sujeto. «Luvina» de Juan Rulfo, publicado por primera vez en 1953, marca quizás el punto más alto de esta serie abierta por «El Simún», al colapsar en una sola voz y su oyente fantasmal la trama del «volvedor del infierno» que es reinvocado, precisamente, por el equilibrio incierto entre voz y escritura (escritura de la escena del habla) que Rulfo mantiene en suspenso hasta el final del cuento. Un procedimiento similar empleaba, por esos mismos años, João Guimarães Rosa en un cuento epocal, «Meu tio o Iauaretê», escrito hacia 1950. Ambos textos, se podría pensar, amplían y radicalizan las posibilidades narrativas de las geografías ambientales que explora ya el cuento de Quiroga: el desierto y la selva; el borde de la sequía y la inanición, el de la vida animal y la violencia[46]. «El Simún» es un texto-umbral, texto que abre y establece el escenario de una literatura aún por venir y de la cual la obra del propio Quiroga, en particular sus cuentos misioneros, representará una parte no menor: una serie de «insurgencias» ambientales a cuyo estallido violento corresponderá un quiebre o un desdoblamiento al interior del propio discurso narrativo.

Podemos vislumbrar en ese quiebre que, muchas veces, se da en forma de un desacoplamiento crítico entre voz y escritura, un tipo de reflexión estética sobre la relación entre la literatura, en tanto tecnología de la modernidad, y una secuencia de crisis ambientales surgidas precisamente de la inserción disfuncional, colonial-extractiva, de la frontera silvestre en la economía capitalista[47]. El ambiente natural que adquiere en estos textos una agencialidad propia para ejercer una violencia no sólo contra el sujeto-protagonista sino, además, contra los medios de representación que éste comanda para su captura, corresponde con una fidelidad asombrosa a la ecohistoria de degradación ambiental que vive la región. Efectivamente, los «cuentos de la selva» y los «cuentos de la sequía» entre los cuales se extiende la geografía ambiental del regionalismo literario, corresponden a dos procesos de avance capitalista hacia «el interior» del Estado-nación que, leídos en serie, establecen la «secuencia extracción-despoblamiento» (Brailovsky y Foguelman, 1991: 185) –deforestación, erosión de suelos, éxodo rural– común a vastas partes de Centro y Sudamérica entre finales del siglo XIX y mediados del XX. En sus manifestaciones literarias, la depredación de la selva se plasmará en una serie de narraciones con fuerte tono de denuncia, desde *El dolor paraguayo* (1910) de Rafael Barrett

---

[46] Como argumenta Jennifer French (2005: 54), el regionalismo literario reinscribe así de manera novedosa y crítica su filiación colonial –su diálogo literario con la ficción imperial británica (Kipling, Conrad, Haggard) que corresponde efectivamente a la real inserción de capitales ingleses en la economía extractiva latinoamericana.

[47] Para una exploración sistemática de las imbricaciones entre integración financiera regional y proceso literario, véase el estudio reciente de Ericka Beckman (2012).

hasta *A Selva* (1930) del portugués Ferreira de Castro, obra cumbre del llamado *ciclo da borracha*, en Brasil; o desde *La vorágine* (1924) del colombiano José Eustasio Rivera hasta *Tanino* (1952) del argentino Crisanto Domínguez. En cuanto a la sequía, además del corpus más conocido ambientado en el noreste brasileño –ante todo el tríptico integrado por *A Bagaceira* (1928) de José Américo de Almeida, *O Quinze* (1930) de Rachel de Queiroz y *Vidas Secas* (1938) de Graciliano Ramos, anticipados ya por el monumental tratado geográfico e histórico de Euclides da Cunha, *Os sertões* (1902)– podría mencionarse también la cuentística del costarricense Carlos Salazar Herrera («La sequía», 1947), la del argentino Eduardo Mallea (*Todo verdor perecerá*, 1941) o la del colombiano Manuel Mejía Vallejo («Tiempo de sequía», 1947).

Gran parte de esa literatura se estructura según el modelo del viaje: viaje del sujeto capitalino al límite selvático o desértico como en *La vorágine* o en «Luvina» y, a veces también, el periplo de un nativo de la frontera en su itinerario retirante, como en *Vidas Secas* y «Tiempo de sequía». En estos itinerarios cruzados emerge una suerte de (eco)historia alternativa de la modernidad que trae al público lector de las ciudades imágenes del reverso del fulgor progresista. Desde los bosques coníferos en el Valle de México a los bosques de lenga y pehuén de la Patagonia y la Araucanía, pasando por la floresta tropical y subtropical de las cuencas del Amazonas, del Orinoco y del Paraná, poco varía el cuadro de «explotación irrestricta de [...] recursos naturales complementarios en espacios periféricos» (Morello, en Brailovsky, 1987: 184), en beneficio de la producción agrícola para exportación de las regiones centrales y litoraleñas. Tampoco difiere mucho la secuencia temporal, apenas modificada por los ciclos de crecimiento y los padrones de diseminación o concentración geográfica de diferentes especies vegetales: «en un primer momento, al iniciarse la explotación forestal, la economía local se expande, aumentan las fuentes de trabajo y hay un cierto efecto multiplicador sobre la región. Pero todo ello decae irremisiblemente a medida que los montes comienzan a ralear y la zona se transforma en expulsora de población bastante antes del agotamiento del bosque» (Brailovsky y Foguelman, 1991: 180).

Es instructivo el caso del noroeste argentino, del que nos ocuparemos en detalle más adelante: aquí los intentos, en el último tercio del siglo XIX, por forjar un mercado regional en base a la industria y manufactura ligera (zafras azucareras, también fábricas de curtido de pieles y extracción de tanino, establecimientos vitivinícolas, aserraderos y atahonas), se frustraron a partir del tendido de las líneas ferroviarias Frías-Santiago del Estero y Sunchales-Tucumán, inauguradas en 1884 y 1888 respectivamente (Bazán, 1992: 338-40). Estos ramales, que al marginar en su trayecto los polos comerciales existentes favorecían ampliamente a la mercadería importada, al mismo tiempo reorientaban la actividad económica en forma masiva hacia el obraje forestal para proveer de durmientes a la creciente red ferroviaria. El ferrocarril no sólo forjaba un espacio-tiempo de la velocidad al «eliminar los intersticios» (Schivelbusch, 2000: 28), también eliminaba de manera literal las localidades que atravesaba, ya sea arrasando su cubierta forestal y provocando la erosión del suelo, ya sea marginándolas de las redes de intercambio comercial. Ya en 1900, el diario *El Liberal* consideraba la explotación de los quebrachales santiagueños «principal fuente de trabajo y de riqueza», celebrando la exportación, en ese mismo año, de medio millón de durmientes, 900.000 postes, 600.000 toneladas de leña y 25.000 de carbón (Lascano, 1972: 81). Hacia 1915, según el inspector de bosques y posterior gobernador Antenor Álvarez, funcionaban en la provincia 137 obrajes empleando a 15.000 obreros, y con una producción total de 20.700.000 durmientes desde el año 1906, equivalientes a 1.600 km de vía férrea (*Flora y fauna de Santiago del Estero,* Santiago del Estero, 1919; citado en Brailovsky y Foguelman, 1991: 180). La producción forestal santiagueña representaba en ese lapso el diez por ciento del total de las exportaciones argentinas. Con el agotamiento de las maderas fuertes y la creciente demanda europea por carbón y leña debido al desabastecimiento de carbón inglés durante la Primera Guerra Mundial, la tala se extendía a otras especies, con efectos no menos letales: si la provincia conservaba a comienzos del siglo unos 10.800.000 hectáreas de bosque virgen, al retirarse del país las corporaciones madereras a partir de la década de 1950 quedaban apenas unas 700.000 hectáreas (Dargoltz, 1994: 43; Gori, 1999: 79-107).

Asentadas en tierras fiscales cedidas a precios irrisorios (en 1898 se llegaron a rematar dos millones de hectáres de quebrachales a 23 centavos la hectárea), los obrajes resultaban ser un mecanismo cruelmente eficaz de exportación de capitales, agravado aun por el sistema de proveedurías que obligaba a los jornaleros a comprar productos básicos a precios que superaban en más del cien por ciento a los del mercado, según denunciaba Julio Bialet-Massé en su informe de 1904. El mismo informe contaba las míseras condiciones sanitarias de esos asentamientos, levantados al paso del trazado arbitrario de las vías férreas y, muchas veces, desabastecidos de agua para mantener a hombres y ganado. En una de las principales factorías se contaba un 45 por ciento de obreros tuberculosos y un 90 por ciento de sifilíticos; de la población adulta, sólo la cuarta parte sobrepasaba los 35 años (Lascano, 1972: 88-89; Brailovsky y Foguelman, 1991: 181, 188). Estimulando un padrón de trabajo golondrina, el obraje forestal aceleró el despoblamiento de las zonas rurales, con el consecuente descuido de tareas elementales de riego y deslame de los pozos y de los cauces fluviales. El dispositivo ferrocarril-obraje remodeló así el espacio regional en función de los requerimientos de la metrópoli, destruyendo los ecosistemas locales basados en la alternación entre el bosque alto y los pastizales, mantenidos a través de incendios controlados que favorecían el rebrote e impedían el avance de arbustos y leñosas. En cambio, la tala masiva de las especies dominantes como el quebracho colorado, en combinación con el sobrepastoreo que impedía los rebrotes, provocaba la erosión del suelo privándolo de protección contra las lluvias, la invasión de los pastizales por malezas leñosas y el deterioro del microclima selvático amortiguador de extremos, debido a una cada vez mayor evaporación. Además de la virtual destrucción de la fauna silvestre (que privaba a la población nativa de un medio crucial de subsistencia a través de la caza), el desbosque dejaba atrás unos fachinales y montes bajos de maderas duras y espinosas. En términos macroambientales, «la pérdida de cubierta vegetal protectora y la multiplicación de áreas de suelo desnudo incrementaron la tendencia a la aridez, perdidos ya muchos de los mecanismos ecosistémicos de autorregulación frente a extremos y oscilaciones climáticas» (Brailovsky y Foguelman, 1991: 180-189, 192).

En el cuento de Quiroga, por cierto, esta dimensión ecológica todavía está lejos de ocupar el primer plano, aunque tampoco es casual su ambientación en plena crisis forestal, transcurriendo en un obraje misionero «paralizado por la crisis de madera, pues en Buenos Aires y Rosario no sabían qué hacer con el stock formidable de lapacho, incienso, peterebí y cedro, de toda viga, que flotara o no» (Quiroga, 1996: 363). De todas maneras, la literatura no tardaba en registrar la secuencia fatal entre desbosque y éxodo rural. En «Hachadores», uno de los poemas reunidos en *Sol alto* (1932), el santiagueño Bernardo Canal Feijóo evoca el trágico ciclo extractivo que obliga al jornalero a destruir de manera suicida su propia base de sustento. El ritmo del hacha organiza un baile funesto donde el instrumento acaba por consumar tanto al cuerpo que lo alza como al bosque contra el cual es vertido:

> El ritmo de las hachas es la cabal medida de un destino.
> (Baila! Baila, pues!)
> Las hachas percuten en el propio corazón del mundo,
> y es un compás de danza viril y vengativa.
>
> Y las recias columnas de los cielos nativos se derrumban,
> y en cada caída se abren nuevas pausas al alma.
>
> Tac! Tac!...
>
> Un día te hallarás súbitamente solo.
> Con la última jornada se habrá ido tu paisaje.
> Y el abra de aquel día será ya tu destierro (Canal Feijóo, 1932a: 42).

La escisión en el propio sujeto que observa Canal, sometido a una «alienación» radical y literal al convertirse en agente de destrucción de su propio ambiente vital en beneficio de industrias forasteras, lleva al paroxismo y hace colapsar la dicotomía «hombres»/«naturaleza» en que se funda la máquina extractiva del capitalismo. Porque, paradójicamente, los jornaleros, quienes, en los obrajes santiagueños como en las caucherías del río Putumayo o de las Guayanas, deben «reducir» el ecosistema selvático a materia exportable, son, ellos mismos, «reducidos» a un estado «vegetativo» que se confunde con el de su presa. Como exclama Clemente Silva, el viejo cauchero, quien guía a Arturo Cova por el infierno del Putumayo en *La vorágine*: «Mientras le ciño al tronco goteante el tallo acanalado del caraná, para que corra hacia la tazuela su llanto trágico, la nube de mosquitos que lo defiende chupa mi sangre y el vaho de los bosques me nubla los ojos. ¡Así el árbol y yo, con tormento vario, somos lacrimatorios ante la muerte y nos combatiremos hasta sucumbir!» (Rivera, 2006: 289). Efectivamente, como observa Giorgio Agamben, «la división de la vida entre una vida vegetal y relacional, orgánica y animal, animal y humana [...] pasa antes que nada como un borde móvil por el hombre vivo» (Agamben, 2004: 15) y es sobre ese borde móvil que la literatura regionalista, con sus cuentos de insurrección ambiental, construye su enunciación.

Es que la naturaleza, en ese borde móvil que también corresponde, en términos geográficos, a las fronteras de la expansión capitalista –a la zona de «acumulación primitiva», como la llama Marx en el primer tomo de *El Capital*–, se rebela antes que nada contra su propia «naturalización». Su mayor agresión no consiste en volcar sus «fuerzas» contra el intruso sino en el carácter semiótico que éstas adquieren en ese acto; en su forma de «argumento» en que «la naturaleza» contradice el discurso objetivador que pretende definirla como tal[48]. En los cuentos de insurrección ambiental del

[48] En alguna medida, esa «discusión» que emprenden las «fuerzas naturales» con la palabra intrusa y objetivizante del capitalismo expandiente, reactualiza el debate clásico y medieval, revisado en su momento por Spinoza, entre *natura naturans* y *natura*

regionalismo latinoamericano, la naturaleza habla una lengua insurgente porque la propia «máquina antropológica» que construye y desmarca a la «vida humana», también arroja hacia su exterior una zona de alianzas donde se tejen procesos de semiosis y solidaridad transespecie. En los cuentos de insurrección ambiental ese «habla» de las «fuerzas naturales» que contradice al habla forastero de los viajeros, no tiene el mismo carácter que en las fábulas –no figura en cuerpos animales o vegetales unos valores morales propios del mundo humano. Más bien, al «hacer hablar» a un universo no-humano que pugna por expresarse y «actuar políticamente», estas narrativas también se anticipan a la hipótesis que hoy día conocemos con el nombre de «antropoceno», edad geológica en la que habría colapsado la distinción entre historia humana e historia natural y se volvería necesario «poner las historias globales del capital en conversación con la historia del hombre en tanto especie» (Chakrabarty, 2009: 201, 212).

Los cuentos de insurrección ambiental son textos ecocríticos, o que en todo caso parecieran exigir un tipo de lectura «que toma como objeto las interconexiones entre naturaleza y cultura» (Glotfelty, 1996: xix). Pero a diferencia de muchos de los textos que han empezado a formar una suerte de canon de la ecocrítica, por defender una naturaleza prístina o «salvaje» de las interferencias del hombre (Garrard, 2004: 70-71), la naturaleza se rebela en los cuentos latinoamericanos de insurrección ambiental contra el trazado del borde que la separa de lo humano (borde que atraviesa a la propia vida «humana» al mismo tiempo que constituye, histórica y geográficamente, la zona de frontera de la expansión capitalista). En otro cuento de Quiroga, que quizás mejor resume y sintetiza esa tendencia compartida por muchas narrativas regionalistas, «El

---

naturata, entre una «naturaleza» como potencia autónoma y autopoética, por un lado, y una «condición» absolutamente subordinada a la determinación (en primer lugar, de la voluntad divina y, por delegación, de la humana), por el otro. Pero aun la *natura naturans* todavía presupone una posibilidad de separación de lo natural respecto de lo humano y lo divino de la que carecen los cuentos de «insurrección ambiental». Ver al respecto Descola, 2005: 120-121; Seel, 1991: 20-28.

regreso de Anaconda» (1925), la selva, «enardecida, se alzó en una sola voz» sólo una vez que ha sido sometida en su conjunto al régimen de extracción y acumulación que precisa de esa «naturaleza» como base. Como tal, como zona de alianzas transespecie, se le enfrenta a ese régimen activando la politicidad que adquieren las «fuerzas naturales» al ser apartadas de la «polis» humana. En las palabras de la gran serpiente: «Todos somos iguales, pero juntos. Cada uno de nosotros, de por sí, no vale gran cosa. Aliados, somos toda la zona tropical. ¡Lancémosla contra el hombre, hermanos! [...] ¡Echemos por el río nuestra zona entera, con sus lluvias, su fauna, sus fiebres y sus víboras! ¡Lancemos el bosque por el río, hasta cegarlo!» (Quiroga, 1996: 613).

El lenguaje sindicalista de Anaconda ha limitado por mucho tiempo la lectura del cuento a una suerte de fábula anarquista de movilización obrera; como veremos, la alianza que el cuento vislumbra va mucho más lejos que esto, precisamente porque incluye a los obreros en el ensamblaje horizontal de formas vivientes que abarcan también a las interacciones moleculares y los ciclos climáticos. Se trata, sin ir más lejos, del proyecto de una biopolítica alternativa, de una *biopotencia* que desde un exterior comunitario moviliza las contrafuerzas surgidas de su común expulsión por el aparato inmunológico del *biopoder*, para valernos de los términos propuestos por Roberto Esposito (2008: 78-109). El regionalismo fue precursor en otorgarle cartas de ciudadanía literaria y semiótica a esa biopotencia que reúne, en alianza horizontal, a «zonas» de frontera –tropicales y también otras– que se enfrentan a su inclusión excluyente por parte de la máquina antropológica de la modernidad capitalista. Esa «política de la naturaleza» adquirió sentidos radicalmente diferentes a lo largo del siglo XX: de la negatividad «inhumanizante» de *La vorágine* a umbral de verdadera «humanización» en los escritos del Che Guevara y en la narrativa testimonial de la lucha guerrillera centroamericana. En este capítulo intentaremos poner en diálogo algunas de sus voces, humanas y no tanto, en un intento por contribuir, en la expresión de

Chakrabarty (2009: 67), al «entramado de la historia de la especie con la historia del capital».

La alianza animal

Los «regresos de Anaconda» –la serie de reescrituras de un mismo núcleo narrativo que se extiende entre «Un drama en la selva» (publicado en 1918) y «El regreso de Anaconda» (publicado por primera vez en 1925)– atestiguan la paulatina consolidación en la obra de Horacio Quiroga de una figura de «alianza animal». En esta alianza se funda, al exterior del mundo humano, una biopolítica oposicional y resistente basada en la comunidad de lo viviente. La versión inicial del cuento aún había avanzado la idea exactamente inversa: ahí la lucha de víboras y serpientes contra el Instituto de Seroterapia terminaba por abrir una fisura por dentro del «mundo natural», oponiendo a la víbora asiática Hamadrías y a la reina de las culebras –que aquí no es todavía Anaconda sino Musurana–, quien, tras haber vencido a su rival y sobrevivido la masacre de sus familiares, es adoptada por los científicos como «aliada del Hombre, para exterminar malos bichos» a cambio de «alguna libertad para recorrer su selva» (Quiroga, 1996: 358). El cambio de especies ofídicas entre una y otra versión del cuento no es de importancia menor: la anaconda es la mayor de las boas americanas, una familia de serpientes cazadoras no venenosas cuya dieta incluye a peces, mamíferos, reptiles y aves; la musurana es la mayor de las culebras ofiófagas (serpientes que se alimentan de serpientes). Si bien sus colmillos contienen veneno, éste no es peligroso para el hombre, a quien las musuranas raramente muerden aun cuando son manipuladas; en cambio, es letal para algunas serpientes a las que la musurana por lo general mata luego por constricción. Por su parte, la musurana es inmune al veneno de las serpientes de las que se alimenta. Es una suerte de «aliada natural» de los científicos, quienes están buscando inmunizar a hombres y animales domésticos contra el veneno de las víboras de la selva.

En su minucioso estudio genético de las sucesivas versiones de «Anaconda», el cuento que abre el libro del mismo título publicado en 1921 (donde también se incluye «El Simún»), Napoleón Baccino Ponce de León señala cómo Quiroga, sin dejar nunca de mantener la ambigüedad de la versión inicial entre los dos ejes de conflicto (hombres/serpientes; culebras/víboras), no obstante empieza a introducir ahí paulatinamente los elementos del cuento siguiente, «El regreso de Anaconda» (escrito cuatro años después), y que el final de «Anaconda», el cuento publicado en 1921, resume anticipadamente: «Pero la historia de este viaje remontando por largos meses el Paraná [...] toda esta historia de rebelión y asalto de camalotes, pertenece a otro relato» (Quiroga, 1996: 359).

En la segunda versión del relato, intermedia entre «Un drama» y «El regreso», Anaconda ya no es, como Musurana, una serpiente enemiga de las demás: su combate con Hamadrías surge ahora a raíz de la extranjería de la cobra asiática y no por su pertenencia a la familia de las víboras. Asimismo, en el congreso de las víboras donde se discute la respuesta a la llegada de los hombres, el objetivo de la «lucha a muerte» pasa de la defensa de «la Familia entera» («Un drama en la selva») a la salvación de «la Selva entera» («Anaconda»): donde antes había primado la supervivencia de la familia ofídica, ahora ésta coloca su propio destino en el horizonte de la *communitas* selvática. Enmienda, dice Baccino Ponce de León, que «señala una evolución hacia ese norte cuyo polo se halla en la constitución del mito. El narrador parece regresar a la encrucijada inicial y sugiere, en forma más explícita, que el conflicto es de otra magnitud. Que la acción del hombre compromete la naturaleza toda al poner en peligro su complejo, y por lo mismo delicado, equilibrio» (Baccino Ponce de León, en Quiroga, 1996: 357). Pero la misma arquitectura narrativa sustraída del género de la fábula (con su proyección moral sobre un mundo animal antropomorfizado), sugiere Baccino Ponce de León, impide en «Anaconda» la realización cabal de esta nueva alianza horizontal que el cuento vislumbra, pero que sólo el registro mítico de «El regreso» le permitirá a Quiroga narrar.

Del mismo modo que trazan una línea divisoria por dentro del «mundo natural», las primeras versiones del cuento aún adhieren a la idea de que hay una «colonización benigna» que contrasta con el extractivismo destructor de los grandes capitales. En sus cuentos misioneros, sostiene Jennifer French (2005: 52), Quiroga «vitupera las industrias de gran escala que la rápida expansión económica introduce en Misiones [...] al mismo tiempo que sigue valorizando a la colonización como una experiencia espiritualmente transformadora y singularmente capaz de formar lazos de comunidad entre los humanos y el ambiente no humano». Esa utopía robinsoniana, basada en el uso racional, científico y no-explotativo de los recursos naturales, es la misma que en la fábula de la alianza inmunitaria de «Un drama en la selva» y de «Anaconda»: la formación de «lazos de comunidad» entre los colonizadores benignos –los ofidiólogos– y su «aliada natural», la culebra/boa no venenosa, en la lucha contra los «bichos malos». Ambos, humanos y culebras, entran ahí en una relación de «reciprocidad» que es, ante todo, de carácter defensivo o «inmunológico» en su lucha común contra las «plagas» (alianza en la que, como lamenta Musurana/Anaconda al final del cuento, también podría haber participado su prima, la culebra Ñacaniná, en vista de que, como dice uno de los científicos, «nos limpiará la casa de ratas») (Quiroga, 1996: 334). La alianza inmunitaria se establece, pues, al trazar un límite, una división, por dentro de la comunidad de lo viviente: la inmunidad se realiza renunciando a la comunidad. «Si *communitas* –propone Esposito, para quien el "paradigma inmunitario" es el rasgo distintivo de la biopolítica moderna, en contraste con la administración de la vida y la muerte en la antigüedad clásica o en el período feudal– es aquel tipo de relación que, al atar a sus socios a una obligación de donación recíproca, suspende la identidad individual, *immunitas* es la condición de exención de una tal obligación y por lo tanto la defensa contra las tendencias expropiadoras de la *communitas*» (Esposito, 2008: 50).

La obra de Quiroga oscila entre la exposición de las fracturas de esta alianza inmunitaria (que no es sino una de las formas de figurar la modernidad: una biopolítica benigna que administra lo viviente extirpando a las plagas y tomando bajo su ala a las plantas y los animales «aliados») y su negación frontal por parte de una *communitas* insurgente. Las contradicciones que, según Baccino Ponce de León, desequilibran el cuento en «Anaconda», remiten así a las mismas limitaciones del escudo inmunitario que, en otros relatos como «El desierto», «A la deriva» o «El hombre muerto», precipitan el desenlace fatal para el pionero protagonista. Aquí y allá, no se trata tanto de una innata hostilidad del medio natural hacia la vida humana, como sugieren las lecturas existencialistas de la obra quiroguiana, sino más bien de la incapacidad del propio aparato inmunológico (el construido por el narrador y el de sus personajes) de separar nítidamente entre vidas nocivas y vidas productivas, vidas a proteger y a destruir; distinción que por otra parte debe ser revisada e invertida continuamente, como advierte el narrador de «Anaconda», dado que el veneno para una vida en proceso de inmunización se transforma en necesidad vital: «Sabido es que para un caballo que se está inmunizando, el veneno le es tan indispensable para su vida diaria como el agua misma, y mueren si les llega a faltar» (Quiroga, 1996: 354).

«El regreso de Anaconda» (también «La guerra de los yacarés», su versión feliz que termina con la muerte de los hombres invasores y la amistad reanudada entre los yacarés y el viejo surubí) narra la historia contraria a esos textos de construcción y crisis de la alianza inmunitaria, por eso se coloca desde el comienzo en un exterior narrativo que remite al lenguaje del mito. El comienzo del texto –«Cuando Anaconda, en complicidad con los elementos nativos del trópico, meditó y planeó la reconquista del río...» (Quiroga, 1996: 609)– remite a una temporalidad que difiere radicalmente del cronotopo histórico introducido por el relato siguiente, el cuento titular «Los desterrados», cuyo primer párrafo introduce los variados tipos representativos de una región de frontera (1996: 629), quienes protagonizarán los distintos episodios del libro. El tiempo de «El regreso de Anaconda» no es un tiempo anterior al de los textos siguientes, un tiempo prehistórico: en realidad, es rigurosamente «contemporáneo» en cuanto que, aquí como allá, se narran las tensiones desencadenadas por la expansión de la frontera capitalista hacia la selva. Su diferencia debe comprenderse más bien en términos de exterioridad, precisamente porque es una temporalidad que aún no se ha desprendido del espacio como una dimensión autónoma: es la misma historia de expansión fronteriza como en «Tacuara-Mansión» o «Los destiladores de naranja», pero narrada desde una multiplicidad de vivencias –animales y vegetales– del tiempo-espacio que confluyen sobre el gran río. El tiempo en «El regreso de Anaconda» es antes que nada el ritmo de las aguas en su escasez y abundancia, es tiempo meteorológico, velocidad y anchura de las corrientes de los ríos Paraguay y Paraná por las que viajan Anaconda y sus «cómplices». Es por eso que Anaconda, la serpiente acuática, lidera la insurrección: es a ella, flotando al paso de la crecida, que se destinan las «intervenciones» de las diferentes especies, y de los camalotes y las aguas que bajan de la zona de lluvias.

La comunidad mítica que surge en respuesta al llamado de Anaconda –pronunciado con el «acento seductor de las serpientes» (1996: 613)[49]– para enfrentar y romper la alianza inmunitaria de las fábulas anteriores, conserva de éstas, no obstante, la vocación ecuménica atribuida a la gran serpiente. A pesar de haber impulsado la unión de la «sombría fraternidad» (1996: 610) de la selva, convenciendo a «los animales» a lanzarse en conjunto contra «el

[49] Eduardo Kohn (2013: 122) refiere que, entre los Runa de la región amazónica del Ecuador, la calavera y los colmillos de la anaconda son objetos preciados por los cazadores, ya que, a la gran serpiente, es atribuido un poder de atracción y seducción que puede así transferirse al cazador humano. Como en un trance hipnótico, la serpiente hace que hombres y animales se pierdan en la selva y empiecen a caminar en círculos o en forma de espiral hasta terminar en el lugar donde los espera la anaconda para envolverlos en su abrazo mortal.

hombre [quien] ha sido, es y será el más cruel enemigo de la selva» (1996: 611), Anaconda nuevamente vuelve a tomar bajo su ala (contra la voluntad de las víboras y los tigres) a un ser humano, el mensú agonizante a quien encuentra flotando en su choza sobre un camalote. Es decir, vuelve a abrir la *communitas* selvática hacia aquel elemento en cuya exclusión ésta pretendía fundarse, aunque con una diferencia crucial respecto de la alianza inmunitaria de los cuentos previos: en lugar de los biólogos de «Un drama en la selva», de los colonizadores «buenos», ahora tenemos a un ser humano «nativo» reducido a una condición de abandono extremo y en los últimos estertores de la agonía: «acostado [...] bajo el cobertizo de paja [...] enseñaba una larga herida en la garganta, y se estaba muriendo» (1996: 617). No es, sin embargo, «la distinción entre el uso de los recursos naturales por parte de los habitantes locales y los recién llegados», como propone French (2005: 67), la que motiva la actitud protectora de Anaconda –el hecho de que el mensú fuera encontrado «en un pobre cobertizo, construido orgánicamente y tan ligero que esté flotando con la corriente sobre una balsa de camalotes, integrando sus actividades en el orden biológico». En realidad, el estado de despojo en que se encuentra el mensú no pertenece (como su mismo nombre –*mensú*– lo indica) a ninguna economía local de subsistencia, sino que forma parte de un dispositivo de producción capitalista fronterizo, el obraje, organizado sobre la devastación extractiva perpetrada por una mano de obra hiperexplotada.

Pero es precisamente a partir de esa condición de abandono radical que el mensú moribundo vuelve a entrar en alianza con «la naturaleza» en el antropoceno, en su común *deriva* agonizante ante el avance del dispositivo capitalista: «es un pobre individuo, como todos los otros» (1996: 619), como dice Anaconda. Reconfiguración de alianzas en una comunidad de vidas «pobres» (esto es, despojadas de su comunidad originaria, su «ambiente») que, con el reemplazo de los científicos modernizadores por el campesino proletarizado, traza, a partir de la condición de desterritorialización que la fuerza de trabajo comparte con las formas vivientes sobre las cuales es obligada a volcarse, «una *biopolítica menor*», al decir de Gabriel Giorgi respecto de Guimarães Rosa, «una comunidad alternativa, en la que esos cuerpos atravesados por líneas de variación trazan otros modos de lo común» (Giorgi, 2014: 55, 58). La zona tropical, donde se fraguan esas alianzas en tensión y lucha, es también una zona de emergencia: un área de catástrofes naturales cuyas consecuencias sufren todos sus habitantes, si bien no necesariamente en igual medida. La escasez, la reducción de recursos vitales en la zona de emergencia, va llevando a una cercanía radical y peligrosa a la diversidad de formas vivientes, y es lo que va forzando la aparición o emergencia de diversos tipos de ensamblaje, de alianza:

> El *molungo* del abrevadero se cubría de bandadas de pájaros. Mala señal, probablemente el sertón iba a incendiarse. Venían en bandadas, se posaban sobre los árboles de la orilla del río, descansaban, bebían y, como en los alredeores no había comida, seguían el viaje hacia el sur. La pareja angustiada soñaba desgracias. El sol chupaba los pozos, y aquellas excomulgadas se llevan el resto del agua, querían matar al ganado (Ramos, 2001: 112)[50].

> La sequía continuaba, entretanto: el monte quedó poco a poco desierto, pues los animales se concentraban en los hilos de agua que habían sido grandes arroyos. Los tres perros forzaban la distancia que los separaba del abrevadero de las bestias con éxito mediano, pues siendo aquél muy frecuentado a su vez por los yaguareteí, la caza menor tornábase desconfiada (Quiroga, 1996: 108).

No se trata de una emergencia en el sentido de un devenir, o sólo en cuanto a una condición compartida de «retirada» de lo

[50] «O mulungu do bebedouro cobria-se de arribações. Mau sinal, provávelmente o sertão ia pegar fogo. Vinham en bandos, arranchando-se nas árvores da beira do rio, descansavam, bebiam e, como em redor não havia comida, seguiam viagem para o sul. [...] O sol chupava os poços, e aquelas excomungadas levavam o resto da água, queriam matar o gado» (Ramos, 1965: 137).

viviente, de una comunidad transespecie de vidas que se repliegan sobre sí mismas ante el agotamiento de sus soportes vitales. Los cuentos de alianzas fraguadas en contextos de catástrofe son «historias naturales» en cuanto relatan el modo en que la «historia humana», en su calidad de «fuerza geológica» (Chakrabarty, 2009: 207), permea los mundos vivientes que atraviesa fraguando nuevas confrontaciones y alianzas transespecie. De ahí surge un «discurso indirecto libre» de la zona de emergencia:

> Todavía a la víspera eran seis vivientes, contando al papagayo. Pobre; murió en el lecho del río, donde habían descansado, a la orilla de un pozo: el hambre apretó demasiado a los retirantes y por allí no había señal de comida. Baléia se comió las patas, la cabeza, los huesos del amigo, y no se acordaba de nada. Ahora, cuando paraba, dirigía las pupilas brillantes a los objetos familiares y le extrañaba no ver sobre el baúl de hojalata la jaula pequeña donde el ave apenas se equilibraba. Fabiano también sentía a veces la falta de ella, pero luego el recuerdo llegaba. (Ramos, 2001: 32-33)[51].

Los cuentos de esa «bio-zona de contacto» *(bio-contact zone)* (Schiebinger, 2007: 119-133) que es también, recordemos, la zona de frontera del avance capitalista por donde se renegocia perpetuamente el borde móvil que atraviesa lo humano y lo divide entre *bíos* y *zoé*, narran desde una perspectiva transespecie la emergencia de una *postnaturaleza*. Se trata, en efecto, de un nuevo régimen narrativo propio de la «nueva época geológica» en la que «los seres humanos existen como una fuerza geológica» (Chakrabarty, 2009: 207). La formación y disolución de alianzas –cadenas alimenticias,

---

[51] «Ainda na véspera eram seis viventes, contando com o papagaio. Coitado, morrera na areia do rio, onde haviam descansado, à beira de uma poça: a fome apertara demais os retirantes e por ali não existia sinal de comida. Baleia jantara os pés, a cabeça, os ossos do amigo, e não guardava lembrança disso. Agora, enquanto parava, dirigia as pupilas brilhantes aos objetos familiares, estranhava não ver sobre o baú de folha a gaiola pequena onde a ave se equilibrava mal. Fabiano também às vezes sentia falta dela, mas logo a recordação chegava» (Ramos, 1965: 9).

bacteriológicas y moleculares, pero también regímenes intersemióticos, «ecologías de pensamientos vivos» (Kohn, 2013: 16-17) que se manifiestan en marcos de oscilación del punto de vista narrativo– se rige por dinámicas de escasez, de contaminación, de contagio. La bio-zona de contacto es también una zona de residuos, de sobrevidas: «Y a fines de enero, de la mirada encendida, las orejas firmes sobre los ojos, y el rabo alto y provocador del fox-terrier, no quedaba sino un esqueletillo sarnoso, de orejas echadas atrás y el rabo hundido y traicionero, que trotaba furtivamente por los caminos» (Quiroga, 1996: 108).

«Yaguaí», de donde extraímos la cita anterior, es uno de los primeros cuentos donde Quiroga experimenta con esa perspectiva flotante entre especies que distingue a su obra de un modo radical de las fábulas, las narrativas que emplean al animal en tanto figuración de calidades o aspectos de lo humano (hasta las fábulas son en Quiroga, como en *Cuentos de la selva*, un tipo de textualidad que corta radicalmente con la tradición genérica). Ambos cuentos son, como también *Vidas secas* de Graciliano Ramos, un texto apenas posterior, «historias del antropoceno» en cuanto narran dramas de corte y transformación de alianzas interespecie en zonas de frontera. «Yaguaí» y *Vidas secas,* además, narran tramas casi idénticas (ambos son «cuentos de la sequía»): la renuncia, por parte del socio humano, a la alianza con el socio canino, quien ha caído bajo sospecha de haberse aliado a la *communitas* silvestre y de haberse convertido en «plaga» o «contagio», en amenaza para el escudo inmunitario que los humanos intentan mantener o reconstruir en plena zona de emergencia:

> La perra Baléia estaba a punto de morirse. Había adelgazado, el pelo se le había caído en varios lugares, las costillas le sobresalían sobre un fondo rosáceo, donde las manchas oscuras supuraban y sangraban, cubiertas de moscas [...] Por eso Fabiano había pensado que tenía un principio de hidrofobia y le había amarrado al pescuezo un rosario de médula de maíz quemada. Pero Baléia, de mal en peor, se rascaba contra las estacas

del corral o se metía en el matorral, impaciente, agitando la cola pelada y corta, gruesa en su base, llena de moscas, parecida a una cola de cascabel. Entonces Fabiano resolvió matarla (Ramos, 2001: 93)[52].

Notemos, de paso, que a Fabiano, el sertanejo «nativo», a diferencia de los científicos exterminadores de «bichos malos» en «Un drama en la selva», no le escapa el dilema (bio)político de su decisión, ya que (tal como el mensú en «El regreso de Anaconda») su propio modo de sustento, a pesar de que él mismo sea también un agente de la máquina extractiva que va agotando sus recursos vitales, se encuentra mucho más cercano al pacto comunitario que los ofidiólogos, firmemente enmarcados en la alianza inmunitaria:

> Descendió la galería, atravesó el patio, se acercó a la ladera pensando en la perra Baléia. Pobrecita. Le habían aparecido aquellas cosas horribles en la boca, se le había caído el pelo, y él tuvo que matarla. ¿Había procedido bien? Nunca había reflexionado sobre eso. La perra estaba enferma. ¿Podía permitir que mordiera a los niños? ¿Podía permitirlo? Habría sido una locura exponer a las criaturas a la hidrofobia. Pobre Baléia. Sacudió la cabeza para alejarla de su espíritu (Ramos, 2001: 113)[53].

Vidas secas y «Yaguaí» son versiones de un relato que dista de los «regresos de Anaconda» (del mismo modo en que, en términos ecohistóricos, la inundación y la sequía son dos consecuencias

---

[52] «A cachorra Baleia estava para morrer. Tinha emagrecido, o pelo caíra-lhe em vários pontos, as costelas avultavam num fundo róseo, onde manchas escuras supuravam e sangravam, cobertas de moscas. [...] Por isso Fabiano imaginara que ela estivesse com um princípio de hidrofobia e amarrara-lhe no pescoço um rosário de sabugo de milho queimados. Mas Baleia, sempre de mal a pior, roçava-se nas estacas do curral ou metia-se no mato, impaciente, enxotava os mosquitos sacudindo as orelhas murchas, agitando a cauda pelada e curta, grossa na base, cheia de roscas, semelhantes a uma cauda de cascabel. Então Fabiano resolveu matá-la» (Ramos 1965: 107).

[53] «Desceu ao copiar, atravessou o pátio, avizinhou-se da ladeira pensando na cachorra Baleia. Coitadinha. Tinham-lhe aparecido aquelas coisas horríveis na boca, o pelo caíra, e ele precisara matá-la. Teria procedido bem? Nunca havia refletido nisso. A cachorra estava doente. Podia consentir que ela mordesse os meninos? Podia consentir? Loucura expor as crianças à hidrofobia. Pobre da Baleia. Sacudiu a cabeça para afastá-la do espíritu» (Ramos 1965: 138).

geoclimáticas diferentes pero complementarias de los procesos de deforestación y expansión agro-ganaderil). Son, todas ellas, historias naturales del antropoceno; narrativas que relatan las tensiones y crisis de las alianzas que son el modo de historicidad transespecie que desencadena el avance del capitalismo de frontera. «Yaguaí», el cuento del fox-terrier asilvestrado a quien su dueño inglés acaba matando «accidentalmente» al confundirlo con un «perro de los peones» (Quiroga, 1996: 111), es tal vez el más acabado de esos relatos de la bio-zona de contacto. Es, como gran parte de la obra misionera del escritor, un cuento del fracaso de la alianza inmunitaria, porque, al prestarle su mascota al peón Fragoso para que lo adiestrara, el inglés Cooper quiso someter al perro precisamente a un proceso de inmunización, exponiéndolo a la vida silvestre de «los perros de los peones» para fortalecerlo. El experimento, sin embargo, sólo tiene un éxito parcial al sufrir el rozado de Fragoso una invasión de ratas a las que sólo Yaguaí (siguiendo el llamado del instinto) ayuda a extirpar, a diferencia de la actitud temerosa de los perros cazadores del monte. Justamente cuando haya conseguido reafirmar su lugar en la alianza inmunitaria, entonces (como «exterminador de plagas»), Yaguaí será, él mismo, «accidentalmente» eliminado por haber sido confundido con una plaga, con los «perros famélicos» (Quiroga, 1996: 111) y ladrones de gallinas. Junto con el desplazamiento casi imperceptible del punto de vista narrativo (de los perros al hombre, pasando por un «plano general» que opera la transición), esa confusión de tipos caninos también confunde «la historia de la especie con la historia del capital», es decir: pone en relación la división entre naturaleza y cultura, entre vidas a cultivar y plagas a extirpar, con la lucha de clases.

Yaguaí –y también Baléia– se transforma así en una vida en el umbral que carece de lugar propio, al haber abandonado (y haber sido abandonado por) la alianza inmunitaria, pero ya sin poder ingresar a formar parte del pacto horizontal, comunitario; la «complicidad» que fraguan «los elementos nativos del trópico» en «El regreso de Anaconda». El perro «tránsfugo», desclasado y portador de males contagiosos por efecto de la catástrofe natural que azota la bio-zona de contacto, es un héroe postnatural. Es un ser desarticulado de cualquier alianza: incluso, es, él mismo, el elemento que desarticula alianzas. Como el *pariah*, el *bandido* o el *lobizón*, es un habitante del umbral «que no es ni simplemente la vida natural ni la vida social sino más bien la vida nuda o sagrada» (Agamben, 1998: 106). Pero así, en tanto portador de una negatividad radical, es también la potencialidad de una política nueva, insurgente y contagiosa, que no es la *communitas* nativa de Anaconda (ni, desde luego, la alianza inmunitaria de «Un drama en la selva»). Es una politicidad del antropoceno, de la bio-zona de contacto, que los cuentos de la sequía apenas vislumbran y que gran parte de las inscripciones literarias y políticas en la zona de frontera del siglo XX tratarán de definir, contener o desencadenar.

Historia natural del antropoceno

Leer en los cuentos del regionalismo latinoamericano la emergencia de una historia natural del antropoceno implica devolverles su carácter de textos de frontera o del límite, más allá de sus divergencias estéticas y formales con la modernización cosmopolita de las vanguardias metropolitanas, o de su denuncia del declive de los antiguos polos de producción y autoridad política en el interior, que fueron los enfoques de los estudios clásicos de Ángel Rama (1982), Afrânio Coutinho (1986), José Luis Romero (1976) o Antonio Cândido (1987). En cambio, permite reevaluarlos a la luz de su actualidad inquietante para nuestro propio presente en el que la interpenetración de «las dos historias», en la expresión de Isabelle Stengers (2015: 17) –la historia de las luchas de indígenas y obreros, de mujeres y *sans-papiers* por sus «derechos humanos», y la historia de la especie humana en tanto «fuerza geológica»– ha saltado de la zona de emergencia a una escala planetaria. Como textos de la zona de emergencia, donde el avance de la máquina acumulativa del capitalismo en su encarnación más cruda (la «acumulación primitiva») se manifiesta a través de la puesta en incertidumbre del borde móvil que atraviesa y define lo humano, estos cuentos narran el entrecruzamiento de historias en forma de alianzas transespecie en tensión y lucha. En esta tensión crítica, los cuentos de frontera del regionalismo latinoamericano ya vislumbran una historia natural del antropoceno, vale decir, la emergencia a partir de los desplazamientos y reconfiguraciones de alianzas en las que entra y se inmuniza lo humano, de una in-humanidad radical.

Es, sugiero, en esa misma clave de una historia natural de crisis y transfiguración de alianzas y de la emergencia en ese trance de lo radicalmente inhumano, que podríamos reacercarnos hoy día a un ensayismo regionalista que, en forma no sistemática, atraviesa gran parte del siglo XX. Surgiendo ya desde las primeras décadas del siglo y en geografías diversas, unidas solamente por su relativa marginación económica y política, muchas de estas escrituras recorren un itinerario que va del rescate salvífico de «costumbres» locales en extinción –la «posición agresivo-defensiva», según la caracterización de Rama (2007: 26)– a la adhesión a proyectos de lucha armada basados en la movilización del campesinado. No se trata apenas (aunque también es un aspecto sumamente importante) del rescate de un archivo ignorado por el canon metropolitano[54]. Más bien, propongo, deberíamos reconocer en estos «intelectuales de provincia» a nuestros propios contemporáneos, confrontados como están con situaciones de destrucción extrema donde la eliminación de la biodiversidad acaba despoblando en pocos años a grandes extensiones de tierras. Al proponerse «historiar» *in extremis* a unas «regiones» en trance de perder cualquier cohesión propia que permitiera seguir pensándolas como tales, estos intelectuales estaban inmersos, tal vez intuyendo sólo vagamente sus alcances, en una búsqueda existencial, procurando en lenguajes caducos los conceptos y figuras que fuesen capaces de nombrar la catástrofe.

---

[54] Ver al respecto el importante trabajo de «provincialización» de las cartografías del canon nacional argentino realizado por Laura Demaría (2014).

Como ya lo advertía Rama, los escritores e intelectuales regionalistas «acentuaban las particularidades culturales que se habían forjado en áreas o sociedades internas» (1973: 11) relativamente alejadas de los centros cosmopolitas. Pero ahí donde el crítico uruguayo veía sólo tácticas para negociar lugares de resistencia y cooptación ante una modernidad central hegemónica, desde una perspectiva histórica diferente podemos reconocer en esas escrituras también un tenaz y desesperado trabajo en los bordes del lenguaje. Ellas son la «retaguardia» más que la «vanguardia» del proceso moderno, al buscar de dar cuenta de «tradiciones» y «modos de vida» que se vienen agotando: pero en ese encuentro de lo «tradicional» en su borde de ruptura, de agotamiento, consiste muchas veces su modernidad. Son textos que quieren hacer decir a estos lenguajes agotados algo que ellos no habían podido nombrar hasta entonces: lo novedoso de una destructividad radical. Buscan modos del pensamiento capaces de expresar la discontinuidad –un pensamiento «moderno» en tanto que asume la ruptura que ha acontecido–, pero sin cambiar de bando y deshacerse de sus propios lazos de pertenencia con lo que acaba de ser derrotado. Lo que intentan forjar es entonces un modo del pensar capaz de cargar con la memoria de una localidad sin dejar de asumir su desaparición: un «ensayismo retirante».

Veamos un caso concreto. El lugar es Santiago del Estero, provincia del noroeste argentino, el año 1937. Los efectos de la gran sequía que azota desde hace tiempo a toda la región han llegado ahí a niveles desesperantes, semejantes –en palabras de Homero Manzi, quien lidera desde Buenos Aires una campaña de socorro a las víctimas– a «un drama dantesco. Hombres, mujeres, niños y animales, en medio de la indigencia morían y sufrían. La pobreza avanzaba y sólo las alas negras de los cuervos eran cada día más potentes y agoreras» (Manzi, 1998: 43). Otro cronista, enviado a la zona de emergencia desde Buenos Aires por el diario *Crónica*, Ernesto Giúdici, resume las escenas de desesperación, apatía y violencia que presencia en los campos santiagueños como los estertores de una guerra silenciosa que se está librando contra «el nuevo desierto argentino». Desierto que, advierte Giúdici, invierte el sentido del antiguo topos romántico de naturaleza inculta: «El desierto que conquistó la civilización en la Argentina eran los campos despoblados; el desierto que nos conquista a nosotros, ahora, es el desierto que mata la vida animal y vegetal» (Giúdici, 1938: 8). Y se explica:

> En algunas regiones del norte, donde los enormes bosques fueron talados irracionalmente, la mayor sequedad de la atmósfera, que es su resultante, puede ser una de las causas de las sequías más frecuentes y prolongadas que allí se padecen. En las zonas de clima continental, donde los ríos son de escaso caudal, o inseguros en cuanto al agua que pueden llevar, todo está confiado a las lluvias. Las lluvias están condicionadas por la humedad. Y la humedad del clima continental no puede depender sino de la vegetación, así como en el clima marino está determinada por la evaporación del agua de mar. Si los ríos se secan, las lluvias escasean de más en más, y la vegetación se destruye por falta de agua o el hacha del hombre, se comprende cómo se van creando las condiciones especiales de una progresiva esterilización de los campos. Todo eso sucede en el norte (Giúdici, 1937: 4)[55].

El mismo año de la gran sequía, Bernardo Canal Feijóo –abogado, sociólogo, poeta y filólogo santiagueño; también, probablemente, uno de los «informantes locales» a quienes habría recurrido Giúdici– publicaba en Buenos Aires su *Ensayo sobre la expresión popular artística en Santiago*, todavía hoy uno de los estudios más ricos de la expresión poética y musical y de los motivos textiles

[55] Las notas publicadas en *Crítica* a finales de 1937 y principios de 1938, polemizando con la serie de aguafuertes enviadas en las semanas previas desde Santiago del Estero por Roberto Arlt a *El Mundo* y con los textos publicados por Manzi en la revista *Ahora*, carecen de firma; sin embargo, en otro trabajo (Andermann, 2012), he sugerido la hipótesis de que su autoría debe pertenecer a Ernesto Giúdici, ya que en una de las notas en *Crítica* se alude a una polémica previa entre este último y el mismo Manzi a raíz de unas crónicas publicadas por Giúdici el año anterior en soporte de los colonos extranjeros en el Chaco.

en los tejidos del noroeste argentino. El texto también aspiraba a ofrecer una visión especulativa sobre las múltiples relaciones entre ambiente y expresión creativa, el «juego integral de paisaje, costumbres, tonada, locales» que Canal no vacila en calificar como *numen* regional o «fenómeno santiagueño» (Canal Feijóo, 1937: 11, 9). «En rigor –dice Judith Farberman (2010: 81)– Canal no escribe estríctamente sobre historia regional o folclore local: Santiago del Estero es para él un pretexto para pensar desde el interior cuestiones más estructurales, como la anatomía social de las zonas de éxodo, los desafíos de la integración territorial o las formas colectivas de la capacidad creadora (el folclore)».

Más que «pretexto», sin embargo, lo provinciano es aquí también una posición ética e intelectual. Escribir *desde* Santiago del Estero *sobre* la geografía social y económica de la Argentina, propone Canal, arroja otra visión, diferente de aquella que proponen los cronistas porteños, no sólo de la crisis aguda vivida por la provincia sino también de su imbricación con un proyecto nacional basado en una relación neocolonial con el territorio. Porque, si Santiago, la antigua «Madre de las Ciudades», puede jactarse de «una pequeña superioridad» sobre el resto del país aluvional, ésta «dimana precisamente de cierta capacidad de conservación» manifiesta en las expresiones populares y en la persistencia del idioma quichua rinasumi, las cuales, a su vez, hablan de una relación convivencial antes que contemplativa con el ambiente. El «paisaje» santiagueño, sugiere Canal, es parte constitutiva de ese «juego integral» ya que impide el distanciamiento objetivizador que es propio de una relación colonial, extractiva, con la tierra. Promueve, en cambio, la inmersión, el «ensimismamiento» que está en la raíz de la «capacidad conservadora» de la provincia:

> Para muchos sé que no existe como paisaje, pues no es ni pampa ni montaña. Es bosque, broza, maleza, salina. Mientras los otros paisajes están diseñados en distancia, en fuga, en infinitud, en masa, éste sólo se dibuja en rincones, en ocultos detalles casuales. No es para ser visto desde el tren, o desde el aeroplano.

> En cierto modo, pide la convivencia del sujeto humano; no su simple éxtasis. El hombre está *ante* la pampa, *ante* la montaña, desde el punto de vista del sentimiento del paisaje; desde el mismo punto de vista nunca podría estar «ante» el bosque: precisa estar *en* él, envuelto, inmerso en él (Canal Feijóo, 1937: 11).

Pero ese mismo vínculo intenso que habría dotado al «fenómeno santiagueño» con un espesor excepcional, argumenta Canal, también era responsable de su extrema vulnerabilidad frente a fuerzas exteriores ya que, al no poder incorporar estas fuerzas, las mismas tenían que convertirse fatalmente en pura destrucción:

> El sentimiento del paisaje selvático encierra acaso una coparticipación activa, siquiera como posibilidad volitiva inmediata. No puede haber duda de que la sola capacidad que asiste al hombre de tumbarse al árbol, y así destruir el cuadro natural, o de ajustarlo a composiciones arbitrarias, confiere al sentimiento del paisaje selvático modalidades muy particulares. O se está *en* él, o *contra* él... (Canal Feijóo, 1937: 12).

Es así como, librada a sus propios impulsos y en confrontación abierta con la sociedad provinciana (si bien con la complicidad de sus autoridades corruptas), «la explotación se confundió con la destrucción de la naturaleza. Pues detrás del obraje no vino la estancia, no vino la agricultura. Con el último palo cotizable, el hombre declaró cancelada su relación con la tierra y se fue a otro lado» (Canal Feijóo, 1937: 14). «Sistema económico [...] fríamente extraño a las razones de la realidad histórica local», la explotación de las maderas santiagueñas habría producido «fabulosa riqueza pecuniaria». Sin embargo, «ésta no llegó jamás a pertenecerle» a Santiago: «en ingentes chorros, se trasladaba directamente de la fuente a otra parte: de la provincia afuera, a Buenos Aires, a Londres, a Bruselas...» (Canal Feijóo, 1937: 16). No otro, concluye, habría sido «el sistema básico de la historia provincial de los últimos cincuenta años» (1937: 17) cuyo impacto, «reflejado en el alma nativa», asumió «la categoría más patética de una destrucción del paisaje» (1937: 14).

El «juego integral» del «fenómeno santiagueño», insiste Canal, basado en la íntima convivencia y reproducción «del hombre-planta, del clima, del paisaje» (1937: 17) quedó así irreparablemente dañado. El estudio de las formas de expresión popular asume en Canal tonos de lamento y elegía, frente a los últimos estertores de una larga agonía, pero no –como en el folclorismo nostálgico de intelectuales provincianos como Joaquín V. González (*Mis montañas*, 1893) o Manuel Gálvez (*El diario de Gabriel Quiroga*, 1910)– por la noción de un declive inevitable de las creencias y formas «arcaicas» de creatividad ante la marcha fatal del progreso, sino debido, en cambio, a la *forma* rapiñera que ese progreso asumió:

> Y bien: en el codo histórico que vengo examinando, esta tensión [entre la aparente inexpresividad del ambiente y la expresividad de la producción cultural y artística] sufre una manifiesta *détente*. Un sondeo fácil descubriría pruebas de ello en los principales órdenes de la existencia. El rebajamiento de la tónica de la conducta política. El empobrecimiento intrínseco de la vivienda y la cocina. El colapso creador, o recreador, del folclore artístico, etc. Todo lo que demanda el soporte de una fuerte vocación de autoctonía se descolora y achaparra (Canal Feijóo, 1937: 17-18).

El topos de un mundo de formas y creencias populares que desaparece al paso de la tala indiscriminada del bosque santiagueño ya había sido instalado a principios del siglo por Ricardo Rojas, joven poeta modernista y futuro historiador de la literatura argentina, quien provenía de una familia santiagueña de alcurnia (su padre, Absalón Rojas, había sido gobernador en las décadas finales del siglo XIX y un importante impulsor de reformas educativas y sanitarias en la ciudad capital). En *El país de la selva* (1907), «un libro etnográfico, una libreta de notas algo dispares sobre un conjunto de tradiciones criollas», en la opinión de Graciela Montaldo (2001: 42), Rojas cierra su colección de viñetas populares con «El éxodo», un pequeño cuento en primera persona donde, de visita en su provincia natal, «el poeta que cantara la gloria de las hachas y el esplendor de los desmontes» (Rojas, 2001: 293) se interna una tarde en uno de los últimos reductos de bosque nativo y, al lado de un quebracho tendido, se encuentra con el Zupay –el demonio del bosque–, quien le anuncia el fin de su reino: «Dentro de pocos lustros, estos bosques habrán sido del todo exterminados» (Rojas, 2001: 299). Conchabados como hacheros en los obrajes madereros de la selva, se lamenta el Zupay, los criollos, que «son los hijos de ella, [...] vienen a destrozar a la madre» (2001: 300):

> Tal vez un día, no lejano, tú mismo asistas con horror a la carbonización de sus postreros árboles, ardiendo la seca broza en babilónicos incendios que hagan palidecer a las estrellas... Anunciaron los zodíacos que esta virginidad será violada y ultrajada el pudor de su sombra. Cayó el primer quebracho, otros nuevos tumbaron tras él; y al clarear la luz en el bosque, irradió con sonrisa de júbilo sobre el filo bruñido de las hachas... (Rojas, 2001: 301).

Pero a diferencia del mito clásico de Artemis sorprendida en su baño en un claro del bosque, aquí la profanación del mundo de las sombras no trae ninguna reprimenda ni maldición a los «magos rubios del Teodolito» (2001: 303) que se atrevieron a penetrar en el encantado reino del Zupay. Al contrario, el mismo diablo selvático lo guía al poeta hacia las riberas del río Salado, redirigido en su cauce, donde pululan «balsas a vapor» y «silbatos de locomotora» ante un fondo de «audaces chimeneas de fábrica» (2001: 304). Allí, ambos contemplan la «formidable explosión de vida» en las tierras ya libres del bosque y sus fantasmas:

> La comarca, antes virgen, desplegaba su actividad. Multitud de extranjeros y nativos, confundidos a guisa de laboriosa colmena, removían el suelo en inverosímiles excavaciones. Alegres casitas blancas matizaban la banda opuesta. Se discernía en el oriente de la noche clarísima una ciudad nueva. Intigasta, el pueblo del Sol que los pedantes civilizadores hubieran llamado Heliópolis (Rojas, 2001: 304).

Tales visiones de campos floridos y de multitudes industriosas labrando una tierra inexhaustible, fecundada por la semilla del progreso, treinta años después y ante un panorama de desertificación, hambruna y éxodo poblacional, debían parecer de una ingenuidad lidiando con la ceguera. Sin embargo, la Asociación La Brasa que, en la década de 1930, habría de nuclear a visiones más sombrías de esa modernización extractiva, surgió de la misma convergencia entre una intensa vida cultural y una activa presencia del movimiento obrero con el *boom* maderero, cuyos efectos desastrosos denunciaban en escritos y proclamas. Durante los años veinte, en la provincia se editaban los diarios *El País*, *La Hora*, *El Combate* (con colaboraciones regulares de Homero Manzi) y *La Mañana*; desde 1925, con una fuerte presencia del Partido Socialista, surgían las Asociaciones de Fomento y Cultura y se fundaban bibliotecas populares en varios barrios de la ciudad capital, así como en la vecina La Banda (ya desde 1913 había estado funcionando en Santiago capital una Biblioteca Socialista) (Tasso, 2014: 197-108). En 1927 reabría sus puertas el Museo Arqueológico de la Provincia, con dirección de los hermanos Émile y Duncan Wagner, principales impulsores de las excavaciones en el sitio de Llajta Mauca y coautores de *La civilización chaco-santigueña* (1934), traducido al castellano por Canal Feijóo, donde se lanzaba la hipótesis de un «Imperio de las Llanuras o Imperio de las Planicies» que habría antecedido a las civilizaciones andinas (Ocampo, 2004: 98). En 1928 estrena la Universidad Popular de Santiago del Estero, iniciativa del Movimiento Vecinal que asimismo publica la revista *La Comuna*. La Asociación La Brasa, fundada en 1925 y que, entre 1927 y 1928, publica un «Periódico de Artes y Letras» del mismo nombre, pretendía nuclear a esas iniciativas culturales más allá de sus discrepancias ideológicas, a la vez que establecía lazos –principalmente a través de Canal Feijóo– con el grupo *Martín Fierro* y más tarde con *Sur,* así como con otras asociaciones provincianas de características similares (*La Carpa* en Tucumán, *Tarja* en Jujuy, *Calíbar* en La Rioja, *Megafón* en Mendoza, o *El fogón de los arrieros* en el Chaco).

En los años treinta, la sede de la asociación –la Biblioteca Sarmiento de Santiago capital– formaba parte regular del circuito de conferencistas itinerantes: Waldo Frank, el conde Keyserling, Rafael Alberti y Drieu de la Rochelle expusieron ante los brasistas, como también los argentinos Oliverio Girondo, Alfonsina Storni y Victoria Ocampo (Ocampo, 2004: 74-75; Martínez, 2014: 110-112).

Resaltamos ese contexto de una intensa actividad intelectual y política, producto del mismo ciclo de modernización acelerada que simultáneamente destruía las bases materiales de reproducción de la sociedad provincial, porque explica mejor la enorme tensión que atraviesa los textos de los principales intelectuales santiagueños del período. En las décadas siguientes esta reflexión sobre la crisis del interior continuaría a través de las revistas *Ñan*, *Revista de Santiago* –editada por Canal Feijóo–, *Centro* –editada desde 1931 por el también brasista Moisés Carol– y *Vertical: sociología, artes y letras* –circulando entre 1937 y 1940, con dirección del abogado socialista Horacio Rava–, tendiendo así un puente hacia las actividades en las décadas siguientes del Primer Congreso de Planificación Integral del Noroeste Argentino (PINOA) –celebrado en la ciudad de Santiago en 1946 y presidido por Canal Feijóo–, del grupo Aymara y de la revista *Dimensión* –ambos fundados por Francisco René Santucho en 1950 y 1956 respectivamente[56]. El desafío con

[56] La trayectoria de Santucho es instructiva para comprender el itinerario político e ideológico de esa *intelligentzia* provinciana. Promotor principal de los grupos artísticos y literarios nucleados en torno a las librerías Aymara y Dimensión en la ciudad de Santiago del Estero y director de la revista *Dimensión* entre 1956 y 1962, Santucho provee un puente entre el folclorismo conservador y católico de las primeras décadas del siglo al tercermundismo indocamericanista de los sesenta y setenta (en las páginas de la revista escribían tanto antiguos miembros de la élite tradicional de las primeras décadas del siglo, como Orestes Di Lullo y Bernardo Canal Feijóo, como también futuros integrantes del PRT-ERP como Mario Roberto Santucho y Ana María Villarreal). Proveniente de la Unión Nacionalista de Estudiantes Secundarios en la década del cuarenta, un grupo falangista, en los cincuenta se volcó a un indoamericanismo de izquierda que encontraba expresión en su obra *El indio en la provincia de Santiago del Estero* (1954). A inicios de la década del sesenta, Santucho está entre los fundadores del Frente Revolucionario Indoamericano y Popular, grupo que más tarde se incorpora al Partido Revolucionario de los Trabajadores (PRT). Es visto por última vez en abril de 1975, en Tucumán, antes de ser secuestrado y desaparecido por el terrorismo de Estado. Ver Trucco Dalmas, 2014: 125-126.

el que se encontraban los escritores e intelectuales de provincia nucleados en estos grupos era el de nombrar el carácter destructivo y falaz de una modernidad que al mismo tiempo sostenía, estética y filosóficamente, a su propia conceptualización de este proceso: ¿cómo rescatar por una última vez, desde un pensamiento que se sabía parte de la misma grieta cuyos efectos denunciaba, el «hecho ancestral» de la convivencia duradera entre un ambiente y sus formas de uso material y simbólico, el «fenómeno permanente de incidencia» (Di Lullo, 1959: 3-4) de la naturaleza en la cultura?

Las palabras son de Orestes Di Lullo, miembro de la Asociación La Brasa y uno de los principales intelectuales santiagueños del siglo XX (sus colaboraciones aparecían, además de la revista *La Brasa*, en *Centro* y en *Dimensión*, así como en la revista del Museo Provincial que dirigía). Di Lullo, en el mismo año en que Canal publicaba en Buenos Aires su estudio sobre la expresión popular, daba a conocer su obra *El bosque sin leyenda: ensayo económico-social*, publicada en la ciudad de Santiago, cuyo título ya constataba la realización de la amarga profecía del Zupay de Rojas. Como Canal, Di Lullo veía la devastación de los recursos naturales como parte integral de un proceso más comprehensivo e irreparable de destrucción: «Ahora, la tierra rapada es otra, y nosotros también», afirma: «La industria forestal ha destruido el paisaje» (Di Lullo, 1937: 56, 63)[57]. Texto absolutamente excepcional, tanto por su astucia analítica como por sus poderosas imágenes y su composición épica, *El bosque sin leyenda* ocupa un lugar de bisagra en la obra de Di Lullo, médico especializado en pandemias regionales como el paludismo, la enfermedad de Chagas y el llamado mal del quebracho, a las que estaba dedicada su producción científica anterior[58]. En años posteriores a la publicación de *El bosque*, en

[57] El libro de Di Lullo fue reeditado en 1999 por las ediciones de la Universidad Católica de Santiago en ocasión del centenario del nacimiento del autor, con prólogo y estudio biobibliográfico de Luis C. Alén Lascano. Mis indicaciones de citas pertenecen a la edición original de Tipografía Arcuri (Santiago del Estero, 1937).

[58] Tras haber estudiado medicina en la Universidad de Buenos Aires, en 1923 Di Lullo se graduó con una tesis doctoral sobre un estudio del llamado Mal del Quebracho,

cambio (además de una creciente inmersión en la política que lo llevaría brevemente al cargo de intendente de la ciudad de Santiago), Di Lullo se dedicará con intensidad al estudio de la historia y arqueología regional. En 1941 organiza el Museo Histórico de la Provincia que dirigirá hasta jubilarse en 1967; en 1953 es el impulsor principal del Instituto de Lingüística y Arqueología de Santiago, que funciona en anexo a la Universidad Nacional de Tucumán hasta la fundación, en 1973, de la UNSE. A mitad de camino, entonces, entre la medicina epidemiológica y la historia cultural, *El bosque sin leyenda* combina ambos saberes para indagar en la afectación mutua entre el proceso social, económico y cultural y una naturaleza entrevista, desde una suerte de panteísmo católico, como totalidad orgánica: «Porque la creacion es la organización de lo eterno, o mejor, perpetuación de la vida que se suplanta a sí misma, constantemente, de modo a ofrecer una sola fisonomía, indeformable, a través de los tiempos» (Di Lullo, 1937: 11).

El texto es también notable por su esfuerzo en combinar la expresividad literaria con una visión científica, tanto hacia los procesos zoobotánicos como en cuanto a lo que podría llamarse la anatomía del dispositivo extractivo del obraje. Modelizado sobre el *Facundo* sarmientino, en su visión fisiológica de una historia que se despliega sobre –y es determinada por– el terreno, el saber médico y biológico también lo acercan al texto de Di Lullo al precedente más cercano de *Os sertões* (1902) de Euclides da Cunha, mientras que la prédica contra la degradación moral e higiénica del capitalismo lo afilia al reformismo social-cristiano de obras como

endémico en los obrajes santiagueños. Especializado en dermatología y sefilografía, es nombrado médico del Hospital Mixto en la ciudad de Santiago del Estero, donde elabora un Plan de Lucha contra la peste bubónica y participa de las reuniones de la Sociedad de Patología Regional del Norte. Además del Páaj, investiga varias otras patologías regionales así como el uso de especies nativas como curativos. Miembro fundador del grupo La Brasa desde 1925, Di Lullo también participa en los años siguientes en la creación de la Universidad Popular en 1928 y del Grupo Acción en 1929, aglomeración anti-yrigoyenista con afinidad al Partido Socialista Independiente. Nombrado intendente municipal durante el primer gobierno peronista, intenta infructuosamente candidatearse para el mismo cargo en 1957, auspiciado ahora por el Partido Demócrata Cristiano.

In Darkest England (1890) de William Booth. Desde las primeras líneas, el autor advierte contra los peligros de una visión apenas filológica del bosque como la de Rojas, abogando por un estudio holístico, económico y social, de la selva como recurso renovable:

> El bosque, por lo perfecto y grandioso, no es obra del hombre y, sin embargo, él lo destruye. Es cierto que el progreso destruye para construir, pero en lo referente al bosque nada es mejor que conservarlo. ¿Cómo puede hacerse un bosque si ignoramos lo que cuesta hacerlo, desde que lo arrasamos, si olvidamos los años que son necesarios para su crecimiento y las condiciones que favorecen la vida del árbol? ¿Cómo intentar la repoblación forestal si asolamos la tierra y la allanamos de bosques? Para una tal empresa es preciso antes tener el concepto del valor económico y social de la selva y saber, también, que por mucho empeño que el hombre ponga en la obra no podrá nunca superar, ni siquiera igualar, la decisión y potencia de la naturaleza. [...] Hay que aprender, pues, a considerar al bosque, no como un lugar de leyendas y encantamientos, sino con criterio económico, como una riqueza, como un oro verde de los pueblos (Di Lullo, 1937: 10-11).

El libro se divide en tres partes que corresponden a un movimiento progresivo de abstracción, de la descripción naturalista a la síntesis histórica y conceptual y de las propuestas superadoras de la catástrofe, muestras de una fe aún intacta en la capacidad del progreso por vencer a los monstruos que él mismo ha creado. El texto empieza con una suerte de organigrama que introduce, en pequeñas viñetas, a actores y procesos productivos del trabajo forestal, desde el éxodo de los campesinos conchabados («El éxodo») a la labor solitaria de los hacheros en la selva («La hachada»), el almacenaje y transporte de las maderas («La rodeada», «La cargada», «La acarreada») a los trabajos de tallado y carbonización («La labrada», «La quemada») y la vuelta final de los jornaleros, muchas veces huyendo de los capangas con la salud y el espíritu quebrados («El regreso»). Al catálogo de tipos humanos moldeados por las funciones que cumplen en el monstruoso engranaje, sigue el análisis histórico y social de su nefasta «función moral y política», el mecanismo de esclavización de la mano de obra a través de la venta exclusiva de víveres («La Proveeduría») y la complicidad del Estado a través de las concesiones forestales y viales («El ferrocarril»). El relevamiento se completa con un balance económico, político y social («Resultados de la explotación forestal») y ecológico («La madre tierra»), antes de terminar con una visión apocalíptica del bosque arrasado por el fuego («El incendio de bosque»). Pero ahí, en un brusco giro de timón, Di Lullo ve surgir desde las cenizas la esperanza de una «Tregua» («¡Hombres, bajad las hachas!», exclama, en respuesta directa al verso de «La Victoria del Hombre» –¡Hachas, cantad!– que preside al relato del Zupay en Rojas). Reclama por un Estado interventor con capacidad de sentar sobre bases científicas la explotación y preservación de la naturaleza («Parques Nacionales») y para emplear en beneficio de los trabajadores los artificios de la técnica («El obraje de mañana»).

El obraje forestal, para Di Lullo, arroja dos grandes problemas: por un lado, corroe la textura social de la provincia; por el otro, socava sus ritmos naturales. *El bosque sin leyenda* advierte en duros términos sobre el desapego del suelo nativo que provocó la transformación del campesinado en jornaleros nómades, llevándolos a la relajación moral y al derroche ante la imposibilidad de construir vínculos laborales o afectivos duraderos:

> El peón era la energía, en potencia, del campo. La industria forestal, la succionó, la malgastó. [...] No más granjerías de la tierra bendita, ni cosechas rebosantes, aunque sufridas. No más tranquila paz de los campos germinados. [...] Desertaban de la vida. Y con el toque de atención del bosque se fueron a la muerte. No fue tanto el engaño ni la esclavitud lo que más daño le hicieron. Lo peor fue la pérdida de su vocación agrícola-pastoril. Cincuenta años de industria forestal han destruido la tradición de un pueblo criado sobre el arado y en pos de los rebaños (Di Lullo, 1937: 34).

Por otra parte, al haber cambiado el régimen de lluvias y degradado la fauna y flora, la tala de los bosques ha terminado por dejar yerma e inerte a la tierra. Di Lullo consigna con precisión de naturalista, aunque sin resignar nunca el tono épico, el proceso zoobotánico de transformación de la selva en fachinal o estepa: «El humus del suelo, estratificado por infinitos y lentos años de exfoliación y humedad, se desecó bajo el intenso sol y se pulverizó en brazos del viento huracanado que ya recorría la llanura con su cortejo de polvaredas», escribe: «La gordura de la tierra, antes protegida por espesas frondas, fue sepultada por las arenas de los vendavales, y su milagrosa potencia germinativa, henchida y lujuriante, se sofocó en la inmersión de otras tierras estériles, que los remolinos transportaron a distancia» (Di Lullo, 1937: 62). El desmonte llevó a la eliminación de la flora antigua, dando lugar a una «vegetación de postguerra –guerra cruel del hombre contra el bosque–; es una vegetación que se defiende, que vive en continua lucha de defensa» (Di Lullo, 1937: 62). El obraje acabó así de producir un desierto, una tierra postcatástrofe habitable sólo transitoriamente por una población nómade:

> ... se han ido las lluvias, que se destilaban vaporosamente de las hojas, y se condensaban en grumos sutiles y, luego, en grávidas nubes de tormenta que, al deshacerse, punzadas de vientos y centellas, lloraban copiosamente la paz de los campos. Ahora, los vendavales y las turbonadas recorren sin vallas las miserables estepas, y los fríos se afilan los dientes para morder, en las tierras rasadas, al débil cultivo de la fuerza del hombre. Y se han extinguido con los bosques, las frutas y los animales de la selva... (Di Lullo, 1937: 56).

Esta doble degradación de hombres y ambiente tiene para Di Lullo una causa común: la perversa conversión, por parte de un capitalismo depredador, del trabajo (de la facultad creativa y trascendental del hombre) en pura negatividad destructora, en «trabajo de todo el ser para matarse» (1937: 14) y para sembrar la muerte a su alrededor. La Forestal, para Di Lullo, actuó en Santiago como un mecanismo de deshumanización del obrero, reducido a sus funciones vitales, a una «vida nuda»: «en el obraje, con el trabajo, el hombre deja de serlo [...] Trabajo para vivir esclavizado. Trabajo para no morir» (Di Lullo, 1937: 33). La hachada «es una actividad sistematizada que despuebla las selvas después de despoblar de hombres los campos y cuya energía se consume, al fin, cuando queda la tierra despoblada de vida» (Di Lullo, 1937: 15). La culminación de ese frenesí destructor llega con la imagen apocalíptica de la pira sacrificial de árboles listos para ser reducidos a carbón. Muerte industrial, la ofrenda se describe en alusión abierta a la martirología cristiana, como instancia donde, por última vez, el bosque se reúne en su riqueza y diversidad justo antes de ser reducido a ceniza:

> Por fin, el horno, listo, levanta su giba inerte. Yacen en su entraña, el aromo y el chañar, la tusca florida y la brea resinosa, el mistol y el algarrobo, la cina-cina y el espinillo, el guayacán, el quebracho, el molle, y el itin, toda la riqueza de la tierra exprimida de jugos. Y de pronto el quemador, con la tea encendida prende fuego a la pira. Se ha consumado el sacrificio. [...] El penacho de humo que ensombrece la selva, escapado a borbotones por la boca del horno, tiene otro significado que el humo de la fábrica. No es humo que redime, sino humo estéril, humo de destrucción. [...] El bosque ya no existe, pero los campos tampoco. Muchas tierras, sí, planas, desoladas, inútiles, sembradas de raíces, tierras tristes que esperarán en vano el esfuerzo, el arado y la semilla. Mientras, el horno es un tormentoso símbolo de la actualidad industrial: en torno, el hombre se destruye a sí mismo (Di Lullo, 1937: 21).

En su afán por indagar en las causas estructurales del choque entre ambiente y fuerzas históricas, el texto de Di Lullo es atravesado por una tensión sólo parcialmente advertida entre los dos grandes registros literarios que moviliza: la pastoral y la épica. En la mirada idealizada de la primera, el mundo anterior al desbosque resucita con rasgos edénicos, todo «campo paniego» y «praderas fértiles» (Di Lullo, 1937: 13), en cuanto que, enfocadas en clave épica, «las caravanas que parten rumbo al obraje» (Di Lullo, 1937: 81) son los héroes trágicos de una vasta rebelión contra la concentración latifundista de la escasa tierra fértil. «La cohorte del paria» que entrega su suerte a las irrisorias promesas del obraje sólo pudo engrosarse –dice Di Lullo– porque «en la mayor parte de su territorio, las condiciones de vida son tan precarias que los habitantes se han visto obligados a dispersarse para vivir» (Di Lullo, 1937: 36). Efectivamente, concede el autor, ya bien antes de la llegada de las compañías madereras, el latifundio –el mismo que había idealizado en tono de nostalgia pastoral– había arrojado a «la inmensa mayoría» de la población a una vida «dispersa y desaglutinada», confinada a «las desolladas llanuras de Loreto y Atamisqui, los desiertos de las Salinas Grandes, [...] los campos sin agua [...], allí donde nadie quiere o puede vivir» (Di Lullo, 1937: 81). Tensión irresoluble ya que, aquí como más tarde en su obra arqueológica y folclórica, Di Lullo pretende al mismo tiempo rescatar a un núcleo colonial estable como marca identitaria «excepcional» de la sociedad santiagueña y denunciar la brutal concentración de tierras y riquezas heredada de esa matriz colonial, que habría expulsado hacia el obraje al campesinado con sus esperanzas «de buenos campos y de mejores tiempos, y de una sabia política de colonización» (Di Lullo, 1937: 36). Sin embargo, «todavía quedan algunos bosques» –advierte Di Lullo– y el «obraje de mañana» aún puede redimir el de hoy gracias al sabio empleo del criterio científico en la explotación de los recursos naturales: «Se habrá aprendido a no destruir lo que tanta riqueza representa y a respetar al bosque como un depósito natural [...] Los obrajes no serán centros de producción únicamente sino de transformación industrial. Serán vastas empresas de colonización» (Di Lullo, 1937: 79-80).

Aquí como más tarde en los tratados de planificación regional que redactará Canal Feijóo con el objetivo de contener la erosión de los suelos y la caída de las napas de agua en el noroeste argentino, se trata de «un pasaje típicamente voluntarista, que propone resolver a través de un salto tecnológico una fractura que es en realidad política y cultural», como observa Adrián Gorelik. De una «visión negativa de la cultura que produjo históricamente la situación de fractura», tanto Canal como Di Lullo habrían pasado a «la creencia optimista en su superación a través del instrumento modernizador por excelencia, la planificación, como si ésta pudiera ser llevada adelante por sectores que no tuvieran que ver con la situación que se llama a superar» (Gorelik, 2004: 67). Pero además, sugiero, ese «salto» tecnológico y voluntarista debe resolver en el libro de Di Lullo una tensión que atraviesa al propio texto, entre dos formas de pensar la relación entre ambiente y cultura: una noción residual y atemporal –las «formas de la creación» que son «la organización de lo eterno, o mejor, perpetuación de la vida que se suplanta a sí misma» (Di Lullo, 1937: 10-11), tanto en la naturaleza que es la creación de Dios como en el folclore que es su expresión directa y permanente– y otra donde, en lugar de una relación estable, hay una constelación móvil y contingente de agencialidades tanto históricas como naturales. Esa contradicción entre un concepto residual y determinista –heredero de las sociologías fisiológicas de entresiglos– y una visión más contingente y multiagencial del ensamblaje entre ambiente y sociedad regional, es la marca común de un ensayismo de provincia tensado entre las lecturas y los saberes, muchas veces caducos, de los que bebe y lo aún innombrado de la destructividad radical con que se enfrenta.

En Canal Feijóo, esa dificultad de pensar lo novedoso a partir de lo que es arrasado y destruido por él, se traslada al propio paisaje y su interpretación. ¿Qué habrá sido –pregunta Canal en el ensayo que abre el primer número de *Ñan* («camino» en quichua), revista unipersonal que edita entre 1932 y 1934– eso que ya dejó de perdurar, el paisaje santiagueño? Titulada «El paisaje y el alma», la primera sección del número está enteramente dedicada a esta cuestión, empezando con un breve ensayo filosófico sobre «El sentimiento de la naturaleza y la intuición del paisaje» (Canal Feijóo, 1932: 9) donde la naturaleza es asociada al «sentido de inasequible», mientras la intuición paisajística adivina o palpa en ésta una voluntad expresiva que no es solamente obra del «recuadro pictórico», sino repercusión en el alma de una volición de armonía: «El paisaje sería esta súbita y contingente movilización de las cosas de la Naturaleza hacia algo, que bien podría ser una superior expresión» (Canal Feijóo, 1932b: 11). «Suceso psico-geográfico» (Canal Feijóo, 1932b: 10), el paisaje no reside exclusivamente en los hechos naturales ni apenas en su percepción por un observador que proyecta hacia ellos una voluntad estética: es la relación, el juego en que entran ambos y que resulta en afectaciones y transformaciones mutuas. Ahora bien, prosigue Canal, ¿cómo pensar en ese marco un conjunto espacial aparentemente informe y *exento* de orden sino como *antipaisaje* que favorece el desarraigo, los extremos pasionales, en suma, una cultura forjada más que en convicencia, en resistencia y rebelión contra su entorno?

> Aspera, rebelde sin embargo, [la tierra] se cubre de una vegetación en que parece enunciarse una voluntad rencorosa. Los grandes árboles de madera dura, la zarza espinuda, las erizadas cacteas, comparten el típico escenario. Flora leñosa, erizada, bravía. [...] En el plano geográfico sin relieves, desprovisto de toda «gala» de irregularidad, estos elementos se presentan en incoordinada tumultación, en multitud confusa, abigarrada. El espectáculo es, realmente, demagógico. Como la multitud humana que ocluye la calle, la Naturaleza, suelta en mitin afónico, corta la perspectiva, cierra el horizonte, se adelanta (o se detiene) en reclamo de primer y único plano. En las escasas abras en que descansa su hacinado suceso, la tierra escapa premiosamente, como queriendo sepultarse en cuevas (Canal Feijóo, 1932b: 15-16).

El ensayo que introduce esta naturaleza paradójica y fracturada, «El paisaje santiagueño», propone pensar la singularidad y perdurabilidad de las formas de expresión popular en la provincia en términos de «traducción» o de «rebote [...] en el alma» de este ambiente, aunque experimentado no en forma de paisaje sino de rechazo y resignación hacia «una constricción telúrica [...] un mundo inacogedor» (Canal Feijóo, 1932b: 20):

> El alma santiagueña no siente como paisaje, en el sentido proyectivo desentrañado, los modos de la Naturaleza geográfica santiagueña. Pues ésta es, extrañamente, la Naturaleza que se niega al espacio, a la distancia. Falta en ella la coordinación de las cosas en otro elemento eminente: altura, empinamiento, anchurosidad [...] Su regla es la atiborración de lo mismo en lo mismo, de lo mismo en la misma disposición, incesantemente. ¡Naturaleza en remanso infinito! (Canal Feijóo, 1932b: 17).

Naturaleza que encarna en el medio rural lo que, trasplantados a la ciudad, son el conventillo y la villa, donde el orden urbano estalla en multitudes hacinadas y propensas a la demagogia carismática, también aquí, «en su tumultación, el oleaje demagógico arrastra al espectador, lo rebaja, lo confunde» (Canal Feijóo, 1932b: 17). En cambio, las expresiones populares como el tejido con su estallido de colores y aún más la música con su entonación sutil y compleja, son para Canal modalidades casi instintivas de resistir y trascender a este ambiente inhóspito: «El alma santiagueña sufre la secular esclavización de una naturaleza para ella sin paisaje. Todavía sin recursos para el señorío inteligente del mundo, confía su redención a la tangente musical. En ella se descarta; por ella se evade. Pero en el trance, su inconfundible acento, traduce precisamente el drama de la existencia vernácula» (Canal Feijóo, 1932b: 24). Es entonces la debilidad, no la solidez, del vínculo paisajista la que fundamenta la idiosincrasia del «fenómeno santiagueño». El campesino «no se "encuentra en el paisaje" dentro de la naturaleza vernácula. Encontrarse en paisaje es sentirse señor de la Naturaleza, o huésped grato. Ni lo uno, ni lo otro, el santiagueño, en su propia tierra, se siente ajeno, o a lo más, prisionero» (Canal Feijóo, 1932b: 22). Al mismo tiempo, de esa desafectación ambiental deriva su debilidad ante la intrusión del capital y la tecnología foránea: el santiagueño es *demasiado* mimetizado con su ambiente como para poder relacionarse con él como paisaje y entrar en una relación creativa, de co-agencialidad. Es excesiva y a la vez insuficientemente «paisano»; condición que Di Lullo, unos años después, atribuiría al latifundio y que, en ese texto de 1932, Canal todavía relaciona exclusivamente con la propia fisonomía del ambiente.

Es recién en el segundo número de *Ñan*, publicado dos años después, donde ese paisaje del fenomenólogo y del psicólogo de multitudes, se temporaliza y se entrelaza con el proceso histórico. Recogiendo los motivos ya poetizados en *Sol alto* (1932) como la épica «gesta» del retirante campesino y la trágica danza de los hachadores en el bosque, en el largo ensayo «Imagen de Santiago: reconocimiento de una provincia desconocida», Canal indaga en la tríada de ferrocarril, obraje y éxodo rural: entre «el rapto de ferrocarril» (1934: 58), «el asalto a la selva» (1934: 60) y «la destrucción del paisaje» (1934: 61). La tierra seca y leñosa que todavía propuso interpretar el ensayo anterior como clave del «alma» provinciana, aquí se revela como resultado de un proceso histórico de declive que abarca a ambos, ambiente y cultura, representando «el esquema básico de la historia provincial de los cincuenta años últimos» (Canal Feijóo, 1937: 17-18). Si el ferrocarril, con sus «rumbos fortuitos», impulsó «el desarraigo, el descentramiento; la despoblación de la campaña [...]; la dispersión de los grandes rebaños; el nomadismo», el obraje que lo siguió y que, al mismo tiempo, alimentó su necesidad insaciable de maderas y de carbón, fue «una formidable trinchera» donde «sierras cantarinas performan una estricta anatomía industrial» (Canal Feijóo, 1934: 60). En su conjunto, ambos provocaron el despaisamiento de la provincia: más que la deforestación y el éxodo, e incluso más que su efecto cumulativo, el término describe la cancelación de cualquier relación entre hombres y ambiente que no estuviese regida por una destructividad radical. El neologismo, en otras palabras, propone una figura novedosa para pensar la historia natural del antropoceno. Los jornaleros de los obrajes, escribe Canal,

> [s]e encontraron más pobres que al nacer, pues hasta habían perdido su paisaje. ¿Qué otro argentino podría quejarse de una tragedia tan enorme como la de este santiagueño, condenado a servir a la destrucción lisa y llana de su propio paisaje? ¿Y qué había sacado de aquello? [...] Un día se halló súbitamente solo y desguarnecido. Con la última jornada se había ido su paisaje, y el abra de aquel día era ya su destierro. Fue como un súbito despaisamiento. Y en el desconcierto de este trance, el alma se orienta por la brújula hipnótica del tren. Hacia Tucumán… Para el lado de Santa Fe… A desahogar la angustia de la despatriación fortuita, exprimiendo cañas y descuajando trigos (Canal Feijóo, 1934: 61-62).

Política y culturalmente, el despaisamiento arroja la pérdida «en absoluto [de] toda fuerza activa de autonomía» y, así, del juego integral que alguna vez había sostenido la singularidad provinciana. Santiago se ha convertido en tierra de cenizas, en un ambiente de postguerra, denuncia Canal: agotada su riqueza forestal, «se va el rico, se va el ruido, se ha ido la naturaleza. Ha quedado solo el nativo con una realidad de miércoles de ceniza por todos los costados. Se ha quedado con su paisaje de ceniza, que no se defiende del verano y ayuda al invierno sin piedad en su castigo. Esencialmente burlado por la historia, ya no pisa patria el hombre. Pierde pie» (Canal Feijóo, 1934: 70-71). Si bien las migraciones laborales estacionales ya formaban parte del régimen de trabajo en la provincia desde tiempos coloniales (Farberman, 2001: 82), recién el ferrocarril y el obraje forestal, según Canal, habrían convertido este fenómeno en una huida permanente, una emigración de 50 a 60.000 campesinos por año a las provincias vecinas y a las ciudades litoraleñas, como estima en «Los éxodos rurales», ensayo escrito originalmente en 1938 y recogido más tarde en *De la estructura mediterránea argentina* (1948) (Canal Feijóo, 1948: 20).

Es ahí donde, dos años después del Primer Congreso de Planificación Integral del Noroeste Argentino (PINOA), celebrado en la ciudad de Santiago y presidido por el sociólogo, Canal procura retomar y sistematizar las críticas bosquejadas en la década anterior. Éstas aparecen aquí enmarcadas en un registro nuevo, el de la «planificación» que, más que sólo un salto «voluntarista» y desesperado, representa también un giro crítico en contra de las tendencias psicologizantes del pensamiento social argentino (incluyendo el propio). Parte de una proyectada y nunca concluida «Sociología Mediterránea Argentina», el trabajo de Canal se propone indagar específicamente en «los fenómenos de crisis y desintegración de la comunidad rural» (Canal Feijóo, 1948: 15) en el interior, categoría que –afirma– en la tradición intelectual argentina suele oponérsele a Buenos Aires y a los nuevos territorios del sur, como una suerte de oscuro origen de todos los males: el culpable «de las dificultades, de las reviniencias, de las demoras [...] sería precisamente "el Interior", con los nombres, a veces, de campañas, de provincias, de masas» (Canal Feijóo, 1948: 12). Un «espíritu de evasión» rige en el «miraje pampeano» que, dice Canal, ha presidido el proyecto portuario del país: «Todavía ahora, como hace un siglo, frente a los problemas de la población, sigue pensando más en el desierto que en el elemento humano presente. Se interesa [...] más en la Patagonia, toda hipótesis, que en el norte, todo crisis» (Canal Feijóo, 1948: 104). Esa desestimación y el desprecio por el país real habría dado lugar en la visión dominante a «esa tendencia a las interpretaciones mágicas de los fenómenos sociales argentinos» que mal esconde una voluntad por reprimir aquello que desencaja con la fantasía de nación elaborada desde la ciudad-puerto: «Cada vez que ante un problema de la vida colectiva se comienza pensando en la psicología y no en las condiciones objetivas, podemos temer que ande agazapada una tentación, consciente o subconsciente, de granjearse un derecho a la violencia sobre las personas, relevándose del deber de ajustar ante todo las cosas» (Canal Feijóo, 1948: 107).

La respuesta de la propia realidad material a esta actitud de desprecio e ignorancia, que habría derivado en el exceso «casi disneico» (Canal Feijóo, 1948: 72) de una estructura económica extractiva y parasitaria, concluye Canal, no tardó en llegar:

> ... la Naturaleza ha perdido generosidad y dulzura en el ciclo de los últimos cincuenta años –acaso sea la indignada respuesta a la insensatez con que el hombre la ha venido tratando–; los términos medios pluviales han disminuido, [...] los ríos llevan menos agua que hace medio siglo [...] A las insuficiencias líquidas siguen, mecánicamente, las erosiones, la esterilización de la superficie accesible a los recursos del trabajo elemental, la proliferación de las plagas zoológicas [...] Cualquiera que fuese la relación con esos eventos climáticos, lo cierto es que el estado de sanidad de nuestras campañas es hoy espeluznante. Suele nombrarse, en primer lugar, al paludismo; pero no ocupan menos lugar, ni son menos graves dentro del marco general de «inasistencia» en que se desenvuelven todas las pestes rurales, el bocio montañés, el tracoma, la leichmaniosis, la brucellosis [...], las venéreas, la sífilis (Canal Feijóo, 1948: 113).

En el ensayo de 1948, Canal ya está tratando de pensar un «clima de la historia» en el que el medio (los ciclos climáticos pero también procesos bacteriológicos y virales) responde, en un mismo plano de agencialidad *histórica*, a «la insensatez» de las ideas humanas y donde, en la medida en que «los hombres se han vuelto agentes geológicos histórica y colectivamente» (Chakrabarty, 2009: 206), también las ideas –la Razón– serían en última instancia «puramente una función biológica o, más precisamente, de la biología evolutiva» (Anderson, 2010: 109). Canal apenas vislumbra esa posibilidad en su crítica feroz del «miraje pampeano» y del daño irreparable que el avance de su modelo extractivo habría infligido a las «pequeñas técnicas del manejo de la naturaleza» propias del campesinado, lamentándose de la pérdida de «su idioma jugoso y denso de una sabiduría vital y fertilizante; ese profundo señorío que ha ido siempre del brazo con el dominio directo de la tierra [...] Así, pues, la verdadera gravedad del problema de las migraciones consiste en que, de ese modo, éstas han llegado a afectar las bases fundamentales de la existencia de la población rural, como ente orgánico, adherido a la tierra en relación esencial, posesoria, estabilizada, de "pueblo"» (Canal Feijóo, 1948: 81). Pero si los antiguos saberes convivenciales se han ido perdiendo en la misma medida en que se erosionaron los suelos que éstos cultivaban, argumenta Canal, sólo una nueva racionalidad desiludida y realista sería hoy día capaz de contener ese círculo vicioso. En el discurso inaugural del PINOA, Canal llama a auxilio a ingenieros, médicos, geólogos, arquitectos, sociólogos y técnicos industriales. Aquí como en la coda del libro de Di Lullo, los marcos y categorías que habían permitido pensar el antiguo juego integral de la vida provincial, donde el paisaje tenía que cumplir un rol fundamental, deben ser sacrificadas en aras de «una superación del viejo y ya quizás apenas cartográfico concepto de Provincia, por el más vivo, razonable y realista de Región» (Canal Feijóo, 1948: 142-43). Esta «regionalización del enfoque», prosigue Canal, deparará por fin «soluciones por unificación integradora de las cosas. A eso le llamo estructuración. También puede llamársele "planning". Sólo mediante una planificación del norte tomado como una unidad de integración, geográfica, económica y sociológica, podrá encontrarse el camino de esas soluciones» (Canal Feijóo, 1948: 118).

Al politizarse, en paralelo con la emergencia de un Estado desarrollista en el que cree reconocer al fin un interlocutor favorable, ese nuevo regionalismo también debe resignar algunas de las categorías y figuras del pensar que le dieron sentido en la primera mitad del siglo. Al abocarse a un sueño de reparación ingenieril, en el que confluyen los proyectos de modernización alternativa bosquejados por intelectuales de provincia en muchas zonas del continente, al menos desde el primer congreso regionalista celebrado en Recife en 1926, ese «nuevo regionalismo» también debe dar por consumado el despaisamiento que sus iteraciones anteriores, al nombrarlo, aún habían querido contrarrestar a través de un esfuerzo intelectual paradójico y acaso trágico. La «planificación integral» (Canal Feijóo, 1948: 117) que, en el texto de Canal de 1948, va tomando el lugar del juego propuesto una década antes en el ensayo sobre la expresión popular, también indica un movimiento de paulatina abstracción y distanciamiento de una tierra en que el propio autor –al paso del retirante campesino que es su objeto de análisis– acaba de «perder pie», hasta disolverse ésta en un «concepto ya apenas cartográfico». La «imposesión de sí misma» (Canal, 1948: 142) ha separado fatalmente la población del norte de su ambiente; de modo que sólo la intervención de un agente radicalmente ajeno –la racionalidad abstracta y científica del planificador– podrá, en un giro dialéctico, reiniciar «la reestabiliza[ción de] la población, la recupera[ción de] las zonas perdidas por la erosión, el saneamiento de la campaña y [...] la dignificación de la vida de las comunidades indígenas» (Canal Feijóo, 1948: 129). Pero así, Canal Feijóo acaba por promover como «remedio» del «mal del cuerpo» (1948: 142) que aqueja a la región y sus habitantes, a una nueva alianza inmunitaria: como Quiroga, como Di Lullo, también Canal Feijóo todavía sueña con la posibilidad de una «sabia colonización» capaz de proveer una inmunización estable –postura que, sugiero, señala a lo largo del siglo XX el límite que incluso la disidencia del pensamiento regionalista dificilmente consigue superar.

Días de la selva: del Putumayo al Quiché

En uno de los momentos más densos de *La montaña es algo más que una inmensa estepa verde* (1982), su narración testimonial de la revolución sandinista, Omar Cabezas narra la marcha de la pequeña columna por una estrecha quebrada, perseguida por la Guardia Nacional que acaba de sorprender y asesinar a Tello, el guerrillero veterano que había adiestrado a los combatientes jóvenes en la vida en el monte. El momento es de una crisis de fe intensa: si Tello había sido el mejor de los guerrilleros y aun así murió sin siquiera presentar combate, entonces probablemente también «el Che habría sido un quijote como Tello, como nosotros, y el mismo Frente Sandinista era un quijote, a lo mejor» (Cabezas, 1982: 144). Pero en este momento clave, la marcha a duras penas, resistiendo el cansancio y los dolores de la *leishmaniasis* –la «lepra del monte»–, se transforma en prueba iniciática en la que el protagonista vence a sus propias dudas al imponer su voluntad sobre el ambiente traicionero. Tello, escribe Cabezas, era un símbolo no sólo para sus compañeros sino también para la montaña misma:

> ... porque vivía con ella. Estoy seguro que vivió con ella, que tuvo relaciones con ella, le parió hijos a Tello [...] y cuando Tello muere, ella siente que se va a acabar. La montaña siente que ya no tiene ningún compromiso [...] Pero cuando ve el grupo de hombres marchando ahí, sobre ella, en el corazón de ella, como que siente que Tello no es el fin del mundo [...] Ella tenía que darse cuenta que Tello era el comienzo del mundo porque después de él veníamos nosotros [...] Como que se dio cuenta que había metido las patas, que no se debió haber quedado callada aquella tarde en que Tello murió, sino que debió haber seguido meciéndose aunque fuera por neutralidad; pero nosotros la doblamos, le fracturamos la neutralidad a los grandes árboles, a los ríos, la devolvimos, porque el ruido cambió después de nosotros, porque nosotros poseímos el río y le imprimimos a ese río nuestro propio ruido [...] Entonces como que ella se dio cuenta que había metido las patas, no tenía más remedio, y la persuadimos a verga (Cabezas, 1982: 151-52).

El episodio trae ecos de otro, también iniciático, donde Marcos Vargas, el héroe modernizador de *Canaíma* (1935) del venezolano Rómulo Gallegos, consigue derrumbar por fin las vallas civilizatorias que hasta entonces le habían impedido avanzar hacia su verdadera y salvaje esencia. Corriendo desnudo por la selva huracanada, la misma que lo había dejado hasta ese momento en un trance de irritación y ansiedad, Marcos Vargas siente una suerte de liberación. De repente, «advirtió que la selva tenía miedo» (Gallegos, 1991: 182):

> –¿Qué hubo? ¿Se es o no se es?
>
> El Marcos Vargas del grito alardoso ante el peligro, del corazón enardecido ante la fuerza soberana, otra vez como antes gozoso y confiado [...] Las raíces más profundas de su ser

> se hundían en suelo tempestuoso, era todavía una tormenta el choque de sus sangres en sus venas, la más íntima esencia de su espíritu participaba de la naturaleza de los elementos irascibles y en el espectáculo imponente que ahora le ofrecía la tierra satánica se hallaba a sí mismo, hombre cósmico, desnudo de historia, reintegrado al paso inicial al borde del abismo creador (Gallegos, 1984: 183-84).

Una escena es casi el espejo de la otra: el héroe liberal le dobla el pulso a la tormenta, el héroe socialista a la quietud. Ambos triunfan sobre los «elementos naturales» al mimetizarse con ellos. Cabezas y su columna son los hijos de la montaña; Vargas adquiere los poderes de Canaíma, el espíritu selvático, y «habla con los palos del monte y lo ha sido él también algunas veces» (Gallegos, 1984: 210).

¿Cómo pensar esos ecos, esas continuidades y reapariciones, entre dos textos y entre las series en donde se inscriben: la distopía liberal de la novela de la selva y la épica revolucionaria del testimonio guerrillero? La historiografía literaria latinoamericana ha enfocado a la novela de la selva como una suerte de despliegue orquestal de los tonos y timbres del vocerío nacional, en cuyos enfrentamientos y seducciones mutuas se plasmaban, como si fuera en un mapa, los conflictos sociales y políticos que agrietaban el proyecto de modernidad nacional. El *ambiente* selvático –el conjunto de elementos no humanos en ese ensamble sinfónico– figuraba ahí apenas como un fondo que, del mismo modo que los cambios de escenografía entre un acto teatral y el próximo, permitía el despliegue de esas tensiones. Leída en clave biopolítica, sin embargo, la ambientación rural y silvestre del conflicto, entre la multiplicidad de voces y su captura por la escritura, adquiere un interés menos lateral. Porque lo que el ambiente selvático trae a luz en este proyecto moderno de *transcripción* es precisamente su carácter *inmunológico*, que se remonta a una larga tradición *farmacéutica* del topos selvático (la mitología colonial del Dorado es sin duda su expresión más famosa) en la que se movilizan en función de transformar al mundo «civilizado», las energías «salvajes» que detiene la selva. Ese *pharmakon* selvático conoce, en la modernidad literaria y política del siglo XX latinoamericano, dos iteraciones novedosas, las cuales echan mano de su «remedio» al mismo tiempo que tratan de circunscribir sus «venenosos» efectos de contagio y destrucción: la novela de la selva, asociada al proyecto liberal de modernización nacional, y los testimonios de la guerra de guerrillas que surgen tras el triunfo de la Revolución cubana en 1959. Ambas formas de «mapeamiento narrativo» del espacio nacional y continental recurren de distintas maneras a esa *inmuno-lógica* asociada al ambiente silvestre. Pueden ser pensadas, así, como reconfiguraciones de la alianza inmunitaria moderna. No sólo el proyecto de modernización liberal, que intentan salvar los héroes de la novela de la selva precisamente al tensarlo contra su límite; también el de la transformación revolucionaria que, a partir de la victoriosa campaña de la Sierra Maestra, será puesto en marcha en América Latina, es una lucha a dos frentes: contra la ciudad «alienada» –sede de un poder neocolonial y extranjerizante– y también, crucialmente, *contra la selva* a la cual el combatiente guerrillero tanto como antes el explorador liberal imponen su voluntad transformadora de sí mismos y de su entorno. Los testimonios guerrilleros actualizan la inmuno-lógica del proyecto liberal, recurriendo alternadamente a los poderes curativos y destructivos tanto de la ciudad como de su contraparte selvática. A nivel del texto, lo «testimonial» es donde esta inmuno-lógica se traduce en una forma particular de expresión; una relación entre voz y letra que remite también a la relación antropocénica entre capitalismo e historia de la humanidad en tanto especie.

En su libro *Forests: The Shadow of Civilization* (1992), Robert Pogue Harrison traza una arqueología literaria del bosque en Occidente, en tanto origen y límite abismal de una civilización que encuentra ahí su alteridad definitoria: «los bosques –sugiere– representan un espejo opaco de la civilización que existe en relación a ellos» y por lo tanto son también los repositorios de «sus fantasías, paradojas, ansiedades, nostalgias, auto-engaños» (Pogue Harrison, 1992: 108). De las metamorfosis ovidianas al romanticismo, Harrison sugiere, lo oscuro del bosque es donde las diferencias constitutivas entre las formas de la creación se diluyen y confunden en la continuidad indiferenciada de lo viviente y aún informe. El ciclo que va y viene de la putrefacción a la germinación y el florecimiento es la cifra mayor de esta recaída de una vida diferenciada y calificada (*bíos*) en lo meramente viviente (*zoé*): «al pie del coloso que se derrumba, el germen que brota; en medio de los miasmas, el polen que vuela; y por todas partes el hálito del fermento, los vapores calientes de la penumbra, el sopor de la muerte, el marasmo de la procreación», como exclama un asqueado Arturo Cova en *La vorágine* (Rivera, 2006: 296). El bosque es donde la *bíos* se reconoce otra vez como *zoé*: es la imagen de ellos mismos la que les devuelve el espejo opaco de la selva y que horroriza o perturba a los héroes de la novela de la selva.

El crítico uruguayo Fernando Aínsa ha caracterizado a la novela de la selva como una literatura cartográfica en cuyas tramas de búsqueda y fuga se organiza un sistema de lugares (Aínsa, 1977: 90-91). Este sistema distribuye a través del espacio recorrido por el héroe unos valores residuales que en su conjunto forman mapas del Estado-nación como trama espacializada de conflictos y tensiones. La selva, sugiere Aínsa, representa el borde constitutivo de ese sistema de lugares ya que, en tanto vacío fundacional, permite poner en escena el gesto constitutivo de inscripción/nombramiento del que la propia escritura deriva su poder representacional y valorativo. Como ha sugerido Roberto González Echevarría (2000: 23-27), el texto que más claramente revela ese carácter al mismo tiempo constitutivo y aporético de un mapa nacional escrito desde el límite y que, por lo tanto, empuja al género de la novela de búsqueda hacia su propio límite, es *Los pasos perdidos* de Carpentier; texto que –como *La vorágine*, su precursor más importante– es también la ficción de una voz imposible, una «voz-escritura» que sostiene el discurso narrativo desde un «más allá» aporético de ambos. El paradójico carácter biopolítico de la selva como sitio de emergencia de una vida indiferenciada se repite y desdobla así en un discurso narrativo que pretende colapsar en un mismo plano voz y escritura, oralidad y archivo.

Las características principales que comparten, con algunos matices, los grandes textos de la novela de la selva, serían así al menos tres: en primer lugar, una temporalización antagónica entre el héroe, quien en su avance hacia la selva inscribe un vector de modernización, y su entorno donde ese avance espacial corresponde a una regresión gradual. La travesía del héroe por distintos espacios-tiempos hasta llegar a la tribu primitiva donde se refugia Marcos Vargas, o a los petroglíficos en las alturas de Santa Mónica de los Venados que cobijan a «la vegetación diabólica que rodeaba el Paraíso Terrenal antes de la Culpa» (Carpentier, 1971: 213), también permite a los narradores revisitar todas las edades anteriores de la «evolución americana», en una suerte de historia natural al revés. Por eso –y esa es la segunda característica genérica– las novelas de la selva también representan textualidades híbridas donde a cada compartimento espacio-temporal le corresponde un cronotopo narrativo distinto, a veces (como en *La vorágine*) literalmente a través de un cambio de la voz narrativa. Finalmente, la transición entre un escenario y el próximo pasa generalmente por relaciones sexuales entre el protagonista y mujeres nativas, quienes son construidas de esa manera como guardianas del umbral así como alegorías de una naturaleza también feminizada que resiste, cede o envuelve voluptuosamente al acecho del héroe modernizador: «He viajado a través de los tiempos –lo resume el narrador de Carpentier, en una actitud deliberadamente autorreflexiva acerca de la serie genérica en donde inscribe su relato–, pasé a través de los cuerpos y de los tiempos de los cuerpos, sin tener conciencia de que había dado con la recóndita estrechez de la más ancha puerta» (Carpentier, 1971: 285); puerta que vendría a abrirse hacia el más allá de la escritura misma, a un espacio-tiempo de pura inmediatez. Ese doble movimiento de la novela de la selva –avance espacial, regresión temporal– inscribe también una tensión entre ecología e historia que se manifiesta en un vaivén por parte de héroes y narradores, entre la denuncia crítica del violento proceso de acumulación primitiva y el fatalismo determinista que atribuye sus excesos al propio ambiente «salvaje». La exposición y crítica, a veces aguda, de la política clientelista y de las relaciones explotativas de trabajo da lugar así a trances de «resignación ambiental», en los cuales la espiral de violencia vuelve a inculparse a la «selva sádica y virgen» (Rivera, 2006: 297) en su venganza por el ultraje sufrido a manos de los hombres.

En un trabajo reciente, Lesley Wylie resalta el carácter intertextual y metaliterario de la novela de la selva en tanto reescritura postcolonial del viaje al Nuevo Mundo. Los elementos más destacados de estos pastiches narrativos serían la ironía y el mimicry colonial con respecto a la reinscripción del punto de vista itinerante y de su función de autoridad epistémica (Wylie, 2009: 1). El héroe postcolonial –sujeto híbrido que no pertenece plenamente a la modernidad cosmopolita (su lugar de origen suele estar en el litoral del Nuevo Mundo) ni al interior selvático que por tanto aborda como si fuera un extranjero– no puede sino sobreactuar el papel de descubridor que le asigna la tradición genérica. Al mismo tiempo, es plenamente consciente de que está apenas repitiendo una convención, un repertorio de gestos ya ensayados pero que ya no detienen poder alguno de revelación. Ese discurso narrativo caracterizado por la inautenticidad y el mimicry, concluye Wylie, ya no puede enfocar la selva como un silencioso afuera del texto sino que la abarca como intertexto, como aquello que media entre un corpus y su reescritura. Las novelas de la selva se embarcan, pues, a «la selva no sólo como un espacio físico sino también como un símbolo de los límites de la escritura europea del trópico» (Wylie, 2009: 3). Como señala Lúcia Sá (2004: 39-40), sin embargo, la narrativa latinoamericana moderna también desafiaba esa impregnación por los intertextos del viaje colonial a través del recurso a un sistema diferente de intertextos, un contra-archivo de mitos amazónicos indígenas (al cual se accede, irónicamente, recién a partir del archivo europeo de viaje). El caso paradigmático sería *Macunaíma* (1928), la rapsodia picaresca de Mário de Andrade que reapropia los relatos transcriptos de sus informantes Pemón por el etnólogo alemán Theodor Koch-Grünberg, en su viaje por el norte brasileño y las Guyanas –recopilados cuatro años antes bajo el título *Vom Roraíma zum Orinoco* (1924).

La selva, en estas narrativas modernas, se transforma en un «arabesco obtuso» (Antelo, 2002: 127): una zona abismal al interior de la propia escritura donde ambos archivos –viaje colonial y mitología amazónica– se mezclan y confunden, pero también donde estalla la violencia lingüística que uno vierte sobre el otro. Por eso, no es apenas la zona de silencio donde enmudece una voz narrativa –silencio que, como en el epílogo de *La vorágine*, sólo es posible señalar a través de múltiples enmarcamientos: «El último cable de nuestro Cónsul, dirigido al señor Ministro y relacionado con la suerte de Arturo Cova y sus compañeros, dice textualmente: "Hace cinco meses búscalos en vano Clemente Silva. Ni rastro de ellos. ¡Los devoró la selva!"» (Rivera, 2006: 385). También, crucialmente, es ahí donde se proyecta el origen aún mudo de un lenguaje *futuro* nacido de la confluencia de ambos archivos o sistemas de intertextualidad: una suerte de *infans* nacional que, como el hijo mestizo y homónimo de Marcos Vargas que regresa de la selva en *Canaíma* para embarcarse a sus estudios ultramarinos, algún día pronunciará lo que el texto sólo puede anticipar como silencio cargado, profetizar desde su propio enmudecimiento[59].

---

[59] Eduardo González (1972) analiza en detalle la construcción abismal del *locus* enunciativo en *Los pasos perdidos*, como escritura (o diario de viaje) producida desde un espacio-tiempo que esa misma narración postula como inmediatez pura a raíz, precisamente, de la imposibilidad de escribir (es la falta de papel, o sea, de recursos para la escritura-composición, la que impele al narrador a emprender el viaje de regreso desde Santa Mónica a los Estados Unidos). El diario de viaje, como escritura-habla, sería entonces de manera ostensiva una voz ficcional –una voz que devela, aún en términos de verosimilitud interna, su carácter de pura ficción de voz– y así también funcionaría como desdoblamiento interno de la obra aún por realizar.

Esa actitud vacilante, reinscribiendo irónicamente un discurso narrativo al mismo tiempo que, denunciándolo como caduco, e invocando en su lugar a una voz futura que sólo puede señalar como silencio, corresponde al proyecto liberal de modernización nacional. Los héroes criollos de la novela de la selva son los que encarnan ese proyecto: al tomar las riendas del relato, también pretenden disputar la soberanía sobre el espacio-tiempo que su itinerario abarca. Así como lo hace el propio texto respecto del régimen narrativo que usurpa, lo que pretenden sus héroes no es sino arrancarles a los neocolonizadores, los capitalistas «intrusos» de ultramar, el control sobre las relaciones de producción. La soberanía nacional es la toma por parte del «buen» empresario criollo de las relaciones de producción instauradas por la acumulación primitiva colonial: «Al buen trato que él les daba a sus peones debíase, indudablemente, el considerable aumento de la producción del Guarampín, comparada con la de años anteriores...», comenta con aprobación el narrador de *Canaíma* acerca de la gestión modernizadora del héroe en las caucheras guayanas (Gallegos, 1984: 164). Pero los «derechos de propiedad» que invoca ese reclamo de soberanía son en rigor un cheque sin fondos, al remitirse a una lengua futura que se proyecta a un más allá silencioso del propio texto, a una zona de pura presencia que surgirá de la *con-fusión* utópica de archivos antagónicos pero que el texto posterga más allá de su propio límite. Léase: el modo de producción extractivo (que objetiva «la naturaleza» en materia prima y a sus habitantes en mano de obra explotable o en cuerpos femeninos invariablemente disponibles) es reivindicado por el discurso liberal-nacionalista precisamente al prometer y deferir simultáneamente su eventual superación[60]. El proyecto de captura escritural de la voz selvática

[60] Esta operación no hace sino replicar la propia estructura crediticia en la que, como ha mostrado Michael Taussig (1987: 127-35), estaba basada la expansión capitalista hacia las caucheras amazónicas a comienzos del siglo XX, estructura que por lo tanto incluía como elementos fundamentales al fetichismo, la magia, la irrealidad, la violencia y el terror –un modo de producción que reflejaba, como un espejo opaco y como caricatura o «realismo mágico», al mundo «salvaje» que proyectaba hacia su alrededor.

remite, entonces, a otro de índole política y económica, de inmunización nacional por la construcción de un pacto, una alianza, por la cual el interior selvático y el litoral metropolitano puedan escudarse mutuamente contra los efectos dañinos que subyacen a cada uno.

Si *Los pasos perdidos*, como reescritura y archivo de la literatura de viaje, aspira también a constituirse en su último eslabón –el que escribe, una vez por todas, el silencio liminar que fundaba su escritura–, tal vez su secuela más acabada sea *Pasajes de la guerra revolucionaria*, donde el vector narrativo e ideológico que había trazado el viaje del héroe liberal es prolongado e invertido al ser redireccionado hacia la ciudad-capital (posibilidad que ya había anticipado el héroe de *Canaíma* en sus ensueños de un gran levantamiento indígena). La sierra, para el relato del Che Guevara y para la teoría de la acción revolucionaria que de ahí deriva, es un *no-lugar* –no en tanto *utopos* o lugar imaginario de «buena vida» sino, en cambio, en el sentido de que permanece completamente ausente del texto en tanto paisaje. La sierra proporciona apenas el escenario para la acción; nunca es objeto de descripción en y por sí mismo. Lo que debe proporcionar a la acción es, precisamente, un no-lugar, una imposibilidad de *localizar* al foco guerrillero gracias al movimiento perpetuo en que éste se encuentra. Movimiento que, estratégica y narrativamente, debe transformar al sistema de lugares del enemigo en un espacio liso, propicio a la construcción de una máquina de guerra. Así, la voz narrativa en *Pasajes* tiende a disolver inmediatamente en acción narrativa cualquier impulso de descripción, necesario apenas para bosquejar en unos pocos trazos un escenario para la acción militar que es, en la lógica textual, el destino inequívoco de toda descripción:

> Estábamos en el valle llamado El Hombrito, porque vista la Maestra desde el llano un par de lajas gigantescas, superpuestas en la cima, semejan la figura de un pequeño hombrecito. Todavía era muy novata la fuerza, había que preparar a los hombres antes de someterlos a trajines más duros, pero las

exigencias de nuestra guerra revolucionaria obligaban a presentar combate en cualquier momento [...] El 29 de agosto, mejor dicho, la noche del 29 de agosto un campesino nos informaba que había una tropa grande que estaba por subir la Maestra, precisamente por el camino de El Hombrito, que cae al valle o sigue al Altos de Conrado para cruzar la Maestra (Guevara, 1986: 124).

Las descripciones topográficas, en *Pasajes*, no componen paisajes sino escenarios para combates hipotéticos o efectivamente acontecidos: nunca se hacen a título propio sino puramente en función del sintagma accional, a cuya estricta veracidad deben contribuir. La sierra es un no-lugar porque el narrador nunca se detiene a reconocer y relatarlo como lugar discursivo, pero también lo es en tanto proporciona la zona liminal en espacio y tiempo para la producción individual y colectiva del «hombre nuevo». Como sugiere Juan Duchesne Winter, «en la concepción de Guevara lo político comienza cuando se plantea la demanda de igualdad y justicia desde un *fuera de lugar* que busca escindir el orden establecido a partir de la contradicción antagónica entre explotados y explotadores. Ese *fuera de lugar* es el umbral de pasaje donde adviene el sujeto revolucionario» (Duchesne Winter, 2010: 26).

La zona liminal –la sierra, la selva, el monte– se encuentra fuera de lugar entonces no sólo porque es el destino de un éxodo que la convierte en un territorio de repliegue táctico sino también, además, porque está ubicada «entre dos tiempos», entre el pasado de la sociedad explotadora con la que han roto sus vínculos los integrantes del foco y el futuro de la sociedad revolucionaria. La selva cobija el entre-tiempo de la espera, abierto hacia el futuro: «el *todavía no aquí* se convierte en la narrativa del Che en el *fuera de lugar*, la *ectopía* dialéctica desde la cual la nueva subjetividad se predispone a atravesar el lugar de lo establecido [...] el foco plantea un hiato, un vacío entre la destrucción de una esfera institucional y la construcción de la esfera alterna» (Duchesne Winter, 2010: 36, 38-39). Es decir, la estrategia del foco *espacializa* el corte en el tiempo que debe trazar todo pensamiento revolucionario y lo hace proponiendo, a través de la tríada éxodo, liminalidad y regreso, una dinámica iniciática de transición para el grupo guerrillero que, precisamente al atravesar sus eslabones sucesivos, se convierte también en vanguardia de la revolución, en el núcleo adelantado de «hombres nuevos».

Corriendo paralela a la narración de los hechos bélicos propiamente dichos, esa trama iniciática atraviesa el texto de *Pasajes* en dos niveles: en primer lugar, el de la transformación del propio narrador, de médico expedicionario del *Granma*, en comandante de la columna que tomará Santa Clara (metamorfosis anticipada, como ya lo reconocía Cortázar en su reescritura de la secuencia en el cuento «Reunión», por el pequeño episodio casi al final del «bautismo de fuego» en Alegría de Pío cuando, en plena huida, el Che debe decidir entre llevar consigo una mochila de medicamentos o una caja de balas, optando, por supuesto, por la segunda). En segundo lugar, haciendo de fondo para esa trama de transformación individual, se relata el desarrollo de la columna que lentamente va madurando y creciendo hasta convertirse en ejército victorioso; proceso que es referido a modo de microrrelatos de actos individuales de heroísmo e infamia, donde el sacrificio se le opone de manera nítida a la traición del débil que no puede soportar las privaciones de la lucha. Relato de un aprendizaje colectivo, el triunfo de la guerrilla es narrado aquí en una serie de refocalizaciones entre la trama colectiva y los individuos que la componen, mostrándolos a estos últimos en un instante clave de decisión ética muchas veces decisiva y final: en el momento de apoteosis en que el combatiente decide jugar su vida por el colectivo. Instante que marca, para Guevara, la emergencia del «hombre nuevo», la *decisión* de romper cualquier lazo con el antiguo sujeto burgués[61].

[61] J. P. Spicer Escalante sugiere que en este doble desmontaje, del sujeto individual burgués y del paisaje-entorno frente al cual éste se constituye y que dispone en torno de sí como un espacio a ser poseído y consumido visual y materialmente, el Che construye una «escritura guerrillera de viaje» (*guerrilla travel writing*), un tipo de escritura «alternativa, subversiva y transcultural» a las convenciones coloniales o capitalistas del género del relato de viaje (Spicer Escalante, 2011: 400).

Es por eso, también, que la figura del Che, pasando de la contemplación de un árbol a la ensoñación musical y filosófica, tendrá que esperar *otra* textualidad, la reescritura «literaria» del desembarco en Cabo Cruz por parte de Cortázar, cuyo cuento «Reunión» puede pensarse también como un primer paso a la monumentalización de la guerrilla que el propio Guevara trata de evitar a casi cualquier costo[62]. A pesar de la importancia fundamental que Guevara le asigna al «campo» como «terreno de la lucha armada [...] en la América subdesarrollada», ya que «los lugares que ofrecían condiciones ideales para la lucha eran campestres» (Guevara, 2007: 14, 51), no hay ni puede haber en su escritura más que descripciones someras y casi cartográficas de estos escenarios. Pese al papel clave del ambiente serrano para la teorización posterior de la experiencia cubana, detenerse descriptivamente en estos escenarios en y por sus características intrínsecas hubiese socavado los objetivos pragmáticos del texto y de su narrador-protagonista. *Pasajes*, crucialmente, no es apenas el recuento posterior de hechos recordados de manera «autobiográfica» por un actor-testigo, para relatar los hitos de la guerra a lectores que no habían estado presentes ahí. Al contrario, el texto aún pertenece al mismo dispositivo accional que describe, en tanto pretende constituirse en instancia de formación militar y política. Es por eso que el vector de pura acción no puede tolerar interrupción alguna so pena de cortar la transmisión escritural entre actores pasados y futuros, de importancia clave para el proyecto guerrillero.

El paisaje está en las antípodas de la acción, parece decir Guevara: hay que suprimirla como pausa en la narración ya que tiende a abrir una brecha entre actor y entorno, a estriar el espacio liso sobre el que debe desplegarse la lucha guerrillera como pura práctica espacial[63]: «Muerde y huye, espera, acecha, vuelve

[62] Acerca del conflicto intertextual entre *Pasajes de la guerra revolucionaria* y su «homenaje» cortazariano (que es también una reivindicación de la primacía de la literatura sobre el mero testimonio), véase Gundermann, 2004; Pérez y Barro, 2011.

[63] En su *Mille plateaux* (Mil mesetas), Gilles Deleuze y Félix Guattari distinguen entre «espacios lisos» y «espacios estriados», como dos modos de «territorialización» (y de

a morder y huir y así sucesivamente, sin dar descanso al enemigo [...] Característica fundamental de una guerrilla es la movilidad, lo que le permite estar en pocos minutos lejos del teatro específico de la acción y en pocas horas lejos de la región de la misma, si fuera necesario; que le permite cambiar constantemente de frente y evitar cualquier tipo de cerco» (Guevara 2007: 26). La acción pura suspende al paisaje; pero será precisamente como *acción suspendida* que el ambiente volverá a hacerse presente, tras la debacle en Bolivia y la frustración de las primeras tentativas foquistas en Centroamérica, en dos textos escritos hacia finales de los Setentas y principios de los Ochentas. Ambos relatos están comprometidos con propuestas más heterodoxas de lucha guerrillera: además del ya mencionado testimonio del nicaragüense Omar Cabezas, *La montaña es algo más que una inmensa estepa verde* –Premio Casa de las Américas en la categoría testimonio en 1982–, *Los días de la selva* del guatemalteco Mario Payeras, que había recibido el mismo galardón dos años antes.

Ambos textos desarrollan aspectos que habían tenido que quedar al margen del sintagma narrativo de *Pasajes*, organizado casi exclusivamente alrededor del combate como modelo de acción pura. Dan lugar, en cambio, a la afectividad del narrador o a las dinámicas internas del grupo –aspectos que el Che, con la excepción del antecedente juvenil de *Diarios de motocicleta*, había purgado de su escritura a fin de reducir al mínimo imprescindible la distancia que mediaba entre acción narrada y luchas futuras. En cambio, los testimonios centroamericanos *se detienen* en la selva y la sierra, en tanto escenarios materiales y lugares narrativos. El paisaje como lugar descrito reemerge ahí como correlato de una reconceptualización de la propia temporalidad de la lucha guerrillera y las implicaciones de ésta sobre su práctica espacial –giro estratégico que en la época recibió el nombre de «guerra popular prolongada»–, donde el enraizamiento y el aprendizaje profundo del ambiente y

des- y reterritorialización) propias, respectivamente, de un aparato estatal de captura y de una máquina de guerra nomádica. Ver Deleuze y Guattari, 1980: 592-625.

la elaboración de lazos con sus habitantes nativos primaban sobre el nomadismo y la velocidad del núcleo foquista. No obstante, ambos textos, el del nicaragüense y el del guatemalteco, no podrían ser más diferentes uno del otro. Si, para Cabezas, la montaña es ante todo un marco para el surgimiento de una nueva sociabilidad, una zona, en palabras de Duchesne Winter (1992: 145-46), «de desarrollo de un poder alternativo, donde el individuo y la colectividad reconstituyen desde nuevas bases [...] el marco de las relaciones humanas» –razón por la cual el texto «no parte de una idealización de la naturaleza»–, en el relato de Payeras el poder farmacéutico del ambiente selvático, de ensamblaje y transformación de nuevas alianzas inmunitarias, es reinstaurado en una escritura conscientemente tributaria de la tradición literaria que la precede.

Los días de la selva narra los intentos por parte del Ejército Guerrillero de los Pobres entre 1972 y 1976 de implantar en el departamento fronterizo del Quiché una «semilla» revolucionaria, opción estratégica que pretendía hacerse eco del duro revés sufrido por las guerrillas de la década anterior, todavía de neto corte foquista[64]. Su temporalidad no podría estar más lejos del ritmo frenético

[64] Las primeras guerrillas guatemaltecas habían surgido a principios de los años sesenta por iniciativa de ex oficiales del ejército (Luis Trejo, Marco Antonio Yon Sosa, Luis Turcios Lima) leales al gobierno constitucional arbencista derrocado por el golpe militar de 1954. En su mayoría, estaban vinculados al Partido Guatemalteco del Trabajo, de orientación comunista, que sostenía logística y financieramente a la lucha armada. Bajo el impacto del reciente triunfo de la Revolución cubana y ante la clausura de cualquier forma de resistencia civil ante la férrea represión militar auspiciada por Estados Unidos, las primeras guerrillas buscaban poner en práctica los modelos foquistas sistematizados por el propio Che y luego por Régis Debray en *Revolución en la revolución* (1967). Tras la muerte de sus líderes principales y el desbande de la mayoría de los focos rurales a partir de 1967, algunos veteranos refugiados en México y en otros países centroamericanos formaban nuevas organizaciones ideológicamente heterodoxas, entre las cuales se destacan el Ejército Guerrillero de los Pobres (EGP), liderado por Ricardo Ramírez (comandante Rolando Morán) –quien firma el prólogo de *Los días de la selva*–, y la Organización del Pueblo en Armas (ORPA), comandada por Rodrigo Asturias (quien adoptara como seudónimo el nombre de un personaje literario de su padre, Miguel Ángel: Gaspar Ilom). El EGP y la ORPA harán hincapié en la «cuestión india» buscando atraer a su causa a poblaciones indígenas y campesinas En ambos casos, habrá colisiones y relaciones tensas con los esfuerzos contemporáneos de colonización y cultivo de tierras comunitarias coordinados por misioneros católicos y protestantes, sobre todo a partir

de *Pasajes*: hasta bien entrado al capítulo seis, no acontece combate alguno; en lugar del movimiento veloz del foco guevariano, aquí el objeto principal de la narración es el lento enraizamiento de la pequeña columna inicial de la guerrilla en el ambiente selvático. En un primer instante, la guerrilla debe amalgamarse con la selva, aprender a moverse por ella y abastecerse de sus recursos; recién en un segundo momento pasa a entablar relaciones con sus moradores campesinos e indígenas para, una vez cumplidos ambos ciclos, desencadenar la acción armada. El relato guerrillero, compuesto y publicado cuando esa estrategia de implantación profunda había mostrado ya su vulnerabilidad ante la feroz represión gubernamental[65], anticipa también la literatura de neto corte ecologista que Payeras escribiría hacia finales de su vida al revisitar el escenario selvático de sus tiempos de comandante guerrillero. En *Los días de la selva*, en lugar de la constante acción guevariana narrada en un pasado simple casi monocorde, predominan así los tiempos verbales que remiten a duraciones largas y a una semántica de aprendizaje y germinación que amalgaman los procesos naturales con la «maduración» gradual del propio proyecto revolucionario:

> Estos primeros días los empleamos en aprender las verdades elementales de la selva. Llegábamos a un mundo triste, donde sólo con el tiempo aprendía la inteligencia a encontrar puntos de referencia. [...] Quienes entre nosotros conocían el monte nos enseñaron a diferenciar entre los distintos linajes de serpientes. Explicaban las costumbres del coral, con su conjunción mortal de anillos rojinegros, y describían la apariencia aterciopelada de la barbamarilla, de índole fatídica. [...] Aunque

de la escalación imprecedentada de violencia contrainsurgente por parte del Estado que adquiere dimensiones genocidas a partir de 1980. Para un análisis pormenorizado de la guerrilla guatemalteca, véase Le Bot, 1996; Santa Cruz Mendoza, 2004.

[65] Para una visión crítica devastadora del EGP y de las guerrillas guatemaltecas de los setenta, véase el relato testimonial de Mario Roberto Morales, *Los que se fueron por la libre* (Morales, 1998). El propio Payeras, en *Los fusiles de octubre*, obra de «ensayos militares» escrita tras la salida del EGP por desacuerdos políticos y estratégicos con su conducción, denunciará los errores de la opción por la «guerra popular prolongada» que aún defendía en *Los días de la selva*.

todos los días hallábamos huellas de danta, algunos de nosotros tardamos meses en ver la primera (Payeras, 1998: 18-19).

La larga fase de «implantación» del núcleo guerrillero que consume varios años es, en palabras de Ricardo Roque-Baldovinos, «una lección en la vivencia del tiempo» en sentido inverso a la precipitación vertiginosa del foco guevariano. En la selva de Payeras, «se aprende a esperar, a vivir en consonancia con otros ritmos, pero, paradójicamente, es este asfixiante letargo, este desesperante compás de espera lo que habrá de permitir el desencadenamiento de ese gran vértigo de tiempo que es la revolución» (Roque Baldovinos, 2008: s/p). Aquí, a diferencia de Guevara, esa precipitación del tiempo requiere, en primer lugar, de un paciente trabajo aprendizaje y acercamiento mutuo de las diferentes capas de temporalidad histórica en que viven los integrantes del núcleo y sus referentes campesinos e indígenas; multitemporalidad sedimentada en los distintos ambientes del territorio nacional que sólo la lucha revolucionaria compartida podrá amalgamar finalmente en *un* espacio-tiempo nacional, en el que se fundirán todas las singularidades, «todas las sangres» de la patria. No es casual que *Los días de la selva* sea de lejos el texto más consciente y deliberadamente «literario» de la serie de testimonios guerrilleros: su proyecto de refundación nacional a través de la inmersión selvática del héroe redentor (la guerrilla) es efectivamente deudora directa de la novelística liberal-moderna de la selva que el texto cita abiertamente. Son frecuentes las alusiones a los tiempos germinales de Santa Mónica de los Venados o de Macondo, referentes literarios que asimismo integran «la espléndida biblioteca» que el grupo lleva a cuestas al entrar en la selva, sólo para abandonarla –imagen eminentemente carpenteriana– al poco tiempo a los comejenes y las lluvias:

Desde el refugio perenne de la selva cultivamos pacientes la amistad de los aldeanos y vigilamos esperanzados el curso de los días. Llegaron los meses de construir chozas en el monte y almacenar granos para largas temporadas, en previsión del

> invierno [...] Fue la época de los grandes inventos y del aprendizaje de la vida sedentaria. Inventamos el pan, descubrimos la bota de hule y aprendimos el arte de navegar en balsa. [...] Todo lo sobrellevábamos con paciencia, pues para esa época habíamos comprendido que la empresa iniciada sería asunto de años, y estaba bien que así fuera (Payeras, 1998: 65-67).

El modelo político-narrativo aquí esbozado, que busca encauzar el salto revolucionario hacia un tiempo colectivo preñado de futuridad, precisamente al reemprender la cadena de «recomienzos históricos» atribuidos a los espacios-tiempos selváticos y campesinos, y así articularlos en la lucha nacional-revolucionaria, no escamotea sus filiaciones. Se trata, según observa Duchesne Winter, de «una yuxtaposición comparable a las realizadas en *Los pasos perdidos* de Carpentier [...] Propone reunir los tiempos desencontrados mediante la forja de un proyecto revolucionario guatemalteco» (Duchesne Winter, 1992: 120-21). El agente de esa fusión de tiempos y espacios no puede ser sino el que los ha atravesado todos, el grupo guerrillero. Mucho más expedición naturalista que foco guevarista, el núcleo del EGP narrado por Payeras reinscribe una vez más la trama del viaje colonial y su toma de posesión del espacio atravesado, como recurso visual y narrativo, como lugares de asentamiento y colonización futuros. En su afán por moldear el ambiente a las pautas genéricas del viaje selvático donde éste figura como «el fuera-de-lugar [...] desde el cual, literalmente, comienza a escribirse la utopía guerrillera», el narrador omite, además, «que las comunidades dispersas del desierto verde del Ixcán, en contacto unas veces indiferente, otras hostil y otras solidario con la guerrilla, pertenecen a un amplio movimiento social de colonización de tierras y autogestión» (Duchesne Winter, 2010: 96). El ambiente y sus habitantes «primitivos» surgen en el relato de Payeras gracias a esa omisión deliberada de los procesos de colonización y ocupación de tierras, emprendida desde fines de la década del sesenta, en respuesta al avance de la frontera agraria y el destierro forzado en contextos de violencia estatal contrainsurgente. *Los días de la selva*, en cambio, reemplaza una vez más la historia por una pura «naturaleza» para que de ésta pueda surgir el héroe salvífico, la guerrilla, compenetrada por completo con su temporalidad fundacional y, por eso, preparada para dar el salto al futuro.

Esta construcción textual de una selva-naturaleza de alteridad radical no sólo reproduce en Payeras una topología de origen colonial, sino que también responde a la dinámica de un proyecto que es fundamentalmente de orden *inmunológico*, en cuanto la guerrilla, para enderezarse y tornarse una máquina de guerra eficaz, necesita inmiscuirse primero en el ambiente selvático para aumentar sus defensas en la confrontación con éste. Sin embargo, esta lógica de fortalecimiento del grupo también contradice y hasta socava el proyecto del EGP de construir una interlocución cultural y política con indígenas y campesinos, atrayéndolos a su causa, una vez que las necesidades inmunitarias del grupo impiden perpetuamente la comunidad. Ésta se da, en cambio, cuando estos propios grupos, expuestos a la violencia contrainsurgente del Estado, buscan cobijarse ellos mismos tras el escudo inmunitario de la guerrilla, poniendo en riesgo al dispositivo: «A los núcleos locales afluía multitud de campesinos, trayendo consigo sus apremios de siglos [...] Pero, al propagarse con rapidez, la organización había perdido en calidad» (Payeras, 1998: 121-122). Abrirse hacia las «bases campesinas» es poner en peligro el escudo inmunitario tan prolijamente construido; dilema al que el texto de Payeras responde cerrándose sobre sí mismo y evitando cuidadosamente cualquier apertura dialógica hacia ese nuevo sujeto social, casi siempre aludido por el relato en forma genérica y etnicizante: «Los campamentos tomaban por algunos días el aspecto de las animadas ferias de la región, poblándose de hombres que llegaban con el cotón de lana y la violineta a escuchar la palabra de la revolución» (Payeras, 1998: 117). El relato asume en estos pasajes, en los términos de J. P. Spicer Escalante (2011: 397-398), la perspectiva más de un «turista político» que de un «viajero guerrillero», al reinscribir un punto de vista etnográfico que procura solidarizarse con una otredad idealizada y simultáneamente mantenida a distancia, en lugar de la colectivización del sujeto de la acción y la transformación del ambiente-paisaje que confronta al protagonista solitario en escenario de experiencias colectivas.

La contracara de esa «literarización» del texto, que prefiere la imagen genérica a la apertura testimonial, es el «ensimismamiento narcisista» (Duchesne Winter, 2010: 108) de la guerrilla cada vez más inmersa en su propio afán inmunizador. En busca de autoperfeccionamiento, el grupo se repliega sobre sí mismo en un «aprendizaje» cuyo perfeccionismo no tarda en tornarse homicida. Para alcanzar su «madurez» la guerrilla debe también deshacerse de las semillas podridas, como cuando, en plena época de «inventos y cosechas», se decide fusilar a un combatiente «resentido» que «dudaba del apoyo popular» y se había convertido en «una fuente de desmoralización» (Payeras, 1998: 69). El relato casi sobreactúa el contraste entre el presunto idilio selvático y el sacrificio que debe realizar el grupo para deshacerse del elemento contagioso que amenaza con socavar esa «aclimatización», tan trabajosamente alcanzada:

> Lo fusilamos en abril, una mañana en que cantaban muchos pájaros. Era el grato ruido del mundo que el condenado dejaría de oír en poco tiempo. [...] En el momento supremo, muy pálido, desvió la mirada del pelotón de fusilamiento. Al volver a nuestros puestos, un silencio significativo se hizo en el campamento. La guerrilla había alcanzado la madurez. Probablemente, a partir de entonces, todos fuimos mejores (Payeras, 1998: 71).

Muchas lecturas del texto han querido ver en ese pasaje sobre todo un exceso monstruoso, la inscripción del rito purgatorial en una temporalidad germinal y cíclica con la que al mismo tiempo contrasta: los tiros, literalmente, entrecortan los ruidos primaverales del bosque. Desde la perspectiva de filiación literaria y política con la novela de la selva, sin embargo, la asociación entre violencia y naturaleza selvática había sido constante ya desde *La vorágine* y los cuentos misioneros de Quiroga: ahí, esa escalación violenta remitía a la tensión entre alianzas contrarias entre fuerzas «naturales» y humanas, de modo que su origen era atribuido alternadamente a la propia «naturaleza» y al sujeto urbano en su desafío de ésta. Si, entonces, el conflicto constitutivo de la novela de la selva surgía de la tensión irresuelta entre una violencia *de* la naturaleza y una violencia *contra* la naturaleza –entre *communitas* e *immunitas*–, en Payeras la violencia hacia el interior del grupo aparece como la última prueba de «asimilación al ambiente», lograda paradójicamente a través de un gesto inmunizador: la eliminación de la parte «contagiada» del cuerpo colectivo. La relación entre forma textual y dispositivo inmunológico es aquí exactamente la inversa a los *Pasajes* del Che: no es el potencial debilitador del ambiente local sobre la movilidad del foco el que debe ser contenido a través de un riguroso ascetismo descriptivo, sino que lo que debe ser expurgado para alcanzar la madurez es el elemento todavía no «ambientado», portador de resquicios citadinos, insuficientemente compenetrado con su entorno.

También en *La montaña es más que una inmensa estepa verde*, el testimonio de Omar Cabezas sobre la revolución sandinista, la selva figura como un ambiente liminal de transformación iniciática del joven activista estudiantil en guerrillero. Es ahí donde, gradualmente y con altibajos físicos y anímicos que son narrados cándidamente con altas dosis de humor, los jóvenes militantes de origen diverso se van fundiendo en una máquina de guerra, tras haber pasado por el dispositivo inmunizador del «entrenamiento». Pero en la obra del nicaragüense, el ambiente selvático no es, como en Payeras, un fin en sí mismo, un «estado natural» al que debe retornar la propia guerrilla en su proceso de implantación y germinación, antes de saltar a la acción imbuida de su poder farmacéutico. En Cabezas, la selva es un catalizador de transformaciones, incluso físicas: «se te fortalecen las piernas, aprendes a manejar el machete... y ya con el tiempo el pelo te va creciendo [...] el poco baño te curte la piel, luego han pasado períodos de períodos en que te desaparecen los rayones y vienen otros rayones y heridas hasta que las manos y los brazos empiezan a coger otro color» (Cabezas, 1982: 104). Pero éstas son sólo el signo exterior de algo que es antes una experiencia política que militar, antes afectiva que física: la emergencia del «hombre nuevo», quien redefine e intensifica su individualidad al entregarla sin reservas al colectivo. «La solidez de la Vanguardia del FSLN no es una palabra», afirma Cabezas:

> El Frente Sandinista de Liberación Nacional fue desarrollando con su práctica tanto en la montaña, en la ciudad, como en el campo, un temple de hierro, de acero, un contingente de hombres con una solidez granítica [...] Porque nosotros, como dicen los cristianos, nos negamos a nosotros ahí. [La] soledad nosotros la tradujimos en fraternidad entre nosotros mismos; nos tratábamos toscamente pero en el fondo nos amábamos con un amor profundo, con una gran ternura de hombres. [...] El hombre nuevo empieza a nacer con hongos, con los pies engusanados, el hombre nuevo empieza a nacer con soledad, el hombre nuevo empieza a nacer picado de zancudos, el hombre nuevo empieza a nacer hediondo. Esa es la parte de afuera, porque por dentro, a fuerza de golpes violentos todos los días, viene naciendo el hombre con la frescura de la montaña, un hombre, pareciera mentira, un tanto cándido, sin egoísmos... (Cabezas, 1982: 104-107).

La selva proporciona el cronotopo para la maduración del proyecto político individual, iniciado en el Frente Estudiantil, hacia una conciencia revolucionaria en acción y ese proceso de aprendizaje se reproduce a nivel del texto a través de una escritura que se transmuta constantemente en voz, en voz común. Es una lengua que –como reconocía uno de los primeros lectores del texto, Julio Cortázar– se forja en la interpelación dialógica creando, en palabras del argentino al amigo nicaragüense, «en el lector una inmediata relación de proximidad con vos en tanto autor y protagonista del relato. No hay barreras ni distancias, de entrada vos sos mi amigo y yo lo soy de vos, porque lo que me estás contando no solamente es una experiencia auténtica y profunda sino que me lo estás contando en un plano de contacto y de participación totales» (Cabezas, 1982: contratapa). Se sabe, por afirmaciones del propio Cabezas, que esa interpelación del lector como oyente-confidente –y por tanto, implícitamente, también como masculino: uno más de la comunidad de ternura homosocial que nació en la montaña[66]– era el efecto de un artificio complejo: se trata de la versión editada de un relato previamente grabado como discurso oral, en sesiones que Cabezas solía compartir con amigos-oyentes, con comida y vino de por medio. Al lector, en otras palabras, el texto le asigna el lugar previamente ocupado por el oyente-huésped, tal como la escritura recoge y re-produce la voz oral grabada: el texto recrea la situación –literalmente– *coloquial* en la que fue producido inicialmente e invita así a una lectura compartida, re-producida en voz alta o comentada y discutida entre amigos. Un lenguaje de la amistad que, como notara José Coronel Urtecho en ocasión de la publicación del libro en 1982, «conlleva el nacimiento literario, no de la lengua española sino de la lengua de la revolución nicaragüense» (citado en Narváez, 1982: 194).

Por otra parte, esa lengua de la revolución –que busca plasmar en la escritura, según Duchesne Winter (1992: 139), «una lengua coloquial-popular, magnetizada, por así decir, por el conjunto de percepciones y valores de una cultura nicaragüense en transición hacia una *hegemonía* popular»– se parece asombrosamente a la lengua extática con la que soñaban los héroes de la novela de la selva. Es el artificio devuelto a su origen, la escritura que nunca deja de ser voz, como la música selvática en *Los pasos perdidos* que brotaba del cuerpo del shamán. Voz y letra pueden fundirse, sugiere Cabezas, en cuanto enlazadas en la misma cadena de acción política: en cuanto autores y lectores, oyentes y testimoniantes participen de un mismo devenir revolucionario –y el texto no es sino la reactualización performativa de esa comunidad de un tiempo militante.

[66] Sobre la dimension homosocial de la comunidad iniciática guerrillera y las tensiones entre transformación y reinscripción de una masculinidad patricarcal, en la experiencia de la lucha y su narración por Cabezas, véase Orr, 2009.

Se trata de una voz escritural encargada de producir experiencia histórica compartida: por eso el texto culmina no con la entrada triunfal en Managua sino, en cambio, con la escena del encuentro con un viejo campesino, Don Leandro, quien había sido compañero de armas de Sandino y en cuyo relato Cabezas reconoce el sentido histórico de su propia acción. Ahí dice:

> cuando yo encuentro a ese hombre y me dice todo eso yo me siento hijo de él, me siento hijo del sandinismo, siento que soy hijo de la historia, comprendo mi propio pasado, me ubico, tengo patria, reconozco mi identidad histórica con aquello que me decía don Leandro. [...] Y abracé a don Leandro con un escalofrío de gozo y de emoción, sentí que estaba parado sobre la tierra, que no estaba en el aire, que no era hijo sólo de una teoría elaborada, sino que estaba pisando sobre lo concreto, me dio raíz en la tierra, me fijó al suelo, a la historia. Me sentí imbatible (Cabezas, 1982: 252-253).

El texto cierra así con una imagen de sí mismo –de su génesis textual– narrando lo que, a partir de ahí, definirá su propio procedimiento testimonial y político: pasar del habla y de la escucha al abrazo, del reconocimiento a la identidad. Es ahí, dice Cabezas, escuchando los relatos de don Leandro sobre el general Sandino, que le vinieron «ganas de tener una grabadora en ese momento» (Cabezas, 1982: 249). ¿Cómo mantener presente la voz del viejo guerrillero y dejar que sigan repercutando sus palabras? Traspaso de una experiencia que al mismo tiempo marca, en el propio texto, el paso de la acción al relato. Con ese momento de fusión al que aspira (sin poder alcanzarlo) también el de Payeras, el texto ya puede dar por cumplida su misión: el establecimiento de una comunidad histórica que *realiza* el tiempo de la revolución aun antes de la victoria militar. El encuentro con don Leandro también es un cuento de origen de la propia textualidad, como antes lo había sido el encuentro iniciático con el viejo revolucionario al final de *Diarios de motocicleta* o, más adelante, lo será el del subcomandante Marcos con el viejo Antonio en la selva lacandona. A partir de ahí, la voz-escritura del testimoniante se sabe anclada en la renovación del lazo narrativo que produce una continuidad experiencial y política entre las luchas del pasado y las del presente, arraigándolas en el suelo común de un mismo devenir.

En lo que podríamos llamar el mapeamiento biopolítico de América por parte de las series narrativas de la novela de la selva y del testimonio guerrillero, la selva representaba, en palabras de Aínsa (1977: 269), «el punto más lejano al que se puede *retroceder* alejándose del límite de la circunferencia constituido por las grandes ciudades. El centro del continente supone la máxima distancia a la que se puede *ir-hacia*, porque a partir de él, ya se empieza a "salir" en otra dirección». La selva es el punto donde el movimiento «hacia adentro» se convierte en otro «hacia afuera», movimientos que corresponden a diferentes políticas del espacio en relación a la conflictiva inscripción de América Latina en una modernidad colonial y extractiva. La selva es una zona de inversión, transformación y borradura porque remite a la indiferenciación de lo viviente, a una zona donde van colapsando los límites de especie, género, raza: donde la alianza inmunitaria cede ante la *communitas* selvática. Pero es, también, como descubren los relatos guerrilleros de la segunda mitad del siglo XX, «más que una inmensa estepa verde»: es el origen mismo de la lengua de la revolución. Origen que, como vimos en Cabezas, puede darse al coincidir en un mismo devenir revolucionario la voz memorial del campesino y la escritura histórica del ciudadano-combatiente; pero también, como en el Che y en Payeras, puede surgir en el silencio fundacional de un nuevo dispositivo inmunitario: el núcleo guerrillero en cuanto gérmen/colmena inicial de la nueva nación, del «hombre nuevo». Las metáforas orgánicas, inspiradas tal vez en la formación epidemiológica del propio Guevara, también siguen dialogando (incluso de manera explícita, como en el libro de Payeras) con la serie liberal anterior, la novela de la selva, cuyos héroes ya buscaban un punto cero de indeterminación y autopoiesis radical en el corazón de América. Sin embargo, ese relato iniciático y las prácticas político-militares que movilizaba por más de tres décadas, también tuvo que borrar de escena las múltiples luchas campesinas, obreras, estudiantiles, femeninas e indígenas cuyos aportes a la revolución quedan excluidos casi por completo de los relatos de Guevara y Payeras. En el borde selvático, la guerrilla pretendía inmunizarse antes que nada contra la historia, para poder reiniciarla desde un tiempo cero. Pero ahí donde la novelística anterior, en su postura irónica e inauténtica, había escenificado la tensión irresoluble entre el proyecto inmunizador en que se reconocía envuelta y la mutabilidad de las fuerzas vivas que lo terminan por socavar, la guerrilla, paradójicamente, se cree llamada a realizar por fin la utopía inmunitaria de la modernidad. O, al menos, ésa es la tensión que su relato, en sus múltiples variaciones, no consigue resolver: oscila entre «pararse en la tierra» como Cabezas frente a don Leandro y «estar en el aire», inmunizarse contra la naturaleza y la historia. Volverse «hombre nuevo» no es, en ese último sentido, sino realizar por fin la utopía inmunitaria de la modernidad: el hombre nuevo es también el último humanista.

El giro ambiental: del marco al medio

> *Parangolé* es la formulación definitiva de lo que sería el antiarte ambiental, justmente porque en estas obras se me dio la oportunidad, la idea, de fundir el color, las estructuras, el sentido poético, la danza, la palabra, la fotografía [...] *Parangolé* es antiarte por excelencia; intento, incluso, extender el sentido de «apropiación» a las cosas del mundo con las que me encuentro por la calle, terrenos baldíos, campos, el mundo-ambiente, en fin, cosas que no se podrían transportar sino que llamaría al público a participar de ellas. Será un golpe fatal al concepto de museo, galería de arte, etc., y al propio concepto de «exposición» [...] El museo es el mundo; es la experiencia cotidiana...[67].
>
> Hélio Oiticica, «Programa ambiental» (1966)

Historia de la Física (1982) de Eugenio Dittborn, acción-performance y video editado de la misma en alternación con fragmentos de imágenes públicas e íntimas (un combate de boxeo, una prueba de natación, el parto de la mujer del artista con su primer hijo), muestra a Dittborn volcando un bidón con 350 litros de aceite de motor usado sobre la arena del desierto en la región de Tarapacá al norte de Chile. Enseguida, el artista trata de extender la mancha con sus propias manos, pero la espesura del material y la poca receptividad de la superficie árida se resisten a su voluntad

[67] «*Parangolé* é a formulação definitiva do que seja a antiarte ambiental, justamente porque nessas obras foi-me dada oportunidade, a idéia de fundir cor, estruturas, sentido poético, dança, palavra, fotografia [...] *Parangolé* é a antiarte por excelência; inclusive pretendo extender o sentido de "apropriação" às coisas do mundo com que deparo nas ruas, terrenos baldios, campos, o mundo ambiente, emfim – coisas que não seriam transportáveis, mas para as quais eu chamaria o público à participação – seria isto um golpe fatal ao conceito de museu, galeria de arte etc., e ao próprio conceito de "exposição" [...] Museu é o mundo; é a experiência cotidiana...».

formativa: el derrame no termina de volverse pintura, la materialidad espesa resiste a la acción. En su referencia irónica, entre otros, al derrame vertical de la pintura de Jackson Pollock y a la serie de *Pours* (Derrames) de Robert Smithson (1969), *Historia de la Física* pone en escena la grieta que se abre en las últimas décadas del siglo XX entre, por un lado, los géneros y técnicas representacionales dedicados a la captura y objetivación del medio en forma de paisaje y, por el otro, su materialidad, espesor y duración que dejan de entregarse pasivamente a la voluntad del artista. Aún el *action painting* y el *land art* son así sometidos a una alusión irónica a su respectivo andamiaje, construido sobre una estética subjetivista centrada en la voluntad creadora del individuo demiúrgico: figura de autor que es, paradójicamente, reinscrita aquí por el montaje de fragmentos que remiten a la soberanía cognitiva (e incluso, a la potencia germinativa) del artista-creador, al mismo tiempo que es expuesta en su carácter fugaz ante la indiferencia de los elementos materiales. Al trasladarse al soporte del video, la acción se entrega una vez más a la soberanía de la imagen, pero sólo para devolver al espectador la incapacidad de esta imagen de, literalmente, sobreponerse al ambiente: en un extraño efecto de alternación visual y kinética, *Historia de la Física* nos devuelve una y otra vez del marco al medio, del aparato de captura y su voluntad formativa a la espesa e informe materialidad de los elementos arena y aceite.

En los capítulos anteriores nos hemos valido tácitamente de lo que Stephen Kern, en un trabajo ya clásico sobre «la cultura de tiempo y espacio» entre finales del siglo XIX y la Primera Guerra Mundial, proponía como herramientas pragmáticas de «distancia conceptual» (Kern, 2003: 7). Al contraponer los conceptos de tiempo y espacio que se manejaban en el ámbito de la arquitectura a los de la filosofía o de las artes plásticas, sugería Kern, se torna posible echar luz sobre la «cultura» de tales conceptos; sus valencias e interdependencias difusas, extendidas, más allá de tal o cual campo discreto de saber y expresión. Así, también, en lo que va de este trabajo, nos hemos desplazado entre regímenes expresivos de ambiente y paisaje en diversos lenguajes estéticos que iban de la arquitectura y el arte de los jardines a la poesía, la novela, el testimonio y el dibujo de los dos primeros tercios del siglo XX. Implícitamente, la idea de un determinado régimen del paisaje que, en un lapso histórico particular o atravesando una serie genérica de transformaciones, haya suscrito o sobrevolado esas manifestaciones individuales, estaba fundada precisamente en la posibilidad de distinguir entre tales lenguajes. Tender puentes analíticos entre un poema y un dibujo se volvía posible, en otras palabras, gracias a la distinción nítida que ambas formas de creación mantenían una respecto de la otra. En cambio, uno de los rasgos más destacados de la producción estética de las últimas décadas del siglo –partiendo particularmente de las artes plásticas pero de ninguna manera restringido a éstas– será la no-especificidad del acto creativo: la transversalidad que en los capítulos previos habíamos procurado forjar como gesto analítico, ahora se da a partir del material mismo, y se da precisamente en la confluencia en un mismo nivel espacio-temporal de «actos» que se desprenden de su proveniencia plástica, poética, escultural o fotográfica en la medida en que van coincidiendo en un único plano-acción.

En la crítica de arte, las nociones del campo expandido de Rosalind Krauss (1979) y de la exterioridad social como soporte de Nelly Richard (1986) –además del concepto de lo postmoderno sugerido ya en 1966 por Mário Pedrosa en un ensayo sobre Hélio Oiticica y el arte ambiental– intentaron dar cuenta desde temprano de estas nuevas formas de *inespecificidad* de géneros y medios. Como Pedrosa, Krauss también cita un trabajo de Oiticica (la instalación-ambiente *Tropicália* de 1967), además de obras de Mary Miss, Michael Heizer y Richard Serra, como evidencia de que, en la producción contemporánea, el concepto de escultura habría sido diluido al punto de volverse inoperante. Para Krauss, este proceso era apenas la conclusión lógica de la emancipación moderna del género de su antigua función monumental y, así, de su relación singular y crítica con el lugar de asiento, articulada a través del pedestal que, a partir de Rodin y culminando en Brancusi, fue interiorizado por la obra misma que construía ahí su autonomía como «condición negativa del monumento» (Krauss, 1996: 65)[68]. La abstracción habría sido así consecuencia y respuesta formal a esta pérdida o renuncia al lugar y a la inscripción local de significados, renuncia que dio por resultado un repliegue hacia búsquedas puramente formales, ancladas en una doble negatividad: la escultura como práctica material en el espacio que no era ni arquitectura ni paisaje. Ahora bien, propone Krauss, recorriendo a un cuadro kleiniano que combina los cuatro términos enunciados por esta doble negación (paisaje/no-paisaje, arquitectura/no-arquitectura), lo que habría des-plegado este repliegue modernista –tal y como lo evidenciaba la producción más reciente del *land art* o del arte kinético– era en realidad un «campo abierto» considerablemente más vasto de combinaciones conceptuales: «El campo expandido se genera [...] problematizando la serie de oposiciones entre las que está suspendida la categoría modernista de *escultura* [...] ya no es término medio privilegiado entre dos cosas en las que no consiste, sino que más bien *escultura* no es más que un término en la periferia de un campo en el que hay otras posibilidades estructuradas de una manera diferente» (Krauss, 1996: 68). Entre éstas, Krauss menciona a las «construcciones de sitios» (que combinan arquitectura y paisaje, como el «cobertizo parcialmente enterrado» de Robert Smithson en Kent State University), los «sitios marcados» como *Spiral Jetty* o como *Double Negative*, de Heizer, surgidos

[68] Hélio Oiticica, en un breve texto fechado el 3 de junio de 1962, también veía en la relación entre escultura y pedestal –a la que correspondería, en pintura, la del cuadro con el marco– la clave para pensar la vocación de autonomía de la obra de arte moderna; problema que lo llevaba a reflexionar sobre la localización en el ambiente del «penetrable», forma que, como veremos, no sólo tratará de invertir esa condición monádica al abrirse a la inmersión corporal del espectador-participante, sino que tratará precisamente de cancelar ese límite ético e institucional materializado en el marco y el pedestal: «Un escultor, p. ej., tiende a aislar su obra en un *socle*, no por razones simplemente prácticas sino por el propio sentido del espacio de su obra; ahí hay una necesidad de aislarla. En el "penetrable", el espacio ambiental lo penetra y envuelve al mismo tiempo. Pero, fuera de ahí, ¿donde ubicar al "penetrable"?» (Oiticica, 1986: 43).

de «la combinación de paisaje y no-paisaje» (Krauss, 1996: 70) o las «estructuras axiomáticas» (Sol LeWitt, Bruce Nauman, Richard Serra) surgidas de la yuxtaposición de arquitectura y no-arquitectura. La proliferación de categorías revela el afán de Krauss por reordenar y estructurar ese campo experimental abierto por las propuestas postmodernas (y así, de paso, reinscribir nuevamente a un tipo legítimo de escultura como la obra de Joel Shapiro). Pero su campo expandido depende, paradójicamente, de la estabilidad de las mismas categorías que las obras que comenta parecen más bien cuestionar desde su posición extraterritorial: paisaje y arquitectura. Porque, si en algo parecen coincidir las cuatro posiciones del campo expandido es precisamente en su exterioridad respecto del campo restringido cuya culminación y apogeo habría sido la modernidad. Por lo tanto, distinguir categorialmente entre estructuras axiomáticas y construcciones de sitios ya sólo sería posible al relacionarlas nuevamente con el campo de oposiciones que habrían dejado atrás –precisamente lo que Krauss le había reprochado a la crítica de arte en su afán por vincular nuevamente las rupturas contemporáneas con sus supuestos antecedentes en el archivo moderno o clásico de la disciplina, y así «disminuir la novedad y disminuir la diferencia» (Krauss, 1996: 60).

Es ahí donde la noción de exterioridad social planteada por Richard en su ensayo fundacional sobre la escena avanzada de postgolpe en Chile da un paso más allá, al enfocar ya no sólo la relación de negatividad y ruptura de las nuevas formas expresivas respecto de las tradiciones genéricas y disciplinarias del alto modernismo, sino el modo en que, a través de «la inscripción del gesto del artista en la materialidad viva del cuerpo o del paisaje» un nuevo tipo de arte-situación estaría configurándose estética y políticamente «como práctica de la disensión» (Richard, 1986: 120). En paralelo a distintas modalidades de incorporación (de «la biografía como soporte de la producción de la obra» así como del «dolor voluntario [como] sanción legitimante de su asimilación a la comunidad de los dañados») (Richard, 1986: 142), el salto «del formato-cuadro (la tradición pictórica) al soporte-paisaje (la materialidad del cuerpo social como soporte de la productividad artística)» (Richard, 1986: 137) no caracteriza meramente una operación formal o conceptual restringida al campo de la plástica. Más bien, intenta dar cuenta de una forma de desborde del propio espacio-tiempo institucional del arte, del cual la desarticulación del cuadro y la escultura son sólo un aspecto. Al mismo tiempo, éstos remiten al proceso mayor desencadenado por el terror militar y su destrucción de los marcos sociales y lenguajes simbólicos del arte: la desobjetivación de las obras en «la nueva temporalidad móvil de un arte-situación que reprocesa sustratos de experiencias vivas» (Richard, 1986: 137). Como resultado, aquello que, como «exterioridad social», habría funcionado hasta entonces como borde discreto del espacio de autonomía institucional del arte, así como de «objeto» o base material de representación/transfiguración estética en el cuerpo de la obra, ahora pasa a proveer la propia dimensión espacio-temporal donde esta obra se realiza, su «soporte», con la consecuencia de que la propia noción de «obra» se colectiviza en su necesario involucramiento con coautorías participantes. El público, en este nuevo tipo de acción-proposición artística, «ya no es solicitado como espectador de imágenes, sino como operador de arte, puesto que él mismo se encuentra corporalmente involucrado en la materialidad de una obra viva que lo hace parte de su transcurso intercomunicativo» (Richard, 1986: 137).

Superación/expansión de la negatividad modernista hacia nuevas formas transgenéricas y mediales de proposicionalidad abierta: es ahí donde coinciden las reflexiones de Krauss y Richard, a pesar de sus diferencias estéticas y políticas. Diferencias que, por otra parte, apenas remiten a las modulaciones particulares que adquiere en distintas locaciones geopolíticas el proceso al que responden las búsquedas postmodernas y que, visto desde hoy, no vacilamos en identificar como globalización neoliberal[69]. Kynaston McShine, en

[69] Es cierto que Richard, ya desde ese verdadero texto fundacional de un nuevo lenguaje crítico que era *Márgenes e institución*, advertía sobre los riesgos implicados en la

su contribución al catálogo de la muestra *Information* en el MoMA (con participación de Smithson, Oiticica, Carl André, Richard Long y Lucy Lippard, entre otros), ya había advertido en 1970 sobre esta condición compartida entre Norte y Sur:

> Si usted es artista en Brasil, conoce al menos un amigo que está siendo torturado; si es artista en la Argentina, probablemente tenga un vecino preso por tener el pelo largo o por no estar «vestido» correctamente; y si usted vive en los Estados Unidos, teme ser baleado en la universidad, o en su cama, o más formalmente en Indochina. Puede parecer muy inapropiado, o hasta absurdo, levantarse por la mañana, entrar en una sala y aplicar a un lienzo cuadrado pinceladas de tinturas que salen de un pequeño tubo. ¿Qué puede hacer usted, como artista joven, que le parezca relevante o significativo? [...] Una alternativa ha sido extender la idea del arte, renovar su definición, y pensar más allá de las categorías tradicionales –pintura, escultura, diseño, grabado, fotografía, teatro, música, danza o poesía (McShine, citado en Braga, 2013: 162).

Como notaba McShine, esa «extensión de la idea del arte» hacia zonas sociales previamente exteriores a sus dominios –aquello que Pedrosa, en su texto de 1966 había sugerido llamar arte ambiental– remite a múltiples formas de convergencia, en un campo expandido que se resiste al ordenamiento categorial kraussiano, de acciones de arte. Los elementos de proveniencia plástica, teatral, poética o escultural se vuelven ahí deliberadamente inespecíficos en la medida en que se tornan estimulantes/herramientas de vivencias, de actos o acontecimientos abiertos que muchas veces bordean la sesión terapéutica (como los *Ninhos* [nidos] instalados por Oiticica en la Universidad de Sussex en 1969 o las *Relaxations* coordinadas por Lygia Clark en la Sorbonne en los setenta) o la

«traducción» de los trabajos de la «escena de avanzada» chilena al horizonte internacional del «arte postmoderno», traducción que habitualmente privilegiaba las corresponencias formales o materiales sobre las operaciones de reelaboración crítica del entramado discursivo y mediático en que estas obras-situaciones se habían propuesto intervenir (Richard, 1986: 151-152); crítica que Richard luego elaboraría en *La estratificación de los márgenes* (1989).

manifestación política (como las acciones-*happenings Apocalipopótese* y *Tucumán Arde*, ambas de 1968). Ese giro ambiental, en palabras de Pedrosa, anunciaba un nuevo ciclo «que no es más puramente artístico, sino cultural» (Pedrosa, 1966: 205) ya que en sus manifestaciones «nada está aislado. Ya no hay una obra que pueda apreciarse en sí misma, como un cuadro. Predomina el conjunto perceptivo sensorial» (Pedrosa, 1966: 207).

En la relación entre práctica artística y entorno, pasamos entonces de una reelaboración crítica de la forma paisaje como índice de las luchas políticas y simbólicas por la tierra –serie en la que estarían inscritos, como sugieren Oriana Baddeley y Valerie Fraser (1989: 11), los escenarios de la sequía de Portinari y Berni, los convulsionados paisajes andinos de Guayasamín, o los bosques amazónicos arrasados de José Antônio da Silva– a la intervención *in situ*. En ese salto del paisaje al ambiente, la obra viene a realizarse ya no en forma de captura y recreación en la materialidad y según los protocolos formales de la pintura, de un lugar-objeto externo al procedimiento artístico. Ya no se trata aquí de lo que el filósofo E. S. Casey ha llamado re-emplazamiento (*re-implacement*): de la «sublimación del lugar mismo» al «encontrar otro lugar en el cuadro que lo representa» (Casey, 2002: 19, 50). En cambio, se trata ahora de una co-incidencia entre una práctica experimental/proposicional y el lugar que esta práctica co-funda ya no como objeto inerte sino como «situación» móvil y abierta; como espacio-tiempo ensamblado entre las agencialidades del artista-propositor, del público interpelado en cuanto operadores-participantes y de las materialidades objetuales y corporales que convergen y vibran allí. Del paisaje al ambiente, ese giro propone reenfocar el impulso creativo hacia la noción de «lugar» que Doreen Massey asocia con «la negociación de un aquí y ahora»: «una negociación que debe acontecer entre lo humano y lo no-humano [...] *el evento del lugar* [es] una constelación de procesos, antes que una cosa» (Massey, 2005: 140-41; itálicas mías).

Mundo-abrigo: Hélio Oiticica, de Mangueira a Cajú

A principios de 1961, Hélio Oiticica elabora el primero de sus «projetos», conjuntos de penetrables «realizados en maqueta para ser construidos al aire libre [...] accesibles al público en forma de jardines» (Oiticica, 1986: 53). El *Projeto Cães de Caça* (lámina 7) consiste en cinco penetrables que, radicalizando la espacialización del color iniciada en la década anterior con las series de *metaesquemas, invenções, bilaterais, relevos espaciais* y, finalmente, con los *núcleos*, permitirían una experiencia itinerante y kinética del color a través del paseo por «una estructura polimorfa de placas que se suceden en el espacio y en el tiempo para formar laberintos» (Oiticica, 1986: 35-36). El sentido laberíntico del conjunto habría de virtualizarse paulatinamente al avanzar el visitante hacia su interior a través de una serie de placas rodantes, mientras podía interactuar (o decidir no hacerlo) con propuestas poético-objetuales que encontraba a su paso, como el «Poema enterrado» de Ferreira Gullar y el «Teatro Integral» de Reynaldo Jardim. Conjunto de experiencias-vivencias sensoriales, según Hélio, «el proyecto tomó la forma de un gran laberinto» al mismo tiempo que presentaba al artista un desafío formal y conceptual en cuanto a su emplazamiento, su relación con el entorno:

> El problema de la relación con la naturaleza, ya que el proyecto está construido dentro de ésta, se resolvió por la disolución lenta del elemento natural, arena cepillada, en la medida en que se está entrando al núcleo. El pasaje, que no podía ser brusco, es ahí mediado por las veredas de mármol blanco que sirven como entradas al gran laberinto. La arena es el elemento natrural, el mármol es un intermediario entre la naturaleza y la materia elaborada, y la mampostería (con o sin colores) es lo elaborado. Conviene recordar que no hay plantas en la arena, sólo está cepillada con rastrillo y mezclada con diferentes piedritas para darle una cierta coloración... (Oiticica, 1986: 36)[70].

[70] «O problema da realação com a natureza, já que o projeto nela é construído, foi resolvido pelo lento desgarramento do elemento natural, areia penteada, à medida que se

Cães de caça propone así, en la construcción de un laberinto-umbral que no es a fin de cuentas sino esa gradación de elementos que median entre interior y exterior, a la vez que lo imbrican al uno en el otro: un modo de experimentar tangible, kinéticamente, el gesto de apertura del que la propia obra surgía. Porque naturaleza («nela é construído») remite aquí no sólo al marco exterior orgánico, sino más bien a la textura de lo cotidiano en la que interviene el hecho estético, pero no en cuanto des-marca ahí una zona de autonomía sino, por el contrario, como un proceso transformador que parte de ese mismo entorno a la vez que se proyecta hacia él. Es así como el umbral –el pasaje de la naturaleza al laberinto de la experiencia estética– deviene el problema formal y conceptual más importante. Oiticica se anticipa a la pregunta formulada por Pedrosa en su texto de 1966: si la plástica ha dejado de restringirse a «lo puramente artístico» y se ha abierto, en cambio, hacia «lo cultural» en una extensión más amplia, ¿qué acontece en ese límite devenido umbral, y cómo se replantean desde ahí los sentidos y funciones del arte? En un texto bosquejado un año después de la presentación del *Projeto Cães de Caça*, Hélio vuelve sobre «el problema del espacio-soporte de la expresión», dimensión que ahora comprende «no sólo el soporte físico (mural, lienzo, etc.) sino esencialmente el soporte-expresión, elemento intrínseco entre espacio y estructura» y que, por ende, la obra debe convidar a título de co-actante en lugar de asentarse sobre él en tanto materialidad inerte. La cuestión, concluye, pasa a ser la de la «transformación y absorción del soporte» (Oiticica, 1986: 38). *Projeto Cães de Caça* resuelve el problema en forma de una gradual retirada de lo «natural», efectivamente «absorbiéndolo» en el puro juego de la forma, primero a través la ausencia de plantas y, luego, de la eliminación

---

penetra o núcleo. A passagem, que não poderia ser brusca, é intermediada pelas calçadas de mármore branco que servem como entradas ao grande laberinto. A areia é o lemento da natureza, o mármore um intermediário entre a natureza e o elaborado, e a alvenaria (com ou sem cor) o já elaborado. Convém lembrar que não há plantas na areia, apenas será a mesma penteada com acinho e misturada com diferentes pedrinhas, dando-lhe assim uma certa coloração...».

de la arena y la transición al suelo pavimentado. El jardín-laberinto se vuelve así escenario del mismo proceso de invención –experimentado performática y singularmente por cada visitante en su recorrido– que va de la «naturaleza» a la forma[71]. La «obra» es así una producción de conocimiento en la que colaboran «artista» y «espectador-participante», que va de lo objetual a la exploración de sus potencias: «la obra [...] ya no es el objeto en lo que éste tenía de conocido, sino una relación que transforma aquello que era conocido en un conocimiento nuevo, podría decirse un lado desconocido, que es el resto que permanece abierto a la imaginación» (Oiticica, 1986: 66)[72].

Concebido en el momento en que se disolvía el grupo neoconcreto –fundado apenas dos años antes–, *Cães de Caça* se mantiene no obstante fiel al desafío lanzado en su manifiesto de 1959: «De nada nos servirá el haber visto en Mondrian el destructor de la superficie, si no nos lanzamos al nuevo espacio que esa destrucción ha construido» (*Manifesto Neoconcreto*, Río de Janeiro, marzo de 1959; citado en Brito, 1985: 12)[73]. Si otros miembros del grupo como Lygia Clark, Lygia Pape y Ferreira Gullar habían comenzado a explorar la relación entre abstracción geométrica y expresividad, oponiéndose al mecanicismo atribuido al grupo concreto paulista, y la liberación de las formas plásticas del cuadro-tela para extenderlas al espacio real –«o fundo é o mundo», el fondo es el mundo, según la frase antológica de Ferreira Gullar (1985: 38)–, el «giro ambiental» que acontece en la obra de Oiticica a partir de su

[71] En una entrevista con ocasión de la presentación de *Cães de Caça* en el MAM-Río en noviembre de 1961, Oiticica incorpora ese movimiento en su caracterización de la obra, empezando a definirla como «jardin» para luego paulatinamente correr esa primera definición hacia el término del laberinto. «Esse projeto seria algo como um jardim, aberto ao público, em uma cidade qualquer», comienza a decir, para inmediatamente corregirse y precisar que «não se trata de um jardim habitual» y enseguida: «Trata-se de um grande labirinto» (Oiticica Filho, 2010: 28-29).

[72] «a obra [...] já não é o objeto no que possuia de conhecido, mais uma relação que torna o que era conhecido num novo conhecimento, um lado poder-se ia dizer desconhecido, que é o resto que permanece aberto à imaginação...».

[73] «De nada nos servirá ver em Mondrian o destrutor da superfície, do plano e da linha, se não atentamos para o novo espaço que essa destruição construiu».

convivencia en 1964 con los moradores de la favela Mangueira agrega a estas búsquedas la experiencia vital «de desintelectualización, de desinhibición intelectual» (Oiticica, 1986: 72). Es entonces cuando el cuerpo todavía abstracto y virtual proyectado como modalidad kinética-participante de los *bilaterais*, *relevos espaciais* y *núcleos* de finales de la década del cincuenta y pricipios de los sesenta se va transformando en el cuerpo concreto y coactivo del bailarín portador del *parangolé*. La irrupción de ese cuerpo se produce en el famoso *happening* de la inauguración en 1965 de la muestra *Opinião 65* en el Museu de Arte Moderna de Rio, cuando al grupo de sambistas que acompañan al artista vistiendo capas-*parangolé* se les niega el acceso a la muestra y deciden llevar su celebración a los jardines, acompañados por gran parte del público. Del modo más literal posible, la obra celebraba ahí su éxodo del museo y de una institución artística ya incapaz de contener sus elecciones formales y políticas. La misma mutabilidad también se extiende al ambiente material, gracias al acto estético encarnado –la danza– que se descubre en el cuerpo individuado, social, portador de vivencias, y que lleva a la invención de la capa-*parangolé* como modalidad de «absorpción transformativa» de ese cuerpo-soporte: la danza, escribe Oiticica, «por otro lado, [...] me reveló aquello que llamo el "estar" de las cosas, o sea, la expresión extática de los objetos, su inmanencia expresiva» (Oiticica, 1986: 75)[74].

Cães de Caça –proyecto cuyo nombre se inspira en una nebulosa estelar, una constelación– marca así un primer momento de síntesis y confluencia, a nivel tanto del objeto-proyecto (o *probjeto*, palabra que Hélio adopta de Rogério Duarte) como de los escritos que retoman los «hilos sueltos» surgidos de la puesta experimental, no para hilvanar sino más bien para extender y multiplicarlos: «*los hilos sueltos de lo experimental* son energías que brotan hacia un número abierto de posibilidades», escribe Oiticica diez años después en «Experimentar o experimental», «en el Brasil hay hilos sueltos

[74] «de outro lado [...] revelou-me o que chamo de "estar" das coisas, ou seja, a expressão estática dos objetos, sua imanência expressiva».

en un campo de posibilidades: ¿por qué no explorarlos?» (Oiticica, 1972: 5)[75]. La síntesis, en Oiticica, no representa entonces un punto de llegada, de reunión y puesta en orden de las partes, sino más bien, como sugiere Paula Braga (2013: 89), una superación de las realizaciones individuales, un plano común que permite que surjan nuevas y más complejas preguntas. Con *Cães de Caça*, es así como se va abriendo un ciclo que tendrá en *Tropicália*, «manifestación ambiental» de 1967, su próxima estación[76], aunque también mira hacia los *Subterranean Tropicália Projects* del exilio neoyorquino de los años setenta y hacia el *Ready Constructible* y los «acontecimientos poético-urbanos» realizados tras el regreso a Río de Janeiro, poco antes de la muerte del artista. En esta serie de reformulaciones podemos distinguir dos modalidades: Paola Berenstein Jacques (2003: 111) habla de la «creación de ambientes», por un lado, y de su «manifestación» o «hallazgo» (*achado*), por el otro. La primera de éstas propone ambientaciones/escenarios para vivencias del acontecimiento estético, desde los núcleos y penetrables que buscan plasmar espacialmente los valores plásticos de color y volumen, al laberinto tropicalista y los habitáculos experimentales de los *ninhos* y *babylonests* o a la «carpa Caetano-Gil» de la gran muestra en el Whitechapel, ambientes íntimos donde explorar el *sensorium* corporal individual o colectivo[77]. También

[75] «*os fios soltos do experimental* são energias que brotam para um número aberto de possibilidades [...] no brasil há fios soltos num campo de possibilidades: porque não explorá-los».

[76] «When I invented, in the summer of 1966-67 (Brazilian summer) the concept of Tropicália (the word-concept) –escribe Hélio en un texto en inglés preparado para la muestra en el Whitechapel en 1969–. I couldn't imagine its complete spread-out, although I meant with it, implicitly, what it came out to be: the definition of a new way of feeling in general cultural panorama, or the synthesis of an [sic.] specific cultural view, of different fields of art forms in their manifestation, interrelated in their specific goals: theatre, pop music, cinema, besides the plastic arts in all their avant/garde experiences in Brazil (mainly Rio and S. Paulo), suddenly found in the Tropicália concept an identification in their aims» (Oiticica, 1969a: 1). Sobre Tropicália como síntesis, véase también Venancio Filho, 2007.

[77] Durante la instalación de los «ninhos» en el MoMA como parte de la muestra *Information* en 1970, cuenta Oiticica, «llevaron a Harry [por Nelson] Rockefeller para ver los *Nidos*. Justo cuando lo abrieron, había una pareja tirando ahí dentro. Eso fue lo

los *bólides*: receptáculos o vasos para abrigar el color *incorporado* en la materialidad líquida o arenosa de sustancias que requieren la experiencia háptica además de la visual, por tanto muchas veces son manipulables por el espectador a través de ventanas, cajones y bolsas.

Si estas manifestaciones ambientales tienden por lo tanto hacia la arquitectura, la construcción de un «interior» de propiedades laberínticas, una segunda serie (que Oiticica conceptualiza en varias ocasiones con las categorías de parangolé encontrado o de apropiación ambiental) se enfoca más bien en la textura del mundo cotidiano. Ahí, a la manera de la deriva situacionista o de lo que Oiticica llamará, a su regreso a Río hacia finales de los setenta, el «delirium ambulatorium»: el caminante se topa con objetos-propuestas sin haberlos buscado, como la lata-fuego, bólide improvisado con kerosén y viejas latas de aceite para proveer de luz a los barrios humildes. «*Se encuentran "cosas"* que se ven todos los días pero que jamás pensábamos ir a buscar. Es la búsqueda de uno mismo en la cosa –una especie de comunión con el ambiente» (Oiticica, 1986: 80)[78]. Así, en la continuidad espacio-temporal de la ciudad se van abriendo claros, momentos y situaciones «parangolé»: la ciudad, sobre todo en sus márgenes y zonas en desuso, se vuelve «reserva de arte, potencial artístico que solamente el artista puede tornar visible», como afirma Berenstein Jacques (2003: 12). En palabras de Hélio:

> En la arquitectura de la «favela», p. ej. hay unas características implícitas del *Parangolé,* tales como la organicidad estructural entre los elementos que lo constituyen y la circulación interna y el desmembramiento externo de estas construcciones, [características que se extienden] a todos esos rincones y construcciones populares, generalmente improvisados, que vemos

---

máximo que yo había visto en cuanto a participación, y fue un escándalo. Nadie sabía qué hacer». J. Guinle Filho, «A última entrevista de Hélio Oiticica», citado en Braga, 2013: 193.

[78] «*Acham-se "coisas"* que se vêem todos os dias mas que jamais pensávamos *procurar*. É a procura de si mesma na *coisa* — uma espécie de comunhão com o ambiente».

todos los días. También ferias, casas de mendigos, la decoración popular de las fiestas juninas, religiosas, el carnaval, etc. Todas esas relaciones podrían llamarse «imaginativo-estructurales...» (Oiticica, 1986: 68)[79].

Tropicália, ambiente en el que Oiticica comenzó a trabajar en 1966 y que fue expuesto por primera vez en la muestra «Nova Objetividade» del MAM-Río al año siguiente, marca la confluencia, por así decirlo, del Hélio «arquitecto» con el Hélio «urbanista». Se trata otra vez de una obra *penetrable*, un laberinto que invita al espectador hacia su interior a participar en la producción espacio-temporal de vivencias, pero ese interior también remite a un contexto exterior identificado con los márgenes urbanos y aun con la naturaleza tropical. Ya no es, como *Cães de Caça*, un interior identificado con la espacialización del valor plástico, con el esparcimiento laberíntico de volúmenes y colores. Ahora, en lugar del «jardín abstracto» de 1961, «el ambiente creado era obviamente tropical, como en los fondos de una quinta», afirma Hélio, «y, lo más importante, había la sensación de que se estaba otra vez *pisando tierra*. Esta sensación la había sentido yo al caminar por los morros, por la favela, e incluso el transcurso de entrar, salir, doblar por las "quebradas" de *Tropicália* me hace acordar mucho esas caminatas por el morro...» (Oiticica Filho, 2010: 50)[80]. Como *Cães de Caça*, además, *Tropicália*, antes que una obra-instalación, proponía un ambiente diferente para la experiencia de obras neo-objetuales (un «altar» de Rubens Gerchman, viveros-cajas de Lygia Pape, y juguetes de Pedro Escosteguy, según el proyecto inicial de

[79] «Na arquitetura da "favela", p. ex., está implícito um caráter do *Parangolé*, tal a organicidade estrutural entre os elementos que o constituem e a circulação interna e o desmembramento externo dessas construções», característica que se extiende a «todos esses recantos e construções populares, geralmente improvisados, que vemos todos os dias. Também feiras, casas de mendigos, decoração popular de festas juninas, religiosas, carnaval, etc. Todas essas relações poder-se-iam chamar «imaginativo-estruturais...».

[80] «o ambiente criado era obviamente tropical, como que num fundo de chácara e, o mais importante, havia a sensação de que se estaria de novo *pisando a terra*. Esta sensação, sentia eu ao caminhar pelos morros, pela favela, e mesmo o percurso de entrar, sair, dobrar "pelas quebradas" da *Tropicália*, lembra muito as caminhadas pelo morro...».

Hélio) que se apartaba del marco racionalista del museo moderno –en este caso, del edificio brutalista de Affonso Reidy completado apenas un año antes. El «escenario tropical con plantas, guacamayas, arena, piedritas» (Oiticica, 1992: 124) rompía con la vitrina modernista que lo contenía y proponía –en paralelo con el largo ensayo en donde Oiticica intentaba trazar las líneas programáticas del movimiento, «Esquema geral da nova objetividade» (Oiticica, 1986: 84-98)– un marco alternativo para la producción plástica y poética surgida de la ruptura neoconcreta. Obra inaugural, sucesivamente, de todo un movimiento contracultural gracias a la adopción de su título, por parte de Caetano Veloso, para la canción y el disco homónimo del grupo bahiano al año siguiente, *Tropicália* consiste en un espacio de aproximadamente seis por tres metros, compuesto por dos penetrables de madera y telas coloradas, varios loros vivos, plantas tropicales, piso de arena y cascarones, un aparato de televisión, *sachets* con perfume de patchouli y sándalo y una selección de parangolés que los visitantes podían probarse. El primer penetrable, *A pureza é um mito* [La pureza es un mito], es un cobertizo sin techo compuesto de varios paneles pintados en distintos colores, a cuyo interior cuelga una bolsa de plástico con arena sobre un piso de cascarones y, en el borde superior del panel opuesto a la entrada, figura la inscripción del título. El segundo, titulado *Imagética*, es una construcción laberíntica de paneles en madera blanca y negra y paños de plástico y algodón en colores chillones o impresos con motivos florales, que llevan al visitante por una especie de tubo que se estrecha y oscurece paulatinamente, hacia una televisión emitiendo la programación del día (enfrente, dentro de un espacio de aspecto uterino, hay un banquito invitando al visitante a sentarse y mirar). Entre ambos penetrables, pequeños senderos corren alrededor de las plantas y los loros (con o sin jaula), donde se encuentran desparramados unos poemas de Roberta Oiticica, escritos a mano sobre pedazos de cartón, metal y ladrillo. Claudia Calirman (2012: 52) afirma que la instalación en el MAM-Río también contenía unas muestras de *Clandestinas*, la serie de tapas de diarios intervenidas por Antonio Manuel (quien asimismo colaboraría al año siguiente en *Apocalipopótese*, la serie de *happenings* organizada por Oiticica en los alrededores del museo, donde Manuel estrenaría sus *Urnas quentes*).

Surgida de la «necesidad fundamental», según el propio Oiticica, de «caracterizar un estado del arte brasilero de vanguardia, confrontándolo con los grandes movimientos del arte mundial (Op y Pop)» (Oiticica, 1986: 106), *Tropicália* de inmediato desencadenó lecturas y respuestas críticas enfrentadas, en parte porque, como observa Berenstein Jacques, en la propia obra «hay dos espacios y dos niveles correspondientes de interpretación: el exterior, irónico y superficial, y el interior que cuestiona más profundamente e impide el consumo inmediato de la obra y de su imagen» (Berenstein Jacques, 2003: 79). Así, enfocándose en la movilización hiperbólica de imágenes y clichés de naturaleza exuberante, Haroldo de Campos, en conversación con el artista, veía en *Tropicália* un «museo (antimuseo) crítico del trópico» (citado en Favaretto, 2000: 137), mientras que Roberto Schwarz, en un texto antológico de 1970 originalmente aparecido en *Les Temps Modernes,* criticaba la exterioridad de la relación alegórica que habría mantenido la imagen tropicalista con sus «materiales», otorgándole a su estética un carácter de «inventario» exento de vocación transformativa (Schwarz, 1970: 294). Celso Favaretto, en cambio, resalta el carácter deconstructivo de imágenes preexistentes de brasilidad y tropicalidad, incluyendo la de un país desgarrado y fatalmente absurdo que le atribuye Schwarz, en cuanto «*Tropicália* no produce una idea totalizadora del Brasil (incomprensible, irracional, exuberante, absurdo, surreal): hace añicos esa representación. Las raíces profundas suben a la superficie y son arrancadas en el laberinto: el Brasil no es clasificable como imagen» (Favaretto, 2000: 140). Ivana Bentes señala la afinidad de las actitudes espectatoriales contradictorias solicitadas por la obra, particularmente a través del penetrable *Imagética* –distanciamiento crítico e inmersión sensorial al mismo tiempo–, con los «elementos sensoriales, imagísticos, cinéticos y metacríticos tan caros al cine moderno» (en particular, al Cinema Novo), elementos que «exigen un nuevo posicionamiento por parte del espectador, por un lado distante y crítico y a la vez inmiscuido, devorado por el ambiente» (Bentes, 2007: 99) en la *cripta* interior de la instalación, cortando radicalmente el movimiento de inmersión háptica y kinética del visitante hacia el interior de la «taba» [choza] y devolviéndolo a la exterioridad del bombardeo de imágenes, sugiere Bentes, remite así a la imposibilidad de trascender la imagen, la cual debe en cambio ser intervenida e incorporada.

Oiticica estaba entre los primeros en advertir sobre las limitaciones del reciclaje tropicalista, el peligro de que su juego satirizador con la imagen-superficie se convirtiese en facilismo *retro*: «Burgueses, subintelectuales, cretinos de todo tipo, a predicar tropicalismo, tropicália (¡se volvió moda!) [...] Todo bien, pero no se olviden de que hay elementos ahí que no pueden ser consumidos por esa voracidad burguesa: el elemento vivencial directo que va más allá del problema de la imagen...» (Oiticica, 1986: 108-109)[81]. El *Éden*, espacio-programa ambiental desarrollado para la muestra monográfica en el Whitechapel Art Gallery de Londres en 1969, si bien incluía a *Tropicália* y varias de las obras anteriores como los núcleos, también buscaba reinscribirlos en un contexto mayor que privilegiaba precisamente ese aspecto inmersivo. Ahí Oiticica vuelve a utilizar elementos ya presentes en otra clave en *Tropicália* –como el piso de arena, sobre el cual los visitantes debían descalzarse, y los penetrables asemejando la arquitectura laberíntica de las favelas– pero ahora no para construir un ensamblaje irónico sino, al contrario, para proporcionar, en pleno *East End* londinense, un refugio donde cada uno podía explorar en libertad las posibilidades de un ocio no-represivo, un *crelazer*: «El comportamiento se

[81] «Burgueses, subintelectuais, cretinos de toda espécie, a pregar tropicalismo, tropicália (virou moda!) [...] Muito bom, mas não se esqueçam que há elementos aí que não poderão ser consumidos por esta voracidade burguesa: o elemento vivencial direto, que vai além do problema da imagem...».

abre, para quien llega y examina el ambiente creado, del frío de las calles londinenses, repetidas, cerradas y monumentales, y se recrea como que de vuelta a la naturaleza, al calor infantil de dejarse absorber, en el útero del espacio abierto construido» (Oiticica, 1986: 130)[82], escribía Hélio, presente en la galería casi todo el tiempo que duraba la muestra, ya sea para descansar en el *bólide-cama* o en la «carpa Cateano-Gil» o para tomar apuntes sentado en la arena o en alguno de los penetrables-cabinas.

Compuesta por un grupo de cabinas, tiendas y nidos con piso de paja, hojas y almohadones, la zona del *Éden* formaba según el plano de la instalación una taba (en alusión al conjunto de chozas de los grupos indígenas amazónicos), un «área abierta del mito» (Oiticica, 1986: 115). Como sugiere Guy Brett (2005: 71), esa ambientación en base a materiales orgánicos distaba sin embargo de las propuestas del *land art* norteamericano en las que Hélio veía sobre todo «una expresión tardía del ethos del paisaje, con las implicaciones de una mirada distante que inspecciona la tierra volviéndola neutra y disponible». En cambio, *Éden* llevaba los elementos y materialidades a una cercanía tangible, íntima, proporcionando agenciamientos experimentales entre el *sensorium* corporal y sus entornos. El espacio-tiempo de la muestra constituía así una cápsula de «protección, de abrigo, que alcanza al mismo tiempo a los materiales y al ser humano, promoviendo una suerte de trueque armónico entre ambos» (Brett, 2005: 34). Como primera exposición internacional y a la vez la última muestra monográfica realizada en vida del artista, la *Whitechapel Experience* y particularmente el *Éden* representaba el desenlace y el principio de una radical reformulación del programa «ambiental» que Oiticica había iniciado tras la ruptura del grupo neoconcreto. Si *Éden* representa la culminación de esta «construcción de la mitificación de la calle, mitificación de la danza, de Mangueira», a través de su

---

[82] «O comportamento se abre, para quem chega e se debruça no ambiente criado, do frio das ruas londrinas, repetidas, fechadas e monumentais, e se recria como de volta à natureza, ao calor infantil de se deixar absorver, no útero do espaço aberto construído».

transfiguración experimental en la creación de ambientes, también impulsa ya el paso más allá, «de desmitificación, junto con la mitificación, una cosa ya viene junto con la otra», como Oiticica afirmará en conversación con Iván Cardoso en 1979 tras el regreso a Río de Janeiro (Oiticica Filho, 2010: 231). El *Éden* se inicia así «en la transformación de una síntesis imagística, la *Tropicália*, pasando por la formulación de lo Supra-sensorial, hasta llegar a la idea del *Crelazer* [*Creación-Ocio*]...» (Oiticica, 1986: 114-115). Representa el salto del «programa ambiental» anterior hacia el «programa pra vida» (Oiticica, 1973: 11). De la búsqueda postneoconcreta de una relación experimental con la «raíz-Brasil» (Oiticica, 1969b: 1), Oiticica salta hacia un ethos exílico, de interpenetración no-unificadora de locales y fragmentos conceptuales cuya base y manifestación deja de ser cada vez más la «obra» (mismo en su carácter de «proposición abierta»), desplazándose, en cambio, hacia la propia experiencia vital en sus procesos cotidianos, sin distinción entre producción/trabajo artístico y ocio –*crelazer*: exploración de un yo y un nosotros liberado, en el «underground» cosmopolita de Londres y Nueva York, de sus amarras lingüísticas, conceptuales y sexuales. «tropicália es el grito de Brasil hacia el mundo → subterrânia del mundo hacia el Brasil», anota Oiticica en septiembre de 1969 en Londres: «subterrânia es la glorificación del sub [...] como conciencia para vencer a la super – paranoia – represión – impotencia – negligencia del vivir [...] desaparezcamos, seamos el no del no» (Oiticica, 1986: 125)[83].

Salida del arte no tan distinta de la que, en su exilio parisino, estaba realizando Lygia Clark en su giro hacia la práctica terapéutica, la de Hélio se embarcaba en busca de modos experimentales de comportamiento, pero siguiendo fiel a la dimensión espacial que había sido una preocupación constante de su obra ya desde los

[83] «tropicália é o grito do Brasil para o mundo –> subterrânia do mundo para o Brasil», anota Oiticica en septiembre de 1969 en Londres: «subterrânia é a glorificação do sub [...] como consciência para vencer a super – paranóia – repressão – impotência – negligência do viver [...] desapareçamos, sejamos o não do não».

comienzos neoconcretos. A partir de 1970, inicialmente gracias a una beca Guggenheim, se instala en Nueva York, donde, en un loft de la Segunda Avenida, ensambla una estructura comunitaria de habitáculos-nidos, los *Babylonests*, en los que convive con amigos y amantes, escribe y realiza maquetes, films y fotografías experimentales. Pero en lugar «de querer crear un mundo estético, un mundo-arte, superposición de una estructura sobre la cotidianeidad», como caracteriza en un texto escrito todavía en Londres las propuestas de Mondrian y Schwitters cuya impronta todavía ve en la propia obra anterior, el paso ahora es hacia el descubrimiento de los «elementos de ese cotidiano, del comportamiento humano, transformarlos por sus propias leyes, por posiciones abiertas, no condicionadas...» (Oiticica, 1986: 120). Muchas veces comparada desfavorablemente con «el período optimista, utópico, de los años 1950» (Ramírez, 2007: 18), la residencia neoyorquina de Oiticica se caracteriza no obstante por un repliegue analítico sobre la propia práxis artística y vivencial –«vigilia de mí mismo», lo denomina Hélio en un fragmento de 1970. Sus manifestaciones se plasman, por un lado, en una escritura que adquiere ella misma características experimentales, translinguales y deliberadamente fragmentarias, y por el otro, en distintas formas de intervención del entorno cotidiano (como los *Block-Experiments in Cosmococa* y también las situaciones *parangolé* en plazas y medios de transporte públicos) y de su registro-grabación (los films del *Quasi-Cinema* y los *Heliotapes*, entre otros). También, en maquetes de pequeñas dimensiones, acompañadas de planos detallados con indicación de materiales y programas performativos, produce un gran número de penetrables, los *Subterranean Tropicalia Projects*, muchas veces con indicaciones precisas de su ubicación proyectada (el Central Park neoyorquino, la Praça da República de San Pablo). Otros conceptos-programas que aparecen con recurrencia, orientando y sintetizando la experimentación vivencial, por un lado, y su transcripción analítico-reflexiva, por el otro, son los del *Barracão* y el *Conglomerado*. *Barracão* era un término previamente reservado para el proyecto de una casa-comunidad experimental en las afueras de Río («una casa de madera como las casas de favela») pero que, ante el recrudecimiento del régimen dictatorial que «tornó imposible y suicida esa experiencia» se transforma en «estructura adaptable» y en «circunstancia abierta: proyecto circunstancial» (Oiticica, 1973: 10): es decir, en un ethos improvisacional que, en su búsqueda de prácticas libres y no-condicionadas, coincide y torna productiva la condición exílica del sujeto. «Conglomerado» era el orden discontinuo, pero no aleatorio, de fragmentos escritos que Oiticica pensaba ensamblar como «blocos» de un tipo de libro-ensamblaje que pretendía publicar con el título de *Newyorkaises*[84]. Al mismo tiempo, el conglomerado le proporcionaba un modelo espacializado para pensar sobre el proceso artístico y experimental postconcretista en el Brasil, sus relaciones con corrientes plásticas, literarias, filosóficas y cinematográficas internacionales y sobre su propia inserción en esa red rizomática (Braga, 2013: 206).

La condición exílica deviene así base catalizadora de una nueva teorización de los ejes conceptuales trabajados previamente por Oiticica, como también obra-experimentación vivencial impulsada por este movimiento de repliegue que explora activamente las potencialidades libertadoras del exilio. Repliegue y análisis, entonces, que también buscan forjar la posibilidad de un eventual regreso al Brasil sin que eso implique renunciar a la libertad existencial del exiliado, un regreso que no fuese una vuelta a la raíz. «Las raíces ya fueron arrancadas y quemadas hace mucho tiempo» (Oiticica Filho, 2010: 170), dice Oiticica en un reportaje para el *Jornal do Brasil* tras la vuelta en 1978. En cambio, busca ahora extender el desarraigo al propio lugar de origen. Uno de los textos claves de

[84] Oiticica explica ese método-formato del conglomerado como modo de repliegue/relectura de la propia obra en un reportaje de 1978: «En los años sesenta, en el Brasil, yo producía mucho y sentí la necesidad de darle una dirección a todo aquello. Ese ordenamiento de ideas, el Conglomerado, lleva como título general *Newyorkaises* y está dividido en bloques» (cit. en Berenstein Jacques, 2003: 127). Ver también la entrevista con Jary Cardoso, «Um mito vadio» (1978), en Oiticica Filho, 2010: 202-217; en particular p. 205.

la época neoyorquina, «Mundo-Abrigo» (julio de 1973), ejemplifica bien ese pensamiento-conglomerado y su «shift experimental» (Oiticica, 1973: 4) de lo ambiental arraigado, de la relación entre búsquedas plásticas neoconcretas y formas y materialidades de las favelas y la cultura popular, a un ethos experimental-exílico. El movimiento reflexivo del texto pasa por una serie de asociaciones-encadenamientos de términos en portugués y en inglés, la construcción de un sistema translacional que, además de las etimologías y semánticas de cada concepto, incorpora también sus referentes literarios, filosóficos y musicales. Las ideas del abrigo y la cáscara, desarrolladas en la propia obra a través de los penetrables y parangolés, respectivamente, encuentran así su contraparte en el inglés *shelter* («do ANGLO-SAXÃO *scildtrum*: a troop of men with shields [...] *shelter*: da casca-proteção primeira do corpo/ à SHELTER coletiva-total em que o mundo/ é guarida...» [«del ANGLO-SAJÓN *scildtrum*: a troop of men with shields [...] *shelter*: de la primera corteza-protección del cuerpo/ a la SHELTER colectiva-total en donde el mundo/ es guarida»] (Oiticica, 1973: 2)) De ahí entran en diálogo con la canción de los Rolling Stones («Gimme Shelter», 1969) y con la teorización del refugio-abrigo («Housing», «Clothing») en *Understanding Media* (1964) de Marshall McLuhan, en cuya «ALDEIA GLOBAL TVizada» Oiticica reconoce una versión tecno-globalizada de *Tropicália* y del *Barracão*: un espacio virtual de experimentación vital cuya manifestación más avanzada serían los grandes festivales de rock. «WOODSTOCK é o ambiente planetário/ TERRA tornado/ SHELTER» [«WOODSTOCK es el ambiente planetario/ TIERRA transformada en/ SHELTER»] (Oiticica, 1973: 4-5). Shelter/abrigo/guarida, prosigue Oiticica, ahí no refiere al lugar-refugio que protegiese contra las contingencias del mundo exterior sino, por el contrario, la posibilidad de abrirse experimental y existencialmente hacia su potencialidad abierta: el mundo deviene abrigo/shelter en el momento en que es abrazado como dimensión de lo abierto, en que, «postos de lado todos os hang-ups q nos ligam ao ambiente-terra imediato onde "crescemos" e o convívio compulsório q daí advém (familia, etc.) e nos lançamos on our own numa condição de explorar (nem q por um instante) e *conhecer o q não se conhece* e nesse instante o MUNDO torna-se SHELTER» [«puestos de lado todos los hang-ups que nos ligan al ambiente-tierra inmediato donde "crecimos" y la convivencia compulsoria q adviene de allí (familia, etc.), y nos lanzamos on our own, hacia una condición de explorar (aunq fuera por un instante) y *conocer lo que no se conoce*, y en ese instante el MUNDO se vuelve SHELTER»] (Oiticica, 1973: 2).

Ethos experimental y condición exílica se complementan y refuerzan mutuamente. Y «assim como JOYCE ter-se desligado da terra IRLANDA pra q pudesse experimentar MUNDO e tornar a IRLANDA do dia-a-dia simultânea à ÍTACA odisséica» [«así como JOYCE se desligó de la tierra IRLANDA para poder experimentar MUNDO y tornar la IRLANDA del día-a-día simultánea con la ÍTACA odiseica»] (Oiticica, 1973: 3), así también el refrán de la canción de los Stones –el «grito-multitud/ loud-extático» de los «CHILDREN woostockizada»– no reclama un refugio-guarida sino, al contrario, pide por el «MUNDO como campo experimental»: «grita pedindo SHELTER/ q não é casa-familia-namorada/ é SHELTER-mundo» [«grita pidiendo SHELTER/ que no es casa-familia-novia/ es SHELTER-mundo»] (Oiticica, 1973: 6). Ese mundo-shelter de los «children» de Woodstock, quienes a título de su condición no-adulta/no-alienada son portadores del «ejercicio experimental de la libertad» invocado por Mário Pedrosa, es sin embargo un mundo amenazado en su libertad experimental por la tormenta represiva y contrainsurgente desencadenada, dice Hélio siguiendo a Jerry Rubin, «en la "barriga de la bestia" (USA según GUEVARA)» (Oiticica, 1973: 7), y que la canción de los Stones denuncia desde sus primeros versos («Oh, a storm is threat'ning/ My very life today»). Esta amenaza, argumenta Oiticica, no se dirige apenas a «uma vida: "a minha" […] ameaça LIFE em geral: a vida-children coletiva» [«una vida: "la mía" [...] amenaza LIFE en general: la vida-children colectiva»]. Es decir, amenaza la «experiencia colectiva libre» a la que se ha embarcado esa multitud en su éxodo de las estructuras de producción alienada y hacia «o mundo tomado como PLAYGROUND e *onde o comportamento individual (-coletivo) não quer se adaptar a patterns gerais de trabalho-lazer mas a experimentações de comportamento mesmo q essas nascam fragmentadas e isoladas*» [«el MUNDO tomado como PLAYGROUND y *donde el comportamiento individual (-colectivo) no se quiere adaptar a matrices generales de trabajo-ocio sino a experimentaciones propiamente del comportamiento q nacen fragmentadas y aisladas*»] (Oiticica, 1973: 7).

Barracão, título-programa para «crear espacio-ambiente-ocio» y transformar «el día-a-día [en] un campo experimental abierto» (Oiticica, 1973: 10, 11), sería pues una variación más, de origen carioca pero esencialmente adaptable a circunstancias abiertas, de ese ethos experimental que toma como ground-escenario de su juego de transformaciones al mundo-abrigo por el que claman los «children» de «Gimme Shelter»: «ingenuamente e não tanto formulei [a idéia de Barracão] como projeto-comunidade pro meu grupo-RIO: mas entenda-se q grupo-RIO e comunidade têm aí um sentido especial: o grupo é mutável e não algo como se fora "familia" [...] mutável e sujeito a violentas transformações portanto: NEW YORK CITY é a super-comunidade "media"-cosmo...» [«ingenuamente o quizás no tanto formulé (la idea del "Barracão") como proyecto-comunidad para mi grupo-RIO: pero entiéndase que grupo-RIO y comunidad tienen ahí un sentido especial: el grupo es mutable y no algo como si fuera una "familia" [...] mutable y sujeto a violentas transformaciones, por lo tanto: NEW YORK CITY es la super-comunidad "mediática" cosmo...»] (Oiticica, 1973: 9).

El propio regreso odiseico de Hélio al Brasil en 1978, en el breve lapso antes de su muerte repentina en marzo de 1980, todavía verá una tentativa intensa y sostenida por llevar ese programa-ethos de descondicionamiento al propio lugar de partida para así realizar cabalmente lo que en el contexto exílico podría haberse confundido con una mera necesidad. En particular, los dos «acontecimientos poético-urbanos» conceptualizados por Oiticica –el *Programa in Progress Cajú*, realizado el 18 de diciembre de 1979, *happening* colectivo al que el artista contribuye el contra-bólide *Devolver a terra à terra*, y el proyecto inacabado *Esquenta pro Carnaval* que iba a tener lugar en la favela Mangueira al año siguiente (Dos Anjos, 2012: 35-39)– concentran esa tentativa por re-emplazar la reflexión exílica construida en torno a los conceptos del *crelazer* y del *Barracão*, sin renunciar al efecto liberador que había tenido sobre éstos la experiencia de salir del contexto brasileño. El *Ready Constructible* (Fig. 4.1) –pequeña construcción de ladrillos sobre piso cuadrado de cascarones realizada en 1978, que, en forma apenas modificada, iba a constituir el contra-bólide 2, a ser llevado a la Mangueira y nuevamente a la casa del artista al final de *Esquenta pro Carnaval*–, y el concepto-programa del «delirium ambulatorium» proporcionaban el andamiaje reflexivo y formal de esa reaproximación «desmitificadora» al ambiente carioca. Paula Braga (2013) apunta ciertas semejanzas entre esa nueva y compleja relación entre contra-bólide, intervención performática y material del entorno en el «acontecimiento poético-urbano», con la relación entre *nonsites* y *earthworks* en la producción apenas anterior de Robert Smithson. Como el *nonsite*, el contra-bólide refleja en su relación entre materialidad y forma en la que alternan lo abierto y lo cerrado, lo acabado y lo inacabado, una relación no-dialéctica entre reafirmación y negación del lugar[85].

Esto es más evidente en *Devolver a terra à terra*, el contra-bólide 1, donde la tierra extraída (dis-locada) de la zona pantanosa de Japarepaguá al sur de la ciudad es «re-enterrada» en forma de un

[85] Son llamativas, asimismo, las similitudes formales y materiales entre varios de esos no-lugares o *indoor earthworks* del artista norteamericano con los *Subterranean Tropicália Projects* que Oiticica realizaba casi contemporáneamente en Nueva York. Según la explicación de Smithson, «the bins or containers of my *Non-Sites* gather *in* the fragments that are experienced in the physical abyss of raw matter. The tools of technology become a part of the Earth's geology as they sink back into their original state [...] One might say a "de-architecturing" takes place before the artist sets his limits outside the studio or the room» («A Sedimentation of the Mind: Earth Projects», 1968, in Smithson, 1996: 104).

4.1 Hélio Oiticica, *Ready Constructible nº 1*, 1978-79. Proyecto Hélio Oiticica, Río de Janeiro.

cuadrado de ochenta por ochenta centímetros en el barrio norteño de Cajú, en las inmediaciones del vertedero municipal de basura. La propia tierra, el elemento enraizador, es así puesta a deambular por la ciudad y vuelta extraña para su entorno, al mismo tiempo que recién adquiere forma (en un cuadrado oscuro que no por casualidad remite a Malévich) en el momento de ser vertida al lugar urbano de desechos. En cambio, el *Ready Constructible* remite al modelo de *blocos* ya ensayado en la escritura-ensamblaje del *Conglomerado*: se trata de una construcción de ladrillos industriales sobre una base de tierra y cascarones contenida en un marco de madera de dimensiones similares al contra-bólide 1, colocados de manera que forman, al interior de ese campo, un cuadrado menor hecho por «muros» interrumpidos en intervalos regulares por aperturas que llevan, o bien al interior del espacio así enmarcado, o bien al interior hueco de los propios ladrillos que, a su vez, comunican con la próxima «ventana» en el «muro». Inovación-sustitución del *Ready Made*, el *Ready Constructible* hace converger nuevamente la reflexión formal abstracta sobre las categorías de espacio, ambiente y lugar con una materialidad concreta, emplazada, pero que en su resolución formal contradice y desafía a su propio emplazamiento. El *Ready Constructible* es así tanto un gesto «instaurador», puro juego de una creatividad libre y autónoma –«FUNDA ESPAÇO/ (EM) ABSOLUTO/ herd [i.e. hereda] o IN-OUT/ o dentro e o fora/ huis-clos/ aberto-fechado/ aberto-aberto/ fechado-fechado» [«FUNDA ESPACIO/ (EN) ABSOLUTO/ hereda el IN-OUT/ el adentro y el afuera/ huis-clos/ abierto-cerrado/ abierto-abierto/ cerrado-cerrado»] (Oiticica, 1978: 199)–, como también su disolución en las materialidades que lo sostienen y componen: «o sólido e o arenoso/ e quem sabe o q/ poderia vir a ser/ lama-líquida!» [«lo sólido y lo arenoso/ y quien sabe lo q/ podría llegar a ser/ lodo-líquido»] (Oiticica, 1978: 201). Es simultáneamente fundación absoluta de un *non-site* que declina, de un modo elemental y lógico, todas las combinaciones posibles de lo abierto y lo cerrado, y reencarnación del ambiente favelado («esqueleto-favela e FAVELA DO ESQUELETO»): relación de inmersión-abstracción que el «acontecimiento poético-urbano» desdobla vertiginosamente al emplazar y volver a retirar esa miniatura abstracta del *environment* favelado en donde «toma asiento» y del que se desprende nuevamente.

El *contra-bólide* como plasmación formal de no-contención busca así una forma postobjetual (postarquitectónica) para aquello que el «delirium ambulatorium» procura realizar en el contexto urbano, un modo no de regreso sino, en cambio, de inserción exílica en el espacio (activamente des-)conocido. Esa práctica encuentra su expresión emblemática en el pedazo de asfalto en forma de la isla de Manhattan que Oiticica rescata de las obras de construcción del subterráneo en la avenida Presidente Vargas[86]. La ciudad, escribe en el «Manifesto/Memorando Cajú», serie de anotaciones para el «programa in progress» realizada durante varios meses en 1979, «va transformándose en campo-meditación: en un laberinto topográfico de la pasión delirium ambulatoria!» (Oiticica, 1979a: 4-5). A través de esa deambulación que Oiticica asocia en varias ocasiones con el *dreamtiming* de los aborígenes australianos (que había descubierto en Nueva York gracias a lecturas sugeridas por Guy Brett), «o campo urbano/ o campo visual-ambiental/ o campo humano será approached de um modo totalmente *free* (mais perto das transformações criativas do q antes) como também sem compromisso: sem conseqüência: É A BUSCA DA FALTA DE CONSEQÜÊNCIA: E O NÃO-PROGRAMA!» [«el campo urbano/ el campo visual-ambiental/ el campo humano será approached de un modo totalmente free (más cercano que antes de las transformaciones creativas) como también sin compromiso alguno: sin concecuencia: ES LA BÚSQUEDA DE LA FALTA DE CONSECUENCIA: ES EL NO-PROGRAMA»] (Oiticica, 1979a: 4).

[86] En conversación con Iván Cardoso, Hélio resalta el carácter de re-encuentro, por medio de esa «revelación material» producida gracias al delirio ambulatorio, con la estética de ensamblaje y yuxtaposición del tropicalismo, pero ahora hallada en el propio contexto urbano como profecía ya realizada: «Cuando me llevé esos pedazos de asfalto, me acordaba de que Caetano había hecho una vez una música […] que hablaba del asunto de la "escuela de samba primera de la Mangueira pasando en grandes avenidas, pasando por debajo de la avenida Presidente Vargas". Ahí pensé lo siguiente: esos pedazos de asfalto... sueltos, que había recogido como fragmentos y que me había llevado a mi casa... ahora, esa avenida estaba agujereada por debajo, y en realidad la Estación Primera de Mangueira va a pasar por debajo de la avenida Presidente Vargas... una cosa que era virtual cuando Caetano hizo la música, de repente se transformó en un delirio concreto... el delirium ambulatorium es un delirio concreto...» (citado en Oiticica Filho, 2010: 231).

Esa deriva por el espacio urbano «sin fim» –y por tanto también eternamente «in progress»– encuentra en el barrio-basural de Cajú, el vertedero de residuos y desechos, el «mundo-abrigo» donde inscribir espacialmente su ethos exílico de improvisación y comunidad: «o *programa in progress* CAJU propõe aos participadores abordar-tomar o bairro do CAJU como um *playground bairro-urbano*», escribe Hélio en el anuncio del «acontecimiento poético-urbano» [«el programa in progress CAJU propone a los participantes de abordar-tomar el barrio de CAJU como un PLAYGROUND barrial-urbano»], ahora también bautizado *Kleemania* en homenaje al centenario de Paul Klee: «O CAJU É O GROUND: A PARTICIPAÇÃO DOS PARTICIPADORES FAZ O *PLAY*» [«CAJU ES EL GROUND/ LA PARTICIPACIÓN DE LOS PARTICIPANTES HACE EL *PLAY*»] (Oiticica, 1979b: 1).

Si para Brett, la obra de Oiticica habría pasado por un proceso de ampliación sucesiva de escala –del cuerpo y la danza con el *Parangolé* a la arquitectura y el urbanismo con *Tropicália* y de ahí al territorio-paisaje con *Éden* y *Barracão*–, los happenings-acontecimientos de sus últimos meses tras el regreso al Brasil (incluyendo su extraña acción-performance en la muestra *Mitos Vadios* en San Pablo en 1978) parecen querer iniciar un camino de desandar reflexivamente estos escalones previos. Pero lo que, en *Ready Constructible* o en los *Magic Squares* (maquetes para «plazas públicas» de finales de los años setenta) podría confundirse con un regreso hacia la experimentación neoplástica, formal y abstracta, de los primeros sesenta, es más bien la búsqueda de un más allá de la participación, una suerte de entrega de la propia «obra» –o más bien de un trabajo creativo que ya no quiere volverse «obra»– al vasto mundo-abrigo entrevisto por primera vez desde la «subterrânea» exílica. En las afueras de Río, en los preciosos terrenos del Museu do Açude envueltos por las nubes y la vegetación densa de la Floresta da Tijuca, en un pequeño claro del bosque existe una versión «caminable» del *Magic Square nº 05*, construida a partir del maquete realizado por Oiticica en 1977 (lámina 8). El efecto del contraste entre los amarillos, naranjas y violetas de sus paneles con el verde oscuro del bosque es tan extraño como potente: efectivamente, se trata del regreso de ese espacio experimental soñado desde el exilio a la ciudad para la que fue pensado, pero no al espacio céntrico sino al espacio «natural» que aún la envuelve a pesar del asalto diario que la ciudad perpetra contra su entorno boscoso y acuático. A diferencia de la mortificación que han sufrido los trabajos de Hélio en contextos museales tras la muerte del artista (la falsa auratización de penetrables y parangolés que, con el tiempo, se parecen cada vez más a restos excavados de una tumba egipcia), el *Magic Square* del Museu do Açude confiere a ese espacio experimental una extraña y sugerente sobrevida, precisamente a partir de ese *desplazamiento* de su entorno urbano originalmente previsto. El mundo sonoro y las sombras del bosque que lo envuelven se tornan, efectivamente, un lugar de abrigo para la memoria y el duelo de esa obra inacabada, al mismo tiempo que la abre hacia nuevos sentidos que le inscribe la cercanía con un biohábitat también amenazado. Entre ambos, entre bosque y plaza mágica, se forma ahí una relación solemne de cuidado y guarida mutua: un mundo-abrigo en que cada uno resguarda la potencialidad del otro, su frágil promesa de futuridad.

***Amereida*: poesía, arquitectura y travesía**

Aquel viernes 10 de septiembre en la pequeña ciudad boliviana de Villamontes, a punto de emprender el cruce de las yungas hacia Santa Cruz de la Sierra, el grupo de poetas, arquitectos y artistas que intenta explicarle a las autoridades militares, ante la «mezcla de sospecha e incredulidad», su propósito de «proclama[rla] capital poética de América» debe rendirse finalmente ante las indicaciones de los oficiales, quienes, por las condiciones del camino y del vehículo, aconsejan una ruta infinitamente más larga por Tarija, Sucre, Oruro, La Paz: «Una forma elegante de prohibirnos llegar a Santa Cruz». Así y tras arduas discusiones, el pequeño grupo desiste del avance hacia la ciudad donde «cesa la pampa y [...] se inicia la selva hasta el Caribe», el sitio, por tanto, de «la unión de los dos ritmos del mar interior americano», y emprende el regreso por la cordillera hacia Tarija y de ahí, de nuevo, hacia la frontera con Argentina: «Silencio total entre nosotros. Algo ha sido quebrado y no recuperamos el habla» (*Amereida,* 1986: 198-201). «Dos años más tarde, en octubre de 1967 –agregan en una nota posterior los autores del diario en prosa de la «travesía de Amereida»[87], el escultor Claudio Girola y el arquitecto Fabio Cruz– el verdadero sentido de la prohibición se aclarará. La huella de Villa Montes a Santa Cruz pasa por Camiri y por toda la zona donde el Che Guevara tenía su campamento. Justamente en 1965 los hermanos Peredo habían instalado en esa zona los futuros campamentos para los guerrilleros. Y desde esa época las fuerzas militares bolivianas y el servicio de inteligencia de EE.UU. estaban al tanto de todo ello» (*Amereida,* 1986: 200-201).

Irónicamente, entonces, los únicos en enterarse de ese casi encuentro fortuito, en el corazón del continente, entre vanguardia política y vanguardia estética, entre «dos visiones diferentes del sentido de América, dos tentativas contrastantes de forjar su destino» (Pérez Oyarzún, 1993: 90), eran esos mismos militares y servicios de inteligencia quienes ignoraban por completo su alcance: «nuestra "verdad" es "locura" para su entendimiento» (*Amereida,* 1986: 200), se iban dando cuenta los artistas mientras relataban su propósito a un coronel cuyo ayudante lucía en su uniforme una insignia que decía, en inglés, «Jungle Expert». Porque ahí, en el borde de la jungla sobre las orillas del río Pilcomayo, casi vuelven a coincidir dos vectores, dos apuestas radicales a la liminalidad del mar interior americano: aquella que se iniciaba en 1951 con el viaje junto a Alberto Granado encima de la «Poderosa» y que lo llevaba al joven Guevara, como dice Ricardo Piglia, de la literatura

[87] En la «travesía de Amereida» partiparon los chilenos Alberto y Fabio Cruz y Jorge Pérez Román, los argentinos Godofredo Iommi y Claudio Girola, el panameño Edison Simons, los franceses Michel Deguy, François Fédier y Henri Tronquoy y el inglés Jonathan Boulting.

a la acción, de «la vida leída» y escrita a «la vida vivida» (Piglia, 2005: 110) –al encuentro con Fidel en México, a la épica de la Sierra Maestra y a la muerte en La Higuera, doscientos kilómetros al norte de Villamontes. Y aquella otra que, casi simultáneamente, comienza con el desembarco en la Facultad de Arquitectura de la Universidad Católica de Valparaíso de un grupo de jóvenes liderado por el arquitecto Alberto Cruz Covarrubias y el poeta Godofredo Iommi, todos comprometidos con un proyecto comunitario de vida, enseñanza y exploración arquitectónica, plástica y poética de ambientes de convivencia en el espacio americano; proyecto que tenía como «preocupación central [...] la relación entre arquitectura y poesía» y que así proponía llevar a la práctica el *ethos* aprendido en Baudelaire, Mallarmé y Rimbaud de que «la palabra fuera simultánea con la acción» (Browne, 1985: 74). Llevada al acto arquitectónico, constructivo, la palabra poética se plasmaría materialmente en el tiempo y espacio de la vida, según Iommi: «La poesía existió antes que toda escritura, y nada impide al poeta prescindir de ella. [...] Obedece al acto que lleva en sí y hace, en el mundo, la fiesta de la condición humana. Y esta poesía debe ser hecha por todos, y no por uno» (Browne, 1985: 74).

Cinco días antes del fiasco en Villamontes, el grupo había celebrado otro encuentro que sí se produjo y que anudaba su peregrinaje poético al corazón de América a otra serie de búsquedas por nuevas formas de convivir con la tierra. Esa discusión que hallaba sus comienzos en los debates regionalistas de los veinte y treinta, atravesaba en aquel entonces un proceso de radicalización que iba a desembocar en la toma de armas en la década siguiente. En la librería Dimensión de la ciudad de Santiago del Estero y luego en la casa de campo del poeta y narrador Alberto Alba en El Zanjón[88], el

[88] También conocido como editor de la revista *Literal* y de obras emblemáticas de la literatura argentina de los años sesenta como *Sebregondi retrocede* de Osvaldo Lamborghini y *El frasquito* de Luis Gusmán, Alberto Alba tuvo asimismo una participación destacada en Santiago del Estero como cuentista y miembro del grupo Dimensión, en cuya revista, dirigida por Francisco René Santucho entre 1956 y 1962, publicaba regularmente y cuya historia relataría más tarde en su novela *La casa de la poesía*, publicada en 1990.

grupo de expedicionarios intercambiaba con los locales «improvisaciones de los poetas, juegos en un papel» (*Amereida,* 1986: 189). En la casa de Alba, para celebrar el encuentro con los escritores del grupo Dimensión, el grupo visitante regalaba también algunas intervenciones espontáneas: «Alberto [Cruz] pinta la puerta y una ventana de la fachada. Tronquoy hace un bajo relieve en un costado de la casa. Fabio pinta en una plancha de plumavitun un poema de Edy. Godo escribe un poema, que Tronquoy graba en una lámina de cobre. Boulting escribe otro poema que Alberto escribe en una hoja de hilado 9» (*Amereida,* 1986: 189). La casa de campo de Alberto Alba en las afueras de Santiago del Estero se va convirtiendo, así, en una primera iteración de lo que será, más adelante, el libro-poema escrito por el grupo de viajeros, *Amereida* (1967), con sus cartografías visuales y verbales que invierten y reorientan la silueta continental, como también de la Ciudad Abierta, el sitio experimental de convergencia entre paisaje, arquitectura, poesía y plástica que el grupo fundará en 1970. Como explica el diario de Girola y Cruz:

> El viaje nuestro: Tierra del Fuego-Santiago del Estero. El lugar de esta ciudad está representado por estas puertas pintadas.
>
> Lo primordial es la puerta. La ventana: vista, luz. No hoyo, el algo ya más elaborado. Santiago del Estero es en el campo, aquí, en Zanjón o base de puertas. Estas puertas quisieron representar en sus superficies las puertas abiertas y cerradas.
>
> Una puerta es abierta. Una puerta es cerrada. [...]
>
> Ambas puertas entonces permiten ver el plano que entre ellas se extiende. Al Sur está el Norte; que ya no se llama Norte ni Sur. La Cruz del Sur se llama Ancla Polar. El Atlántico aporta su luz. El Pacífico es la aventura. Mientras que el trópico y las Antillas son el origen: entonces 1. ancla, 2. luz, 3. origen, 4. aventura.
>
> Santiago del Estero: casa de Alberto Alba (*Amereida,* 1986: 217).

De algún modo, la casa de Alba deviene así el hogar secreto de una geografía alternativa, poética. Cobija de un modo más íntimo e improvisacional esa nueva triangulación fundacional del espacio americano que la travesía de Amereida se había propuesto proclamar desde Santa Cruz de la Sierra, en el límite entre pampa, selva y montaña (Fig. 4.2)[89]. Pero entre puertas que se abren y cierran, es también un ambiente de convergencia –quizás por última vez– de dos líneas de apertura, ética a la vez que poética, hacia el ambiente americano. Líneas que, como nos recuerda Ana María León, iban a conocer un modo mucho más siniestro y trágico de convivencia y desencuentro en la década siguiente cuando, en extremos opuestos de la bahía de Ritoque al norte de Viña del Mar, habían empezado a funcionar tanto la Ciudad Abierta como también un campo de concentración de la dictadura de Pinochet donde permanecían detenidos varios antiguos colegas y compañeros del grupo de Cruz en la Universidad Católica de Valparaíso como el arquitecto Miguel Lawner y el dramaturgo Óscar Castro (quien organizaría en pleno universo carcelario una función permanente de «teatro clandestino» titulada, precisamente, *La ciudad de Ritoque*) (León, 2012: 90-91). El acto en la casa de Alba, sin que los participantes lo supieran, era también una despedida: un acto de homenaje mutuo entre distintas corrientes surgidas de la experimentación plástica y literaria de los cincuenta y primeros sesenta antes de que ambas se sumergieran en el vértigo de muertes y exilios, externos e internos, que las esperaba.

---

[89] El carácter fundacional del acto poético realizado en Santiago del Estero fue recordado también por el propio Iommi al final de su descripción de la fundación de la Ciudad Abierta en 1971. «Durante la travesía de *Amereida*, en la ciudad argentina de Santiago del Estero», escribe ahí Iommi, «se dieron nombres a los cuatro extremos de la proyección de la Cruz del Sur sobre el mapa de nuestra América. Se dijeron y se pintaron, en aquella ocasión, estos nombres. El punto extremo hacia el Cabo de Hornos se le llamó: Ancla (tal figura en vez de almendra como señaló Vespuccio a la constelación). El extremo sobre el Atlántico se le llamó: Luz. Pues de Europa surge América. El extremo que da en el Caribe se le llamó: Origen. Pues, allí, a pesar de lo supuesto por Colón, se arribó a América. Y en el extremo sobre el Pacífico se le llamó: Aventura. La Ciudad Abierta está, en pleno, en tal extremo o aventura continental» (Iommi, 1971a: 54-56).

4.2 Travesía de Amereida, molino cerca de Piedrabuena, 12 de agosto de 1965. Fotografía François Fédier. Amereida, Ritoque: Archivo Corporación Cultural Amereida.

¿Cómo habían desembocado los viajeros en la casa de El Zanjón? Cruz e Iommi se habían conocido en 1950[90], en Santiago de Chile, poco antes de que Cruz fuera llamado a ocupar la cátedra de arquitectura en la Universidad Católica de Valparaíso, que

[90] Godofredo Iommi, poeta argentino, había llegado a Chile poco antes para conocer personalmente a Vicente Huidobro, con cuya pareja, Ximena Amunátegui, terminaría casándose poco después. Nacido en Buenos Aires en 1917, tras abandonar la carrera de economía para dedicarse únicamente a la poesía, en 1938 Iommi viaja a Brasil con la intención de continuar a Europa –proyecto abortado por el comienzo de la Segunda Guerra. En Rio de Janeiro traba amistad con los poetas Gerardo Mello Mourão y Abdias do Nascimento y forma con ellos «La Santa Hermandad de la Orquídea». Inspirados en la lectura colectiva de la *Divina Commedia*, en italiano antiguo y en la traducción que va produciendo Iommi en base a ideas surrealistas y existencialistas, el grupo se embarca en 1940 a recorrer el río Amazonas, viaje que será un primer antecedente de las travesías de Amereida. A principios de los años cincuenta Iommi viaja a París donde pasa la mayor parte de la década alternando con visitas a Chile; funda la *Revue de Poésie* junto con el poeta francés Michel Deguy y un grupo de escritores y artistas, varios de los cuales luego participarán en el viaje de Amereida (François Fédier, Edison Simons, Jorge Pérez Román, Henri Tronquoy). Vuelve a Chile en 1965 para participar en la Amereida, quedándose a vivir en Valparaíso después del regreso de Bolivia y participando activamente en el proyecto de reforma universitaria lanzado por el grupo de Cruz y luego en la creación de la Ciudad Abierta en 1970.

buscaba renovar su currículum. Cruz aceptó a condición de que le fuera concedido llevar consigo un colectivo de arquitectos y artistas (Arturo Baeza, Jaime Bellalta, Fabio Cruz, Miguel Eyquem, José Vial, el pintor Francisco Méndez y el escultor Claudio Girola) con quienes no sólo se desempeñaría en las funciones docentes y en la creación de un espacio de investigación, el Instituto de Arquitectura, sino, además, en un experimento de vivencia comunitaria integrando la utopía vanguardista de «fusión entre vida y arte» con la «producción de espacio a través de la arquitectura» (Pendleton-Jullian, 1996: 49). Además de la colectivización de la creación arquitectónica –que, en lugar de la autoría demiúrgica del individuo y del plano, debía surgir del proceso integrado de revelar y producir lugares a través de su habitación comunitaria– el grupo proponía tomar como base de toda propuesta arquitectónica a la palabra poética. Inspirados en la noción de integración plástica y poética adelantada por el modernismo arquitectónico –más notablemente por el mismo Le Corbusier, quien en su *Poème de l'angle droit* (1955) insistía en la relación fundamentalmente poética entre la arquitectura y el mundo natural–, las búsquedas plásticas y poéticas convergían invirtiendo radicalmente la jerarquía implícita según la cual el acto arquitectónico representaba la cima y el fin último de la creación. En cambio, el grupo de Valparaíso insistía en la prevalencia de la *poiesis*: la «palabra poética es la que sirve de fundamento para la arquitectura», como sentenciaba Iommi: «La poesía no como inspiradora, que es como la usan todos, sino como indicadora» (Serrano, 1991: 11). Si la poesía era la invención de lo humano en la lengua, entonces a la arquitectura le competía «dar cabida» a ese hecho inaugural, y así «realizarlo» integralmente al indicar su «posición» respecto del mundo material. La arquitectura deviene así el cuerpo de la poesía, su «incorporación», al llevarla a materializarse en relación al lugar de emplazamiento y así crear espacio: «Posición y palabra. Arquitectura y poesía», como resumía Cruz en una de sus «pizarras» en el Instituto de Arquitectura (Fig. 4.3).

4.3 Alberto Cruz Covarrubias, pizarra con dibujo del área de la Ciudad Abierta, expuesta en la muestra *Pizarras escritas*, 1972, Instituto de la Universidad Católica de Valparaíso. Archivo José Vial Armstrong, Viña del Mar.

El método en torno del cual giraba esa exploración experimental de la arquitectura como *translatio* de la palabra poética se iniciaba con la *phalène* (palabra-concepto hallada aleatoriamente en un diccionario, según Iommi, y que designaba a la mariposa nocturna en su vuelo hacia la luz), un ejercicio de dar lugar al acto poético en forma de recitaciones, juegos de naipes y otras formas lúdicas de *inscripción.* En éstas, un acto enunciativo-expresivo surge en relación con el escenario material del que emerge. Se trata así «de descubrir y generar "correspondencias" entre cosas –entre lugar físico y espacio, lugar cultural y espacio, espacio y forma, forma y materialidad, espacio y gesto, gesto y construcción, y entre partes, componentes, fenómenos de cada uno– en lugar de la singularidad del concepto forjado» (Pendleton-Jullian, 1996: 46). Las *phalènes* se iniciaban en el entorno urbano de Valparaíso, cuya topografía sísmica y edificación frecuentemente improvisacional favorecían de cierto modo el abordaje heideggeriano de la coligación entre ambiente-hábitat y su ideación-habitación (Iommi, simultáneamente, llevaba el ejercicio a sus círculos parisinos donde es probable que haya seguido elaborándose a la luz de la *dérive* situacionista). Al articular acto expresivo e «interpretación de manera integral al lugar en que ésta se desenvuelve», la *phalène* también introducía «la posibilidad de *asociar la poesía con el espacio y el lugar*: con el lugar en que acontece y con el espacio que configura. Es precisamente en función de esto que el acto poético adquiere su rol de iniciador del proyecto arquitectónico» (Pendleton-Jullian, 1996: 69-71) (Fig. 4.4).

4.4 *Phalène de la Electricidad* («Pozos de luz»), 1977, Ciudad Abierta, Ritoque, Archivo José Vial Armstrong, Viña del Mar.

Desde sus primeras actividades –incluyendo un proyecto no realizado para el barrio obrero de Achupallas, cerca de Viña del Mar en 1954, una participación colectiva en el concurso para la Escuela Naval de Valparaíso en 1956 y la restauración de varias iglesias en el sur de Chile tras el terremoto de 1960 (Alfieri, 2000: 10; Mihalache, 2006: 27)– el grupo adopta una modalidad colectiva de proyección-construcción, formalizada más adelante con la idea del «trabajo en ronda» en el que «equipos de trabajo compuestos por profesores y alumnos [toman] a su cargo partes del total, aportando cada uno ideas de diseño y colaboración personal en las tareas de construcción» (Browne, 1985: 76). En lugar de planos, en el proyecto de Achupallas y más tarde en las construcciones de la Ciudad Abierta hay carpetas de dibujos, notas poéticas y transcripciones de discusiones, como también documentos fotográficos de las distintas etapas de construcción, que suelen, ante la ausencia de autoridad jerárquica, «adquiri[r] un aspecto aditivo de inventos parciales» (Browne, 1985: 76). Su «materialidad permanece ligada al *proceso de construcción* al revelar la mano del constructor» (Pendleton-Jullian, 1996: 7). La expansión espacial de cada edificio deviene así plasmación de su desarrollo temporal, del aprendizaje que representan tanto la construcción como el posterior uso y habitación que llevan a nuevas acomodaciones y nuevos agregados (Fig. 4.5). «Construir, habitar, pensar», al decir de Heidegger (1994) –con cuyo pensamiento el grupo había tomado contacto a través del filósofo italiano Ernesto Grassi, quien enseñaba metafísica en Santiago entre 1952 y 1953– se solapan y confunden en un solo proceso integrado. En palabras del propio grupo, entrevistado en 1992 por la revista *Arquitectura Panamericana*:

> Construimos utilizando nuestros propios recursos, con nuestras propias manos, proyectando directamente sobre el terreno: con estas libertades. Pero no nos consideramos exentos de lo que dice la palabra poética. Por eso podemos concebir y realizar las obras en ronda, en la cual todos actuamos tratando de construir un único arquitecto. Ese arquitecto, junto con

el poeta, construye cosas públicas. Esto es lo que verificamos directamente cada vez que alguien nos visita y nos pide que expliquemos nuestra integridad (citado en Alfieri, 2000: 46).

4.5 Construcción de la *Hospedería del Pan*, sin fecha (probablemente 1973), Ciudad Abierta, Ritoque. Archivo José Vial Armstrong, Viña del Mar.

Esta singular concepción de la arquitectura como incorporación y colectivización de la *poiesis*, en la que convergían de manera idiosincrática ideas provenientes del modernismo poético francés y de las corrientes más líricas de las vanguardias arquitectónicas con el surrealismo y un catolicismo del Segundo Concilio, tomaba cuerpo tras la fundación, en 1970, de la Ciudad Abierta al norte del balneario de Concón, sobre la ruta de Viña del Mar a Quintero. Tras la vuelta de Bolivia, el grupo de Cruz había participado activamente en el movimiento de reformas universitarias que se encontraba en plena ebullición, pero su pugna por extender la ética comunal del Instituto de Arquitectura, integrando vida, estudio y trabajo de manera no jerárquica, no encontraba respuesta favorable en el ambiente conservador de la Universidad Católica. La derrota llevó el grupo a formar en 1968 una cooperativa y, aprovechándose del acceso a tierras en desuso facilitado por la reforma agraria del gobierno Frei, a comprar en el año siguiente unas 280 hectáreas de terrenos en las dunas de la bahía de Ritoque. Ahí, emulando el ejemplo de Taliesin West, la escuela fundada por Frank Lloyd Wright en el desierto de Arizona en 1937, el grupo proponía llevar a la práctica, lejos de los constreñimientos de la academia, su propósito de cambiar de vida en estado de hospitalidad hacia el colectivo y su entorno físico.

Los actos de apertura de los terrenos iban a tener lugar el 20 de marzo de 1969, conmemorando el centenario de la muerte de Friedrich Hölderlin, pero tuvieron que postergarse hasta el año siguiente debido al fatal accidente aéreo sufrido por Henri Tronquoy, artista participante de la Amereida, cuando viajaba de Chile hacia el Caribe buscando reunir los puntos cardinales de la geografía poética dibujada en Santiago del Estero. En una serie de juegos-*phalènes*, caminando con los ojos vendados o cruzando en barco desde una isla de la bahía, en estos actos «se trata[ba] de alcanzar los terrenos de la ciudad abierta y en ese intento tropezar, reconocer, dar con el límite» (Iommi, 1971a: 7). Al caminar sobre la arena de las dunas, donde el grupo almorzó y pasó la noche, descubrieron en el juego y sus correspondencias con el ambiente dunar, en el «incesante volver a no saber», el «fundamento o estado o estatuto mismo del terreno y de la ciudad abierta» (Iommi, 1971a: 23-24). Porque ahí, en su materialidad volátil, las arenas de las dunas que «no son firmes, están a merced del viento, no son tierra, no son mar y por lo tanto ya nunca playas» (Iommi, 1971a: 19), formaban una suerte de *Wunderblock* poético al revés que recibía y al instante borraba las huellas de los caminantes: eran la forma sin memoria, el puro proceso de metamorfosis de los propios elementos, que el juego de la arquitectura-poiesis debía recoger en su modo de habitar el entorno:

> Así las arenas se nos muestran como el incesante volver a no saber, que no es la ignorancia respecto a una sabiduría. En vez de la estabilidad de cualquier saber adquirido, este mero

> trance del desaparecimiento nos dice un continuo volver a no saber, que excluye radicarse en un conocimiento adquirido respecto de lo que aún está por saberse y, en consecuencia, no es tampoco un conocimiento a conquistarse (Iommi, 1971a: 20).

Afirmándose sobre esa ética de lo inconcluso y sobre un proceso comunitario de (des)aprendizaje, la Ciudad Abierta comenzaba a construirse de manera «impuntual» (Iommi, 1971a: 17), sin «un punto o eje que ordenara y jerarquizara su desarrollo físico» y donde «la ubicación de las obras derivaría sólo [de] los actos poéticos» (Browne, 1985: 76). Al mismo tiempo, la producción de edificaciones y de intervenciones ambientales, hechas casi siempre con materiales locales de bajo costo como troncos, tablas y ladrillos o reutilizando elementos de construcciones anteriores, proseguía según las funciones que éstas debían cumplir en el contexto de la vida comunitaria así como en relación al marco mayor que pretendía explorar la Ciudad Abierta; el de un aprendizaje, construcción e inhabitación de una América asumida en su continentalidad. «La primera faena arquitectónica a cumplir, a inventar», escribía Iommi, «es que el espacio en la Ciudad Abierta no tenga ya revés ni derecho [en cuanto] al colocarse sobre la arena, la Ciudad Abierta permite que el océano se haga presente en su equivalencia con la tierra» (Iommi, 1971a: 43). Es así como, en vez de tratar el espacio como paisaje y así, como opciones a merced de la creación arquitectónica, la Ciudad Abierta pretende asentarse en «lo sin opción» de la geografía poética revelada por la travesía de Amereida. Sus construcciones responden a la proyección terrestre del «propio Norte» indicado por la Cruz del Sur –los puntos cardinales nombrados en la casa de Alba– y así se ordenan según «la nueva orientación, en los terrenos mismos, [d]el eje horizontal [entre] Mar Interior y Océano Pacífico» (Iommi, 1971a: 40-41). Es por eso que las construcciones por lo general dan la espalda al Océano como visión-postal (como exterioridad) invitando en cambio su presencia como juego de luz reflejada y sonoridad como en la bella «Sala de Música», espacio comunal organizado en torno a una apertura rectangular en la parte central enmarcada por vidrios, por la cual un exterior lumínico es introducido en lo más interno de la comunidad. Así, del mismo modo en que, en los actos de apertura, «en la orilla, en vez de entrar al mar, se cavó la tierra para que el mar entrara como un fiordo» (Iommi, 1971a: 17) (Fig. 4.6), también los espacios construidos de la Ciudad Abierta como la «Sala de Música» o, posteriormente, el «Palacio del Alba y del Ocaso» –una construcción laberíntica de muros cóncavos en ladrillo sobre una loma, originalmente proyectada como sitio de una casa de baños que conforman un interior poroso, permeable al aire y el sonido pero recortando la visión del mar– incorporan la idea de que «el Océano sólo podrá dársenos guardando, manifestando, realizando esa relación con el mar interior» (Iommi, 1971a: 32)[91].

4.6 Cavando un fiordo en la orilla, sin fecha (probablemente 1972-73), Ciudad Abierta, Ritoque. Archivo José Vial Armstrong, Viña del Mar.

A esta fidelidad hacia el ambiente en cuanto destino indicado por su comprensión poética debía corresponder una organización social centrada en la noción de hospitalidad. La Ciudad Abierta conocería dos tipos de lugares-intervenciones: las ágoras, o entornos tanto abiertos como cerrados para la realización de las asambleas comunitarias del mismo nombre (en las que, además de realizar actos poéticos, se debían resolver por consentimiento todos los asuntos prácticos de convivencia) y las hospederías o lugares de

[91] Imágenes y descripciones breves de los principales edificios e intervenciones de la Ciudad Abierta, así como de sus colaboradores, habitantes e historias de uso, pueden encontrarse en la página web de la Corporación Cultural Amereida: http://www.amereida.cl/obras.

vivienda y trabajo. Estas últimas se diferenciaban nuevamente «entre bottega y taller» –el segundo término designando los servicios de enseñanza y aprendizaje prestados para terceros (incluyendo la universidad); el primero, «los trabajos que [la Ciudad Abierta] hace para sí» y donde «maestros y aprendices» alternan funciones en torno a «oficios» que se redefinen constantemente (Iommi, 1971b: 1, 4) y donde «nadie es dueño de nada» (Iommi, 1971c: 10). Es de importancia crucial la no distinción entre ambiente vital y laboral, aunque sí se respeta la diferencia de niveles entre «una economía íntima que no requiere de propiedad inmueble ninguna, pero sí de cuidados, que van desde la habitación, al cuerpo y al alma» y «una economía pública donde haya lugar al oficio» (Iommi, 1971c: 10). En ese sentido,

> el «concepto de hospedería es clave en Ciudad Abierta. En todos los edificios vive al menos una familia, la que sirve a su vez para protegerlos de daños de terceros y para hacer las reposiciones necesarias a su frágil condición material. Siendo su hogar, cada una de estas familias no es dueña del lugar y practican la hospitalidad. Cualquiera puede llegar y recibir comida y vivienda, con la sola condición de decir quién es» (Browne, 1985: 76).

Ese concepto de hospitalidad, que en lo íntimo corresponde a la disponibilidad de compartir un hogar que ya nunca es propio y en lo público a la continua redefinición de los oficios –y por tanto de las relaciones de maestría y aprendizaje–, pretende devolver a los ciudadanos-huéspedes al estado de «inminencia, ese incesante volver a no saber» que es la condición misma de la experiencia poética del mundo. La apuesta radical es por el descubrimiento (poético) del ser humano como «huésped [...] de sí mismo» y así como pura potencialidad, pero asimismo como posibilidad de salir del encierro monádico del sujeto y su inserción en la división de trabajo: «Darse cabida a sí mismo, tratarse, pues, a sí mismo como un huésped [...] Huésped de otros, tanto cuanto otros de uno» (Iommi, 1971c: 10).

La ética improvisacional, el rechazo de la autoría individual y, en su lugar, el énfasis en la experiencia abierta de creación, en diálogo estrecho con la materialidad del entorno, acercan a la Ciudad Abierta al proyecto casi contemporáneo del *Barracão* de Hélio Oiticica. Pero si, en el caso de Hélio, el exilio impidió la creación real de la casa-comunidad en las afueras de Río y, en cambio, transformó el proyecto original en la experiencia «subcultural» de los nidos neoyorquinos y en la ética exílica del mundo-abrigo, la creación de la Ciudad Abierta promovió más bien el aislamiento «introspectivo y solitario» (León, 2012: 90) del grupo. En su afán por «cambiar de vida» y no «cambiar la vida», su rechazo radical de cualquier carácter modélico o transferible de sus experiencias radicalmente idiosincráticas y contingentes al contexto ambiental que las sustentaba, ese éxodo también fue condenando la Ciudad Abierta a un solipsismo todavía agravado por el contexto represivo en que persistía desde 1973, aislamiento que no hacía sino reforzar ciertos aspectos patriarcales y sectarios ya latentes en la prédica de sus fundadores[92].

Ese encierro solipsista sólo se vería aminorado, desde mediados de la década siguiente, por una relación nuevamente intensificada con la universidad, que incorporaría, en sus currícula de arquitectura y diseño y del profesorado en instrucción física, unas residencias y la participación en talleres y *phalènes* en la Ciudad Abierta, y a partir de 1984 también retomaría las travesías, realizadas anualmente en cada taller de la Escuela de Arquitectura y Diseño por grupos mixtos de profesores y alumnos (Fig. 4.7).

[92] Así, por ejemplo, por más que pretendieran que el concepto de hospedería iría a transformar «la relación hombre mujer» calcada sobre «las imágenes propias de la adolescencia» con la madre-ama de casa, quien «tiende a centrar todo en su hogar» en cuanto que, «en la extensión del huésped es inminente también [la] real aparición [de la mujer]», en los hechos la Ciudad Abierta no hizo sino reinscribir la familia heteronormativa como núcleo básico de su economía íntima, en abierta confrontación «con esta triste burla del feminismo masculinizante en boga», como se quejaba Iommi (Iommi, 1971c: 12-13). Algo semejante pasa con la renuncia a considerar tanto política como estéticamente al problema de la tierra, como si se pudiera cambiar «de vida», aún más en un contexto de violencia dictatorial, sin tener que considerar los cambios de «la vida» que estaban atravesando el mundo exterior hacia el cual la Ciudad Abierta se cerraba cada vez más.

4.7 Acto poético en la Universidad de Magallanes, Punta Arenas, durante la travesía a Cabo Froward, 1984. Álbum de la travesía, Archivo José Vial Armstrong, Viña del Mar.

En el primer año de reanudar la experiencia, grupos de la Escuela y de la Ciudad Abierta partían hacia el desierto de Atacama, hacia Belém por el río Amazonas y nuevamente hacia Santa Cruz de la Sierra; otros recorrían el río Paraná e intervenían la isla Robinson Crusoe en el océano Pacífico o el cabo Froward en Magallanes, en la punta austral del continente. Al año siguiente se hacían intervenciones en la isla Amantaní en el lago Titicaca, en los bajos de Santa Rosa en la pampa argentina y en la isla de Pascua, entre otros; desde entonces se recorrieron gran parte de Chile, Argentina, Bolivia y Brasil (*Amereida,* 1991). De ese modo, la producción-habitación del lugar en la Ciudad Abierta volvía a retroalimentarse con la experiencia itinerante del espacio en la travesía, en la que «actos poéticos son utilizados para descubrir sitios de construcción, y éstos para descubrir estrategias de producir espacio» (Pendleton-Jullian, 1996: 89) (Fig. 4.8). Al mismo tiempo, ambos –Ciudad Abierta y travesía– vuelven de esa manera a relacionarse con la experiencia fundacional de la travesía de Amereida y con su texto poético. A diferencia de las cartas de fundación –en América, los títulos reales otorgados a los colonizadores– la *Amereida*, sin embargo, «no establece estructuras y leyes sino, en cambio, la fundación para un modo de actuar» (Pendleton-Jullian, 1996: 87). En vez de «una tierra donde lo desconocido de ella/ está de antemano reglado/ estableciendo de este modo una unidad», como se caracteriza en la *Amereida* a «la palabra real» que otorga derechos sobre la tierra, la fundación poética se da en la –siempre reanudada– «búsqueda de la real palabra/ la real palabra que permite obrar/ se da en el obrar» (*Amereida,* 1967: 90, 93).

4.8 Profesores y alumnos iniciando una intervención en cabo Froward, 1984.
Álbum de la travesía, Archivo José Vial Armstrong, Viña del Mar.

En esa vuelta para partir, una y otra vez, hacia diferentes iteraciones del «mar interior» americano, que por su parte arrojan nuevas intervenciones y actos en la Ciudad Abierta, esta última se va transformando en una suerte de palimpsesto vivo de los actos de lectura-reescritura continental que parten de ella. Pero en lugar de un archivo, el repositorio de un saber que puede ser acumulado como posesión, su fisonomía arenosa y de edificaciones efímeras o mutantes exhibe otro tipo de aprendizaje, el de un «volver a no saber» semejante al estado de *ataraxia* al que aspiraban los discípulos del Jardín-Escuela de Epicuro en la antigüedad clásica[93]. No se trata de una vuelta a la «espontaneidad natural» sino, por el contrario, de una disciplina de paciente estudio y de transposiciones mutuas entre lecturas poéticas y vivencias ambulantes del espacio material, entre «palabra y posición». Dada la importancia que *Amereida* guarda en tanto carta fundadora de la Ciudad Abierta, es sorprendente, sin embargo, la casi absoluta ausencia de aproximaciones críticas hacia la forma poética del texto, así como hacia su relación con el relato en prosa de la travesía publicado casi veinte años después, debido quizás a la circulación casi exclusiva de ambos en ámbitos arquitectónicos. Al cotejar ambos textos, lo que más llama la atención es la virtual ausencia, en el texto poético de 1967, de la aventura ambulatoria narrada en el diario escrito en 1965: hay dos momentos de escritura y dos actitudes diferentes de la escritura en relación al acto de viaje-exploración, que, en un juego extraño de correspondencias, se hacen eco de la relación entre diarios y textos programáticos sobre la guerra de guerrillas del Che Guevara. Porque mientras el diario en prosa de la travesía (que no formaba parte del texto «original» de *Amereida* y cuya publicación muy probablemente no estaba ni siquiera prevista en el momento de su escritura) consigna los hechos acontecidos en forma de texto-archivo, en una relación de sucesividad que confirma su estado pasado, el poema se mantiene en un paradójico umbral del viaje-acción siempre aún por acontecer y de un espacio-mar interior aún por navegar, a la vez que extrae de la acción ya acontecida las conclusiones programáticas que puedan servir de brújula para travesías futuras. Tal y como, para Guevara, el texto debía asegurar

[93] La *ataraxia* o estado de imperturbación, para los epicureos debía surgir de una disciplina convivencial regida por la conversación, el placer y la amistad, y orientada por los valores de la *epiekeia* (o cuidado hacia los otros) y la *parresía* (o palabra franca). Sobre el ethos epicureo y su relación con el jardín-escuela, véase la discusión sugerente de éstos por Pogue Harrison (2008: 71-82).

la continuidad del dispositivo accional –la lucha antiimperialista– y por ende no podía «contar su historia» como si ésta ya hubiese concluido, también para Iommi y sus compañeros de la primera travesía la relación entre viaje y texto no podía ser la misma que en el diario, sobre todo en lo que hacía a la descripción del espacio atravesado. Como en *Pasajes de Cuba* y en *Guerra de guerrillas*, si bien por razones muy diferentes, la poetización de la travesía no debía tratar el espacio como paisaje –plasmarlo como objeto verbal, rendirlo disponible como sistema de lugares–, y en cambio teorizarlo, trasponer el espacio recorrido en espacio conceptual sin que perdiese por eso su concretud material. Poetizar la experiencia es aquí recibir (y así, traspasar) a la tierra como un don.

Cada uno de los textos se funda así en la ausencia del otro: el diario de viaje es la descripción exterior de los actos poéticos celebrados a lo largo de la travesía, en ausencia de su contenido poético o plástico; el poema –compuesto por Iommi a partir de contribuciones de los demás viajeros– es puro «contenido», es la elaboración poética de estos actos, no en forma de cita o resumen sino de otro texto nuevo que los absorbe y sobreescribe[94]. Formalmente,

[94] Narrados en el diario de Cruz y Girola, los actos (*phalènes*) acontecidos durante la travesía son relatados típicamente desde la perspectiva de un observador externo (incluso los autores del diario, cuando toman parte como actores, se refieren a ellos mismos en tercera persona). Fundados en las cuatro «reglas de juego» pactadas al inicio de la travesía –la abstención de juicios de valor, en cuanto todo lo que se diga o construya en los actos tendrá carácter poético; la libertad de cada uno de iniciar una actividad estética en cualquier momento; la obediencia debida por parte del grupo al que inicie un acto; y el imperativo a transgredir/equivocar expectativas (*Amereida,* 1986: 159)–, las acciones surgen tanto en momentos de tedio como interrumpiendo súbitamente el trayecto.

Ésta es la descripción del acto improvisado a la salida de Tierra del Fuego en la voz de Cruz y Girola: «8 de agosto. Cuatro de la mañana. Desayuno y partida. Niebla cerrada. Llegamos a Espora. La barcaza está allí con sus faros prendidos, pero no parte. Un marinero se asoma y dice que hasta las 5 de la tarde, no se puede a causa de la niebla y la marea. Indignación general. Desazón. Alberto le pide a Jorge unas pinturas para pintar una caseta telefónica. Se decide bajar las pinturas. Se decide no volver a Sombrero, sino esperar allí el cruce. Poco a poco nos vamos integrando todos a la actividad iniciada por Alberto seguido de Jorge. Godo dice, oculto en la noche y la niebla, palabras, frases. Edy y Boulting también. Alberto y Jorge comienzan a pintar una caseta telefónica en la orilla. Yo encuentro más allá unos cables de acero, comienzo a erigirlos. Fédier se pone

el poema de 1967 se caracteriza por la alternación entre pasajes escritos en verso y en prosa. Estos últimos componen a una suerte de nivel interior de glosa y reflexión de las partes versificadas del texto que, por su parte, muchas veces ostentan una tipografía en cascada que sugiere un razonamiento o concatenación de sentidos:

colón
        nunca vino a américa
                buscaba las indias
en medio de su afán
        esta tierra
                irrumpe en regalo
mero
        regalo
                surge
contrariando intentos
        ajeno a la esperanza
trae consigo
        su donación
                sus términos
                        sus bordes (*Amereida,* 1967: 13)

América, sugiere el poema, aparece en la historia de Occidente como tierra regalada, como don: pero el sentido íntimo de ese

---

a pintar la tercera cara de la caseta. Va aclarando. [...] Junto a la caseta se unen cajones, cañas, elementos varios. Se forma un conjunto. Alberto pacientemente sigue pintando a su lado. Jorge impacientemente pinta todo lo que encuentra a su paso. Godo más tarde escribe un poema de entrada a Tierra del Fuego, o a la pampa. Edy escribe la salida de la isla. Fabio encuentra dos grandes círculos de madera de los que se usan como cornetas de cables. Godo pide usar dos planchas de aluminio espejo y que Alberto pinte con esmalte las letras de los 2 poemas. Se ponen a hacerlo [...] Unos marineros bajan y hablan con nosotros. Comienzan a leer el poema que va apareciendo en la plancha. [...] Comenzamos a guardar nuevamente las cosas. En la mañana antes de almorzar se eligieron los lugares sobre el camino, de los dos letreros. Se ubicaron los círculos y se los afirmó a la tierra. En la tarde y una vez acabada la escritura se clavó una plancha en cada círculo. La gente iba a leer el poema y lo copiaba. Algunos agradecieron. Llegó la hora de partir. A las 5 la barcaza partió. Dejamos la Tierra del Fuego» (*Amereida,* 1986: 165-166).

regalo no fue comprendido por los colonizadores, enceguecidos por su búsqueda de otras gratificaciones (el camino a las Indias, el oro): «¿no fue el hallazgo ajeno/ a los descubrimientos?» (*Amereida,* 1967: 3), comienza preguntando el poema. «Hallada» pero no «descubierta», América surgió alienada de sí misma, y sólo la poesía, en tanto ella «es signo que vela y desvela el sentido» (*Amereida,* 1967: 12), es capaz de asumir «la prueba de ese desierto entre la cosa y el nombre» (*Amereida,* 1967: 81) que cuatro siglos de colonización no han hecho sino crecer: «¿quién sino ella dice de un origen/ pues sólo poéticamente se aparece?» (*Amereida,* 1967: 13).

La larga discusión inical del texto establece así el «problema de América» como desafío poético al que deberá responder la travesía:

> américa regalada
> ¿se ha aceptado a sí misma?
> ¿cómo respondernos?
> ¿podemos interrogar poéticamente
> el propio desenvolvimiento del signo
> tratar de discernirlo
> a través
> de cómo nos hemos vuelto americanos
> quienes lo somos
> para que él mismo
> nos manifieste en la palabra? (*Amereida,* 1967: 15)

La poesía es la modalidad de la lengua capaz de acoger el «don de América» y, así, dar el paso de una actitud colonial que se mantiene apenas en la superficie de las cosas materiales hacia «el nuevo mar/ de nuestra muda interioridad» (*Amereida,* 1967: 19) (la población del Nuevo Mundo, como demuestra el mapa intercalado de Sudamérica como archipiélago de islas poblacionales circunscribiendo un gran blanco central, ocurrió apenas sobre la silueta costera). A la poesía le corresponde, en América, la navegación de ese «mar interior», al revés de los cronistas coloniales, quienes se acercaron a su cuerpo terrestre desde afuera y lo plasmaron como objeto-superficie en sus textos. A la poesía, en cambio, le compete la misión de hacer aparecer en la lengua «aquello cuyo don no percibimos/ más ¿cómo llamarlo?/ ¿cómo provocar su aparición?» (*Amereida,* 1967: 18). A través, se responde la voz poética, de la travesía, del ejercicio de una poesía itinerante, embarcada sobre esta tierra-mar y por tanto ya no «hallazgo» de una materialidad objetivizada y exterior al sujeto, sino des-cubrimiento, disponibilidad de dejar «atravesar» a la propia palabra por el entorno que ésta se dispone a cantar: «travesía/ que no descubrimiento o invento/ consentir/ que el mar propio y gratuito nos atraviese/ levante» (*Amereida,* 1967: 25). Inspirándose en las tesis de Edmundo O'Gorman sobre la «invención de América» (1958) y del historiador chileno Mario Góngora sobre la falta de mito fundacional, los navegantes de la travesía se ven así reanudando la tradición latina de fundación poética que, a través de la *Eneida* de Virgilio, había anclado al Imperio romano en la mitología helénica, filiación que los amereidos estarían reconfirmando precisamente al inventarle el origen poético al Nuevo Mundo.

Hechas estas consideraciones preliminares, la voz poética se coloca «de inventario» (*Amereida,* 1967: 51): enumera los viajeros y sus pertrechos, y reproduce un aviso que se había publicado en el *Times* londinense avisando sobre el inminente viaje («International Expedition of Poets and Others departs from Cape Hoorn for Patagonia»). Debido a que «el lenguaje/ tiene como mediación/ la experiencia» (*Amereida,* 1967: 81), ha llegado la hora de poner a prueba el concepto, explorar la capacidad de marcación, de inscripción terrestre, que posee aún (o nuevamente) la palabra poética en su alianza con el oficio arquitectónico:

> acaso la obra hic et nunc   digamos improvisada
> lo cual quiere decir hecha allí mismo y no sin preparación ni preparativo y con todo el tiempo que se quiera   p u e d e casar a la tierra con el nombre   es esta una celebración local   la poesía   el acto poético [...] la poesía como

acto parte a celebrar las bodas del lugar y de la fórmula – operación dificil como un sermón que reconoce lo singular nombrándolo operación dos veces infinita [...]

nosotros tratamos de hallar otra vez la inscripción la posibilidad de inscripción que fue durante siglos el gran gesto scripturario [...]

¿el viaje?

acaso hay que venir a celebrar en el lugar mismo
ver marcar inscribir (*Amereida* 1967: 79-80)

4.9 Travesía de Amereida, llegada a los bajos de Santa Rosa, 19 de agosto de 1965. Godofredo Iommi en el centro con mapa, a su izquierda Alfredo Cruz. Fotografía François Fédier, Archivo Corporación Cultural Amereida.

Todavía en prosa, siguen diez meditaciones unidas por la última línea de cada una de ellas: «mañana partimos a recorrer América». Atribuidas, de ese modo, a voces individuales de un nosotros –a cada uno de los viajeros diciendo sus razones en vísperas de la partida– estas voces también pertenecen a un estado de inminencia, al «no saber» que antecede a la revelación. Experiencia que, sin embargo, es diferida una vez más por la próxima sección en verso del texto que, en lugar de cantar el inicio del viaje, se repliega nuevamente sobre sus antecedentes coloniales, más precisamente sobre el viaje de Magallanes relatado por Pigafetta en su búsqueda del pasaje entre Atlántico y Pacífico (lugar donde, recordemos, está por iniciarse también la travesía de Amereida). Ahí, ante la escena del desencuentro entre lenguaje y lugar, re-leída en las crónicas (la in-comprensión de la palabra nativa que da lugar al nombre nuevo, al toponimio americano), surge «como un monstruo para nosotros y un impedimento para el pasaje» (*Amereida* 1967: 158) la dimensión abismal de América. No por enorme sino por incalculable: «algo irreductible a la unidad de medida»; su estatuto «de un orden negativo» (*Amereida* 1967: 158) que «rasga» –perfora y subvierte– los aparatos volcados para su captura. Ese carácter inconmensurable (que la tradición literaria, anota el texto, supo palpar apenas en algunas páginas del *Facundo* y de *Os sertões*) debe ser asumido en forma de un trance de la representación, no para contener o superarlo: «estar en trance no de un antes a un después o de una barbarie a una civilización sino en trance presente» (*Amereida* 1967: 163). Requiere de un lenguaje que sepa convivir con lo «monstruoso» de América a la manera de los habitantes de la selva descriptos por Fernández de Oviedo en la *Historia Natural de las Indias*, quienes habían hecho sus casas y caminos sobre los árboles, a salvo de las fieras con las que han aprendido a convivir:

> sólo se consuela la tierra   sólo se logra suelo   cuidando
> del abismo   sólo es suelo lo que guarda el abismo
> lo que da cabida a la irrupción y proporción al trance
> estar en trance es vivir con asombro un choque de ruptura y un arranque de abismo (*Amereida* 1967: 160)

Amereida quiere ser nada menos que el mapa de esta tierra que se abisma en la lengua y que se experimenta como trance de inminencia. Cartografía poética que «invierte y retorna» a la tierra mapeada por la prosa del descubridor revelando la multiplicidad de sus atracciones geográficas (Fig. 4.10): «qué lenguaje pues?» (*Amereida,* 1967: 126), había preguntado la última de las voces que cantaban la inminente partida, para enseguida contestarse: «un lenguaje en que paisaje y acontecer comparecen en el mismo rango [...] este lenguaje de lo múltiple debe hablar en américa» (*Amereida* 1967: 124). Lenguaje que, también, reanuda la relación poética con la tierra que habían cultivado Virgilio y el Dante (pero no los colonizadores ibéricos en su consignación del Nuevo Mundo como naturaleza exterior):

> ¿qué es esta américa retornada e invertida?
> ¡es américa vista a partir de la tierra!
> a partir de lo debajo   dicho de otro modo
> de donde viene dante   y donde están los muertos
> (*Amereida,* 1967: 174)

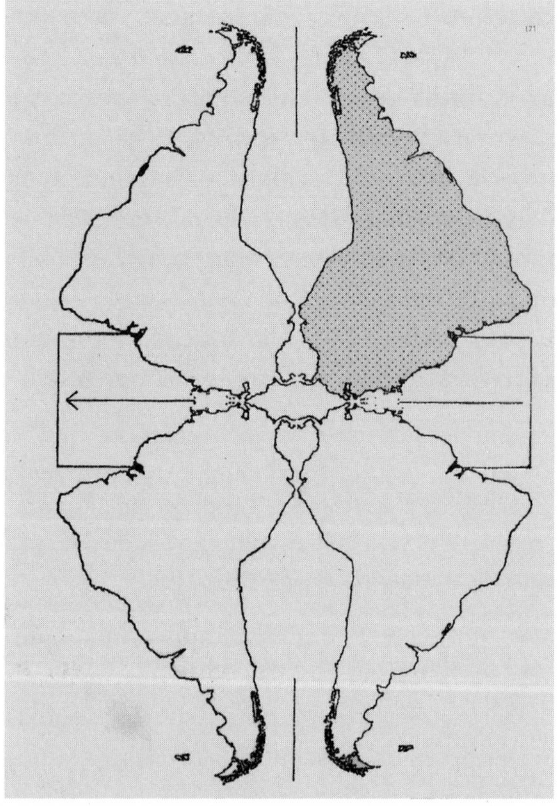

4.10 Mapa de América «invertida y retornada». En: *Amereida. Volumen Primero.* Santiago de Chile: Editorial Cooperativa, Lambda, 1967.

Confeccionado ese nuevo mapa poético, y aún en vísperas de «partir a recorrer américa», la voz poética finalmente se dispone a «volver» («todo llegar es un volver así como el alba es un perpetuo volver» (*Amereida,* 1967: 184)): volver a Valparaíso y dedicarse por fin a la producción comunitaria de un lugar. Pero también volver a intentar la partida: «mañana partiremos a américa para alcanzar a llegar a ella para volver a ella» (*Amereida,* 1967: 184). El final del texto anuncia así el programa de un volver/partir permanente, relación entre lugar y espacio donde ya estriba el proyecto de la Ciudad Abierta en su relación con nuevas e innovadoras travesías. Es así como se puede leer la última frase del poema, impresa sobre una página en blanco después de dos mapas con el trayecto de los viajeros, uno incluyendo el contorno de la silueta continental, el otro no: «el camino no es el camino» (*Amereida,* 1967: 189). El camino es apenas uno en la multiplicidad de itinerarios posibles, geográficos a la vez que poéticos y conceptuales. Esa doble inconclusión, la del viaje fracasado a Santa Cruz y la del poema que lo canta, se vuelve así el garante mismo de la vigencia del proyecto al que ambos se subscriben: el de la tierra como trance y como abismo. *Amereida* es apenas una iteración del trance de vivir supendidos entre volver y partir, entre habitar y andar, que es la condición de experimentar poéticamente el mundo.

Del cuerpo a la tierra: giro ambiental y lucha política

La preferencia radical por la palabra en desmedro de la acción, la renuncia por parte de los artífices de la Ciudad Abierta a cualquier proyecto social o político de alcance mayor «porque creemos en la palabra que cambia y no en la acción que no modifica nada» (Iommi, 1983: 4), iba a contramano, en la América Latina de finales de los años sesenta y principios de los setenta, de un proceso artístico que se encaminaba vertiginosamente por el rumbo inverso. Actualmente, más que de oponerlas en términos morales, tal vez habría que entender a estas opciones contrarias, estos compromisos contrapuestos con el acto creativo o con la acción transformadora, como sintomáticas de distintos *momentos* en la trama de las vanguardias artísticas y literarias en la región: el primero todavía perteneciente a un ciclo de luchas por la *autonomía* del acto estético, el segundo al ciclo siguiente de reafirmación enfática de su *heteronomía*, su *compromiso*[95]. Entre mediados y finales de la década de 1960, como explican Ana Longoni y Mariano Mestman (2008: 58), la escena plástica de los principales centros latinoamericanos experimenta una rápida «aceleración de la experimentación», que en muy poco tiempo lleva muchos de sus participantes desde planteos constructivistas, todavía resonantes con el concretismo o influenciados por el minimalismo y el *Pop Art*, al cuestionamiento de la propia institucionalidad del arte y de sus prácticas de consagración. En palabras de Roberto Jacoby, testigo y protagonista central del escenario argentino de la época, ese divorcio de la trama institucional del arte de vanguardia habría precipitado a su vez la idea de inmersión y confluencia del acto creativo con la acción política revolucionaria:

[95] Invocando la sentencia de Rimbaud, según la cual, en Occidente, «la palabra no rima con la acción», en la misma conferencia pronunciada en 1983 Iommi defiende vigorosamente la opción de la Ciudad Abierta por la autonomía soberana del acto poético para el cual, insiste, hace falta la renuncia a cualquier compromiso político o social que limite su potencialidad: «Esto es una división dura, fuerte, peligrosa para la vida individual de cada uno. Inocua, para la vida política, pero, sí, dura, para la vida individual de cada uno. Esto nos conduce a lo siguiente: a un replanteo radical de qué es la palabra; si es ella la que construye y no la acción, desde el momento en que ambas están divorciadas [...] Y como consecuencia directa, en nuestro caso, como consecuencia inmediata de este postulado, nosotros no queremos persuadir a nadie de nada, ni siquiera a ustedes no los queremos persuadir de nada, ni siquiera de lo que enseñamos, de lo que decimos, de nada. ¿Para qué lo hacemos, entonces? Para que se manifieste, nada más. Y mucho menos queremos modificar el mundo, mucho menos. Uno podría pensar que es una evasión, es todo lo contrario, ¿por qué? Porque somos los únicos que vamos a cambiar el mundo, porque creemos en la palabra que cambia y no en la acción que no modifica nada. Pero por eso no tenemos nada que ver con el mundo, y no queremos persuadir a absolutamente nadie; seguro de que cuando la palabra que construye se manifiesta es absolutamente indetenible...» (Iommi, 1983: 3-4).

> Así se entra en una loca carrera que hace que en unos pocos años los plásticos pasen del espacio bidimensional del cuadro al objeto, en sus múltiples variantes, de ahí a las obras-concepto, a los mensajes que reflexionan sobre sí mismos, a la disolución de la idea de obra y su extensión a las transformaciones operadas sobre medios de comunicación masiva, a los recortes de contexto o señalizaciones de la vida social, etc. Todos esos planteos extraían al pintor de sus relaciones con los materiales tradicionales, y lo llevaban a reflexionar sobre sus relaciones con las instituciones culturales de la burguesía, sobre las posibilidades de realizar una práctica transformadora y sobre la mejor manera de llevarla a cabo: la vanguardia se politizaba (Jacoby, «Una vidriera de la burguesía industrial», 1970, citado en Longoni y Mestman, 2008: 58).

En Brasil, de un modo muy semejante, se pasaba en poco tiempo de la observación, hecha por Mário Pedrosa en 1966, de un giro ambiental que abría las búsquedas plásticas hacia esferas más amplias y difusas de experiencia «cultural», a la noción del artista como guerrillero, calcada por el crítico Frederico Morais en 1970, apoyándose sin duda en el *Manual del guerrillero urbano* de Carlos Marighella que había sido puesto en circulación en forma clandestina sólo un año antes. En un ensayo publicado en la revista *Vozes*, titulado «Contra a arte afluente: o corpo é o motor da obra», Morais construía una relación de equivalencia entre el guerrillero urbano y el artista-performer, quien, aprovechando el propio cuerpo como soporte, llevaba al medio social y cotidiano unas situaciones/actos interrumpiendo su funcionamiento normal y, así, incitando a los observadores-participantes a tomar posición:

> El artista es hoy una especie de guerrillero. El arte, una forma de emboscada. Actuando de manera imprevista, donde y cuando menos se la espera, de manera inusitada (pues todo puede transformarse hoy en instrumento de guerra o de arte), el artista crea un estado de tensión permanente, una expectativa constante. Todo puede transformarse en arte mismo el más banal evento cotidiano. Víctima constante de la guerrilla

artística, el espectador se ve obligado a agudizar y a activar sus sentidos (Morais, citado en Campomizzi, 2015: 4)[96].

La «línea que separa el arte de la política» habría sufrido hacia finales de los años sesenta y principios de los setenta una manifiesta erosión, según Luis Camnitzer (2008: 65), que habría culminado en dos actos casi simultáneos que ponían en suspenso, desde cada uno de los dos lados, esa separación entre creación estética y transformación social: *Tucumán arde*, la secuencia de investigaciones, intervenciones mediáticas y ambientaciones realizada por un colectivo de artistas argentinos en 1968, y la «Operación Pando» realizada al año siguiente por el grupo armado uruguayo de los Tupamaros en el aniversario de la muerte del Che Guevara. Mientras aquélla, para Camnitzer, «viniendo del arte, llegó a tocar el borde político de la línea» (Camnitzer, 2008: 65), en la teatralización política de esta última –la ocupación, durante algunas horas, de una pequeña ciudad del interior oriental por parte de un grupo de guerrilleros, quienes posaban como cortejo fúnebre de un «pariente argentino fallecido»– se habría realizado una «estética activa» en cuyo transcurso «la ciudad y sus habitantes interpretaron sus propios papeles en el guión escrito por los "actores" guerrilleros» (Camnitzer, 2008: 76).

El discurso crítico que se ha configurado en torno a esta constelación de obras-acontecimientos, marcado en fuerte medida –en el ámbito hispanoparlante– por la impronta de *Márgenes e institución* de Nelly Richard, texto publicado por primera vez en Australia en 1986, se enfocó sobre todo en lo que Richard llamaba ahí las «prácticas de la disensión» (1986: 120): el repliegue y la resignificación crítica de la trama institucional del arte que realizaban los artistas mismos al salirse de ésta para «producir interferencias críticas

[96] «O artista, hoje, é uma espécie de guerilheiro. A arte, uma forma de emboscada. Atuando imprevistamente, onde e quando é menos esperado, de maneira inusitada (pois tudo pode transformar-se hoje em dia em instrumento de guerra ou de arte), o artista cria um estado de permanente tensão, uma expectativa constante. Tudo pode transformar-se em arte, mesmo o mais banal evento cotidiano. Vitima constante da guerilha artística, o espectador vê-se obrigado a aguçar e ativar seus sentidos».

en esas zonas que abarcan el cuerpo y el paisaje como escenarios de autocensura o de microrrepresión» (Richard, 1986: 120). Así, todavía según Richard, las obras de avanzada habrían «productiviza[do] su condición de periféricas en la materialidad de [la] estructura del arte» (Richard, 1986: 150), en cuanto que esta posición periférica las habría capacitado de «no sólo refleja[r] e interpreta[r] la crisis del contexto en el que se juega sino que la produce[n] organizando la revuelta de los signos...» (Richard, 1986: 121). Es decir, como sugiere el propio título de Richard (donde, antes de la reedición del texto por Metales Pesados en 2007, el segundo término aún se mantenía en un singular monolítico y contrastante con el plural proliferante del primer término), en esa multiplicación de gestos de éxodo y disolución del arte en la trama de la cotidianeidad no obstante estribaba, una y otra vez, la relación negativa con la institución artística. La productividad del gesto dependía así precisamente de la puesta en tensión que implicaba el «dejar de ser arte», sin que ese abandono pudiese llevarse a cabo del todo. Al escenificar las múltiples fracturas de la institución, los márgenes, paradójicamente, también habrían reconvalidado *ex negativo* su centralidad, como advertía Pablo Oyarzun en una crítica temprana al libro de Richard, señalando

> la desprevención acerca de la necesidad en que toda opción por el margen está, desde ya, de reconocer el centro, de proyectarlo y, sobre todo, de proyectarse en él negativamente, para extraer de esta relación de resistencia la negatividad como disciplina, como retórica y como hábito en su propia práctica y, lo que es más importante, como mecanismo de auto-certificación (Oyarzun, 1987: 50).

En un gesto que la práctica disciplinaria de la historia del arte no habría hecho sino reforzar, advierte Oyarzun, la crítica en *Márgenes e institución* actuaba al mismo tiempo como custodia y como contenedora del gesto centrífugo al privilegiar como eje de lectura su relación con la «interioridad» del arte que abandona –y no con las «exterioridades» hacia las cuales se abre. Lo efímero de estos nuevos agenciamientos habría sido sometido así, de antemano, a «la consistencia del así llamado proceso histórico» cuando, en realidad, la radicalidad del gesto artístico hubiera abierto también la posibilidad de un «desplazamiento y una provocación, una lectura de lo histórico desde lo efímero» (Oyarzun, 1987: 49). Propongo darle curso a esa relectura sugerida por Oyarzun, esbozando apenas una de sus líneas: la que va de la relación con el «interior» del arte hacia la intemperie de un espacio-tiempo cotidiano, atravesado por tensiones violentas. Propongo una «inversión de escena», para citar el título de una de las obras icónicas del grupo chileno CADA (Colectivo de Acciones de Arte)[97], realizada en octubre de 1979, enfocándome, como si fuera, menos en el lienzo blanco con el que los artistas tapaban la entrada del Museo de Bellas Artes y más en el desfile simultáneo por el centro santiaguino de diez camiones de la empresa de lácteos Soprole, a través de cuyos logos el CADA relacionaba la escasez de víveres y la censura de la expresión pública con la privatización del consumo y la emergencia de un discurso publicitario en reemplazo del debate político (Fig. 4.11). ¿Qué otra cosa, pregunto, además de una relación de negatividad hacia la institución arte, surgía en estos actos de éxodo, por ejemplo en la aproximación de la práctica artística con el activismo sindical y campesino, con el público de los medios masivos o con los habitantes de los márgenes urbanos?

Mi hipótesis será que, en ese éxodo de la institución a «la calle como "el verdadero Museo" donde los trayectos cotidianos de los habitantes [...] pasan a ser [...] la nueva obra a contemplar» (Neustadt, 2006: 31), el arte se repliega críticamente, al mismo

[97] Creado en 1979 por los artistas plásticos Lotty Rosenfeld y Juan Castillo, los escritores Diamela Eltit y Raúl Zurita, y el sociólogo Fernando Balcells, el CADA fue el eje giratorio de lo que Richard, prácticamente en forma simultánea a la actuación del grupo, teorizaba como «escena de avanzada» en el Chile de la dictadura pinochetista, incluyendo bajo ese término también la producción contemporánea de artistas como Carlos Leppe, Catalina Parra o Eugenio Dittborn. Sus acciones muchas veces involucraban dispositivos complejos de tecnologías comerciales o incluso militares, como las seis avionetas alquiladas para *¡Ay Sudamérica!* (1981) en función de lanzar 400.000 volantes sobre Santiago, el texto de los cuales se publicaba simultáneamente en la revista *APSI*.

4.11 CADA (Colectivo de Acciones de Arte), *Inversión de escena*, 17 de octubre de 1979. Toma de filmación, Biblioteca Nacional de Chile, Santiago de Chile.

tiempo que sobre su marco institucional, sobre los modos previos de reclamación estética del mundo exterior como paisaje. Enfocadas en su propio espesor formal más que en su gesto de rechazo o abandono del marco institucional, muchas obras efectivamente revisitan –y complican– la «doble artialización» del ambiente en paisaje *in visu* e *in situ*. Complicación a la vez que reinscripción de la dicotomía porque, sugiero, en las obras que nos ocupan, el ambiente surge o bien como escena, como conjunto espacio-temporal que se halla en la exterioridad social para ser intervenido a través de actos de recorte y edición clandestina, o bien como escenario o puesta teatral-museal que convoca y subvierte los tropos de la colección, el trofeo y el fetiche. En términos de su soporte y medialidad, la relación entre paisajes *in visu* e *in situ* se traslada así de la pintura y la jardinería a lo foto-cinematográfico y a la instalación y lo teatral, respectivamente, si bien, como veremos, ambas modalidades raramente aparecen nítidamente diferenciadas y más bien imbricadas una en la otra.

Esa apertura del signo artístico hacia las tramas sociales que responden a su contingencia y potencialidad, politizándola, también recogía y transformaba experiencias y propuestas anteriores de escultura social. Un ejemplo clave sería *No+* (1983-84), última acción del CADA realizada en colectivo, que consistía en salir por las noches a grafitar las paredes de Santiago con el texto abierto del eslogan para que vecinos y transeúntes lo completaran haciéndolo propio. Como los *parangolés* de Oiticica o las *phalènes* del grupo de Valparaíso, también *No+* buscaba abrir el gesto artístico hacia prácticas cotidianas y convivenciales, hacer habitable una propuesta de «vida estética». Pero a diferencia del ciclo anterior, la producción del arte politizado desde finales de los años sesenta ya no insistía en la *especificidad* de ese gesto, mucho menos en su autonomía. Por el contrario, procuraba su funcionalidad como herramienta de lucha o en todo caso, ya vencida por el terror tanto la movilización popular masiva como la lucha armada insurreccional, apoyarse en su indeterminación en pos de explorar nuevas formas de resistencia. Es ahora la *inespecificidad* del acontecimiento artístico en cuanto a sus soportes materiales y géneros expresivos, su carácter –a veces literalmente– *informe*, el que lo favorece a la hora de actuar clandestina e inesperadamente, al decir de Morais, para convertirlo al arte, efectivamente, en una máquina de guerra. Como bien resume Andrea Giunta, «los artistas llegaron a entender sus prácticas no como una *expresión* de la revolución, sino como un *detonante*, como un motor más de la misma» (Giunta, 2001: 338).

Contrastando con esas obras-escenas que se diluyen en la trama de lo cotidiano, como ejemplos del grupo de obras-escenarios puede pensarse en los dos trabajos que Antonio Manuel exhibe en el Salão da Bússola en el MAM-Río en 1969: *Selva* y *Soy loco por ti América*. El primero estaba formado por un panel pintado en rojo y cubierto por una «cortina» de plástico transparente en dos capas que contenían en su interior una masa de restos vegetales como hojas de banano y de palmera. Los visitantes podían levantar la capa y así revelar al fondo rojo subyacente. La alusión implícita a la lucha guerrillera que estaban llevando adelante desde 1967 grupos relacionados al PC do B en la zona del río Araguaia, en el estado del Pará, se reforzaba a través del segundo trabajo de Manuel cuyo título aludía a la canción tropicalista de Caetano Veloso y Gilberto Gil que homenajeaba al Che Guevara. Ahí, un acortinado negro cubría un colchón de pasto del tamaño de una cama doble, ubicado por debajo de un gran panel de madera con un mapa de América Latina pintado en rojo que colgaba de la pared. Tirando de una cuerda, los visitantes podían levantar las cortinas y acostarse sobre el pasto con vista libre al mapa rojo. Aquí como en obras más tardías y por tanto ya marcadas por la experiencia de la derrota de las luchas a las que todavía convocan los trabajos de Manuel[98], se revisita la idea de un arte ambiental inaugurada por Oiticica en 1967, término que Manuel recoge explícitamente para sus obras (Calirman, 2012: 61). Como los penetrables y ambientes de Oiticica, esos trabajos «invierten las dinámicas interventoras de la espacialidad social» llevadas a cabo por las intervenciones performativas en el contexto urbano o en entornos silvestres y desérticos, «al superponer nominalmente el afuera (lo social) al adentro (la galería donde se gesta el discurso del arte sobre el arte enmarcado en su tautología de la mirada)» (Richard, 1986: 139). Pero aquí, esa «penetración ambiental» del espacio del arte, además, da expresión a las tensiones violentas que atraviesan ese afuera y convoca al espectador no apenas a volverse participante y coautor activo de la obra sino, además, a realizar en su interacción con la obra un acto público de *toma de posición*[99]. Las obras abren así ambientes/escenarios de (re)politización, al incitar

[98] Se puede pensar en *Paisaje,* de Francisco Brugnoli y Virginia Errázuriz, y en *¿Qué hacer?* de Gonzalo Díaz y Justo Mellado, exhibidas en 1983 y 1984, respectivamente, en la Galería del Sur en Santiago de Chile, donde se convocan al espacio de la exhibición los vestigios de un exterior arqueológico o arquitectónico-técnico.

[99] Georges Didi-Huberman, en *Cuando las imágenes toman el poder*, distingue entre el acto de tomar posición y el de tomar partido, el primero correspondiendo a un pensamiento aún no atravesado por el concepto y por tanto más afin a la «imaginación política» del montaje visual, en cuanto la toma de partido vuelve a subordinar ese acto ético del mirar a la soberanía del discurso. Véase Didi-Huberman, 2008: 140-41.

a actos de espectación-participación que se convierten en desafíos del régimen imperante, en actos resistentes.

Dos trabajos que reflexionan de un modo particularmente agudo sobre esa relación entre el ambiente-escenario realizado al interior del espacio de la galería o del museo y el exterior al que remite en forma de trazo o huella, son las dos obras de la serie *Arte física* exhibidas por Cildo Meireles en el Salão da Bússola y la instalación de Artur Barrio realizada en esa misma ocasión, *Situação ... ORHHH ... ou ... 5.000 ... T. E. ... EM .. N. Y. ... City ... 1969*. En *Caixas de Brasília/Clareira*, Cildo «exhibía» en unas cajas oscuras de madera las cenizas de una pequeña sección de monte seco en las inmediaciones del lago Paranoá, el lago artificial que bordea el área del Plano Piloto de Brasilia. Como refería Cildo, la primera parte de la intervención, realizada en colaboración con los artistas Alfredo Fontes y Guilherme Magalhães Vaz, casi había fracasado ante la dificultad de quemar los restos vegetales en el área del Distrito Federal, sometido constantemente a una vigilancia aérea que resultaba en la presentación inmediata de policías o bomberos impidiendo realizar la acción (Calirman, 2012: 180). En el MAM-Río, de un modo muy parecido a los primeros *Nonsites* que estaba produciendo por ese mismo entonces Robert Smithson, las cajas-urnas con las cenizas al interior (que por lo tanto no eran visibles para los visitantes) estaban ubicadas debajo de un mapa del Plano Piloto, indicando el lugar del «claro» abierto en el monte, y una secuencia fotográfica, documentando la construcción y quema de la hoguera y el relleno de las cajas. En *Cordões/30 km de linha estendidos*, una caja-baúl de madera podía ser abierta por los visitantes, revelando un mapa de la línea costera de la ciudad de Río y una cuerda que antes de ser expuesta habría estado desenredada a lo largo de su recorrido. Ambos trabajos escenifican, a través de un objeto-vestigio material, la relación de presencia/ausencia que ellos mantienen con su referente espacial. La ambientación superpone, por así decirlo, un índice material a un sistema metonímico de representación (los mapas y fotografías) –aunque, en realidad, y en eso reside el poder de ambas instalaciones, ni la cuerda ni las cenizas (restos que, además, las cajas de madera mantienen fuera de nuestra vista) son capaces de devolvernos la presencia material del sitio que, en *Caixas de Brasília*, el mismo acto de producción del signo ha destruido reduciéndolo, literalmente, a cenizas. El uso en la instalación del plano urbano de Brasilia, al mismo tiempo un ícono del modernismo brasileño, en su vocación de producir espacio y una referencia al poder dictatorial (cuya vigilancia aérea, que repite la visión cartográfica, había tenido que eludir la producción de las cenizas-urnas), agrega a esa dimensión autorreflexiva un aspecto político desconcertante.

La contribución de Barrio a la muestra inicia una trayectoria paulatinamente radicalizada del «uso de materiales perecederos, baratos» con los cuales el artista, según un «Manifiesto» redactado ese mismo año, buscaba expresar materialmente la condición marginal y colonizada de Brasil y de América Latina, incluyendo materialidades tabuizadas como «basura, papel higiénico, orina, etc.» (Barrio, en Canongia, 2002a: 145). En el Salão da Bússola, Barrio exponía unas bolsas de papel rellenas con papel de diario, basura y cemento, manchadas con pintura roja y atadas en bultos (las «trouxas ensanguentadas» o «T. E.» del título de la obra) que colgaban del techo, o yacían tiradas en el piso entre desechos recolectados en los alrededores del museo. Terminada la muestra, Barrio depositó sus «bultos ensangrentados» en los jardines del museo –espacio icónico del paisajismo moderno, diseñado por Burle Marx– de donde, a la mañana siguiente, ya habían sido removidos por orden de la policía, al no obtener ésta respuesta de las autoridades del museo sobre el carácter de la intervención. La instalación de Barrio llevaba así a un extremo de desafío y tensión el carácter del museo como reducto de autonomía estética, al invadirlo con los materiales de otro espacio-tiempo heterotópico, el de los desechos y excreciones corporales; aquello que es removido del ámbito productivo no por consagración institucional sino por su carácter de resto, excedente, desecho no-recuperable. En un acto de «terrorismo poético», la obra de Barrio hacía presente en el templo de las artes plásticas unas artes informes, provocando una disgregación de la forma de la que los propios títulos se hacían eco en su fractura del sentido en la lengua: «Las T. E. eran *cosas* incongruentes y terribles, incluso amenazadoras, y su aparición inesperada y violenta podía desencadenar estados anímicos o psíquicos bastante perturbadores» (Canongia, 2002b: 196) incluyendo desmayos y vómitos que Barrio consideraba actos de colaboración espontánea con la obra (Calirman, 2012: 87).

Son esas formas de coparticipación impulsiva y violenta que los trabajos siguientes de Barrio llevan al espacio-tiempo de lo cotidiano y de la ciudad. Esas intervenciones que provocan «escenas» en la trama social (que el artista dispone y coreografía a la manera de un director de cine *vérité*, y que muchas veces son registradas por el fotógrafo o camarógrafo con quien colabora) incluyen, por ejemplo, la distribución en 1970 por toda la ciudad de Río de quinientas bolsas de plástico conteniendo tampones y papel higiénico, restos de pelo, uñas, sangre, excremento, orina, huesos y otros materiales abyectos, de las cuales cien llevaban además adherida una cinta con la firma del artista. La obra, que se proponía como «actuación [que] provoca automáticamente la transformación del medio ambiente, de-sacralizándolo» (Barrio, en Canongia, 2002a: 145), efectivamente se completaría sólo con la recolección/destrucción de la última de las bolsas por los recolectores municipales de basura. En abril del mismo año, Barrio participaba en la legendaria muestra al aire libre *Do corpo à terra* en el parque municipal de Belo Horizonte, curada por Frederico Morais, con *Situação ..... T1/T2* ....., usando unos veinte kilos de carne vacuna y huesos, comprados en mataderos de la zona y envueltos en lienzos blancos en forma de bultos teñidos de sangre y otros líquidos. Luego, Barrio y el fotógrafo César Carneiro, quien también documentaría las reacciones del público, dejaban tirados los bultos en lugares al margen del parque, como baldíos y desagües. En varias ocasiones, los bultos provocaban tumultos entre la multitud congregada y los oficiales de policía que pretendían retirar los restos del lugar (por orden de la prefectura, todos los bultos fueron confiscados y enviados ese mismo día a un laboratorio forense para su análisis) (lámina 9)[100].

La fuerza perturbadora de los bultos ensangrentados de Barrio en el espacio público proviene del modo en que éstos hacen visible una violencia que ya habitaba esos espacios de antemano, siendo *reconocida* con una mezcla de espanto y de *déjà vu*, como algo que los espectadores-transeúntes recién ahí se daban cuenta de que ya lo habían estado esperando desde antes. En ese reconocimiento de algo que ya había estado latente en la trama de lo cotidiano y que la intervención artística obliga a salir de su olvido activo –de su *ob-scenidad*–, para ser re-conocido en el instante mismo de su aparición, reside la clave común de muchas de las escenas-actuaciones públicas producidas en dictadura. Así, en *Para no morir de hambre en el arte* (1979), primera acción del CADA en la que se distribuye leche en polvo en barrios pobres de la capital chilena, se lee en plena calle un discurso que critica el deterioro social y se publica un texto poético alusivo a la carencia y la censura. La acción también funciona simbólicamente en tanto reactiva

[100] Otra acción de Barrio realizada en mayo de 1970, *4 Dias 4 Noites*, llevaba aún más lejos la noción de un arte clandestino, al punto de confundirse performance, sensación corporal y perceptiva y contexto físico y social en un agenciamiento que, si bien todavía puede ser pensado como experiencia estética, deja –en algún momento– de pertenecer al arte. Ahí, Barrio se propuso deambular por el espacio urbano de Río durante cuatro días y cuatro noches bajo el efecto de la marihuana, sin parar para comer o dormir, y con el único prerrogativo de mantenerse abierto a las situaciones y encuentros acontecidos en el transcurso de la caminata. En un momento, Barrio entra al Museo de Arte Moderna, baila alrededor e interactúa físicamente con una instalación ambiental de Cláudio Paiva, momento –en palabras del crítico Mário Pedrosa– en el que «arte y vida, locura y muerte, fueron mezclados con tanta violencia [...] y sin espectadores que podría decirse sin equivocación alguna que el arte brasileño alcanzó ahí el ápice de su tragedia» (Pedrosa, citado en Calirman, 2012: 99). Ningún registro fotográfico o fílmico fue realizado de la acción, y el proyecto posterior de Barrio de escribir un texto-memoria de 400 páginas sobre sus vivencias sólo arrojó un libro con 400 páginas en blanco: «Situación aguda de la ausencia de materialidad, confinada a la condición de pura vivencia individual, *4 Dias 4 Noites* es el punto crítico y el límite hacia el que llegó el artista en cuanto a la negación del objeto y a favor de la percepción tomada como potencialidad y latencia [...] en sus palabras, una "iluminación perceptiva"» (Canongia, 2002b: 201-202).

unos «valores culturales propuestos durante la Unidad Popular: el medio litro de leche, la llegada de los artistas a las poblaciones [...] significaban una simbiosis entre lo nuevo y lo antes deseado, un intento de resemantizar categorías antiguas válidas desde nociones producidas en el aquí y ahora de la dictadura» (Cánovas, 1987: 21) –la promesa de medio litro de leche diario para cada chileno había sido una bandera emblemática del gobierno de Allende. Así, las acciones del CADA, todavía según Rodrigo Cánovas, se habrían caracterizado por «el intento, desde ese presente, de manipular los sistemas de signos imperantes en Chile, de inscribirlos a su favor, en vez de rechazarlos (el video, los contactos con empresas privadas, ciertos mimetismos, convocatorias equívocas, etc.)» (Cánovas, 1987: 21). ¡Ay Sudamérica! (1981), acción para la cual el colectivo alquiló seis avionetas, las cuales avanzaron sobre Santiago para tirar desde el aire paquetes de volantes impresos con un texto (que se publicaba paralelamente en la revista *APSI*) reflexionando sobre la relación entre arte y vida en la actualidad, re-enactuaba, de manera inmediatamente reconocible y a la vez desfamiliarizada, la escena fundante de ese presente, el bombardeo aéreo del Palacio de La Moneda en 1973. Llevaba así a manifestarse, a aparecer, no el evento pasado sino su presencia-ausencia como memoria traumática y deferida, su simultánea extrañeza y familiaridad en la que hallaba su centro secreto, su vórtice, el sistema simbólico colectivo[101].

[101] El texto de los volantes se hacía eco de esa desfamiliarización de lo conocido al reinscribir el viejo anhelo de las vanguardias por fundir vida y arte, pero que aquí, tanto por la forma de su distribución como por un cierto recurso a un lenguaje patético y a conceptos extraídos del léxico autoritario-neoliberal como «aspiración», yuxtapuestos al latinoamericanismo propio de la cultura de la Unidad Popular, remitía también a la retórica imperativa de los bandos militares. La «puesta en escena» que desdoblaba actos y lenguajes de la política y el arte pero colocándolos «fuera de lugar», generaba así un efecto desconcertante al hacerlos visibles a éstos por fuera de sus ubicaciones simbólicas habitualizadas. Decía el folleto: «... proponemos hoy, pensarnos en otra perspectiva, no sólo como técnicos o científicos, no sólo como trabajadores manuales, no sólo como artistas del cuadro o del montaje, no sólo como cineastas, no solamente como labradores de la tierra./ Por eso hoy proponemos para cada hombre un trabajo en la felicidad, que por otra parte es la única gran aspiración colectiva/ su único desgarro/ un trabajo en la felicidad, eso es. Nosotros somos artistas, pero cada hombre que trabaja por la ampliación, aunque sea mental, de sus espacios de vida es un artista. Lo que significa que

Tucumán Arde, la acción-*happening* llevada a cabo por una treintena de artistas e intelectuales rosarinos, porteños y santafecinos entre septiembre y noviembre de 1968, llegó a considerarse posteriormente como el ápice y apogeo del arte politizado en América Latina, como culminación del «itinerario del 68» (Longoni y Mestman, 2008: 77), que hizo «palpables los límites del intento más cabal de formular un programa colectivo para continuar haciendo arte fuera del arte» (Longoni, 2014: 3). No sólo tensó hasta el extremo la relación con la institución arte, al punto de precipitar la salida posterior de muchos de sus participantes de la práctica artística y el ingreso a la clandestinidad y la lucha armada. También, y ahí reside tal vez su riqueza simbólica y su poder de síntesis, llevó al más alto grado de coherencia la articulación entre las dos vertientes del giro ambiental –escena y escenario– y sus políticas y retóricas de espacio y lugar, anudándolas en una única secuencia performática. Yuxtaponiendo de un modo singular la nomadología militar de la guerrilla guevariana con el «arte de los medios» (conceptualizado en 1966 por Eduardo Costa, Raúl Escari y Roberto Jacoby) en la secuencia «procesual, temporal y espacialmente discontinua» (Longoni y Mestman, 2008: 209) de *Tucumán Arde*, alternaban la itinerancia espacial y la ambientación a escala de maquete o de miniatura, del espacio exterior atravesado, para así revelar sus estructuras subyacentes. Si aquélla confundía la tradición del viaje plástico con las estrategias militantes y guerrilleras de movilidad y clandestinidad, esta última tenía su antecedente más bien en el paisaje-jardín. La ruptura con el marco institucional

digamos el trabajo en la vida como única forma creativa y que digamos, como artistas, no a la ficción en la ficción./ Decimos por lo tanto que el trabajo de ampliación de los niveles habituales de vida es el único montaje válido/ la única exposición/ la única obra de arte que vive. Nosotros somos artistas y nos sentimos participando de las grandes aspiraciones de todos, presumiendo hoy con amor sudamericano el deslizarse de sus ojos sobre esas líneas. Ay, Sudamérica. Así, conjuntamente construimos el inicio de la obra: un reconocimiento en nuestras mentes; borrando los oficios; la vida como acto creativo. Ese es el arte/ la obra/ este es el trabajo de arte que proponemos» («¡Ay Sudamérica! 400.000 textos sobre Santiago. C. A. D. A., julio 1981», *APSI Creación*, International Center for the Arts of America at the Museum of Fine Arts, Houston, Document 730004).

del arte sobredeterminaba todas las etapas de la acción, ya sea usándolo como «pantalla» para camuflar el levantamiento de registros «clandestinos», ya sea en la elección de una central sindical –y no de un local del circuito artístico– como escenario de muestra, con la clara vocación de hacer coincidir la enunciación plástica con un acto de militancia. Como lo resumiría más tarde Rubén Naranjo, uno de los artistas rosarinos participantes: «Antes tal vez nos hubiera bastado representar un gran cubo de azúcar; recorrible, con los textos incluidos en él, y exhibirlos en el [Instituto Torcuato] Di Tella. Eso podría habernos dejado conformes: la realización de una estructura primaria y que llevaba implícita, sin ninguna duda, la denuncia de una situación objetiva» (citado en Sacco, Sueldo y Andino, 1987: 63).

Para pasar de la denuncia a la militancia comunicacional, la construcción de un circuito contrainformacional, la acción se valía de una secuencia de etapas sucesivas (el mismo dispositivo organizativo de la acción adoptaba así la lógica clandestino-militar de la política revolucionaria). La copiosa bibliografía que se ha ocupado de *Tucumán Arde* nos exime de la necesidad de repasar extensamente su cronología[102]: recordemos apenas que, en el «Primer Encuentro de Arte de Vanguardia» celebrado en agosto de 1968 en Rosario entre un grupo de artistas surgido en esta ciudad en torno al Ciclo de Arte Experimental con sus pares provenientes de Buenos Aires, de la órbita del Instituto Di Tella, se decide avanzar con una acción conjunta. La selección, hecha en alguno de los encuentros posteriores, del conflicto social en la provincia de Tucumán como eje central siguió de cerca el plan de lucha de la CGT de los argentinos, el sindicato combativo conducido por Raimundo Ongaro. El cierre de varios grandes ingenios azucareros había desencadenado en esa provincia del noroeste una situación de emergencia social, a la que el régimen de Onganía respondía con el «Operativo Tucumán», campaña mediática que publicitaba

[102] Ver, además de los textos ya citados, los trabajos de Arrese et al. (2004), Bishop (2012), King (1985) y Kozak (2004).

una modernización y diversificación industrial y agraria tras la cual se escondía la violenta represión del gremialismo a fin de agilizar la entrada de capitales transnacionales. En respuesta, el grupo diseñó una secuencia de intervenciones contrainformacionales en cuatro etapas, destinadas a «promover un proceso desalienante de la imagen de la realidad tucumana elaborada por los medios de comunicación de masas» (María Teresa Gramuglio y Nicolás Rosa, «Declaración de la muestra de Rosario», noviembre de 1968, citada en Longoni y Mestman, 2008: 235). En un primer viaje de reconocimiento, un grupo de artistas viajaba a San Miguel de Tucumán para establecer los primeros contactos, tanto con el activismo sindical y estudiantil como con las autoridades culturales a quienes se anunció la inminente llegada de un grupo de pintores rosarinos con la intención de realizar una acción de arte informacional para la cual se les pedía su colaboración. En estos primeros contactos estatales, así como en la conferencia de prensa que se brinda poco después, auspiciada por el Departamento de Artes Plásticas del Consejo Provincial de Difusión Cultural, se recurre al lenguaje conceptualista para difundir una versión verosímil pero falsa de la obra, movilizando el capital simbólico de la vanguardia «como una suerte de "salvoconducto" para legalizar [las] actividades durante la segunda estadía en Tucumán» (Longoni y Mestman, 2008: 187). Así, mientras una parte del grupo más numeroso que participaba del segundo viaje a Tucumán realizaba actividades en el medio artístico local e interactuaba con la prensa y con las autoridades culturales, otros de sus integrantes, sobre la base de los contactos con la militancia forjada en el viaje anterior y protegidos por la pantalla generada por la otra mitad del grupo, realizaban tareas de documentación entrevistando a sindicalistas y obreros y levantando registros fílmicos y fotográficos de la situación social en los ingenios; material que era enviado a Rosario diariamente para su clasificación y procesamiento y para evitar sospechas o pérdidas en caso de un allanamiento policial. El viaje terminaba con una segunda conferencia de prensa en la que se revelaron los vedaderos motivos de la acción, en busca (sólo parcialmente exitosa) de usar el escándalo mediático para intensificar el interés en las muestras programadas, sucesivamente, en Rosario, Buenos Aires, Santa Fe y Córdoba (serie abortada tras el cierre policial de la segunda muestra a pocas horas de su apertura).

En paralelo a las actividades en Tucumán y a los preparativos para la muestra rosarina, se realizaban una serie de intervenciones en la ciudad-puerto santafecina, desde grafitis y carteles impresos sólo con la palabra «Tucumán» o con la dupla «Tucumán Arde» (que se hacía eco del título en castellano del film *Paris brûle-t'il* de René Clément, que acababa de estrenarse en el país), repetida también en obleas e impresa en las entradas del cine-arte local. Así como, en el viaje a Tucumán, los artistas buscaban apropiarse de los medios masivos para instalar y traficar a través de éstos unos contenidos contrainformacionales, también aquí se echaba mano a técnicas avanzadas de publicidad en función de generar, a partir de la ambigüedad del significante, una expectativa que trascendiera los públicos habituales de la vanguardia artística o de la militancia política y sindical (paralelamente, pero sin explicitar la conexión, se anunciaba en carteles la «1ª Bienal de Arte de Vanguardia»). Abierta a comienzos de noviembre, la muestra no consistía en una exhibición de obras individuales realizadas a partir de la experiencia del viaje sino, por el contrario, proponía «una toma total del edificio» echando mano a una serie de técnicas y formatos del arte ambiental, con el efecto de que, al entrar en la muestra, «la gente se metía en el mundo de la pobreza», al decir de Rubén Naranjo (citado en Longoni y Mestman, 2008: 201). Desde las bolsas de azúcar que bloqueaban la entrada del edificio y el café amargo servido en alusión al acaparamiento de azúcar por parte de los ingenios, a las transmisiones por altoparlantes de los testimonios recogidos en Tucumán así como de las reacciones de los visitantes grabadas en el propio espacio de la muestra, *Tucumán Arde* ofrecía un ambiente multisensorial en el que cobraban sentido las fotografías ampliadas y los textos y pancartas que aludían a múltiples frentes de lucha en el país. Cada par de minutos se producía un apagón de luz en alusión a la frecuencia de muertes infantiles en la provincia. Como *Tropicália*, la ambientación de Hélio Oiticica exhibida el año anterior –si bien en una clave mucho más inmediatamente vinculada a la lucha política–, las muestras de *Tucumán Arde* buscaban abrir escenarios alternativos al circuito museal y galerístico para la circulación de un arte militante. Así, por ejemplo, fueron también uno de los primeros ámbitos de proyección de *La hora de los hornos*, el film del Grupo Cine Liberación (Solanas/Getino, 1968). Finalmente, como última etapa y cierre del circuito contrainformacional, estaba prevista la publicación del material reunido (incluyendo el análisis de la propia experiencia de las muestras); escalón que quedó en suspenso ante la acción represiva del régimen dictatorial.

La convergencia de la militancia artística con el activismo sindical se producía, entonces, en la relación compartida de ambos con un tercer espacio –el noroeste empobrecido– y con respecto a la relación neocolonial y extractiva que lo vinculaba a éste con los centros metropolitanos: relación que también estaba, por supuesto, a la raíz de las formas de representación ambiental de las que el proceso de la obra se valía en sus escalones sucesivos, buscando convertir su retórica jerárquica y objetivadora entre observador y ambiente en una matriz participativa de solidaridad. *Tucumán Arde* quería pasar del paisaje *in visu* e *in situ* a la apertura de un espacio-tiempo experimental en el que la exploración, documentación y expectación participante de estos espacios otros ya fueran desde el inicio inscritos en una trama de lucha compartida. Pero tanto, la campaña de «donaciones» a favor de los indigentes tucumanos realizada durante la muestra rosarina, como la propia documentación fotográfica y fílmica de los ingenios cuyos encuadres del rostro y el cuerpo otro recuerdan, tal vez involuntariamente, la producción visual de la Farm Security Administration norteamericana en los años del New Deal[103], no pueden evitar del todo la recaída en la

[103] Hay ecos notables, por ejemplo, en algunos de los retratos de cuerpo entero o en busto de campesinos tucumanos, de la fotografía de Walker Evans, Ben Shan o de

relación objetivadora inscrita en los aparatos simbólicos del viaje y la muestra. El interior argentino y sus mundos de pobreza y alteridad étnica, vuelven a figurar en *Tucumán Arde* como objeto mudo y distante, receptor pasivo tanto de la violencia neocolonial como de la solidaridad del público metropolitano concientizado. Pero no figura, ni en la muestra ni en la actividad itinerante de registro y camuflaje mediático, como un interlocutor con los mismos títulos que los artífices y el público de las muestras (que, llamativamente, nunca habían contemplado incluir a San Miguel de Tucumán u otras localidades del noroeste en su itinerario). En realidad, no podía figurar *ahí* en términos que no fueran los de un horizonte o tercer espacio, aunque sea para montar sobre esa imagen un discurso de crítica de la imagen que llamara a trascenderla en un gesto de solidaridad activa. Pero la mudez de ese otro tucumano no se colmaba apenas por la transmisión de su voz por los altoparlantes de la muestra: el diálogo entre ésta y las voces grabadas del público nunca iba a suspender realmente, por el solo artificio del montaje, la distancia que mide entre una imagen y su espectador. El límite que significaba *Tucumán Arde* para el arte conceptual latinoamericano en su vertiente más politizada, era así también el de un giro ambiental finalmente incapaz de saltar por fuera de su propio cerco, incapaz también de llevar la disputa a nivel de la imagen, o del significante mediático, a la del hecho político, como «acción creadora de nuevos contenidos» –las expresiones son las de la «Declaración de la muestra de Rosario», redactada por Nicolás Rosa y María Teresa Gramuglio (Longoni y Mestman, 208: 233)– y partícipe de «una cultura subversiva que integra el proceso modificador» de lo social, para dejar, como «un arte verdaderamente revolucionario» (ibíd.: 233), su marca en los cuerpos y en la tierra.

Dorothea Lange en los años treinta y cuarenta. Para una selección de la documentación fotográfica de *Tucumán Arde*, véase Arrese et al., 2004.

Cuerpo fuera del paisaje: la geopolítica de Ana Mendieta

Dejar estampada en la tierra la marca de un cuerpo –el suyo– y así, también, reafirmar una y otra vez la pertenencia telúrica de ese cuerpo, «como un perro meando sobre el suelo» (Best, 2011: 100), en palabras de la artista, era precisamente el objetivo de los *earth-body works* producidos en la década de 1970 por Ana Mendieta. La crítica de arte latinoamericana, aun cuando llamaba la atención sobre ciertas coincidencias del giro ambiental en la región con el movimiento norteamericano del *land art*, se ha empeñado sobre todo en resaltar las diferencias entre ambos, apoyándose en expresiones circunstanciales como las de Hélio Oiticica sobre el *land art* como manifestación tardía del paisajismo (Brett, 2005: 71). Pero quizás, hoy, desde la distancia retrospectiva, sea más interesante indagar en las afinidades y resonancias mutuas que en las diferencias, en cuanto ellas nos pueden revelar aspectos del arte ambiental latinoamericano que hasta ahora han permanecido en las sombras. En esta lectura en común, lo que surge a un primer plano es, sugiero, la inmersión del gesto artístico no sólo en la exterioridad social que se convierte en soporte espacio-temporal de las obras sino, además, la imbricación de éstas con materialidades y duraciones *exteriores a lo social* –o, si se quiere, su cooptación de y por modos de sociabilidad que exceden lo humano. La obra de Mendieta, sugiero, es un lugar propicio para enfocar nuevamente estas convergencias, al mismo tiempo que ilumina la tensión (geo) política entre los giros ambientales en la América del Norte y la del Sur.

Baldíos y canteras, escapes de agua, los yuyales al borde de zonas de explotación agroindustrial o los vestigios de la extracción minera a cielo abierto, fueron también locaciones predilectas de las intervenciones del *land art*. En la obra de Mendieta, pero también en la de artistas como Robert Smithson, no se trataba apenas de reanudar una relación entre artificio y naturaleza, de inscribir nuevamente en los ciclos orgánicos de lo viviente a la misma capacidad expresiva y trans-formadora que habría apartado a la especie humana de su existencia biológica. Si bien las ideas del *land art* y de los *earthworks* surgieron en paralelo con la emergencia de un pensamiento ecológico politizado en los Estados Unidos y en Europa (y con un «giro telúrico» en prácticas culturales comunitarias como las del movimiento *hippie*), las preocupaciones de la gran mayoría de artistas, según Suzaan Boettger (2002: 225) fueron de índole formal antes que política. De todos modos, la preferencia de artistas como Smithson, Alice Aycock, Nancy Holt o Dennis Oppenheimer por sitios que estuviesen ya marcados (y muchas veces agotados en su cohesión «natural») por formas previas, industriales, de uso extractivo, también sugiere una oposición menos tajante entre motivos políticos y formales, en tanto muchas de las obras habrían buscado expresar, en lenguajes plásticos provenientes del minimalismo o de Fluxus, la marca «geológica» de lo que hoy llamamos el antropoceno o el capitaloceno. Trabajaban con el carácter de resto y excedente que adquiere la naturaleza en contextos de extensión planetaria de lo que Rem Koolhaas (2002: 175) ha llamado *junkspace* [espacio basura]: «aquello que permanece cuando la modernización ha corrido su curso, o más precisamente, aquello que coagula cuando la modernización progresa, su residuo». Pero también expresaban la novedosa agencialidad que le compite a ese resto, distinta de los poderes que le había adjudicado lo sublime romántico. No otra es, por ejemplo, la apuesta de *Concrete Pour* (Chicago, 1969) y *Asphalt Rundown* (Roma, 1969) de Smithson, obras-*happenings* en las cuales mezclas de material industrial aún no endurecido fueron arrojadas mediante camiones por barrancas empinadas de canteras y vertederos de escombros creando, en la interacción entre el material viscoso en su descenso y los desniveles del terreno, unas pinturas aleatorias que, lejos de embellecer su entorno, resaltan por el contrario su carácter escultural preexistente de paisajes manufacturados. Es ese trabajo sutil de reconceptualización de los legados del paisaje *in visu* e *in situ* y de sus gramáticas itinerantes del viaje-exploración y del jardín-(re)emplazamiento, que Smithson realizaba en textos-acciones como «A Tour of the Monuments of Passaic, New Jersey» (1967) y en la formalización paralela del «Nonsite» (o *indoor earthwork*) como contraparte objetual del desplazamiento hacia los no-lugares del cordón industrial neoyorquino, el que resuena de un modo sugerente con las relaciones entre acción, objeto y lugar exploradas en esos mismos años por Cildo Meireles en *Arte física* y aún más por Hélio Oiticica en sus bólides y contra-bólides, en el «delirium ambulatorium» y en el «acontecimiento poético-urbano» de Cajú.

Smithson, además, indagaba en el legado imperial del paisaje como un «medio de intercambio entre lo humano y lo natural, entre lo propio y lo ajeno» (Mitchell, 1994: 5), en su moderna versión de subordinación neocolonial del hemisferio americano por los Estados Unidos. En «Incidents of Mirror-Travel in the Yucatán», texto publicado por primera vez en septiembre de 1969 en la revista *Artforum* acompañado de nueve fotografías, Smithson relataba el viaje por la península hecho en mayo de ese año en compañía de su pareja, la artista Nancy Holt, y la galerista Virginia Dwan, durante el cual Smithson realizó los nueve *mirror displacements* (deplazamientos de espejos) registrados en las fotografías. Esencialmente, éstos consistían en la disposición *in situ* de nueve a doce espejos cuadrados en distintas superficies, del suelo arenoso de una playa a las raíces de un árbol en la selva tropical o la pendiente de un acantilado, manteniendo aproximadamente la distribución geométrica con la que aparecerían en la página de la revista *Artforum* las fotos de los mismos. Aludiendo irónicamente a *Incidents of Travel in the Yucatán,* el relato de viaje publicado en 1843 por el aventurero y arqueólogo John Lloyd Stevens (el moderno «descubridor» de las ruinas mayas en Copán y Palenque), el texto de Smithson reflexiona sobre los nuevos «descubrimientos» arrojados por esos incidentes. En el fondo, éstos no son sino la reiteración autorreferencial del propio aparato imperial de captura, la fotografía, pero en cuanto materializado *in situ* a través de los espejos que reproducen en el suelo el *layout* geométrico de la página de la revista de arte. Si esa figura sufre, pues, la imposición de lo local en cuanto a las irregularidades que el soporte terrestre o arbóreo impone sobre la disposición de los espejos, al mismo tiempo la luz reflejada por cada uno de éstos (que en las fotografías apenas aparece como espacio en blanco) también invierte, o des-plaza, nuevamente ese em-plazamiento del dispositivo. Las imágenes, tomadas en picado de arriba hacia abajo, en vez de develar el lugar otro –Yucatán– contienen así a su interior apenas la relación invertida que la página blanca y las fotografías mantienen en *Artforum*. Pero esta relación des-plazante es también cada vez particular al sitio de su em-plazamiento, de manera que «dos planos diferentes del espacio de cada sitio se tornaban visibles simultáneamente. Es como si Smithson hubiese creado un pliegue, una raya o una urdimbre en el espacio para desplazar el cielo a la tierra» (Reynolds, 2003: 179). Como explicaba Smithson en su texto, «si usted visitase los sitios (una probabilidad dudosa), no encontraría más que trazos memoriales, ya que los desplazamientos de espejos fueron desmontados inmediatamente después de haber sido fotografiados [...] Es la dimensión de la ausencia la que queda por ser hallada. El color suprimido que permanece visible. [...] Yucatán está en otra parte» (Smithson, 1996: 132-133).

Hallar la dimensión de ausencia en el propio sitio que escapa a la representación y así, paradójicamente, forjar otra vez la presencia de algo que no es ni «Yucatán» ni tampoco apenas un efecto artificial, sino que remite, aunque fuera de manera enigmática, al modo en que la propia dimensión del lugar se ha retirado de nuestro horizonte de experiencia: es ésta, tal vez, la apuesta más candente de la obra de Smithson. En «Incidents of Mirror Travel in the Yucatán», el aparato narrativo e imperial de producción de espacio, el que históricamente fundó junto con la perspectiva linear en pintura la relación entre el sujeto soberano y el horizonte rural, silvestre y colonial que se le entrega, es movilizado en función de una práctica cuyo juego de *fort-da*, de presencia y ausencia, perfora ese mismo aparato por dentro. La relación entre escritura e imagen refleja y desdobla así a aquélla entre imagen y lugar, cada una conteniendo pero también vaciando a la otra, a la manera de las «piedras invertidas» cuya marca en la tierra registra Smithson en varias paradas de su viaje yucateco. Escribe Smithson: «Uno tiene que recordar que la escritura sobre el arte reemplaza la presencia por la ausencia, al sustituir la abstracción del lenguaje por la cosa real. Allí había una fricción entre los espejos y el árbol; ahora hay una fricción entre el lenguaje y la memoria. Una memoria de reflejos se vuelve una ausencia de ausencias» (Smithson, 1996: 129).

En la obra de Mendieta, esa relación entre itinerancia y emplazamiento, entre ausencia y presencia, y entre materialidad y signo, cobra otro sentido más allá de la reflexividad mutua con la que cargan los soportes materiales y simbólicos de figuración. El elemento que ahí trastorna y reconfigura la relación entre obra y sitio es, como lo anuncia el propio nombre genérico que Mendieta les asigna a sus trabajos –*earth-body works*–, el cuerpo humano, tanto en la forma genérica de la figura antropomórfica hallada o «imprimida» en la tierra como también a través de la presencia del cuerpo particular, individuado, de la artista, registrado en el medio fílmico o fotográfico. De un modo radicalmente diferente al Smithson (anti)viajero, la presencia-ausencia de este cuerpo y de los lugares y emplazamientos que forja su marca efímera, en Mendieta siempre permanece atada estrechamente a la individualidad biográfica de la artista, a *ese* cuerpo particular en tanto atravesado por tensiones biopolíticas de género, raza y clase; como cuerpo, finalmente, en el que estriba una compleja y violenta trama exílica. Hay en sus trabajos –quizás nunca tan explícitamente como en *Isla* (1981) (Fig. 4.12)– una persistente y hasta obsesiva tendencia a querer suturar, a través del cuerpo que se vuelve tierra y viceversa, el desarraigo que encarna ese cuerpo en su condición exílica, sutura que cada nueva re-iteración no obstante debe deferir más allá de su horizonte y duración. El fuera de lugar del cuerpo se en-tierra y así confía a los entornos-paisajes de ese emplazamiento, casi siempre frágiles en extremo (un hoyo antropomorfo en el borde entre playa y mar, una silueta de flores flotando en las aguas de un arroyo, la huella de un cuerpo acostado en un pastizal), el drama de su destierro. La dimensión exílica no está presente, así, de manera simbólica –o sólo en el sentido clásico del *sýmbolon*, en tanto que la tierra hacia la que vuelve el cuerpo no tanto re-presenta y así, reconecta con, la tierra faltante del origen. Más bien, el símbolo-tierra es aquí la esquirla, el muñón que apunta hacia su contraparte faltante, o como propone Jane Blocker (1999: 73), Mendieta, «al referenciar las contradicciones de una práctica identificatoria relativa a lo femenino, lo primitivo, la tierra y la nación [...] ocupa la posición discursiva del exilio, y ella utiliza esa posición para producir en nosotros un sentido de lo siniestro. Utiliza, en otras palabras, el exilio de un modo performativo en función de cuestionar los límites y la fijeza de una identidad».

4.12 Ana Mendieta, *Isla.* Fotografía en blanco y negro, 1994 (1981). Colección Ana Mendieta-Galería Lelong, Nueva York.

Nacida en La Habana en 1948, en el seno de una familia aristocráctica que contaba entre los suyos a un presidente provisional y trazaba sus orígenes a los próceres de la guerra de independencia, Ana Mendieta a los doce años fue enviada junta a su hermana Raquelín a una familia de acogida y luego a una serie de orfanatos en el estado de Iowa, en el marco del programa de «rescate» *Peter Pan*, patrocinado por el gobierno de los Estados Unidos, a fin de ayudar a familias pudientes de la isla a salvar su prole de la «indoctrinación comunista». El padre de Mendieta, un abogado y ex oficial de policía quien en los años cuarenta había recibido entrenamiento por el FBI en la persecución de comunistas y otros disidentes, fue condenado a veinte años de prisión luego de su participación en la frustrada invasión de la bahía de los Cochinos en 1961; la madre de las niñas sólo volvería a unirse a ellas tres años más tarde. En Iowa, las niñas arribaron en plena convulsión social desencadenada por la violencia racista contra el movimiento de derechos civiles, y las hermanas sufrían abusos frecuentes en su odisea por orfanatos y familias anfitrionas reacias, incluyendo acusaciones de robo contra ellas y llamadas anónimas en las cuales, como recordaría Ana más tarde, eran tildadas de «negras» y de «putas» (Blocker, 1999: 52-53). Más tarde, durante su formación en artes visuales en la Universidad de Iowa (donde se graduaría en 1977 en la novedosa maestría intermedial creada por Hans Breder), Mendieta empezaría a tematizar esas experiencias abusivas en trabajos de *performance art* como *Rape Piece* (1972) –actuación que recordaba la reciente violación y asesinato de una estudiante de medicina en el propio campus de la universidad– y los *Facial Hair Transplants* (1972), serie de autorretratos fotográficos de Mendieta tras haberse pegado en la mandíbula los pelos de la barba que acababa de afeitarse un compañero de estudios. En 1973, en una residencia de verano en México –viaje en el que podía participar sólo tras haber accedido a aplicar por la ciudadanía norteamericana– Mendieta realizó la primera de sus siluetas, *Imagen de Yagul* o *First Silueta*, imagen-performance en la cual ella se hizo fotografiar desnuda, acostada de espaldas en el hoyo de una tumba precolombina en el sitio de El Yaagul, Oaxaca, su rostro y partes del cuerpo cubiertos por flores que parecen brotar de éste. En los años siguientes, Mendieta realizaría más de cien siluetas, ya sea ubicando a su propio cuerpo en ambientes naturales y en sitios arqueológicos, ya sea –como ocurre a partir de 1975, aproximadamente– construyendo con materiales de los más variados un sustituto o huella corporal, que es registrado fotográficamente o filmado en super-8 en el proceso de su manufactura y eventual disolución. La proliferación de siluetas es interrumpida sólo en 1980, año en que Mendieta comienza a trabajar en las *Esculturas rupestres* que ejecutaría en rocas y cuevas del Parque Estatal de Jaruco al este de La Habana al año siguiente, referenciando figuras y mitologías taínas. Entre el viaje de regreso a Cuba y su muerte trágica en Nueva York en 1985, en circunstancias nunca esclarecidas, Mendieta trabajaría en proyectos relacionados con esas figuras cinceladas en la roca arenosa de Jaruco, ya sea imprimiéndolas sobre diferentes superficies vegetales o trabajando en un libro de foto-grabados registrando las obras originales hechas en Cuba.

La relación entre las siluetas y los motivos ancestrales grabados en las rocas de Jaruco corresponde, de manera estrecha, a la secuencia biográfica de desplazamientos forzados y de regreso vivida por la artista. Acompaña, como ha propuesto Luis Camnitzer (1989: 48), a modo de un autorretrato constantemente retrazado y modificado, a esta biografía y su subtexto geopolítico, pero también los complica –no sólo por la ruptura abierta con el legado familiar que protagoniza Mendieta al asumir posiciones políticas antiimperiales y tercermundistas, sino además porque su obra inscribe el violento desarraigo vivido en carne propia en un marco más amplio de violencias perpetradas contra su género y «raza» (Mendieta, asumiendo e invirtiendo la discriminación sufrida en el ambiente estadounidense, se reivindicaba a sí misma como artista negra y feminista), como también contra la tierra-madre con la que el cuerpo converge a partir de una herida compartida. Las siluetas, en su oscilar entre una forma que emerge ante nuestra mirada y su disolución –efecto anamórfico entre materialidad y expresión figurativa al que correponde la eventual desaparición real de cada silueta en el lugar de su hallazgo/encenación–, también reinscriben una y otra vez el vaivén entre la reivindicación del cuerpo, en su entereza y pertenencia territorial, y la ostentación de una separación insuturable entre ambos, cuerpo y tierra. Como ha argumentado Susan Best, la serialización de la figura contra-actúa el carácter efímero de cada iteración individual: «La repetición trabaja para reivindicar la presencia y aparición de la figura junto a su desaparición. La misma cantidad de acciones repetidas [...] insiste en la presencia del cuerpo en la naturaleza» (Best, 2007: 75). Cada nueva iteración, cada «re-encuentro» de la figura en el ambiente, cancela así su disolución en la obra inmediatamente anterior: lo serial no es en Mendieta, a la manera de las serigrafías e impresiones *offset* de Warhol, la eliminación deliberada de marcas individuales. Al contrario, cada nuevo escalón de la serie celebra la continuidad reanudada por el hallazgo de «todavía una silueta más», diferente de todas las anteriores en su modo de plasmar la figura en el ambiente. Desde contornos impresos en barro, tierra o pasto por su propio cuerpo o un molde antropomorfo a figuras realizadas con hojas y pétalos de flores, montículos-urnas rellenas con pólvora a las que se prende fuego, a manchas de pintura y otros líquidos, troncos muertos en la playa o colonias de hongos en los restos de un árbol, las siluetas de Mendieta raramente dejan de desconcertar. Como observa Anne Raine (2009: 239), ellas provocan un efecto de *déjà vu*, «por lo ordinario de las escenas y también por la recurrencia continua de la silueta, cuya forma aproximadamente antropomorfa evoca la sensación de algo absolutamente familiar pero que al mismo tiempo se torna extraño debido a su repetición en una variedad de materiales y sitios». Pero además, cada nueva silueta no sólo reanuda la continuidad de la serie sino que también actualiza, a través de su propia disolución, la amenaza mayor de un agotamiento de posibilidades y así, del fin de la serie entera.

La desaparición de la figura reaparecida, ya sea en su anticipación por el futuro anterior del tiempo fotográfico o en su reproducción fantasmática cada vez que se proyecta la película super-8 del performance, conlleva así también una amenaza de extinción: del dispositivo serial, de la presencia humana, e incluso del propio mundo-ambiente que los envuelve.

Anne Raine, desde una perspectiva psicoanalítica, analiza esa dinámica como reinscribiendo una y otra vez la tensión entre, por un lado, la promesa de sutura narcisista que cada una de las «escenas» y sus imágenes reanudan, y el prospecto angustiante que subyace a esa imaginación placentera, por el otro lado, que «no es el de la imposibilidad de unión con la tierra-madre sino [...] el aspecto amenazador de una tal unión, que significa tanto plenitud como también la disolución del sujeto en la indiferenciación» (Raine, 2009: 244). Las fotografías de los *earth-body works* de Mendieta, dice Raine, no sólo reproducen el carácter de las propias siluetas de huella o trazo de un cuerpo ausente, reforzando así su aspecto siniestro, sino que también tienden a nuestra mirada una seductora invitación háptica: es como si pudiéramos repetir el gesto que la propia artista performatiza en *Corazón de roca con sangre* (1975), filmación en super-8 de Mendieta acostándose de cara para abajo en el «molde» de la silueta excavada previamente en la orilla de un arroyo. Pero la ansiedad emerge, una y otra vez, del carácter indecidible de lo que reconocemos en el contorno antropomorfo, el cuerpo humano o los elementos materiales de su soporte. Esa ambigüedad de una figura que nunca termina de desprenderse del todo de su fondo, recayendo en su propia materialidad en la medida en que adquiere carácter sígnico, por otra parte también desafía a la tradicional representación de la tierra como *paisaje*, sustentada precisamente por la distinguibilidad entre la figura vertical y la extensión horizontal en la que ésta orienta nuestra mirada. Como observa Susan Best, el encuadre de las fotografías de Mendieta muchas veces deniega a la mirada el horizonte que permitiría ubicar sus siluetas ante una profundidad de campo que pudiéramos organizar como paisaje; en cambio, aquí «el plano de la imagen se inclina hacia arriba, permitiendo que la naturaleza aparezca en el mismo nivel que el cuerpo [...]. La naturaleza, en este encuadre estrecho, deja de ser paisaje y es figurada más como materia, fuerza, crecimiento, descomposición (lodo, hielo, fuego, olas, agua o materia creciente)» (Best, 2007: 74). La propia mirada es así obligada a inclinarse hacia la tierra, a asumir como si fuera la posición corporal de Mendieta al acostarse en la silueta-hoyo, sin posibilidad alguna de ubicarnos en la posición visual distanciada y soberana que fundó el régimen representacional en Occidente.

Leída con frecuencia en términos del entonces emergente ecofeminismo estadounidense y de sus esencializaciones románticas de feminidad, naturaleza y Tercer Mundo (Blocker, por ejemplo, sostiene que, «para Mendieta, la tierra simboliza la esencia desde y hacia la cual la subjetividad es inevitablemente construida –no solo la suya propia, no solo la de América Latina, sino la de cualquier uno» (1999: 58)), la obra de Mendieta, desde miradas más atentas a su compleja y ambigua dimensión formal y sus soportes mediáticos, abre también otras posibilidades de concebir la dimensión exílica, o quizás mejor dicho: migrante. Poca atención se ha prestado, hasta ahora, al juego de fracturas y transmutaciones en *Silueta Series* que complican la noción de un feliz retorno a la matriz fundacional, la tierra-madre. La propia silueta es, desde luego, sobre todo aquello que *des-marca* a un cuerpo de su entorno, lo que no *es* ni el cuerpo ni la tierra sino apenas la línea que separa entre figura y fondo. Del mismo modo, en términos temporales y mediáticos, la imagen fílmica o fotográfica existe en estado de posterioridad y desmaterialización irredimible respecto de su referente material y performático. El propio título de la serie, en el que una palabra castellana en singular convive con otra en inglés y en plural, repite –o quizás mejor: advierte sobre– esa tensión entre dos elementos conceptual y políticamente cargados: «silueta» refiere a la aparición singular de cada una de las iteraciones cuya serialidad genérica, en cambio, remarca el término en inglés. Desde el propio título, entonces, la obra remite al desplazamiento metonímico, a la des-marcación que ocurre con la producción de cada silueta pero también a la dimensión exílica, migrante, que es su condición. Valdría la pena, sugiero, dedicar mayor atención a esta dimensión migrante de *Silueta Series*, su marco de referencias geopolíticas y postcoloniales explicitado por obras como *Isla* o por los nombres taínos puestos a las esculturas rupestres de 1981. Leer a Mendieta en esta clave también implicaría abrir su obra hacia el giro ambiental latinoamericano, hacerla regresar desde su exterior exílico como una contestación tardía, excéntrica, pero marcada por el mismo contexto de guerra fría y de violencia contrainsurgente desencadenada por la metrópolis capitalista y sus clientes regionales como, digamos, las intervenciones corporales en la escena pública de Antonio Manuel o de Artur Barrio en Brasil o las acciones del CADA en el Chile de la dictadura pinochetista.

No importa –de más está decir– el grado de «conciencia» o de «intencionalidad» de la artista en haber buscado este marco de lectura para su obra; se trata, por el contrario, de ubicarla a ésta en una *constelación* en función de la cual pueda desplegar sentidos nuevos y, en algunos aspectos, sorprendentemente actuales. Como contribución «excéntrica» al giro ambiental latinoamericano, la obra de Mendieta –y más que nada *Silueta Series*– también tiende puentes entre las intervenciones ambientales politizadas, itinerantes y clandestinas, de las décadas del sesenta y setenta, y el uso de la tierra-ambiente como soporte nemónico para prácticas de duelo individual y colectivo, que surge hacia el final de las dictaduras militares en el Cono Sur. Pero también se la podría pensar hacia atrás, como contestación feminista y descolonizadora a la búsqueda poético-arquitectónica de una morada americana por parte de la Ciudad Abierta de Amereida. Leída en clave geopolítica y latinoamericana, lo indecidible de las siluetas de Mendieta, su oscilar entre el referente figurativo de la forma humana y la materialidad del soporte, remite también a la indivisibilidad entre la geopolítica neocolonial a la que es sujeto ese cuerpo y la expansión extractiva del capitalismo que toma como rehén a su entorno ambiental. Cuerpo y ambiente se confunden, desde el punto de vista de una geopolítica migrante, al estar sometidos, ambos, a una misma biopolítica imperial que ha hecho redundante la separación entre figura y fondo sobre la que estaba organizado todavía el régimen extractivo anterior, manifestado estéticamente en la forma paisaje como dispositivo de trasplantación entre colonia y metrópoli (Casid, 2005: 45-93). El cuerpo migrante cuya «silueta» siempre a punto de disolverse en el ambiente trazan las obras-performances de Mendieta, es el punto de avanzada en la reconfiguración de ese régimen moderno en términos de una biopolítica «postcolonial» –neoliberal y globalizada– donde la disponibilidad de lo viviente para la extracción de valor ya no requiere la individualización de cuerpos o especies. Las siluetas –y todavía más las incisiones rupestres en la roca y arena cubana que se anticipan a un momento futuro en el que sus vestigios serán legibles (si es que sobreviven) apenas como prehistoria– vislumbran ya ese horizonte posthumano, pero no dejan (de ahí su potencia afectiva y política) de indicar en el presente actual su portador particular, la migrante: un cuerpo precarizado, naturalizado y desindividualizado, por su marcación racial, sexual y clasista que *ya vive la condición posthumana* hacia la que tienden todos los cuerpos en el régimen biopolítico del capitalismo tardío. Es esa oscilación entre *particularidad* y *generalidad* para la cual la forma silueta encuentra un modo de enunciación particularmente poderoso. La persistente reaparición de estos cuerpos otros desde el fondo mismo de su alteridad es, leída en clave de una geopolítica migrante, la provocadora y radical apuesta de las siluetas de Mendieta: no para reclamar nuestro reconocimiento de ellas como sujetos humanos, como todavía aspirantes a títulos de ciudadanía como los *indocumentados* cuyos restos yacen por millares en los desiertos de Texas, Arizona, Nuevo México y California. Las siluetas de Mendieta, en realidad, ya no se suscriben a ninguna política humanista: es ésa, también, la dimensión que comparten con la ritualística yorubá y mesoamericana que invocan muchas de las *performances* de la artista. Más bien, ellas exigen una política *posthumana*, una política más propia del campo de lo viviente por el que navegan los cuerpos migrantes.

Después de la naturaleza: memorias, derivas, transmutaciones

> *Testigo:* En la selva viven seres y muchos de la generación de mis abuelos y mis padres los encontraban y veían, eso era muy común. Allí viven los amos de la selva; nosotros no somos los dueños. Vive el Amasanga, que es uno de los amos de la selva, vive el Yashingu, vive el Sacharuna, que en traducción sería como el hombre de la selva. Eso podrían ver. Si desaparecen, eso sería una calamidad.
> *Representante:* ¿Qué sucedería con esos seres a partir de que la empresa CGC colocara explosivos en la selva?
> *Testigo:* Si explotan los explosivos, todos esos seres mueren, huyen, desaparecen, y el efecto es que genera grandes enfermedades.
>
> Testimonio de D. Sabino Gualinga ante la Corte Interamericana de Derechos Humanos, 8 de julio de 2011 (Biemann y Tavares, 2015: 14)

En *Nostalgia de la luz* (2010), Patricio Guzmán propone una hipótesis fascinante y perturbadora: cuando, tras el golpe de 1973, la dictadura de Pinochet eligió el desierto de Atacama como escenario de algunas de sus prácticas más infames de confinamiento, tortura y asesinato y para arrojar a la intemperie los cuerpos de sus víctimas, pensando que la lejanía y la inclemencia del ambiente desértico equivalían al más absoluto olvido, ignoraba que estaba confiando sus crímenes nada menos que a la memoria planetaria. El desierto, gracias a su extraordinaria aridez, es también donde mejor se conservan las huellas del pasado, desde los vestigios precolombinos y los restos de los asesinados por la dictadura hasta los orígenes del propio universo, grabados en el firmamento, cuya luz casi no encuentra allí interferencia atmosférica alguna. Entrevistando a los astrónomos quienes observan el cielo desde los enormes planetarios que anidan en las colinas como aves prehistóricas, Guzmán da con la imagen dialéctica que compagina (como un emblema o un sueño, a la manera de los pasajes benjaminianos) historia y naturaleza, memoria afectiva y sedimentación material del tiempo: el calcio de las estrellas desaparecidas cuya combustión dio origen a nuestra galaxia y al planeta Tierra, le explica un astrónomo al cineasta, tiene la misma consistencia molecular que los restos mortales de los seres queridos que, más de veinte años después del fin de la dictadura, siguen buscando en los arenales las madres, esposas e hijas de las víctimas del terror de Estado, las «mujeres de Calama» tan memorablemente retratadas en su épica búsqueda por la fotógrafa Paula Allen diez años antes. En esa identidad química, esa *esencia compartida*, Guzmán encuentra la clave para pensar el modo en que, figurativa a la vez que literalmente, la luz apagada de los asesinados y desaparecidos por la dictadura no deja de iluminar el presente chileno: es de ese eco luminoso, en verdad, que depende su continuidad temporal, la posibilidad misma de un futuro.

La naturaleza, reducida a sus elementos constituvos por el ojo científico, representa en *Nostalgia de la luz* y también en *El botón de nácar* (2015), su secuela acuática, una especie de *Wunderblock* cargado de inscripciones humanas y no humanas. La naturaleza es un palimpsesto nemónico en tres niveles, que están alternadamente visibles u ocultándose mutuamente (el punto central de Guzmán será, en cambio, que la relación entre ellos es en realidad de mutua *iluminación*, es decir, que recién la presencia de esas otras capas de sentido torna plenamente visibles a cada una de ellas). Podríamos pensar estas tres capas de sobrevida de lo grabado en el ambiente en torno a los conceptos de historia, arqueología y cosmología –si bien no necesariamente aparecen en ese orden en los documentales de Guzmán– a los que se asociarían, además, las ideas de modernidad, colonialidad y naturaleza. El desierto, pero también los mares y fiordos del sur, son los repositorios de huellas y cicatrices que remiten a la violenta constitución del Estado moderno chileno: de los restos y huellas de cuerpos torturados y asesinados por la dictadura que reemergen de su suelo árido o del fondo del mar a las ruinas de instalaciones mineras y misioneras que remiten a historias de guerra y conquista (la Guerra del Pacífico en la que Chile se hizo con las salitreras del Norte Grande; la –aún hoy– eufemísticamente llamada «Pacificación de la Araucanía», en el sur). Pero hay, por debajo o, más bien, yuxtapuesta a esta primera capa de inscripciones, una segunda capa que testimonia de un tiempo largo de habitación indígena y de cultivación y uso del entorno y de travesías espaciales: vestigios de mercancías en antiguas rutas comerciales que cruzaban el desierto, la línea costera de las islas fueguinas, alguna vez entrevista desde una canoa y recordada por un monólogo lírico en lengua kawésqar. Finalmente, en su dimensión cosmológica, ese mismo entorno ambiental también resguarda a nivel geológico y molecular las huellas que remiten a una temporalidad no humana, a los tiempos de formación planetaria y galáctica que *continúan ahí presentes* y que perdurarán, como sugieren los dos films, más allá de la efímera presencia del hombre, quien está acabando uno por uno con los soportes que alguna vez la sostenían.

La apuesta de las películas, expuesta de manera más convincente en *Nostalgia de la luz* que en *El botón de nácar*, no es de índole menor. Se trata nada menos que de acudir una vez más –y también, de ahí el tono elegíaco de ambos films, quizás «por última vez»– al *paisaje* que resurge allí como la gran esfinge espacial de cuya expresividad y potencia afectiva deriva esa «revelación» de capas temporales solapadas. Es en el paisaje, y sobre él, que convergen una vez más las duraciones históricas, orgánicas e inorgánicas, destinos políticos y energías cósmicas, todas entrevistas y puestas en orden por una mirada estética. La voz del Guzmán narrador, orientadora de nuestra mirada tanto en *Nostalgia* como en *El botón*, es tan atractiva porque resuena nada menos que con el eco de las palabras fundacionales del moderno espacio americano, las del narrador-ojo humboldtiano, quien, «súbitamente arrebatado a todas las riquezas de la vida orgánica» conocidas en su travesía por la selva, avanzaba hasta dominar desde las alturas, limitada por «altas montañas de granito que desafiaron la irrupción de las aguas, al formarse en la época de la juventud de la Tierra el mar de las Antillas», la imponente visión de la «vasta llanura que se extiende hasta perderse en lontananza» (Humboldt, 2003: 43). También ahí, «al caer la noche, una ilusión del sentido hace recordar estas imágenes de un tiempo que pasó» (Humboldt, 2003: 43): el espacio «pre-histórico» abre a la mirada visiones de un tiempo que excede y así, pone en orden y contexto, a la convulsionada historia humana, le abre un horizonte e inscribe un sentido a nuestro devenir. Es la mirada del viajero que recuerda sus hazañas de juventud la que reinscriben los dos films de Guzmán, propia ya de los *Cuadros de la naturaleza* y aún más de la obra cumbre del naturalista septuagenario titulada, precisamente, *Cosmos*: mirada a través de la vastedad del tiempo de una vida, además de la del espacio infinito del desierto. En Guzmán, esa dimensión autobiográfica del paisaje-recuerdo remite, en cambio, a una juventud de militancia política y cinematográfica y a su trágico y abrupto fin con el golpe de 1973. Pero así, sus films también insisten en la vigencia aún intacta del paisaje como modelo de orden cósmico y brújula moral, como fondo y horizonte de nuestra existencia común, a la que dota de una fragil pero, en última instancia, reconfortante legibilidad.

Ahora bien, ¿podemos realmente confiar, actualmente, en semejante capacidad revelatoria del paisaje? ¿Aún permanece intacta, si alguna vez lo fue, la relación de reciprocidad que nos sugiere, entre una «naturaleza» abordada por una mirada en busca de sosiego y de goce y las lecciones de orden y armonía que ésta nos devuelve a cambio? No por acaso, en su reivindicación del paisaje-archivo, Guzmán pasa por alto las luchas actuales que se desenvuelven en torno a estas «naturalezas», desde la extracción de litio, sodio, bórax y potasio en los salares atacameños, de impacto ambiental altamente dañino, a los gigantescos proyectos de minería a cielo abierto como Caspiche o Constelación, en el límite con Argentina, en los que se emplean altas concentraciones de cianuro, ácido sulfúrico y mercurio que ponen en riesgo la agricultura de los valles preandinos (Burdiles Perucci, 2012; Greenpeace, 2011). Tampoco alude, en los majestuosos paneos por las costas boscosas del sur chileno que organizan el ritmo visual de *El botón de nácar*, a las luchas entre comunidades mapuches y pequeños productores con las grandes compañías forestales, cuya explotación a escala industrial, con apoyo del Estado chileno, de coníferos exóticos como el pino de Monterrey mediante rociadura aérea de grandes áreas con pesticidas prácticamente exterminó los ecosistemas nativos de la Araucanía al sur del Bío Bío (Miller Klubock, 2014: 1-2; 270-73). No se trata, desde luego, de simples omisiones o negligencias por parte de Guzmán, sino más bien de una cierta incapacidad del repertorio paisajista por abarcar al «ambiente natural» de un modo que no fuera el de un objeto autosuficiente y dotado de cierta armonía y cohesión. Si bien puede aludir a violencias y conflictos en clave pasada (pensemos, sin ir más lejos, en la ruina pintoresca o en el espectáculo natural también ruinoso de lo sublime romántico), el paisaje también tiende a reconciliar sus vestigios con el tiempo cíclico de un devenir orgánico, a *naturalizar* la violencia pasada y así también a encubrir bajo una coherencia imagística engañosa las violencias presentes. Pero si el paisaje tiende, entonces, a *despolitizar la naturaleza*, ¿no sería un marco problemático a la hora de enfrentarnos a un horizonte biopolítico, a un poder que se fundamenta precisamente al tomar lo viviente como objeto?

Veremos que, tal como la practican las dos películas de Guzmán, la rehabilitación del paisaje como clave (est)ética de abordar tiempo y espacio es más bien la excepción en el conjunto de propuestas cinematográficas, literarias, arquitectónicas y plásticas recientes que siguen indagando, no obstante, en la contradictoria sobrevida de esta forma «después de la naturaleza». Frecuentemente, el paisaje es reclutado, como en Guzmán, como una modalidad particular de la memoria pero ahora a partir de una relación más bien negativa con el significante. Al demostrar su incapacidad figurativa –su agotamiento formal, que se pone de manifiesto precisamente al evocar la tradición plástica y literaria previa– el paisaje es ahí empujado hacia su propio límite y más allá, hasta abrirse a visiones de un Real despaisado que surge en la deriva de la forma. La imagen, o más bien lo que surge de ese vaciamiento del paisaje-imagen, se aproxima así a lo que Jean-François Lyotard, en unas reflexiones precursoras y difíciles sobre aquello que *emerge* en el paisaje (y no lo que éste «representa»), nombraba con el neologismo «Scapeland»: «un TEMPLUM, un espacio-tiempo neutralizado en donde, con certeza, algo –¿pero qué?– estaría tal vez por acontecer» y donde, a causa del desplazamiento del punto de fuga (o más bien, decía Lyotard, de la fuga del punto de vista) se producen vislumbramientos de un «in-mundo» posthumano (Lyotard, 1991: 186-87). Son estas visiones pertubadoras, ya no imágenes-movimiento ni imágenes-tiempo sino más bien lo que se desprende de ambas, las que aparecen hoy día en ciertas zonas «neorregionalistas» del cine latinoamericano y que, en su repliegue crítico sobre la forma paisaje, desafían a las nuevas cartografías cinematográficas de Latinoamérica en clave de narco-acción melodramática o de *roadmovies* neocostumbristas: a la legibilidad exótica de un cine universal-popular construido, en la polémica expresión de Ivana Bentes (2007: 196), sobre una «cosmética del hambre».

Memoria, entonces, de la forma paisaje en su reaparecer fantasmático, sólo para confirmar su propio ausentamiento y así abrir el campo de visión hacia otros mundos (ya contenidos allí previamente, como sugiere el término de in-mundo de Lyotard, pero encubiertos por su envoltura formal): ésta sería una de las formaciones del neo o postpaisaje contemporáneo que quisiera abordar en las páginas que siguen. Otra formación, más cercana a las propuestas de Guzmán, gira en torno al papel de horizonte y abismo de la memoria que le asignan al ambiente material y simbólico, al paisaje *in situ* e *in visu*, las artes de la postdictadura latinoamericana. También ahí, no obstante, es más su condición de imagen dañada que su poder de totalización, el que motiva su reclutamiento como modalidad nemónica. El agotamiento de la forma-paisaje es así puesto en relación con el daño infligido por el terror de Estado a la relación entre hombres y tierra que alguna vez recibió el nombre de nación. Pero también, sugiero, se abre ahí una brecha tanto estética como política entre los modos de conmemoración que recurren a la construcción de *lugares* para el duelo, suscribiéndose a una estética del (contra)monumento, y los que, más bien, lo asocian a éste con la itinerancia y el des-tierro. Así, estos duelos errantes también le inscriben nuevos sentidos políticos al viaje como técnica espacial.

Por último, ya desde el fin del siglo pasado –surgiendo casi en paralelo con el «giro ambiental» que analizamos en el capítulo anterior– en las artes plásticas latinoamericanas se han multiplicado las propuestas de trabajar en la concretud de lo viviente. Si bien muchos de estos trabajos comparten con el arte ambiental anterior el gesto de pasar de la representación a la intervención en la misma materialidad del objeto que así deviene inseparable de la obra que lo aborda, esa materialidad se concibe ahora menos en términos de un medio o escenario espacial ni tampoco en los de un cuerpo al que recurrir como soporte expresivo. En lugar de esa vuelta a la materialidad de cuerpo y ambiente (las dos grandes series que habían fundado y sostenido la representación visual en Occidente), nos encontramos ahora con una noción de vida que hace confluir a ambos en la continuidad de procesos germinativos y de ensamblajes moleculares. Un «arte de la vida», entonces, que asume plenamente esa historia natural del antropoceno cuyas primeras intuiciones hemos rastreado en la ficción regionalista de mediados del siglo anterior. Hoy, sin embargo, lo viviente se torna asequible al arte porque la artificialidad de cualquier vida también le inscribe a ésta de una dimensión de por sí estética: es ésa la apuesta común del bioarte y el ecoarte contemporáneo, a pesar de las diferencias y desacuerdos enormes entre sus practicantes.

Paisaje-memoria, imagen-deriva, forma viva: en lo que sigue intentaremos indagar en esas formaciones estéticas que, de maneras diferentes y hasta opuestas, emergen de los trances de la tierra en la modernidad latinoamericana del siglo XX. Son constelaciones que, cada una en su modo particular, testimonian de un agotamiento y una emergencia: se sitúan en un después no sólo del paisaje sino incluso de las nociones de naturaleza o ambiente que habían encontrado en éste un medio de expresión. Siguiendo a las reflexiones de Jean-Luc Nancy (2005: 60) respecto de lo siniestro paisajista, podríamos pensar que, si el *paisaje* abría y constituía como teatro de la representación el espacio del *ausentamiento de lo divino* –espacio de inmanencia telúrica que se abría a condición de ese mismo ausentamiento–, el bioarte, a partir del *ausentamiento de la naturaleza*, se asienta ahora en lo viviente como medio-soporte: un nuevo plano de inmanencia que tiene a la vida misma como extensión. Pero también la «imagen real» que surge en la deriva neorregionalista hacia lo in-mundo e incluso algunas de las invocaciones nemónicas del paisaje, como figura de un duelo post-dictatorial, son atravesadas por esa doble temporalidad no sólo de ausencia y agotamiento sino también de emergencia de modos de expresión aún sin nombres propios: el trance, como estado o lapso de «transición, pasaje o devenir [...] que hace posible el acto del habla», en la ya citada expresión de Gilles Deleuze (1985: 284-85) sobre Glauber Rocha, es, en todas estas constelaciones, el modo de ser contemporáneo de la tierra, ya sea en su carácter de lugar o de territorio, ya sea en cuanto unidad o metaorganismo planetario.

Campo expandido: postdictadura y paisaje

El *escándalo* de las dictaduras latinoamericanas más recientes no se asocia sólo con la escala, sistematicidad y perversión de la violencia estatal. Surge, más bien, de la fractura del tiempo colectivo provocada por la «desaparición» de los cuerpos de las víctimas. Al esconder los cuerpos y dejar en suspenso una muerte imposible de ser reconocida y llorada, las dictaduras también buscaban poner en suspenso el duelo que media entre la memoria comunicativa y la memoria cultural, en las categorías propuestas por Jan Assmann (2007: 60-63): la articulación, en otras palabras, entre afectos individuales y relatos y rituales colectivos. El lugar de entierro como emplazamiento del devenir temporal es la fundación misma de la significación, señala Robert Pogue Harrison al recordarnos el doble sentido de la palabra griega *sema*, la cual se refiere tanto al descanso en la tierra como a la lápida que lo indica (Pogue Harrison 2003: 20-21). «No se muere sino de un exceso de amor hacia el sitio», como escribe Michel Serres (1987: 77): al darle cobija a los muertos, la tierra emplaza nuestro devenir ofreciéndose como garante de la continuidad de un legado que los vivos seguiremos transmitiendo a los aún por nacer. La institución del entierro vuelve así a ratificar el contrato de reciprocidad entre los hombres y la tierra que éstos se comprometen a custodiar al confiarle sus muertos queridos.

Estudiando la narrativa y el arte posdictatorial, Idelber Avelar (2000), Francine Masiello (2001) y Fernando Reati (1992), entre otros, han mostrado cómo el quiebre del vínculo nacional por la violencia militar encuentra su manifestación en alegorías de la ciudad fragmentada o arruinada. Aquí quisiera señalar un movimiento inverso que, atravesando desde el cine y la poesía hasta la arquitectura y las artes plásticas, busca contrarrestar este quiebre en el campo expandido del paisaje y del ambiente, dimensiones donde la ausencia de *lugares* del duelo puede al mismo tiempo ser remarcada y colmada abriéndose a la amplitud de un *espacio* que excede el horizonte de lo humano. Sin embargo, si algunos de estos actos públicos del duelo han recurrido a los lenguajes del paisaje *in situ* –en particular, a la gran lección cívica del parque-jardín como escenario de la modernidad– otros, en cambio, han confiado en la imagen móvil del paisaje *in visu* para dar expresión a un duelo que se resiste a tener lugar, a circunscribirse a un sitio particular. En cambio, ese duelo itinerante insiste en aparecer en cualquier lugar y en reclamar cualquier lugar como escenario. En ambas iteraciones, el paisaje moderno es simultáneamente reinscrito y sobreescrito. La memoria *situada* en forma de parque o jardín actualiza al guión desarrollista del parque moderno, pero obligando a su temporalidad proyectiva y pedagógica a replegarse sobre el quiebre experiencial del terror estatal. La memoria *itinerante* del viajero poético o plástico alude a la mirada acumulativa de sus predecesores sólo en función de cancelar de antemano cualquier posibilidad de acumulación debido a la ausencia de un lugar de partida donde depositar los objetos-contenidos. Los paisajes de la memoria invocan así también una memoria del paisaje ya que sólo acceden a la forma a través de lo que falta en ésta: el paisaje en tanto «país de los *despaisados*», en la expresión de Nancy (2005: 61), «de los que no tienen un país, de los que son unos extraños o *unheimlich*, de los que no son un pueblo...». Pero es así, precisamente, como un *despaisar* activo –según prosigue el mismo Nancy– que el paisaje se transforma también en un *templum*, «un espacio sagrado recortado desde el cielo» (Nancy, 2005: 62) que provoca a partir de esa interrupción del continuo espacio-temporal, la *aparición* de la presencia denegada:

> Cuando es sagrado, el templo define un lugar para presencias: tales como los pájaros que pasarán por él, o las nubes, o los relámpagos. Cuando es el templo del paisaje (Baudelaire, otra vez: «la naturaleza es un templo»), recorta un lugar para el retiro de la presencia, para el pensamiento de la presencia como retirada de sí misma: presencia extrañada y desplazada, de la cual todos los dioses han partido y los hombres están siempre aún por llegar (Nancy, 2005: 62).

Los parques de la memoria de la postdictadura apelan al poder terapéutico de las formas orgánicas –la vegetación y sus ciclos, las superficies rocosas y arenosas, los espejos de agua– para imaginar un más allá de la amnesia traumática, inalcanzable por el terror: un claro en el entramado urbano y nacional. Pero al mismo tiempo, esa naturaleza exterior, indiferente al dolor, encierra el peligro de un olvido no menos radical, requiriendo una intervención de carácter monumental que interrumpiera los ritmos orgánicos y nos devolviera al dolor de la historia. Como sostiene James Young, el monumento inscribe una tensión hacia el lugar en donde se asienta, en función de obstruir el proceso de erosión de una memoria «en retroceso hacia el paisaje y el olvido» (Young, 1993: 7). El parque de la memoria escenifica un drama, reactualizado en cada visita, en el que la promesa de sosiego y sutura asociada a las formas orgánicas y los ritmos vegetales estalla, una y otra vez, contra la interrupción monumental y su insistencia en el deber de recordar.

Como observa Michael Lazzara en relación al Parque por la Paz Villa Grimaldi, Santiago de Chile –espacio construido sobre las ruinas de uno de los principales campos de concentración operado por la policía secreta de Pinochet–, esa reescritura del paisaje en clave de memoria «en general practica una estética de *alisar* las superficies duras y escabrosas del pasado, al mismo tiempo [que] da evidencias sutiles de las contradicciones implícitas en el acto de *embellecer* un lugar de horror» (Lazzara, 2003: 133). Ubicado en Peñalolén, un barrio santiaguino relativamente apartado del centro, el parque fue creado en 1997 por iniciativa de la Asamblea Permanente de Derechos Humanos, una organización vecinal que logró revertir la decisión tomada, por la propia dictadura, de ceder esos terrenos a una empresa constructora (propiedad de un alto mando militar) tras el abandono y paulatino desmantelamiento del campo a partir de 1978. Su diseño parquístico original, basado en una propuesta de la arquitecta Ana Cristina Torrealba[104], parte de una estructura cruzada de senderos en forma de X, signo semánticamente abierto donde podrían leerse tanto el símbolo religioso de la cruz y su función de señalar una tumba como también la señal de «No+» forjada por el CADA en su última acción

[104] El diseño original ha sido alterado con el tiempo por sucesivas capas de «inscripción monumental» por parte de organizaciones políticas y sindicales que han construido ahí monumentos a sus militantes asesinados en Villa Grimaldi. También se han hecho sucesivos intentos de agregarle al diseño parquístico una dimensión «museal», basada en una reconstrucción documentalizante del vestigio que en alguna medida va en sentido contrario de la relación entre ruina y reconstrucción «parquística» que buscaba el proyecto de Torrealba. Para una discusión más extensa del proyecto paisajístico original, véase Rossetti, 2009:109-11.

pública en 1983-84 y que, en lo sucesivo, se volvió un emblema de resistencia contra la dictadura. Pero sobre todo, representa la inscripción espacial del encuentro entre pasado y presente que es la sustancia misma del parque: el cruce de senderos yuxtapone el camino actual de acceso al terreno con el anterior, hoy clausurado, que conectaba el campo con la pista adyacente de aterrizaje y por donde entraban en la época de la dictadura los nuevos prisioneros secuestrados por la DINA. El lugar de confluencia entre ambos ejes está ocupado por el circular «Patio Deseado», plaza que contiene una fuente con piso en mosaico realizado con pedazos de los azulejos reclamados de las ruinas del campo clandestino (Fig. 5.1). Es aquí donde, resaltada por la vegetación de intenso colorido y variedad en sus ciclos florales, se condensa la alegoría paisajística de un renacer purificado y bautismal del colectivo social al enfrentarse a lo más oscuro de su historia: «Con su doble significado, muerte y resurrección –explica la guía oficial del sitio– el cruce de los dos ejes al centro del parque, acoge una fuente la cual es un lugar de encuentro y orientación, donde es posible entrar en contacto con el agua [...], el elemento que significa la vida en constante cambio y renovación» (Arteagabeitía, 1997: 38-39).

5.1 «Patio Deseado». Parque de la Paz Villa Grimaldi. Fotografía J. A., 2011.

Sin embargo, ese simbolismo redentor que remite a la tradición medieval e islámica del jardín-paraíso, es interrumpido en su geometría armoniosa por los vestigios de la villa. Éstos incluyen elementos del centro clandestino que han permanecido intactos: unos muros de cemento con alambres de púa y la antigua piscina de la casa señorial, utilizada por la policía secreta para torturar y asesinar a los detenidos. Sin sufrir modificaciones, los vestigios introducen un destiempo en el *locus amoenus* del jardín: así, el agua sucia y opaca de lluvia que se acumula en la piscina abandonada inscribe un fuerte contraste con la transparencia de la fuente central. Otro elemento «recuperado» son los pedazos de azulejos, usados para componer letreros que indican las estaciones del itinerario de tortura al que eran sometidos los prisioneros: «Casas Corvi, celdas de 1x1 metros. Lugar de aislamiento/ Vendados y encadenados de pies y manos»; «Sala de guardia con sala de tortura anexa»; «Piscina: lugar de amedrentamiento» (Fig. 5.2). Desde una visión comprometida con la crítica neovanguardista de la representación, Nelly Richard denuncia la «escritura *compuesta* y *arreglada* de estos nombres que se mezclan armoniosamente con los trozos de mosaicos [pero] nada nos dicen de la *des-composición* de todo el universo referencial y semántico de las víctimas que fueron siniestramente reducidas a la inarticulación, al balbuceo y al temblor» (Richard, 2001: 13). Ahora bien, nos preguntamos, ¿no es precisamente el abismarse de cualquier posibilidad documental o reconstructiva de aquel espacio-tiempo «otro» –esa *ob-scena* de erradicación de vidas y conciencias– lo que asume y devuelve la «belleza» de formas y colores? Más aún, los pedazos de azulejos fueron escogidos para señalar la topografía reconstruida a partir de testimonios de sobrevivientes, debido a la importancia que representaban como elementos de color aún visibles al mirar hacia abajo con los ojos vendados, y así como puntos de orientación, anclaje y hasta de experiencia estética en medio del horror, pequeñas victorias contra la locura. El parque remite, material y simbólicamente, a estas experiencias, es verdad, pero sin pretender reconstruir o incluso describirlas salvo de la manera más somera y exigua.

5.2 Parque de la Paz Villa Grimaldi, azulejos. Fotografía J. A., 2011.

En lugar de esa literalidad del vestigio cuya fuerza indicial interrumpe la sutura ofrecida por el jardín, tanto el Memorial de los Detenidos Desaparecidos en el Parque Vaz Ferreira de Montevideo (inaugurado en 2002) y el Monumento a las Víctimas del Terrorismo de Estado en el Parque de la Memoria de Buenos Aires (finalizado en 2007) recurren a un doble gesto de inscripción para interrumpir la continuidad espacio-temporal del paisaje. En ambos casos no se trata tanto de «recuperar» un lugar específico (aunque, en los dos, la cercanía de antiguos centros de represión y tortura no deja de impactar sobre la forma monumental), sino de tornar público el duelo por las víctimas del terror a través de su emplazamiento en un borde urbano altamente significativo, frente al río[105]. Ambos monumentos trabajan con la inscripción de nombres sobre superficies lisas –los nombres de las víctimas del terror

[105] Sobre las polémicas en torno al sitio elegido para el Parque de la Memoria en Buenos Aires, véase Silvestri, 1999: 42-44. Sobre el emplazamiento «liminal» de ambos monumentos en la orilla del Río de la Plata y los actores involucrados en su creación, véase también el análisis pormenorizado de Cara Levey (2016: 101-48).

conocidas hasta hoy, con espacios en blanco para futuras inscripciones aún por confirmar. Mientras el proyecto montevideano de Martha Kohen y Rubén Otero presenta dos muros paralelos de vidrio insertados en la roca madre del cerro, el memorial porteño de Alberto Varas tiene una estructura zigzagueante de paredes de hormigón cubiertas con placas de pórfido patagónico que atraviesan la barranca dividiendo el vestíbulo del parque de la ribera fluvial. Hay así dos gestos diferentes de marcar y desafiar a un mismo tiempo el lugar de emplazamiento: en el proyecto de Kohen/ Otero, el monumento se asienta –según explican los autores– en un «claro del bosque» cuyo «carácter agreste» el parque circundante debe respetar para que los visitantes puedan experimentar, en el acceso sinuoso, la «incomodidad» de buscar la «verdad descarnada» revelada finalmente en el claro de roca desnuda. Una vez ahí, nuestra mirada a través de los vidrios es nuevamente redirigida al paisaje del cerro montevideano, pero ahora sobreescrito con los nombres de los ausentes. El juego de luz y sombra entre bosque y claro organiza también esa proyección o sobreescritura, al mismo tiempo que, «de noche, el vidrio iluminado permanece como un llamador en la altura de la luz recogida por los nombres esmerilados» («Memorial», 2003 s/p).

En cambio, el monumento concebido por Alberto Varas atraviesa a la manera de «un corte, una herida abierta» la «pequeña colina completamente desnuda, libre de toda vegetación o forestación» creada en la orilla del río, cuya «trabajosa y lenta construcción [...] recrea el esfuerzo necesario para la construcción de una sociedad y un estado no violentos» (Varas, 2010: 53). Al obstruir el horizonte y el movimiento del visitante hacia el río, obligándolo a desvíos laterales en leve descenso, el monumento también induce en ese intervalo de la experiencia del entorno a un acto de lectura: así, vuelven a aparecer, entre la ciudad en que vivieron y lucharon y el río en que posiblemente se les dio muerte, los nombres de los ausentes (Fig. 5.3). En su alusión a referentes como el memorial de Maya Lin de la guerra de Vietnam o el Museo Judío de Daniel

Libeskind en Berlín, sugiere Andreas Huyssen, el monumento de Varas hace resonar al sitio con un lenguaje formal de alcances globales, inscribiendo las luchas revolucionarias argentinas y latinoamericanas en «el 68 global», al mismo tiempo que localizando su memoria en un espacio intersticial entre ciudad y río que fuerza la aparición de los vacíos y ausencias sedimentados allí: «El monumento puede ser leído entre dos líneas, en uno de cuyos lados está la ciudad y en el otro el río. [...] El vacío y las ausencias están en la vida de la ciudad y en el flujo del río, marcados en las placas que se dejen en blanco» (Huyssen, 2000: 28). El monumento rehúsa entregar el gesto de sutura del signo que es propio del sepulcro ya que, debido a la negatividad figurativa de su soporte arquitectónico (el muro-herida que corta e interrumpe el paisaje), el acto de presencia anunciado por la escritura es simultáneamente puesto en suspenso. En lugar de la clausura y el emplazamiento del sentido, dice Huyssen, esa in-scripción de ausencias lo obliga al propio signo monumental a abrirse y a esparcir por todo el entorno urbano y natural su carga afectiva. Su propia falta deviene su exceso.

5.3 Parque de la Memoria, Monumento a las Víctimas del Terrorismo de Estado, Buenos Aires. Fotografía J. A., 2011.

Podría pensarse que éste es, también, el gesto que busca realizar la inscripción en el borde superior de la pared de nombres que forman el Memorial del Detenido Desaparecido y del Ejecutado Político en el Cementerio General de Santiago de Chile, de una frase proveniente de *Canto a su amor desaparecido*, poemario de Raúl Zurita publicado por primera vez en 1985: «Todo mi amor está aquí y se ha pegado a las rocas, al mar, a las montañas» (Fig. 5.4). Sin embargo, a diferencia del monumento argentino donde los nombres no confluyen en un enunciado singular, aquí, al tomar asiento *material* –en un lugar, además, que desdobla y refleja desde su nombre ese gesto de síntesis: el Cementerio General– el verso pierde la dramaticidad que lo tensaba en su iteración anterior. Al ser referido a un *lugar particular*, ese aquí que, en el poema, consignaba el no-lugar del acto poético y de un duelo que, al no tener asiento más que en el acto que lo nombrara, adquiría también la paradójica capacidad de *aparecer en cualquier lugar*, se convierte en el centro de un nuevo espacio devocional. Aquello que, en tanto acto imposible de localizar, había sido un vector de errancia, es reinterpretado ahora como fundación monumental de un duelo reterritorializador que sutura y reconstituye el espacio nacional como paisaje de la memoria. Esa tentación reterritorializante y monumental, por cierto, ya atraviesa a la obra de Zurita por entero, desde su apuesta deliberada por tonos proféticos hasta los gestos violentos e hiperbólicos de inscripción material, ya sea a través del infligido de heridas en el propio cuerpo o de la inscripción (o, más bien, la ex-cripción) de la palabra poética en materialidades y duraciones cósmicas como el geoglifo que el poeta hará excavar en el desierto de Atacama en 1993, con una extensión de tres kilómetros de largo por cuarenta metros de ancho y con una profundidad de 1,80 metros. Pero, contrario al verso inscrito en el monumento santiaguino, en la obra poética de Zurita esa propulsión monumental se tensa de inmediato ante la imposibilidad de encontrar asiento para el signo-nombre en un país que se torna paisaje precisamente ante esa imposibilidad de habitarlo, ante el quiebre insuturable de la relación entre nombres y tierra. A partir de la articulación de dos repertorios poéticos –el dantesco, aludido desde los mismos títulos de sus poemarios (*Purgatorio*, 1979; *Anteparaíso*, 1982; *La vida nueva*, 1994), y el nerudiano del *Canto general* en su asociación épica entre geografía e historia– la obra de Zurita se construye sobre la tensión escatológica que anida en una voz redentora que canta desde el infierno. Su poesía habita el entre-tiempo purgatorial de suplicios y esperanza mesiánica; su geografía rehúye los valles centrales «donde todo Chile se moría» y «se parió a sí mismo/ hecho un dolor» (Zurita, 1986: 106, 108) para refugiarse en los bordes extremos. Desiertos, playas y cordilleras proporcionan el refugio paradójico al que el anhelo de una «vida nueva» más allá de la violencia adhiere.

5.4 Cementerio General, Memorial del Detenido Desaparecido y del Ejecutado Político, Santiago de Chile. Fotografía J. A., 2011.

La extrema tensión asumida por esa voz que va y viene en un movimiento no alegórico entre el cuerpo/cadáver y la tierra de su errancia se revela de manera ejemplar en dos versos del largo poema *Canto a su amor desaparecido* (1985), inmediatamente anteriores a los citados en el monumento del Cementerio General.

La posición de estas líneas en bordes opuestos de la página indica el diálogo silencioso que enmarca y suspende la casi insoportable imagen que las separa, de cuerpos amantes en su caída a una fosa común:

– Murió mi chica, murió mi chico, desaparecieron todos.
Desiertos de amor.
(Zurita, 2010: 8)

La contestación de la voz poética a esta primera constatación es precisamente la de un esparcimiento, una reaparición fragmentada *en cualquier lugar* del amor alguna vez encarnado en la pareja (que también asume, en relación a la voz poética, una posición filial: «mi chico/ mi chica»). Ese reencuentro del amor «pegado a las rocas, al mar y a las montañas», además transmuta *ex posteriori* el participio pasado «desiertos» y lo reinscribe como sustantivo: «desiertos» no como estado compartido de abandono radical sino como espacio de refugio/apego (y así, como desdoblamiento del propio «canto») para «mi amor desaparecido» cuya insistente *reaparición* la repetición de la frase en el cuerpo del poema anticipa y confirma:

– Pero mi amor ha quedado pegado a las rocas, al mar y a las montañas.
– Pero mi amor te digo, ha quedado adherido a las rocas, al mar y a las
– montañas. [...]
– Pero a nosotros nunca nos hallarán porque nuestro amor está pegado a
– las rocas al mar y a las montañas.
– Pegado, pegado a las rocas, al mar y las montañas.
(Zurita, 2010: 8-9)

El poema performativiza en su propia materia verbal esa apertura de una superficie libre para la reinscripción del amor en el lugar cualquiera del abandono. Como escribe William Rowe, esa tierra despejada puede volverse «una nueva piel, un sitio de percepción que puede imaginarse exento de violaciones: por lo tanto, eventos pueden ser inscriptos y leídos ahí sin la amnesia causada por el trauma y sin la selectividad impuesta a la memoria por los discursos públicos. [...] La tierra se torna un cuerpo alternativo resistente a los efectos represivos del dolor. [El paisaje es] ese lugar que la tortura no puede penetrar, una superficie que no puede marcar» (Rowe, 2000: 286-88).

No se trata aquí, como en el caso de la memoria figurada en el jardín, de forzar a la propia ausencia a materializarse en *un* lugar que, no obstante, es desbordado enseguida en su capacidad de contener, de localizar, el duelo. Antes que en una alegoría monumental –aunque sea de la propia crisis del signo en su capacidad de atribuirle un lugar al sentido– aquí ese duelo aparece en lugares cualquiera, «adhiere» al paisaje a partir de una cierta *filiación negativa*, una común *ruinación* que el lenguaje comparte con el «país roto», de «nieves muertas» y «escombros del Pacífico» (Zurita, 2007: 15, 19, 65). El duelo por el «amor desaparecido» puede adherir a la tierra en cuanto «superficie inalcanzable por el terror», sí, pero sólo a condición de la imposibilidad de habitar esa tierra-paisaje, de volver a rehacer a partir de ella al «país roto». Es de esa imposibilidad de hacernos lugar y, al mismo tiempo, de la «deuda» incancelable que por eso mantenemos con ellos, de donde deriva «la melancolía de todos los paisajes», como propone Jean-François Lyotard:

> Desiertos, montañas y praderas, ruinas, océanos y cielos gozan de un estatus privilegiado en la pintura del paisaje, casi como si estuvieran por definición exentos de destino. Y por eso son desconcertantes [*dépaysant*]. No hay que confiar en esa exclusividad. El sentido no tardará en dar a sus huérfanos un destino nuevo (aunque sea por amor al paisaje). No, el paisaje no tiene su lugar electivo en estos no-lugares. Pero la ausencia de lugar los amenaza, del mismo modo en que amenaza a cualquier lugar posible (Lyotard, 1991: 184).

No hay, diría Lyotard, nada de exclusivo en «las rocas, el mar y las montañas» que los transformase, gracias a su desconcertante carácter *dépaysant*, en una suerte de lugar-refugio o de «positividad de la negatividad»: ellos apenas exhiben del modo más tangible la orfandad de sentido que es común a todo paisaje, en tanto el paisaje no es sino esa amenaza a la posibilidad de un lugar. Las rocas, el mar y las montañas son –como cualquier lugar, desde que es alcanzado por la negatividad del paisaje– superficies resistentes a la inscripción violenta del tiempo histórico (la «marca de la tortura») porque ellos se resisten a *cualquier inscripción duradera*. Es esta dimensión *efímera* de la escritura en su fuga de la historia y en relación a un tiempo cósmico de «desiertos, océanos y cielos» la que se pone de manifiesto cuando, en 1982, Zurita «escribe» en el cielo de Nueva York las primeras frases de *Anteparaíso* o cuando, en 1993, hace grabar en el desierto de Atacama las últimas palabras de *La vida nueva* («ni pena ni miedo»).

Pero precisamente como soportes para enunciados débiles (un cantar errante de sentidos que «adhieren» y «se pegan» a la superficie más que grabarse en ella), desierto, mar y montañas son también los espacios de un experimento radical de *trans-figuración*. Desde *Purgatorio*, el primer libro de Zurita publicado originalmente en 1979 –cuya tapa exhibe la cara del autor con la mejilla quemada, «mancha» infligida por mano propia con un hierro candente como para liberar a la palabra en el lapso del grito inaudible–, el lazo metonímico entre cuerpo y tierra funda el espacio de la escritura, pero exhibiendo desde la sintaxis misma su fractura: «YO USTED Y LA NUNCA SOY LA VERDE PAMPA EL/ DESIERTO DE CHILE» (Zurita, 2009: 32). En su calidad de espacio hostil a la vida, de no-lugar denegador de morada, el desierto es donde Zurita elige figurar el quiebre de cualquier figuración, en un gesto abiertamente paradójico de «recuperación». Así, en la invitación al comienzo de «A las inmaculadas llanuras» –«i. Dejemos pasar el infinito del Desierto de Atacama/ ii. Dejemos pasar la esterilidad de estos desiertos»– el verbo intransitivo «pasar» nos llama al mismo tiempo a abrirnos y dar cabida a una negatividad inconmensurable y anuncia la paradójica superación temporal de ésta a fin de que: «vii. Entonces sobre el vacío del mundo se abrirá/ completamente el verdor infinito del Desierto de/ Atacama»

(Zurita, 2009: 28). El espacio abierto en esta tensión entre las dos variantes del verbo pasar es el de una figurabilidad infinita, surgida de la misma fractura del signo, de manera que: «i. Los desiertos de atacama son azules/ ii. Los desiertos de atacama no son azules ya ya dime/ lo que quieras» (Zurita, 2009: 42).

El arco que tensa a la palabra poética entre sentidos opuestos remite a dos concepciones de tiempo y espacio que coinciden en un mismo plano de enunciación. Por un lado, la esperanza mesiánica se traduce en imágenes de pampas y pastizales reverdecidos y que aluden al repertorio bíblico y dantesco. Por el otro, desde la estructura proposicional caracterizada por el uso frecuente de adverbios causales y condicionales («si», «cuando», «entonces») y de postulados axiomáticos encabezados por numerales, hay también una remisión constante a la geometría diferencial, ramal de la matemática teórica inaugurado en el siglo XIX por Bernhard Riemann. Zurita está particularmente interesado en la teoría de las dimensiones superiores y el carácter no-planar de la geometría del espacio-tiempo, el cual se torna calculable a partir de la atribución heurística de números (los llamados tensores) a sucesivos puntos en función de determinar la curvatura del conjunto (Johnston Stoker, 1969: 294-99). Sin embargo, estas referencias no tienen en la poesía de Zurita un carácter figurativo, en el sentido de imágenes que devuelvan un contenido figurado en ellas. Más bien, en poemas como «El Desierto de Atacama VI» (Zurita, 2009: 48) la tensión forjada por la palabra poética al yuxtaponer el espacio-tiempo demonológico-mesiánico («llanos del demonio», «más allá de la vida») con la topología riemanniana («convergentes y divergentes»), ambas referidas a la particularidad histórico-geográfica de Chile, produce la apertura de una superficie quimérica en el lenguaje, despejada para inscripciones alternativas a la violencia pero sin borrar las marcas de ésta que siguen presentes en la dimensión histórica:

ii. Sobre los paisajes convergentes y divergentes Chile
es convergente y divergente en el Desierto de Atacama

iii. Por eso lo que está allá nunca estuvo allá y si ese
siguiese donde está vería darse vuelta su propia
vida hasta ser las quiméricas llanuras desérticas
iluminadas esfumándose como ellos

(Zurita, 2009: 48)

Es más, la convergencia y divergencia de los paisajes al «desplegarse» en el desierto de Atacama (el poema de ese título y el desierto en que consiste ese mismo despliegue) también es la de su propia relación paradójica con «lo que está» y a su vez «nunca estuvo allá», la presencia real del desierto físico y su –no menos real– «curvatura» hacia dimensiones alternativas de experiencia. De un modo análogo, en el poema «Las espejeantes playas», del poemario *Anteparaíso* (Zurita, 1986: 18), la relación representacional, figurativa, invocada por la noción del espejo y su atribución a la playa como zona de encuentro y límite entre el elemento acuático y el terrestre, es revocada inmediatamente por una crítica del nombre que se abisma en su propia impotencia de nombrar:

i. Las playas de Chile no fueron más que un apodo
para las innombradas playas de Chile

ii. Chile entero no fue más que un apodo frente a las
costas que entonces se llamaron playas innombradas
de Chile

iii. Bautizados hasta los sin nombre se hicieron allí
un santoral sobre estas playas que recién entonces
pudieron ser las innombradas costas de la patria

(Zurita, 1986: 18)

Pero esa misma rompiente que destruye al nombre de lo común –«Chile entero no fue más que un apodo»– y a la capacidad del lenguaje por establecer significados comunes, enlaces, filiaciones –«Nuestros hijos fueron entonces un apodo rompiéndose/ entre los roqueríos»– enseguida es revertida en la figura paradójica de un rito bautismal. Desde su propia negatividad, la rompiente efectivamente reinscribe a los «sin nombre» –los muertos insepultos– como *padres e hijos*, o hijos germinales, de una comunidad fundada en ese mismo estrellarse del nombre y del lenguaje que es también, y sobre todo, el de la genealogía y del legado como fundaciones del tiempo histórico: «Todos los sin nombre fueron así los amorosos hijos/ de la patria»; «para que nombrados/ ellos mismos fuesen allí el padre que les clamaron tantos hijos».

Quisiera extender a otra serie de «miradas errantes» la reflexión en torno a esa relación de espejismo y filiación entre una mirada y un paisaje liminal que, en su trance de «rompiente», le devuelve a ésta su propia incapacidad de *fijar un sentido;* esto es, de afirmar una identidad genealógica y territorial. Más precisamente, quiero considerar la producción cinematográfica reciente de «documentales en primera persona» realizados por hijas e hijos de madres y padres desaparecidos en Argentina en los cuales este desarraigo también abre paso a nuevas constelaciones afectivas y políticas. En una secuencia de *Papá Iván* (2000) de María Inés Roqué, el *voice-over* de la directora reflexiona sobre la sensación de falta que experimenta a partir de la ausencia de su padre, muerto en un combate con fuerzas de la dictadura cuando ella tenía once años: «Siento que lo que más me falta es su mirada. La mirada de tus padres te confirma, te hace, te construye. Y eso, es… es como crecer a ciegas». La frase, en el film, aparece superpuesta a una serie de paneos borrosos en blanco y negro sobre copas de árboles y pastizales apenas vislumbrados desde la ventana de trenes y automóviles avanzando a toda velocidad, como si la huida espacial respondiera de algún modo al truncaje del recuerdo. El viaje figurado a través de planos móviles del paisaje, proporcionando un ritmo narrativo y una imagen alegórica para la búsqueda del pasado como para su imparable retroceso, forma parte de la gramática visual de casi todos los documentales de la «generación H.I.J.O.S.». Sin embargo, la función del paisaje no se agota ahí en esa dimensión retórica o figurativa: el movimiento espacial es también la forma concreta, real, que va tomando el *trabajo del duelo.* Las(los) cineastas/hijos(as) salen a buscar a testigos y escenarios del pasado de sus padres y a registrar, de ese modo, sus huellas en el presente.

Hay, en estos films, un genuino interés por su propio presente de enunciación, inscribiéndolos en lo que Gonzalo Aguilar (2006: 41) ha llamado la «tendencia nómade» del nuevo cine argentino. Pero ese presente está perforado aquí en el corazón de su «presencia»: en una secuencia de *(h)istorias cotidianas* (2000) de Andrés Habegger, vemos a la periodista Victoria Ginzburg tratando de hallar en la ciudad los lugares en que fueron tomadas unas fotos familiares de su niñez, anteriores a la desaparición de sus padres. La fotografía y el cuerpo de la hija adulta que la devuelve a ésta a su casi irreconocible lugar de origen, componen ante la cámara de Habegger un gesto que, al decir de Huyssen, va localizando «el vacío y las ausencias en la vida de la ciudad»: un acto melancólico, en la expresión de Christian Gundermann, cuyo carácter a la vez íntimo y público es reflejado y amplificado a través del parentesco entre sus dos soportes mediáticos, fotografía y cine[106].

El soporte cinematográfico se relaciona en forma directa con la composición de espacios-tiempos para una experiencia *errante*, echando mano de modalidades de la toma y el encuadre como el *travelling* y el plano secuencia pero también de determinadas formas de edición como el uso del *found footage* que le agregan a estas construcciones espaciales una dimensión de profundidad temporal. En *Papá Iván* pero también en *Los rubios* (2003) de Albertina Carri y en *M* (2007) de Nicolás Prividera, el contraste entre la movilidad de la cámara de cine o de video y el instante fotográfico del archivo familiar es un modo de resaltar la especificidad –generacional, histórica, política– del acto de memoria que presenciamos. A su vez, la temporalidad de la imagen fotográfica –ese pasado cuya reaparición fantasmal en el presente, según decía

[106] Según Gundermann, en el acto melancólico, «la incorporación de las imágenes del pasado no cumple con una función de *collage nostálgico* [...] sino que emerge como estrategia melancólica [...], es decir, re-*present*ación del pasado con el fin de reanudar las luchas previas que fueron derrotadas (las de los padres desaparecidos), pero cuya derrota sigue afectando negativamente el presente (en forma de explotación neoliberal), imponiendo como necesidad el retorno al momento histórico de la derrota para deshacerla». Ver Gundermann, 2007: 25.

Barthes (1980: 23), siempre acontece tensada por el futuro pretérito de una muerte ya acontecida– mantiene con la toma móvil del cine un contraste que aquí no es de carácter temporal sino sobre todo espacial. Más allá de la compleja relación que el tiempo cinematográfico, antes de la emergencia del digital, mantenía con el instante fotográfico que ponía en secuencia y en movimiento, en estos «documentales de filiación» la relación entre fotografía y cine correponde, sobre todo, a la relación entre *monumentalidad* y *errancia* que hemos empezado a bosquejar arriba en relación a los jardines de memoria y la poesía de Zurita. La cinemato-grafía es el soporte visual y auditivo capaz de *poner en errancia* a un duelo contenido e inmovilizado en el monumento, ya sea fotográfico, arquitectónico o discursivo. No es de importancia menor una cierta vocación iconoclasta compartida por muchos de estos films, expresada explícitamente –como en *Papá Iván* y en *M*– a través de una crítica del monumento arquitectónico, o de un modo más general a través de actitudes irreverentes hacia los lugares comunes del discurso memorialista.

La errancia del duelo no es, sin embargo, sólo el deambular de los documentaristas y sus equipos por el espacio físico de ciudad y país. Más bien, se trata de una construcción activa del espacio-tiempo cinematográfico como *denegación del lugar monumental*, echando mano a un abanico de herramientas que exceden el mero registro documental: desde formas de puesta en escena y actuación al uso de animación, intertítulos y la edición no-documentalizante del *found footage*. El final de *M*, la película de Nicolás Prividera, presenta una de las secuencias más intrigantes de esa lucha tenaz, en la propia cinta fílmica, por evitar el cierre monumental (los finales, por naturaleza, son el punto más crítico en ese afán por mantener abierto un espacio de errancia: el más conocido y controvertido de ellos es sin duda la secuencia de *Los rubios* que muestra al equipo de filmación caminando hacia el horizonte pampeano, usando pelucas rubias y con una canción de Charly García –*Influencia*– de fondo). La secuencia de Prividera comienza luego de que, al parecer, el director-detective se ha dado por vencido en su búsqueda, desmontando su pizarra de notas y quemando los papeles de su archivo (vemos así ardiendo, en *close-up*, a la carta que el pequeño Nicolás tuvo que escribirle a un combatiente argentino en Malvinas y otra del Ministerio del Interior informando a la familia de los trámites infructuosos por hallar a Marta, su madre, y finalmente la hoja de una historia de la ESMA, dejando intacto apenas el título: «Final Abierto»). Pero la película aún no ha terminado. Sigue, en cambio, un paneo de la orilla hacia las olas del Río de la Plata –destino final de muchos asesinados en los «vuelos de la muerte»– como si el film desdijera inmediatamente a esta noción del tiempo abierto. Sin embargo, como vemos enseguida, la secuencia es también un eco visual de otra: un paneo casi idéntico en super-8 sobre las olas del mar. La propia materialidad y textura de la imagen en video digital que ha repetido ese movimiento de cámara en el pasado, también indica, en su contraste con el super-8, el abismo temporal que separa a ambos. Filiación y abismo que forman también el contrapunto entre los dos contraplanos que siguen, nuevamente alternando entre video digital y super-8: el primero, de Nicolás mirando hacia el río; el segundo, de Marta mirando hacia el mar, cuyas olas –cuya rompiente– vuelven a ocupar la pantalla en el plano siguiente. Luego, en el movimiento inverso (formando un quiasmo con la primera parte de la secuencia) aparece otra vez, en *close-up*, la cara de Marta mirando sonriente el océano, seguida de una toma en video de las olas opacas del río que, tras un cambio de diafragma, de repente pone en foco la antes invisible valla de alambre que separa el punto de vista del río. Pero eso que entra y sale de foco no es un «Real» como instancia final e inapelable que corta la fantasía de fuga hacia un horizonte común y más allá del tiempo en el que, por fin, van a poder coincidir, a *tocarse*, las miradas de madre e hijo. Porque ese horizonte o tercer tiempo entre pasado y presente manufacturado por el montaje no es aquí una naturaleza intemporal que pueda ofrecer sutura ante la historia implacable: es también, en tanto superficie móvil, reflexiva y opaca, una imagen de la propia cinta fílmica, un abismarse de la propia pantalla, hacia donde van dirigidas ambas miradas. La mirada, en otras palabras, no va hacia fuera de la historia, la del film y la del país, sino hacia dentro, replegándose sobre el propio dispositivo cinematográfico en cuanto modalidad de conocimiento afectivo y al mismo tiempo intelectual/crítico: como «fábula contrariada», en la expresión de Jacques Rancière (2001: 19).

De un modo no disimilar, el paisaje rural en *Los rubios* de Albertina Carri se transforma de un lugar topográfico en una figura reflexiva de composición fílmica, un campo experimental. Como ha observado Joanna Page (2005: 31), lo rural representa en *Los rubios* un espacio de experimentación cinematográfica y afectiva, de despliegue técnico en el encuadre y la edición y de amistad y compañerismo entre los miembros del equipo de filmación. Así, esas secuencias ambientadas en los alrededores del «campito» bonaerense hacia donde Albertina y sus hermanas fueron trasladadas por familiares poco después de que habían dejado de recibir cartas de sus padres secuestrados, forman un marcado contraste en la película con el tenso y emocionalmente devastador trabajo de investigación en el barrio suburbano donde fueron secuestrados Roberto Carri y Ana María Caruso y en el centro de la ciudad, lugar de intenso y concentrado trabajo de edición y grabaciones de estudio. Sin embargo, el film está lejos de escamotear la dimensión siniestra de este refugio, siempre ya alcanzado por el horror hasta en los nombres que lo designan: «el campo», «las tareas del campo», palabras que reintroducen en escena ese lugar otro, *ob-sceno*, con el que la familia había querido abrir una distancia protectora para las niñas. Eco visual que luego se confirma y amplifica en el plano de la imagen y de los cuerpos, como en la toma de animales acorralados para su transporte al matadero, cuya simultánea ostentación y ofuscamiento de una cotinianeidad terrorífica vuelve a hacerse presente luego en la discusión *off camera* entre Albertina y una fotógrafa cuya historia personal de ex detenida-desaparecida la cineasta descifra en las imágenes que ha tomado en los mataderos.

Los rubios, no obstante, apuesta a defender y recuperar a través del cine a este espacio de libertad infantil, aun y especialmente a sabiendas de su dimensión ominosa, como un escenario de improvisación y construcción de un yo experimental, experiencia que puede y debe ser compartida para poder imaginar nuevos lazos afectivos y políticos.

El «campito», precisamente a partir de esa intensa y contradictoria carga de sentidos, es también donde la película elige *poner en escena* su propuesta radical de buscar en el cotidiano postdictatorial los elementos para hacerle un *lugar común* abierto a nuevas inscripciones y encuentros, a una experiencia hasta entonces muda, melancólica y replegada sobre sí misma, de un duelo, al mismo tiempo, exigido al sujeto e imposible de realizar a solas. El «campito» provee en *Los rubios* el escenario para la *puesta en juego* de afectos intensos y contradictorios, de añoranza y resentimiento, dolor y rabia, desencadenados pero no confinados a la ausencia paternal: performances de (inter)subjetividad que, culminando en la caminata del equipo con sus pelucas rubias, «anuncian un nuevo lenguaje que marcaría la década siguiente, y en la cual el dolor y el placer serán inextricablemente entretejidos», como sostiene Cecilia Sosa (2015: 366). El «campito», en *Los rubios*, es transformado gracias al *juego estético* en un *campo abierto* para la construcción y combinatoria performativa de subjetividades y colectivos fluidos, en constante desplazamiento. En una secuencia a poco más de media hora del comienzo, vemos al equipo trabajando en la preparación de una toma –y así, como tantas veces en *Los rubios*, grabando y desdoblando reflexivamente el propio proceso de construcción cinematográfica de sentidos. Los camarógrafos y sonidistas ensayan ángulos y posiciones, mientras Albertina Carri le da instrucciones a Analía Couceyro, quien «hará de ella» en las tomas siguientes. Pero entonces, ya la propia división de trabajo cinematográfico –la distribución de papeles entre directora, actriz, camarógrafa– aquí se complica hasta volverlos intercambiables, y esta fluidez del propio trabajo se contagia enseguida al espacio-tiempo de la toma y al escenario-paisaje que ésta abarca, terminando por involucrar en su juego de des-identificación también a la propia mirada del espectador. Entrecortado por unos breves planos cortos del escenario natural –una columna de hormigas, una pila de palitos, la maleza–, el sintagma fílmico que estas preparaciones abren se tensa entre dos planos secuencia: el primero un lento paneo lateral de izquierda a derecha sobre los pastizales y la línea de árboles en el horizonte, superimpuesto a la voz en off de Carri explicando una toma a su equipo; el segundo un paneo circular con cámara en mano alrededor de Albertina y Analía discutiendo la rendición de las líneas que Analía dirá en la toma que está por filmarse.

El primer desplazamiento acontece, entonces, entre la toma visible y la descripción verbal de otra que permanece invisible. Esto es, en el *voice-over* de la toma primera, Carri explica a su equipo una secuencia de paneos laterales en que la cámara de cine y la de video acaban grabándose mutuamente, con Analía Couceyro apareciendo en las tomas de ambas hablando –dice Albertina– «de Albertina. Habla en primera persona». Sin embargo, el paneo en pantalla de la cámara de cine continúa más allá del final de las instrucciones sin que aparezcan ni la cámara de video ni Analía. En cambio, Carri eventualmente corta al segundo paneo circular con cámara en mano alrededor de Albertina y Analía, quienes se preparan para grabar la toma donde ésta tiene que referir el asesinato de los padres de aquélla cuando tenía tres años. La conversación entre las dos mujeres, de carácter técnico, gira en torno a cómo evitar el uso de la primera persona a través de una construcción sintáctica pasiva («ellos fueron asesinados ese mismo año»). La cuestión que atraviesa a toda la secuencia de paneos no es otra, entonces, que el problema de la personalidad. Problema que se manifiesta ahí en un abismarse gramatical que se traduce a la propia composición de la toma a través de la indecibilidad del punto de vista. El paisaje –el entorno natural que, en la tradición occidental, *daba lugar* al sujeto como un *punto de vista*, definido a partir de su relación con un espacio calculable a través de la perspectiva linear– es sometido aquí a una radical des-orientación, pronominal al mismo tiempo que visual y kinética. El primero de los dos paneos, al prolongarse demasiado e infringir la «regla de los 180 grados»[107], también deja de entregar un espacio transparente y abordable por la mirada del espectador, cuya posición frente a la pantalla sufre en consecuencia un deslocamiento profundamente irritante. Luego, ese deslocamiento se acentúa todavía por los deslizamientos pronominales entre la primera, segunda y tercera persona en el diálogo entre Albertina y Analía. La confusión de personas gramaticales y el descentramiento del punto de vista provocan en su entramado mutuo la apertura de la experiencia personal hacia una dimensión radical de intersubjetividad, del lugar fijo del observador hacia un campo abierto de experimentación: esto es, en la expresión de Deleuze (1983: 155), hacia un *lugar cualquiera*, «un espacio de conjunción virtual, hallado como un puro lugar de lo posible».

El proyecto de *Los rubios* se encamina precisamente hacia allí: trasladar la cuestión de la personalidad –la de Albertina pero también la de sus padres ausentes y sus compañeros de lucha cuyas identidades el Instituto Nacional de Cine y Artes Audiovisuales encontraba insólitamente desdibujadas en el film– a un lugar cualquiera donde los lazos y afectos se tornan susceptibles a lo que Deleuze llama un acto de fe: una inversión emocional y política orientada hacia lo abierto de un devenir. Esa transformación del lugar monumental en un lugar cualquiera sea tal vez un modo de describir el proyecto en que convergen muchas prácticas plásticas, poéticas y cinematográficas disidentes de las postdictaduras latinoamericanas: no porque quieran borrar las marcas que la inscripción monumental resalta (al contrario, como acabamos de ver, la película de Carri des-cubre y reinscribe las marcas de violencia y abandono presentes en «el campo»). Más bien, intentan abrir esas

[107] Sobre la gramática de construcción del espacio diegético en el cine de ficción, puede consultarse el manual clásico de Reisz y Millar, *The Technique of Film Editing* (Reisz y Millar, 1968: 216); para una crítica sagaz de las implicaciones ideológicas y afectivas de esta producción de espacio, véase Heath, 1981: 19-75.

marcaciones y el modo en que interpelan a sus observadores y lectores, como «sujetos del/al duelo», a una performatividad radical. Re-construcción de comunidad que no por lúdica o experimental sea en lo más mínimo frívola, irrespetuosa o superficial, como quisieron creer en su momento los detractores del film de Carri: muy al contrario, esa producción de nuevos afectos, como fundamento siquiera de la posibilidad de un común, es tal vez la tarea más seria y difícil; producción de comunidad que se ve enfrentada en todo momento por la acción destructiva de, primero, las dictaduras y, después, del neoliberalismo y de los nuevos fascismos que hoy emergen en todo el mundo reconvirtiendo la precariedad del lazo social en resentimiento, en maldad radical. El lugar cualquiera no deja de ser, como para Albertina, la mutilación tristemente particular que esa maldad inscribe en el cuerpo de cada uno de nosotros, pero deviene también una individualidad abierta, gracias a una decisión política y estética (un acto de fe), hacia nuevas comunidades experimentales, como el equipo de filmación que se aleja en la toma final con sus pelucas rubias. El campo expandido de la memoria no es otro, a fin de cuentas, que ese desplazamiento del lugar monumental a un lugar cualquiera; sus políticas no son la reconciliación y el reencuentro sino la forjación de comunidades errantes en la discordia, de una comunidad en la rebeldía.

Vidas a la intemperie: precariedad e in-mundo en el cine latinoamericano actual

Viajo porque preciso, volto porque te amo (2009) de Karim Aïnouz y Marcelo Gomes, pastiche lírico de un *road movie* editado a partir de restos de material audiovisual grabado para otros proyectos fílmicos en el noreste árido de Brasil, es también una meditación sobre los archivos locacionales del cine latinoamericano moderno. Bares ruteros, bailantas, estaciones de servicio, un motel, una zapatería y un santuario popular hacen su aparición en pantalla como en un catálogo de sitios característicos del mundo provinciano. La imagen mantiene con estos lugares de la vida real una relación casi documental, si no fuera por el modo en que éstos siempre ya se encuentran suturados al continuo de la narración. Esa progresión narrativa, en el film, es mantenida con el más simple de los recursos: el plano secuencia desde un vehículo en andamiento, ya sea como *dolly shot* de la ruta a través del parabrisas de un auto u omnibus, ya sea como paneo sobre el paisaje tomado desde una de las ventanas laterales. En contrapunteo con la secuencia visual, la voz en off del narrador, quien permanece invisible en todo el film, teje con su monólogo el relato de un viaje de relevamiento hidrográfico que es al mismo tiempo una huida existencial tras el fracaso de un matrimonio. A lo largo del film, nunca veremos así más que paisajes, o más bien, toda la secuencia discontinua de mundos dispersos y encerrados en sí mismos se reanuda ahí una vez más en la continuidad vivencial y afectiva de un paisaje, al ser atribuida por la voz narrativa a la mirada móvil de un sujeto a la deriva. El film, en otras palabras, va enredándonos en un juego perverso, en que cada toma vuelve a tentar nuestra mirada a inmersarse en la singularidad de un *lugar*, al mismo tiempo que la sonorización (una composición sutil que mezcla sonido ambiental con la voz en off del narrador) nos devuelve a una continuidad narrativa *espacial*. *Viajo porque preciso…*, en otras palabras, es también una reflexión sobre el agotamiento de la tensión entre los lugares naturales y culturales –paisajes y arquitecturas– y el espacio diegético que el cine moderno había construido, tanto *a partir* como también *hacia* estos últimos.

Esa tensión podría pensarse como un vaivén en la pantalla entre las temporalizaciones opuestas de lugar y espacio, o entre el *paisaje* fílmico y lo que Tom Conley ha llamado un «cine cartográfico». Según este crítico, existe una relación estrecha entre la acción de mapear y el modo en que la narración cinematográfica despliega un espacio imaginario continuo y autocontenido en el que podemos ubicar –localizar– a personajes y acontecimientos:

«Una película puede ser entendida en un sentido amplio como un "mapa" que entrama y coloniza la imaginación del público [...] Una película, como una proyección topográfica, puede ser entendida como una imagen que localiza y empadrona [*patterns*] la imaginación de los espectadores. En la medida en que lo capta, una película incita a su público a pensar el mundo en concordancia con su propia articulación del espacio» (Conley, 2007: 1). El paisaje, por otra parte, podría pensarse como aquello que desestabiliza a las inscripciones que suturan los lugares a la continuidad espacio-temporal de la diégesis: esto es, como un modo de abordar la extensión que interrumpe y contrapuntea a la cartografía fílmica. Siguiendo las reflexiones de Martin Lefebvre (2006), el paisaje representaría el remanente o el exceso de la cartografía narrativa, la ruptura de continuidad en la que emerge por fin un lugar. Tomando como punto de partida la relectura, por parte de la historiadora de arte Anne Cauquelin (2008: 27-28), de la distinción kantiana entre *ergon* y *parergon* –esto es, entre el escenario espacial como subordinado al argumento o como materia visual autónoma–, Lefebvre sugiere pensar como paisaje cinematográfico la apertura espacial que nos traslada de la continuidad diegética a un tiempo otro. El paisaje nos hace entrar en las duraciones intrínsecas de un «mundo exterior» –cuya salvación era, para Kracauer, la misión esencial del cine– y que emerge cada vez que la mirada toma licencia de su sutura narrativa y descubre, más allá o más acá del escenario de la acción, un lugar singular. En realidad, insiste Lefebvre, ese régimen doble de espacio y lugar, escenario y paisaje, cuya tensión sostiene el efecto de realidad del cine, es tanto un resultado de la composición fílmica como del esfuerzo de nuestra mirada que se ve continuamente ante la disyuntiva entre optar por un modo narrativo o un modo espectatorial de observar la imagen en pantalla:

> [El paisaje] está sujeto simultáneamente a la temporalidad del medio cinematográfico y a la de la mirada del espectador que tiende a oscilar entre el modo narrativo y el modo espectatorial y viceversa de un momento a otro. Esa existencia

> temporal doble resulta en la precariedad de un paisaje que más o menos desaparece cada vez que el modo narrativo toma las riendas y el espacio cinematográfico vuelve a asumir su función narrativa de escenario (Lefebvre, 2006: 29).

Ahora bien, es posible pensar esa «precariedad del paisaje» no sólo, como propone Lefebvre, en tanto inestabilidad del lugar que apenas por un tiempo limitado consigue interrumpir el flujo del tiempo diegético, con cuyo recomienzo también recede otra vez hacia el fondo, hacia la función subserviente de un escenario, hacia los *parerga* de la acción central. Porque ¿no tiende la forma del paisaje, precisamente, hacia la precarización, el volverse inestable, de *cualquier lugar*, ya sea el cartográfico de la diégesis, ya sea el que interrumpe esa trama a través de un exceso, algo que insiste ante nuestra mirada o que es encontrado por una mirada que se demora más de lo necesario? Como propone Lyotard (1991: 187), para que estemos frente a un paisaje, «siempre hace falta algo que es DEMASIADO... (aunque fuese demasiado poco)». Paisaje, en ese sentido, no se identificaría con la plenitud de un *lugar* que perfora la continuidad del espacio-trama, sino que sería todo «lo contrario de un lugar» (Lyotard, 1991: 183). Paisaje igualaría a ausencia de lugar; sería aquello que yace más allá (o más acá) de ese lugar «natural, un cruce entre los reinos y el *Homo sapiens*», como dice Lyotard (1991: 184, 187) aludiendo a la «cuaternidad» heideggeriana –el lugar como «arquitectura» equilibrada y armónica entre hombres y dioses, tierra y cielo (Heidegger, 1994: 133). En su exceso de presencia el paisaje hace temblar ese edificio fruto –decía Heidegger– del saber y de la experiencia, provocando un desorden o una «forma diferente de orden» que más bien nos permite «vislumbrar un destello de lo inhumano y/o de lo inmundo» (Lyotard, 1991: 187) –términos que buscan nombrar ese movimiento común de repliegue sobre sí mismo en el que también las distinciones entre humanidad y mundo se pierden. Es decir, lo precario del paisaje no sólo provendría de su siempre inminente recaída en el orden de la diégesis, sino también de su no menos inminente caída hacia lo informe, hacia «la implosión de las formas mismas» ante la cual «la mente falla» (Lyotard, 1991: 189).

Me gustaría pensar los modos de aparecer de lo ambiental en ciertas zonas del cine contemporáneo en Latinoamérica como un desplazamiento del primer al segundo sentido de paisaje que acabo de bosquejar: del paisaje como presencia de un Real que insiste e irrumpe en la continuidad diegética al paisaje que desvanece cualquier presencia, al mismo tiempo que abre nuestra mirada a la emergencia de una vida precaria en el borde incierto entre lo inhumano y lo inmundo. Este desplazamiento, propongo, responde (si bien no en forma mimética, no en forma de representación o alegoría) a la precarización que *cualquier forma de vida* es susceptible de sufrir en consecuencia de la «neoliberalización existencial»[108] que, en América Latina como en otras partes, ha atingido a hombres y entornos (*Umwelten*) por igual. Tras un rápido bosquejo del paisaje en la modernidad cinematográfica latinoamericana –el paisaje uno, por así decirlo, el que corresponde a grandes trazos al «lugar» de Lefebvre que surge ante una mirada espectatorial– voy a referirme brevemente a tres aspectos de ese «paisaje dos» o ambiente de vidas precarizadas en el cine más reciente: la ruptura entre el tiempo de los cuerpos y el tiempo histórico, el «desvanecimiento del punto de vista» (Lyotard, 1991: 187), y la proximidad entre cuerpos humanos y animales.

[108] Michel Foucault estuvo entre los primeros en advertir sobre el hecho de que, además de una doctrina económica, el neoliberalismo también se proponía como una forma de análisis y crítica del sujeto y de la práctica social, «una suerte de análisis economicista de lo no-económico» (Foucault, 2004a: 249) en la que, precisamente, ese carácter no-económico se tornaba un error, una falta a ser corregida, ya sea por la economización de estas áreas de vida (lo que, en la óptica neoliberal, siempre equivale a traducir la potencialidad de un cuerpo en una decisión sobre la reinversión de un capital ante la imposibilidad de satisfacer todas las demandas, una decisión empresarial de riesgo), ya sea por la eliminación punitiva de tales prácticas por distorsionar la libre acción de los mercados. David Harvey ha advertido sobre la brecha, que no tardará en abrirse, entre ese proyecto utópico de «reorganización del capitalismo internacional» por la subsunción real de lo viviente y su proyecto político de «restablecer las condiciones para la acumulación del capital y de restaurar el poder de las élites económicas» (Harvey, 2005: 19), objetivo que si se cumplía recurriendo a la retórica utópica de los profetas neoliberales no por eso adoptaba necesariamente sus prescripciones, sobre todo si éstas ponían en riesgo al propio poder de los grupos de élite.

Paisaje y cartografía correspondían, en una relación de implicación e interdependencia mutua, a una economía espacial propia del cine de la era de los estudios, en la que América Latina participaba del mismo modo «dependiente» en que lo hacía en la economía de Bretton Woods en postrimerías de la Segunda Guerra Mundial. El drama rural había provisto a las tentativas regionales por forjar una industria cinematográfica nacional tras la introducción del sonido, de una fórmula narrativa que permitía combinar los moldes locales del melodrama y el teatro, y la poesía popular con los géneros del cine industrial norteamericano, sobre todo el *western*. El interior rural, con sus luchas épicas y crueles entre gauchos, llaneros y cangaçeiros, proporcionaba la pantalla sobre la cual proyectar esos orígenes míticos de la nación, al mismo tiempo que el lenguaje y la gestualidad de los actores principales relegaban ese ambiente a un fondo o segundo plano de primitivismo y barbarie «fatalmente» condenado a ceder ante el «progreso» encarnado no solo en estos últimos sino también en el narrador cinematográfico impersonal. La modernidad y el cosmopolitismo de este cine de las décadas del treinta al cincuenta, aproximadamente, se verificaban así precisamente en su manejo hábil de un contenido nacional y primitivo. En *Flor silvestre* (1945) de Emilio «El Indio» Fernández –uno de los grandes melodramas del cine mexicano clásico, con Dolores del Río y Pedro Armendáriz interpretando a la pareja central–, el ambiente provinciano gana protagonismo en los *intermezzi* musicales intercalados en la acción. Emulando a la gramática visual del western norteamericano, aquí como también al comienzo de *O cangaçeiro* (1953) del brasileño Lima Barreto, tomas panorámicas de paisajes áridos y montañosos se suceden acentuando todavía los contrastes entre luz y sombra para infundirles tensión y dramatismo (en el film de Fernández, los cielos tormentosos, marca de fábrica del cinematógrafo Gabriel Figueroa, ocupan con frecuencia hasta dos tercios de la pantalla). En ambos films, estos escenarios alegóricos son atravesados de un costado al otro o en diagonal por grupos de jinetes, con la cámara paneando en sintonía con movimiento de éstos. En la pista sonora, mientras tanto, suena la balada titular, en *Flor silvestre*, o la canción tradicional *sertaneja* «Mulê rendeira», en *O cangaçeiro* (cuya melodía luego se tornará una suerte de *leitmotiv* asociado al grupo de bandidos en sus travesías por el interior rural). El escenario majestuoso, ganando precedencia sobre los actores, se convierte en esas secuencias en un equivaliente visual de la canción folclórica: trabaja el espacio de la pantalla del mismo modo en que ésta lo hace con el tiempo diegético. Como un signo emblemático compuesto de imágenes, música y verso, estas secuencias inscriben la acción en un marco espacio-temporal más amplio, sacándola del tiempo histórico al tiempo de la leyenda y del espacio de la civilización al de la barbarie, esto es: al cronotopo narrativo del mito. Como el «había una vez» del cuento de hadas, estas secuencias nos devuelven a un mundo ancestral, absolutamente extraño a la modernidad urbana de la sala de cine, y sin embargo –como le explica al comienzo de *Flor silvestre* el personaje ya anciano de Dolores del Río a su hijo ya adulto– también el tiempo y espacio «donde todo comenzó», el mundo del origen.

Es esta relación entre lo moderno y lo arcaico, precisamente, la que revisitará el «Nuevo Cine Latinoamericano» a partir de la década del sesenta, aunque ahora como juego de tensión y correspondencia entre contenidos narrativos y formas audiovisuales en el que se plasmaría una violenta relación política de colonialidad y dependencia, desdoblada en una crítica de la imagen alienante y una lucha por la concientización del espectador. Aquí, en lugar del narrador cinematográfico del cine anterior, quien permanecía ajeno a la acción diegética, la cámara abandona la tercera persona omnisciente y se inmiscuye en los mundos campesinos en donde transcurre la acción. En *Deus e o Diabo na Terra do Sol* (1964) de Glauber Rocha, obra cumbre de los primeros años del *Cinema Novo*, esa internalización del punto de vista tiene un efecto teatralizante sobre los escenarios, a veces literalmente al sustraerles el horizonte. Así, en el encuentro entre Manuel (Geraldo del Rey) y

Rosa (Yoná Magalhães) con Corisco (Othon Bastos) y su banda, los lentos paneos circulares de la cámara de Waldemar Lima en torno de los personajes, quienes por su parte realizan una suerte de danza de aproximaciones y distanciamientos, producen un doble encuadramiento del ambiente. La pradera arenosa y las alturas del Monte Santo, como observa Ismail Xavier (2007: 137), «se vuelven un escenario teatral: configuran una totalidad cerrada», un cosmos autosuficiente y sin exterioridad en el cual los personajes se mueven según lógicas complejas y rituales que corresponden más al ritmo de un baile, una coreografía, que a la gestualidad del realismo narrativo. Aquí como en *Vidas Secas* (1963) de Nelson Pereira dos Santos o en *Os Fuzis* (1964) de Ruy Guerra, la actuación no naturalista y el montaje discontinuo también transforman el ambiente espacial del *sertão* nordestino que, aquí, en vez de ofrecerse como «escenario natural» a un punto de vista externo, emerge como trama de elementos sobredeterminados cuyos sentidos son «leídos» por la cámara como si ésta fuera un habitante nativo más, buscando en el cielo y en la tierra los trazos y signos que permitan deducir el pasado y profetizar el futuro.

El contraste con el cine anterior aparece de manera más nítida ahí donde Glauber, en *Deus e o Diabo* como antes en *Barravento* (1962), recurre a la gramática del paneo lateral con sonido musical extradiegético, en clara alusión a las convenciones de ruralismo mítico y fundacional del cine clásico. También aquí, la continuidad narrativa es interrumpida una y otra vez por la «Canção do sertão», composición orquestral de Heitor Villa-Lobos, y también por la balada de cordel atribuida intradiegéticamente al ciego Júlio –cantor ambulante quien aparece en momentos claves del film para guiar a Manuel y Rosa de un escenario diegético al próximo, al mismo tiempo que intercambia opiniones y comentarios con Antônio das Mortes, otra figura del umbral quien, al servicio de la ley del Estado, termina violentamente la asociación de la pareja central con el santo Sebastião y luego con el bandido Corisco. Pero aquí, en lugar de aportar un color local genérico y atemporal en el que converge la naturalización del espacio con el tiempo histórico mitificado, las interrupciones musicales de la continuidad diegética funcionan más bien de la manera de un truco brechtiano de des-alienación, aprovechando el desacople entre los episodios individuales para comentarios reflexivos. En lugar de un punto de vista externo, sociológico, sobre la acción diegética, sin embargo –el discurso, más bien, propio de Antônio das Mortes, quien es el agente intra- y también metaficcional de un progreso histórico que en el mundo rural aparece sólo en forma violenta y destructiva– la balada popular ofrece una instancia alternativa de análisis. Ella interpreta las andanzas de Manuel y Rosa desde el punto de vista émico del propio universo *sertanejo*. Compuesta, en realidad, por el propio Glauber en colaboración con el cineasta y cantautor Sérgio Ricardo (y así ya en sí misma una reflexión literaria sobre la forma popular), la balada del ciego Júlio en su interacción con la cámara de Waldemar Lima que va y viene de los personajes al ambiente, ofrece entonces un comentario crítico, una anotación, de las secuencias diegéticas precedentes y por seguir. En su contraste con los tonos épicos de la pieza de Villa-Lobos que acompaña las visiones desde el alto del Monte Santo y la frenética huida final de la pareja hacia el mar, la balada también establece un diálogo crítico con el propio aparato cultural de interpretación y recreación de lo popular y así con la propia película que la enmarca.

En el film de Glauber –como también en otras reinscripciones del mundo marginal urbano, campesino e indígena en el «Nuevo Cine Latinoamericano» como *El chacal de Nahueltoro* (1969) del chileno Miguel Littín o como *Yawar mallku* (1969) del boliviano Jorge Sanjinés– pasamos así del espacio «cartográfico» donde el cine clásico había inscrito tipos y naturalezas emblemáticas y construido una geografía mítica de la nacionalidad, a «paisajes» locales y particulares que introducen en esta geografía las discontinuidades propias de tiempos y materialidades irreductibles al régimen cartográfico. Como en *Deus e o Diabo*, además, la tensión entre ambos cronotopos –cartografía y paisaje, diégesis y especularidad– es ahí activamente movilizada en función de generar efectos autorreflexivos y para solicitar la mirada de un espectador crítico y participante en la construcción de sentidos. Es esta tensión, portadora de un antagonismo correspondiente en términos políticos a una visión tercermundista y revolucionaria –culminando muchas veces en una exhortación a los espectadores a incorporarse en la lucha, como en el plano final de los fusiles alzados sobre la línea de las cumbres andinas en *Yawar mallku*–, la que va agotándose paulatinamente con el fracaso de este proyecto revolucionario. Con el «ajuste estructural» de las dictaduras y postdictaduras neoliberales, también el desplazamiento ciudad/campo dejará de proporcionar una trama nítidamente definida. Como ha observado Lúcia Nagib, el cine de postdictadura se caracterizará en cambio por un movimiento de retorno melancólico a los mapas narrativos de sus predecesores, un modo de «reminiscencia nostálgica de las alegorías pasadas, de un tiempo en que comenzar desde cero era posible, el cine era realmente nuevo y los personajes, en su pulsión revolucionaria, eran capaces de arrastrar consigo a las masas» (Nagib, 2007: 48). Así, en films como *La película del rey* (1986) de Carlos Sorín, *Central do Brasil* (1997) de Walter Salles, o *Familia rodante* (2004) de Pablo Trapero, es el desvanecimiento de los paisajes-lugares, en su capacidad de insistir y de, literalmente, detener el movimiento errante de los personajes, el que motiva la forma narrativa del *road movie* en un afán por rehacer la cartografía nacional-afectiva cuyo arruinamiento, no obstante, se hace palpable en cualquier (no)lugar en que se detiene la mirada[109]. El desvanecimiento del lugar-paisaje, el agotamiento o la indiferenciación de las identidades locales incapaces ya de detener o de interrumpir el flujo de una narración que

[109] Es interesante observar que, además de la reconstrucción más o menos exitosa de un mapa nacional, una cartografía cinematográfica del país-nación, los tres films también coinciden en su alusión a otra forma de consagración visual del espacio-tiempo nacional, el museo: literalmente, en la visita de la familia-nación protagónica al museo sanmartiniano de Yapeyú, en *Familia rodante*; figurativamente en las tentativas por construir con objetos y disfraces una imagen histórica en *La película del rey*, y en los mercados y ferias artesanales que visita la pareja viajera en *Central do Brasil*.

tiende hacia lo monocorde, terminan así por corroer también a las cartografías del cine narrativo que ya sólo pueden sostener relatos de «retorno idealizado al origen», en palabras de Ivana Bentes, cuyo «*happy end* melancólico y conciliador se aleja de la apuesta utópica de trascendencia y libertad» (Bentes, 2007: 198)[110].

En lugar de esa recompensa nostálgica con la que ciertos cines más próximos a formas de producción y distribución transnacional han tratado de encontrar surrogatos para su propio *déficit* de color local, otra tendencia del cine contemporáneo ha optado, al contrario, por adentrarse en estos mundos desorientadores y abordar las vidas precarias que los habitan[111]. Así como el cine latinoamericano moderno, en su inmersión en mundos campesinos sobredeterminados a partir de una lectura tercermundista y revolucionaria pero ahora desprovistos de una brújula política determinada de antemano, estos films «neorregionalistas» indagan en una economía política de los afectos: de gestos, impulsos, sonidos y velocidades de cuerpos aún o ya no abordados por el lenguaje político de pueblo y nación, y cuya relación con éstos y así, con la historia y con la trama social, ha sufrido un quiebre radical. En este desacople con el tiempo unificado y el espacio estriado de la

[110] *Opus* (2005) de Mariano Donoso ofrece una reflexión interesante sobre ese «agotamiento del lugar» en el medio documental: en ese film argentino, la «crisis del 2001» se plasma más que nada en la imposibilidad por localizarla, esto es, por hallar en la trama social un pedazo de tiempo y espacio en donde se materialicen los sentidos de esta crisis. En su lugar, el film da con una de las imágenes más sugerentes de ese «desvanecimiento del sentido» en la pizarra de un aula de escuela vacía que advierte sobre la inminente huelga de maestros y los contenidos a repasar mientras no se vuelvan a reanudar las clases. Para una lectura más extensa del film, véase mi *Nuevo cine argentino* (Andermann, 2015: 128-32).

[111] Gonzalo Aguilar, refiriéndose al contexto del cine argentino de los años del milenio, habla de una «tendencia nómade» desplazándose hacia «los descartes del capitalismo» y compartiendo con sus sujetos el movimiento de fuga y desanclaje que traduce a sus propias formas compositivas; conjunto de obras que Aguilar contrasta con «el movimiento espiralado hacia los interiores» (Aguilar, 2006: 41, 43) de la tendencia «sedentaria» que revelaría en cambio la crisis de lo doméstico y familiar. Mi concepto de inmundo, si bien recoge la inspiración de pensar en los ritmos corporales y composicionales que la precarización de lo viviente arroja en la estética fílmica, no se restringe sin embargo a ninguna de las dos «tendencias» identificadas por Aguilar sino que más bien busca identificar su fondo común.

nación, el cine se encamina hacia el «devenir periférico del mundo» –en la expresión de Bentes (2013: 128)– y que, en algunos de sus aspectos, coincide con la noción de un cine «naturalista» esbozada por Gilles Deleuze en *La imagen-movimiento*: desvela, en el fondo de un ambiente (*milieu*) histórico y geográfico, un mundo originario regido por impulsos violentos y descargas energéticas que no tanto emanan de los sujetos-personajes como, más bien, los atraviesan y fragmentan del mismo modo que a su entorno. Como el «naturalismo» deleuziano, ese neorregionalismo descubre entre los escombros de la cartografía nacional un fondo a la vez local y global de vidas precarizadas, «o más bien –dice Deleuze– un sin fondo de materias no formadas, borradores o pedazos, atravesados por funciones no-formales, actos o dinamismos energéticos que no reenvían a ningún sujeto constituido. Los personajes ahí son como las bestias…» (Deleuze, 1983: 174). Quiebre, entonces, de las coordenadas espacio-temporales del cine cartográfico, que va provocando un ritmo de imprevisibilidad y un descentramiento peligroso del propio sujeto portador de la mirada: en consecuencia, incluso las propias barreras de lo humano acaban por tambalear. Son éstas, sugiero, las características que destacan el cine reciente que quisiera pensar como «neorregionalista», esto es: como revisitación, en el medio cinematográfico y en el contexto de precarización neoliberal de lo viviente, de las «historias naturales del antropoceno» que hemos leído antes en el regionalismo literario del siglo anterior[112].

Hamaca paraguaya de Paz Encina (2006), primer largometraje paraguayo en muchas décadas, a primera vista pareciera desentonar con esta caracterización del cine actual. Ubicada durante la

[112] Evidentemente, mi uso del término neorregionalismo, si bien dialoga con una historia de lo regional en el cine latinoamericano, ya sea en cuanto a las inquietudes temáticas o a las estructuras de cooperación hemisférica, en particular hacia finales de los años sesenta y principios de los setenta (Flores, 2013), busca más bien identificar una constelación formal y estética en la producción cinematográfica más reciente. Es decir, no se refiere necesariamente a temas provincianos ni a modelos de producción, sino más bien a determinadas formas de componer el espacio y tiempo de una película.

guerra del Chaco entre Paraguay y Bolivia (1932-1935), la película alterna entre un puñado de planos fijos que vuelven a centrarse una y otra vez en la pareja central, el viejo Ramón (Ramón del Río) y su compañera Cándida (Georgina Genes), mateando en su hamaca tendida entre dos árboles en el límite del bosque. De una textura visual rica y una sonoridad cuidadosamente compuesta, estos planos como también los que corresponden a los hombres trabajando en el cañaveral y a las mujeres en torno a la cascada donde lavan la ropa, poseen una serenidad que hace pensar a veces en cuadros de Pieter Brueghel. Sin embargo, por encima o por debajo de su ritmo pausado y cíclico, corre otra temporalidad que se sobreimprime y suspende a la primera precisamente por permanecer fuera de pantalla: el tiempo de la nación y de la guerra, nociones que se hacen presentes en el cronotopo visible sólo a título de una fuerza destructiva y ominosa, identificada con anuncios, rumores e insinuaciones como el paso lento de las nubes por el cielo. La tragedia de la historia que amenaza ese tiempo local de germinación y cosecha –la muerte del hijo de Cándida y Ramón en el frente– permanece fuera de pantalla. La historia excede lo visible, del mismo modo en que la imagen está siendo desbordada permanentemente por elementos sonoros que la perforan desde el fuera-de-campo: los ladridos de una perra que posiblemente se esté muriendo de sed o de tristeza, los sonidos animales emanando del campo o del bosque, las conversaciones que la pareja mantiene con mensajeros que llegan del frente o del pueblo, la despedida del hijo. Es más, el propio diálogo entre Ramón y Cándida (hablado en guaraní) que provee el hilo central de la película, no corresponde a las tomas visibles de ambos en pantalla, ya sea juntos o por separado: es un diálogo, o quizás una alternación entre dos monólogos, que tiene lugar antes o después de la secuencia visible. En este desacople entre imagen y sonido se plasma un infortunio radical, un estado fuera de sitio y del devenir temporal, cuando la historia habrá corrido su curso y ya nada podrá ser dicho, a la vez que será imposible mantener silencio. «En *Hamaca paraguaya* –ha sugerido Encina– el silencio es político, es cierto, pero yo quería que fuera también humano. [Abre] un tiempo en el que convergen la soledad, la tristeza, un vínculo que intenta no desmoronarse, una espera interminable y la búsqueda del sentido de la vida» (Encina, 2008: 333). Al desacoplar sonido e imagen, *Hamaca paraguaya* nos instala en una temporalidad que se ubica tanto en un *antes* como en un *después* respecto del evento central –la tragedia de la historia–, que no puede ser nombrado o imaginado; un tiempo que deviene espacio una vez que no se puede actuar sobre él y, así, se convierte en naturaleza. Sin embargo, ésta es una naturaleza des-ubicada que ha dejado de ofrecer un lugar, un refugio hacia donde retirarse: el tiempo en *Hamaca paraguaya* se espacializa, pero también hace estallar la cohesión orgánica de las temporalidades locales de la siembra y la cosecha, el nacer y el morir, en las que ese tiempo extraño introduce una dislocación radical, un fuera de lugar que las corroe y trastorna de un modo irreparable.

El cronotopo de *Hamaca paraguaya* indica, de manera asombrosamente sencilla y a la vez potente, la relación de inclusión excluyente que los mundos marginales del neorregionalismo comparten con relación al tiempo y al espacio de la nación y del sistema-mundo del capitalismo. Se trata de un tiempo y espacio de vidas precarias: vidas que, a pesar de que transcurren a la intemperie, por fuera de la responsabilidad pastoral de la autoridad estatal, nunca dejan de ser expuestas a su violencia punitiva, como los jóvenes fugitivos de *Los salvajes* (2012) de Alejandro Fadel, el solitario isleño de Lisandro Alonso en *Los muertos* (2004) o el indio Carapiru en *Serras da Desordem* (2006) de Andrea Tonacci. Son vidas en un estado de abandono activo, suspendidas entre el «dejar morir» soberano y el «hacer vivir» de la gubernamentalidad moderna, como nos muestra Alonso en la magnífica toma filmada en un plano secuencia desde la plataforma de la camioneta policial que va a dejar a Argentino Vargas, el protagonista de *Los muertos*, en una parada de autobús al borde de la ruta, antes de reanudar su marcha y, literalmente, perderlo de vista. En todas estas películas, filmadas con no-actores cuyas vivencias profílmicas se superponen (aunque no está claro hasta qué punto) con las de los personajes que interpretan, surge en consecuencia una ambigüedad radical entre la puesta en escena y la reenactuación, y entre la indicialidad fotográfica de la imagen y el artificio de la escenificación y el montaje. En consecuencia de ese vaivén entre el índice y el artificio, el cronotopo de la toma permanece en un estado casi permanente de indeterminación, que no es sino un efecto de la crisis del no fuera-de-campo: la intractabilidad, por dentro de la imagen, de las relaciones que la asocian a su contorno espacio-temporal y así a la vida social.

En *Los muertos*, ese carácter enigmático del héroe y del ambiente que éste habita es tanto el efecto de la actuación lacónica y de la locación remota como lo es de la propia composición de la toma. La cámara de Alonso casi siempre permanece a una distancia media, solicitando nuestra observación detenida de la interacción entre Argentino Vargas y su entorno inmediato. Así como nunca se acerca lo suficiente como para revelar las respuestas emocionales del personaje –la imagen-afecto, diría Deleuze–, tampoco se aleja como para inscribir sus actos en un contexto espacial y social mayor. La otredad ominosa de la locación y el protagonista es, ante todo, efecto de una composición visual que los vincula inexorablemente, forzándonos a inferir la «verdad» del uno de su relación con la otra, ya que casi nunca se revelan por fuera de esa relación. Así, a pesar de que, en casi todo el film, Alonso se mantiene dentro de los parámetros formales de un cine narrativo de acción (con el protagonista ocupando el centro de la toma y la cámara posicionada del mejor modo, como para registrar de principio a final una acción realizada por éste), al mismo tiempo su film se sustenta en una constante *suspensión* de esa narración. De esta manera, nunca termina por producirse la explosión de violencia que el film anticipa a través de la secuencia onírica del comienzo, en la que un paneo zigzagueante por el bosque, imposible de atribuir a un punto de vista humano, revela como si fuera al pasar los cuerpos sangrientos de varios niños asesinados. No hay tampoco revelación o confesión alguna por parte del personaje central acerca de la relación que su salida de una cárcel pueda o no tener con esta secuencia aterradora. Pero la narración se encuentra suspendida, además, por un tipo de imagen que impulsa a nuestra mirada narrativa a deslizarse hacia el modo especular atribuido por Lefebvre a la aparición en pantalla de un ambiente-paisaje; un modo de espectación que, aquí, no es solicitado tanto por la autonomización del entorno como, más bien, a través de la tensa relación en que el film lo mantiene con el personaje en la inminencia de un acontecimiento que nunca se produce.

En *Serras da Desordem*, la reenactuación fílmica de la experiencia personal de Carapiru, el indio awá-guajá, quien, más de veinte años antes, escapó de una masacre cometida por *fazendeiros* invasores del área tribal, resulta en una forma de composición que coincide en muchos aspectos con la narración «ficcional» de Alonso. Durante varios años, Carapiru recorría los sertones del norte brasileño antes de ser adoptado por los campesinos de un pueblo en Bahía, a más de mil kilómetros de distancia, y de ser reunido a través del FUNAI (la agencia estatal de asuntos indígenas) con los sobrevivientes de su familia y su comunidad. Tonacci enmarca a la fuga de Carapiru a través de distintos tipos de comentario que incluyen secuencias de entrevistas y *footage* documental de la vida presente de los pueblerinos y sertanistas que intervinieron en la aventura del indio (cuya reconstrucción está filmada en blanco y negro, mientras que los tramos pertenecientes al presente de enunciación están en color). También hay secuencias de sueños vagamente atribuidas al propio Carapiru e indicadas por sobreimpresiones y materiales audiovisuales de archivo que componen una suerte de sueño (o pesadilla) del Estado desarrollista y dictatorial en su avance extractivista sobre el área selvática, no menos surreal que las imágenes oníricas y restos de memorias personales con los que alterna. Complicando todavía más la distinción neta entre marco externo e historia interior, Tonacci también confunde sistemáticamente al pasado reconstruido con el presente de enunciación, y a la reminiscencia atribuida al personaje central con el discurso omnisciente del narrador en tercera persona. La verdad testimonial que la presencia de Carapiru en pantalla habría de garantizar, es complicada además por nuestra incapacidad y la del personaje a comunicarnos más allá de algunos monosílabos, barrera que termina por extenderse al carácter mismo de su participación en el film. Si el testimonio está basado en la transmisión de la experiencia pasada de una persona, pregunta Ivone Margulies, ¿qué pasa cuando la conciencia del personaje central es inaccesible, cuando la memoria y sentido del propio ser de Carapiru permanecen opacos? «Privado de referencia, del acto de decir, el discurso actúa, no realiza otra cosa que su intención de comunicar, de transmitir [...] La legibilidad de un legado, la transmisión de una herencia que supone prevenir la representación realista se vuelve cuestionable» (Margulies, 2013: 152-53).

Mientras, en Alonso, el carácter opaco e impenetrable del protagonista y su entorno surgen como efectos de una intensidad –propia tanto del performance actoral como de su captación cinematográfica–, aquí, en cambio, es más bien el efecto del cuestionamiento mutuo entre los múltiples tipos de imagen entre los que alterna el film de Tonacci. Éstos se volverían un mero juego autorreferencial si no fuera por ese cuerpo tan macizo como ilegible al centro del rompecabezas, Carapiru, portador de un «real» tan incuestionable como elusivo, que al negarnos acceso a su interioridad devuelve nuestra mirada al entorno exterior. El mundo ambiente se va tornando el soporte de una memoria individual y comunitaria dispersa, sin lugar adonde retornar. Hacia mediados del film, esa constelación de re-enfoque sobre el ambiente por parte de una mirada que ha fracasado en su afán por penetrar en la interioridad afectiva del personaje, es resumida magníficamente en la secuencia que narra/re-escenifica el traslado de Carapiru a Brasilia por los funcionarios de la FUNAI tras ser hallado en el interior de Bahía. De una serie de planos y contraplanos (en blanco y negro) de la cara del indio en el asiento trasero del auto –siempre con su expresión ensimismada y un atisbo de sonrisa que no sabemos si atribuir a la timidez o a la gracia que le causan las actuaciones de sus compañeros– y de la pareja de funcionarios tomada desde atrás donde estaría sentado Carapiru, Tonacci corta a una serie de *travellings* laterales en color en los que la sombra del vehículo se proyecta sobre la pantalla borrosa de las barrancas al borde de la ruta. La tonalidad de la luz en diferentes momentos del día y la alternación entre tierra y vegetación, apenas discernibles debido a la velocidad de la carrera, indican el paulatino avance hacia la ciudad capital, al mismo tiempo que proporcionan, en estos planos que podemos o no leer como subjetivos, una suerte de imagen exterior del desarraigo radical que padece ese sujeto (o esa afectividad ya impelida de constituirse en sujeto por la eliminación del entorno respecto del cual hubiera podido pensarse como individuo y como comunidad)[113]. Lo que surge en esta secuencia, entonces, es una relación trastornada con la tierra, apenas una sombra proyectada sobre un entorno imposible de ser tocado y casi invisible debido a la velocidad (lámina 10); tierra que es, ella misma, poco más que un desierto inerte, como muestran las panorámicas de quemazones, pastizales y pozos petrolíferos que cierran la secuencia: una tierra abandonada.

La suspensión del habla que hubiese podido constuir un sujeto testimonial y que reenvía, en cambio, al cuerpo y al entorno físico, también acerca la película de Tonacci a otros films recientes que giran en torno a cuerpos similarmente «in/significantes»: cuerpos

[113] Eduardo Viveiros de Castro señala que, desde la cosmovisión de las comunidades amazónicas, la «perspectiva» o el punto de vista sobre el mundo ambiente, en lugar de una forma de empoderamiento y distinción de un sujeto humano y autónomo, sería apenas una posición ocupada «vicariamente» por una serie de entes vivientes (humanos, espíritus, animales) cada una de las cuales vería una «naturaleza» relativa a su punto de vista incoporado –«Os animais vêem da mesma maneira que nós coisas *diversas* do que vemos porque seus corpos são diferentes dos nossos» (Viveiros de Castro, 1996: 128). De ahí que, desaparecida esa diversidad «multinatural» que establece la especificidad así como la contigüedad de lo humano entre las otras miradas-mundos que lo sostienen y confirman, habría desaparecido también la posibilidad de construir una relación pronominal con el mundo, de pensarse a sí mismo desde la primera persona del singular y del plural.

que, desprovistos del lenguaje o apenas balbuceantes, adquieren en su lugar una función comunicativa que dista radicalmente del lenguaje que debe suplantar. Ese lenguaje de los cuerpos que comunica a través del tacto, la violencia, la gestualidad y el grito, aproxima a estos films al concepto de infancia elaborado por Giorgio Agamben (no por acaso, en muchos de ellos, los personajes son niños o adolescentes): una relación de mutua suspensión donde la infancia «no puede ser simplemente algo que precede cronológicamente al lenguaje y que, en un momento determinado, deja de existir para volcarse al habla [...] sino que coexiste originariamente con el lenguaje, e incluso se constituye ella misma mediante su expropiación efectuada por el lenguaje al producir cada vez al hombre como sujeto» (Agamben, 2003: 66). La infancia, no en tanto acceso a una experiencia pura, en tanto inmediatez, sino al contrario como relación con el mundo atravesada enteramente por el acceso vedado al lenguaje: es esa zona de in-comunicación, de in-mundo, la que habitan muchos personajes de estos films, ya sean niños o adultos. Ana Amado fue una de las primeras en advertir como, en *La ciénaga* (2001) de Lucrecia Martel, las diferentes velocidades y posturas de niños y adultos conviviendo en la deteriorada casa-mansión rural están dotadas «de una capacidad para modelar el plano [...] la presencia corporal afecta lo narrativo, más que lo meramente visual» (Amado, 2006: 50). La película de Martel se estructura así en una alternancia de ritmos corporales, en donde la «precipitación» a la caída y la decadencia inscrita en los cuerpos adultos (asociada con posturas horizontales como las que asumen todos los personajes durante las interminables horas de la siesta, y también con encuadres similarmente «apoyados» en colchones y reposeras) termina imponiéndose, una y otra vez, sobre los saltos y corridas de niños y adolescentes que «interrumpen repentinamente el letargo motriz con un sentido imprevisto de la velocidad y la violencia de los movimientos descoordinados de sus carreras y persecuciones» (Amado, 2006: 53). Como observa Amado, en las pausas y silencios que interrumpen ese movimiento vital de cuerpos juveniles e imprevisibles que curiosean su propia potencialidad, ya se vislumbra así una «pulsión de muerte» (Deleuze, 1983: 175), como en el tiempo indefinido que Momi (Sofía Bertolotto) pasa por debajo de la superficie podrida de la piscina. Se trata, pues, de un tiempo constantemente lábil, constantemente en peligro de deslizarse hacia el espacio, como el de los mayores arrojados a un tiempo empantanado e inmóvil, similar al lodazal en el monte en donde los niños cazadores encuentran a una vaca agonizante.

Aquí como en otros films, el animal aparece en ese umbral de subjetivación entre «infancia e historia», muchas veces en tanto cuerpo en cuya vida o muerte se trama la lucha por la captura del *infans* por el lenguaje, el orden simbólico-social y la resistencia in/significante de unas vidas que se aferran a su condición infantil, como Joaquín (Diego Baenas) en *La ciénaga* o como Ladeado (Gonzalo Pérez) en *La rabia* (2008) de Albertina Carri. Tuerto el uno, rengo el otro, ambos niños asumen y defienden su propia excepcionalidad –su «desfiguración» en tanto sujetos humanos plenos– acercándose a los animales, más precisamente a los perros, cuyo espacio vital en el borde entre el mundo humano y «el campo» ellos comparten. No por nada el mandato paterno en *La rabia* consiste una y otra vez en vigilar y restablecer ese borde, como cuando Ladeado es mandado por su padre a ahogar las crías de una comadreja que ha comido los pollos de la finca (y que Ladeado secretamente mantiene cautiva en su escondite). Ladeado es también el único amigo de Nati (Nazarena Duarte), la pequeña hija muda de sus vecinos Poldo (Víctor Hugo Carrizo) y Alejandra (Analía Couceyro), con quien se comunica apenas por gritos y por dibujos. Pero mientras Nati, en sus escapadas al campo abierto donde tira su ropa, parece acudir a una animalidad mucho más radicalmente apartada, efecto tal vez –la película nunca nos ofrece la tranquilidad de una «causa»– de una experiencia traumática, Ladeado es un personaje del límite de cuya violencia él se impregna del mismo modo como Monzón (Martín Cotari) y El Niño Simón (César Roldán), los jóvenes cazadores de jabalíes en *Los salvajes*.

Como estos últimos, que casi mueren en el sangriento combate entre sus perros y los animales del bosque, también Ladeado va entrando en la cadena de violentas relaciones entre especies animales, filmadas en ambas películas «en vivo» y en planos secuencia, como la lucha con los jabalíes en *Los salvajes* o el degüello de un chancho y la caza de un conejo por la jauría de perros de Ladeado en *La rabia*. Cuando uno de éstos es sacrificado por Poldo, en retribución, según éste, por haberle matado una oveja, es este encadenamiento de relaciones violentas el que los niños acabarán por trasladar al propio mundo humano, al yuxtaponer el castigo por la infracción del límite entre campo y vida silvestre con el de las relaciones adúlteras que mantienen los mayores, a quienes acaban matando uno por uno (lámina 11)[114].

El *infans* de estos films no coincide por lo tanto con el punto de vista infantil del neorrealismo tal como lo teorizaba Deleuze: el elemento que podía, finalmente, romper el encadenamiento narrativo de conexiones sensomotoras debido a su incapacitación física y semiótica, abriendo así el lugar en donde una situación óptica y sonora pura podía surgir (Deleuze, 1985: 10). El *infans* del cine más reciente ya no tiene capacidad para sostener semejante hiato espacio-temporal porque, en el in-mundo de vidas precarizadas ya no detiene excepcionalidad alguna: la des-conexión sensomotora se ha extendido al espacio-tiempo social por entero donde, efectivamente, «objetos y ambientes adquieren una realidad autónoma,

[114] *La mujer de los perros* (2015) de Verónica Llinás y Laura Citarella, en la que Llinás interpreta a una mujer viviendo sola en los márgenes del conurbano bonaerense con los perros abandonados que ella recoge, ofrece un contraste interesante con estos films en los que el deslizamiento hacia la animalidad es asociado a la violencia y la sexualidad. Aquí, en cambio, la relación entre la protagonista –que, como los personajes de Alonso y de Carri, parece haber renunciado al habla– y los animales es del carácter de un cuidado mutuo, una economía afectiva alternativa en la que mujer y animales sostienen las condiciones de supervivencia del otro al ofrecer comida, protección, calor. La dimensión de género no es un factor menor en ese contraste con los otros films: aquí, la convivencia con los perros le proporciona a la mujer los fundamentos para mantener una humanidad aun en las condiciones más adversas de precariedad, una vez que la responsabilidad por los demás también demanda una rigurosa rutina de «cuidado de sí», de aseo personal y del ambiente inmediato.

material» (Deleuze, 1985: 11). Pero esta autonomía ya no es pensable, como aún lo era, según Deleuze, para Visconti, Antonioni y Fellini, como liberación del vínculo social alienado y de su reproducción por la sutura afectiva del cine narrativo. Por el contrario, la condición compartida por los habitantes es la de un mundo posthumano: el del neoliberalismo, donde cualquier relación entre cuerpos y objetos se reduce a una transacción, una decisión económica que, en realidad, nunca es tal debido al estado generalizado de escasez. Sin embargo, en ese mundo en donde, *pace* Foucault, la economía ha sido erigida en «la racionalidad interna del comportamiento humano» (Foucault, 2004a: 229), la formulación de una necesidad común –el salto a la política– se ha vuelto imposible: lo político es el enigma indescifrable ante el cual los fieles de *La ciénaga* y los jóvenes de *Los salvajes* se refugian en la religión y el misticismo. Dicho de otro modo, el *infans* ya es incapaz en estos films de interrumpir la cadena accional porque ésta ya no tiene más el carácter de rutinas sensomotoras de la fábrica fordista y, en cambio, obedece ahora a la lógica productiva del *outsourcing*, esto es, de la delegación de tareas productivas a mundos y cuerpos inconexos, precarizados y «autónomos», aunados solamente por su vinculación abstracta al mercado, tanto más poderosa (como vemos en la secuencia de *La libertad* (2001) de Alonso en la que Misael Saavedra, el hachero, va al aserradero a vender sus palos) cuanto más debil y precaria[115]. El *infans* –no importa si niño o adulto– no excede a ese estado común, sino que lo representa en su expresión más cabal: como un puro conducto de violencia.

Es ésta, finalmente, la segunda razón de por qué el entorno material de este cine neorregionalista ya no tiene las características de un paisaje –tal y como había surgido en el cine moderno con la suspensión del tiempo diegético–, pero tampoco se subordina a este último en la modalidad de un mero escenario. Como ya había-

[115] Para una discusión más detenida de la relación entre mercado y narración que funda la ficción de Alonso, véase mi *Nuevo cine argentino* (Andermann, 2015: 146-56); también Andermann, 2007; Gundermann, 2005.

mos visto en *Los muertos* y en *Serras da Desordem*, la relación entre figura y fondo se transforma y aplana una vez que ese «fondo» deviene una suerte de extensión de un personaje «inexpresivo», cuya interioridad sólo se nos revela en las transacciones que emprende con el mundo exterior. Esta «infantilización» que ahora podemos reconocer como la condición compartida de los individuos en el mundo neoliberal, también arroja un recorte de distancias con un entorno que ya no es abarcado desde un «punto de vista» propio de un sujeto que encontraba en este distanciamiento de su *Umwelt*, del mundo circundante, el fundamento de su propia humanidad. En cambio, el mundo del *infans* –que no es sino la expresión más cabal del *Homo oeconomicus*, su versión reducida a la necesidad absoluta– es un mundo de cercanía y de inmediatez, donde lo que está más a mano debe suplir las carencias que esta necesidad induce. La *Umwelt* ha terminado por replegarse sobre el individuo, se ha convertido en su envoltura. Es esa misma relación en la que ya hacía hincapié Deleuze en su conceptualización del naturalismo cinematográfico como «un sin fondo de materias no formadas» y «personajes-bestias», la que constituye el in-mundo de los cines neorregionalistas del postmilenio.

La secuencia inicial de *Post Tenebras Lux* (2012) de Carlos Reygadas ofrece quizás la versión más acabada de ese in-mundo que se ha replegado y envuelto al individuo al que convierte en *infans*. Filmada con un tipo de lente estenopeica especialmente construida para la película, una serie de planos secuencia alternan las corridas de una pequeña niña por un campo enlodado al borde de la montaña con las visiones (que pueden o no ser planos «subjetivos») de los animales que ella va nombrando mientras corren alrededor: perro, vaca, caballo. La secuencia, inicialmente idílica, se va tornando paulatinamente ominosa y casi físicamente desconcertante en la medida en que, mientras anochece y escuchamos en la distancia el ruido de una tormenta que se acerca, nadie acude para rescatar de allí a la pequeña, quien permanece ajena al peligro que potencialmente representan los movimientos de los animales que aparecen de repente o corren hacia la cámara hasta casi rozarla. Y es que, no sólo la niña sino, también y sobre todo, nosotros luchamos para encontrar un apoyo equilibrado, un «punto de vista», en esos planos tomados a ras del suelo cuyos bordes se han tornado borrosos por efecto del lente que atrae nuestra visión hacia el centro del diafragma, al mismo tiempo que nos vuelve similarmente indefensos al perder nitidez en los márgenes de visión por donde acecha el mundo animal. Es éste, a fin de cuentas, el efecto desconcertante de este cine: al romper la sutura a través de la cual el cine narrativo clásico había articulado vicariamente a nuestro cuerpo-ojo con la cadena de acontecimientos sensomotoras en la pantalla, no nos vemos aquí interpelados por la imagen-tiempo, como espectadores al fin críticos y reflexivos, sino que nuestra visión se corporifica, se torna háptica, en la medida en que, del mismo modo que los cuerpos en pantalla, nuestra mirada es solicitada como un conducto afectivo y violento, esquivando el habla y la razón. En momentos así, en esa zona «diabólica» de cercanía física extrema y de movimientos corporales contingentes e imprevisibles hacia donde nos arrastra *Post Tenebras Lux*, el cine nos interpela antes como cuerpos que como miradas «autónomas»: esto es, como vidas posthumanas, como lo meramente viviente.

Formas vivas: bioarte, arte ecológico, y la inespecificidad de lo viviente

En 1968, sólo meses antes del inicio de *Tucumán Arde* y prácticamente al mismo tiempo en que, en Brasil, se exhibían por primera vez las obras emblemáticas del tropicalismo, Luis Fernando Benedit expuso en la Galería Rubbers de Buenos Aires unos trabajos que adoptaban, como también lo hacían los de Hélio Oiticica, la forma del laberinto. *Microzoo*, así el título de la muestra, contenía una serie de hábitats artificiales para seres orgánicos como hormigueros en vidrio plexi y otros receptáculos para lagartos, peces y tortugas (lámina 12), así como pequeños viveros para vegetales en distintos estados de germinación. La disposición de luz y comida imponía a las plantas y a los animales determinados tipos de conducta en condiciones de naturaleza artificial, cuyo aprendizaje los visitantes podían observar en vivo. En palabras de Benedit:

> Los «hábitats» que he diseñado son espacios físicos aptos para ser habitados y recorridos por sus protagonistas y observados por nosotros. Son objetos eminentemente didácticos donde la evidencia principal es cierto tipo de comportamiento, individual o colectivo, al que no tenemos acceso normalmente como consecuencia de nuestra civilización urbana. Se proponen como simples contenedores de vida animal [y vegetal] para interesarnos por el fascinante proceso vegetativo que allí se desarrolla, o como espacios operativos en el caso de los laberintos para cucarachas, ratas y hormigas. A través de la solución de los laberintos por los animales, nos es posible observar todo un proceso de aprendizaje, graduar la complejidad del mismo al cambiar los recorridos y sacar nuestras propias reflexiones de este enfrentamiento natural/artificial (Benedit, citado en Espartaco, 1978: 12).

Más allá de la nostalgia romántica invocada por la alienación de la «civilización urbana» con respecto a la vida orgánica (que contrasta de modo provocativo con la predilección del artista por especies asociadas en forma parasitaria con esa misma civilización, como las ratas y las cucarachas), el supuesto carácter didáctico de los hábitats y laberintos de Benedit, similar en efecto al de un pequeño zoológico, nos enfrenta a varias incógnitas. Porque ¿quién «aprende» en este dispositivo? ¿Nosotros los espectadores o no más bien los seres no humanos quienes adaptan sus vidas a las condiciones del artificio artístico? O, dicho de otro modo, si nosotros podemos aprender algo del aprendizaje de estos seres, ¿eso que aprendemos es realmente un orden natural o no más bien su reordenamiento, su capacidad de adaptarse a las condiciones artificiales que les brinda la «civilización»? Pero entonces, ¿en qué dista esa modificación de conducta, en respuesta al artificio por parte de las plantas y los animales de la nuestra en respuesta a la obra de arte, sino en la manera mucho más pragmática y eficaz en que éstos forjan a partir del dispositivo nuevas conductas individuales y colectivas? ¿Seríamos, al fin y al cabo, habitantes del mismo laberinto natural/artificial como los seres expuestos ante nuestra mirada por los microzoos de Benedit?

Las obras de Benedit –y también las de artistas contemporáneos como Víctor Grippo[116], asociados como él al Centro Arte y Comunicación (CAYC) fundado por Jorge Glusberg en 1968– anticiparon por varias décadas las preguntas que hoy día vuelven a levantar desde posturas políticas y estéticas así como desde soportes materiales y genéricos diferentes, el bioarte y el arte ecológico. Si el primer término, sugerido por primera vez por el artista brasileño Eduardo Kac en relación a su instalación-performance *Time Capsule* (1997), se refiere al uso artístico de «las propiedades de la vida y sus materiales [en función de] cambiar organismos al interior de su especie o de inventar una vida con nuevas características» (Kac, 2007: 18), apoyándose en biotecnologías como la ingeniería genética, el segundo abarca un abanico amplio y heterogéneo de obras que investigan procesos de cambio y crisis ambiental, usando soportes que van de la fotografía y el video a la instalación y la escultura, con frecuencia acercándose a la investigación artística. En efecto, podríamos pensar las fases sucesivas de la obra beneditiana como referentes tempranos tanto del bioarte como del arte ecológico, al mismo tiempo que vinculan a estas corrientes con series históricas de más larga duración.

[116] Podrían mencionarse trabajos como *T. S. F. con papa* (1974) y la serie *Analogías* (1971-78), ambos comprometidos con la cuestión del interface entre tecnología y vida orgánica. El primero conectaba una papa con un dispositivo que permitía escuchar a través de unos auriculares las señales radiofónicas de las emisiones energéticas del tubérculo; las instalaciones pertenecientes a la segunda serie medían la cantidad de energía generada en un circuito de varias papas interconectadas entre sí y un voltímetro a través de cables de zinc y cobre. La emisión energética de las papas aumentaba o disminuía de acuerdo con la generación de nuevos brotes o la muerte de alguno u otro participante del circuito. Sobre Grippo y la preocupación biotécnica en los primeros tiempos del CAYC, véase Matewecki, 2008: 22-29.

En 1971, regresando a Italia donde a mediados de la década anterior había realizado un postgrado en arquitectura del paisaje, experiencia que fue determinante para la incorporación de seres vivos en sus obras (Rizzo, 1996: 284), Benedit expuso en la Bienal de Venecia *Biotrón*, obra elaborada en colaboración con el biólogo José Núñez y que, terminada la muestra, fue reinstalada en la Facultad de Ciencias Exactas y Naturales de la Universidad de Buenos Aires. Consistía en un dispositivo transparente de plexi y aluminio de unos cuatro metros de ancho, tres metros de alto y dos metros de profundidad que contenía en uno de los extremos un panal transparente con cuatro mil abejas vivas a las cuales, al interior del receptáculo, una «pradera artificial» con flores electrónicas segregando un néctar azucarado, proveía de nutrición. En el extremo opuesto del panal había una salida hacia el jardín, dejando así elegir a las abejas entre salir a buscar alimento afuera o quedarse con su equivalente generado por medios artificiales al interior del dispositivo. Al año siguiente, en ocasión de su exposición monográfica en el Project Room del MoMA, Benedit estrenaba *Fitotrón*, secuela de dimensiones iguales al *Biotrón*, pero ahora conteniendo un sistema hidropónico con sesenta plantas de repollo japonés plantadas sobre Perlit (roca volcánica procesada), alimentadas automáticamente por una solución química. Seis lámparas de 250 watts cada una brindaban una luz que, junto con la temperatura y humedad, ofrecía condiciones ideales para el crecimiento de las plantas. A través de la manipulación de una u otra de estas variables durante la muestra, se podían observar las reacciones de las plantas en su adaptación –o no– a las mudanzas ambientales, propuesta que la obra compartía con *Laberinto para ratones*, también exhibido en el MoMA. En *Laberinto vegetal*, de 1973, Benedit todavía radicalizaba esa idea del «laberinto vital» al construir una caja de plexi negro con semillas en germinación en un extremo y una lámpara de 40 watts en el otro. En su crecimiento hacia esa fuente de luz, dirigido por la atracción fototrópica, las plantas tenían que sortear un itinerario que se bifurcaba en dos senderos alternativos (derecha/izquierda), llevándolas o bien a la muerte o a la supervivencia.

El efecto desconcertante, incluso revulsivo, que provocan esas obras tenía que ver, me parece, no sólo con la presencia de seres vivos en museos y galerías (en lugar de sus habituales sitios de residencia en el medio humano como laboratorios, jardines o zoológicos). Más bien, remite a la provocativa confusión y yuxtaposición entre géneros y formatos artísticos y científicos de abarcar y contener esas vidas. La oposición que le infunde a esa obra su tensión constitutiva no es así, o no es solamente, la de naturaleza y artificio; más bien es la que mide entre diferentes artificios y sus respectivos *efectos* de naturaleza. El *Biotrón* es quizás donde más claramente se percibe esa gradación del artificio: no se trata ahí, como afirma Carlos Espartaco (1978: 13), de hacer «fluctuar [las abejas] entre un medio natural (jardines) y otro artificial (biotrón)», porque, desde luego, un jardín es un medio no menos artificial que una pradera electrónica, sólo que pertenece a otro *régimen* de administración de lo viviente. Es este cambio de regímenes en la administración de lo viviente el que representa la inquietud central de gran parte de la obra beneditiana. Más que de poner en escena el contraste o la continuidad entre naturaleza y artificio, se trata ahí de reflexionar sobre los sentidos de lo natural que arroja un determinado orden artificial. Entre el jardín-paisaje y la pradera electrónica, por ejemplo, pasamos de una relación mediada por la representación (*Darstellung*), la figuración del orden natural «revelado» a través de su perfeccionamiento por el ingenio humano, a otra relación que podríamos llamar «biocibernética» (Mitchell, 2003: 483-84), regida por la sustitución (*Vertretung*) de determinadas relaciones y funciones «naturales» por sus equivalentes tecnocientíficos. La propia noción de «representación» pasa así de la superficie visible a los procesos invisibles y dinámicos de la vida. Vida y forma convergen en los hábitats de Benedit de una manera novedosa que difiere radicalmente de la tradición paisajista a la que estas mismas obras aluden de un modo irónico. A diferencia de los órdenes *in visu* e *in situ* del paisaje, la forma estética ya no goza en los microzoos y laberintos de autonomía alguna respecto de las materialidades y duraciones de lo viviente sino que converge con éstas en un mismo plano. La forma de las obras literalmente responde al uso que animales y plantas hacen del dispositivo (la forma de la obra no es ni el dispositivo ni la organicidad viviente de las plantas y los animales, sino su punto de convergencia: una forma *cyborg*).

El propio Benedit, en declaraciones pronunciadas en ocasión de su muestra en el Whitechapel en 1975, *Projects and Labyrinths*, lo describe así:

> Mis hábitats para animales y plantas son esculturas biológicas. Hay una relación definitiva entre las formas y sus habitantes (ratones, hormigas, pescados). Ellos reflejan tanto las formas que yo deseo crear como las necesidades de las plantas o animales a quienes están destinadas y así, cada obra puede ser vista en varios niveles. [...] Pienso en ellos como objetos ecológicos donde el balance de elementos en interacción es creado artificialmente... (Benedit, 1976: 20).

Aquello que Benedit y algunos de sus contemporáneos del CAYC intuyen a finales de la década de 1960 y que el bioarte y el arte ecológico de nuestros días vuelven a problematizar en un momento ya de pleno despliegue, quisiera sugerir, no es ajeno a lo que Michel Foucault, en sus lecciones del Collège de France hacia finales de los años setenta, pensaba como emergencia de una biopolítica moderna, asociada a una reconfiguración en las técnicas del poder donde las formas legales y disciplinarias se sometían a un novedoso imperativo gubernamental. Proceso que también coincidía, según el pensador francés, con «la entrada, en el campo de las técnicas del poder, de una naturaleza que ya no es aquello a que, por debajo de que, contra lo que el soberano debe imponer sus leyes justas. [En cambio,] tenemos una población cuya naturaleza es tal que es hacia el interior de esta naturaleza, en socorro y al propósito de esa naturaleza, que el soberano debe desplegar unos procedimientos de gobierno que la reflejen» (Foucault, 2004b: 77).

Esa naturaleza como campo de despliegue de tecnologías de la vida y de la administración de lo viviente, en las cuales el arte y la ciencia participan en constelaciones variables, ya había sido abordada por los hábitats beneditianos en su dimensión histórica, a través de la simultánea invocación y sustitución del paisaje *in visu* e *in situ*. En su obra posterior, Benedit resaltará todavía más esa dimensión genealógica al indagar en los regímenes de la naturaleza en la modernidad. Después de *Laberinto vegetal*, dejará efectivamente de trabajar con organismos vivos para dedicarse en cambio a su «despiece» analítico: así, en la serie de dibujos de aves pampeanas la técnica de lápiz y acuarela del dibujo naturalista decimonónico es yuxtapuesta a la del dibujo técnico que «reconstruye» el funcionamiento del organismo volador a través de complejas mecánicas robóticas. Hay también un regreso a lo objetual como en *Furnarius Rufus* de 1976 –envase de madera con un nido de hornero conteniendo un pájaro embalsamado– y *Proyecto de huevos* del mismo año –envase de madera con orificios al interior que alojan doce huevos torneados de madera– que va dando lugar a la colección o al museo en *Campo* (1978), documentación-muestrario del ensamblaje humano-animal de una estructura productiva rural mediada por la tecnología. En cuadros, fotografías, envases de vidrio y madera y objetos modelados en resina, ese museo biopolítico pampeano sometía a un tipo de «despiece» analítico un régimen de vida animal-humana, del que figuraban ahí elementos como un sombrero, unas boleadoras, bastos, estribos, cabezada y bozal, tijera de castrar y la foto de un toro de pedigree muerto junto a las pastillas para inseminación artificial en las que fue conservado su semen congelado.

En la década siguiente, Benedit regresará todavía más atrás en su investigación arqueológica, volcándose a la producción pictórica del paisaje pampeano y de sus tipos gauchescos e indígenas, «recreando» obras de León Pallière como *Un nido en la pampa*, *La posta*, *Indios del Gran Chaco* (todas de 1984) y *El payador* (1985), entre otras. Todo lo contrario de una reivindicación nostálgica, esa recreación objetiva al paisaje decimonónico, es decir, lo des- y re-ensambla como una tecnología de ordenamiento y administración de lo viviente. En su libro de artista *Del viaje del Beagle*, colección de carbonillas, acuarelas y dibujos a lápiz (1987 ss), Benedit todavía somete a un análisis similar la expedición patagónica de Fitz Roy y Darwin (1831-36), «primera descripción científica y realista del país» y que, según el artista, habría revelado dimensiones de la realidad física desconocidas por los pintores criollos «que describían los usos y costumbres» (Rizzo, 1996: 287). Al hurgar en el pasado, Benedit revela ahí constelaciones previas de yuxtaposición y convergencia entre arte y ciencia en su administración de lo viviente y producción de una «naturaleza» que es efecto de esas constelaciones, a la vez que es proyectada como origen y fuente de sentido de éstas. La progresión en tres momentos que toma esa investigación –del hábitat para seres vivos, la convergencia entre el taller artístico y el laboratorio del científico al «museo naturalista», y finalmente al paisaje del pintor costumbrista y del naturalista viajero– no casualmente resuena con la tríada de constelaciones que nos propone Foucault en su arqueología de las modernas tecnologías del poder, elaborada en forma casi contemporánea a la obra de Benedit: gubernamentalidad, disciplinariedad, soberanía.

Benedit se adelantó así a las tendencias contemporáneas del bioarte y el arte ecológico, no sólo en cuanto al lugar central que concede a los regímenes modernos de «ambientación» –de captura, almacenaje y ordenamiento, y de experimentación y transformación de lo viviente– sino además en cuanto a la novedosa relación entre el artista y el científico. El crítico de arte español Daniel López del Rincón (2015: 17, 20), adoptando y extendiendo la distinción entre «biotopic» y «biomedia» propuesta por Jens Hauser en su *L'art biotech* (2003), ha sugerido distinguir entre una «tendencia biotemática» y una «tendencia biomedial» en el abordaje artístico de la naturaleza atravesada por las tecnologías de la vida. La primera de esas reivindicaría «la capacidad reflexiva sobre cuestiones asociadas a la biotecnología», en cuanto la segunda pretende hallar su «potencial innovador precisamente en la utilización de las tecnologías de la biología como parte de la práctica artística» (López del Rincón, 2015: 20-21). De este modo, si bien tanto el bioarte como el arte ecológico se caracterizan por su estrecha relación con la ciencia, sus actitudes ante las aplicaciones tecnológicas de ésta no podrían ser más distintas ya que, como puntualiza Eduardo Kac, a diferencia de un arte que se aproxima a temas biológicos como la clonación o la manipulación de un cronosoma a través de soportes mediales que conllevan cuestiones de *representación*, el bioarte «es *in vivo*», trabaja en y con «los procesos vitales» (Kac, 2007: 18-19).

Al mismo tiempo, en la senda abierta por Benedit, bioartistas y ecoartistas son también una suerte de historiadores y arqueólogos de las *formas* científicas de captura y transformación de la vida. Revisitan estas bio-tecnologías en forma de reenactuación que revela las dimensiones políticas y simbólicas del artificio, también como el colaborador que invade y «se sirve del laboratorio como un verdadero taller de trabajo»: un *atelier*, como afirma López del Rincón respecto del bioarte actual, cuya alianza con la ciencia, según el crítico, oscila entre la «colaboración» y el «parasitismo» e incluso la «traición» en cuanto a «la utilización [artística] de un espacio asociado a la investigación científica» (López del Rincón, 2015: 24). Al replegarse a partir de la autorreflexividad estética sobre los espacios, procedimientos y terminologías de las «ciencias naturales», el bioarte y el arte ecológico ponen en cuestión la división biopolítica fundante de la modernidad, trazada a partir de la división de trabajo entre *αἴσθησις* y *τέχνη* (*aísthesis* y *tekhné*), y de ahí entre una naturaleza objetivada y exterior a la cultura, por un lado, y la política como ámbito de realización y distinción de lo humano, por el otro. Como Bruno Latour ha argumentado, de esta gran división entre naturaleza y cultura surge también el «universalismo particular» de Occidente que, si bien admite la pluralidad de culturas, al mismo tiempo distingue a la propia en función del acceso que tiene a una naturaleza única y universal. Naturaleza que, en el relato occidental, se le revela a la razón científica precisamente por mantenerse externa a lo cultural (Latour, 1993: 104-05). De ahí que la «invasión del laboratorio», la reenactuación de los procedimientos científicos del viaje y la colección por parte del bioarte y el arte ecológico tienen también una dimensión (bio)política, en cuanto producen discursos y enunciados *inespecíficos*: no llegan a volverse ciencia, pero tampoco son tan claramente asimilables al arte en cuanto a sus procedimientos y afiliaciones formales, ni, finalmente, se reducen únicamente a mensajes políticos de militancia ecológica o de crítica hacia la biotecnología. Ciencia, arte y política se confunden así en una deliberada puesta en indeterminación del soporte que, no obstante su pertenencia biotemática o biomedial, participa y también se desmarca de esos tres ambientes de enunciación. De ahí la debilidad de los análisis que estudian el bioarte y el ecoarte exclusivamente desde la perspectiva de la historia del arte, al menos en cuanto dan por sentado el carácter «artístico» de las «obras», asimismo cuando éstas rozan la «invención» científica o la investigación documental. En realidad, precisamente ahí donde reivindican más enfáticamente la particularidad de lo estético en su acceso a la experiencia de la naturaleza (pero también donde subordinan esta dimensión enteramente a una pedagogía ecológica), las obras del ecoarte y el bioarte corren el peligro de perder su incisividad y de reafirmar la misma división (bio)política entre naturaleza y cultura que pretenden subvertir. Tal vez habría que pensar la dimensión artística, si aún quisiéramos llamarla así, más que nada como un *vector de inespecificación* que se inscribe en el soporte material y discursivo sobre el que se asienta la «obra».

La artista e investigadora brasileña Louise Ganz (2015: 24-35), propone concebir estas prácticas como ensayos, citando la discusión que hace Adorno del género ensayístico al principio de sus *Notas sobre literatura*. Ahí, Adorno relacionaba el ensayo con una forma de la escritura y el pensamiento que, desde sus comienzos con Montaigne en el siglo XVI, eligió eludir la emergente división de trabajo entre arte y ciencia, y asentarse por el contrario en la tensión que se abre entre ambas. El ensayo surge así como una forma *suplementaria* que, como dirá Lukács, se monta sobre algo ya escrito, sobre el aparato de géneros y procedimientos de la escritura literaria y científica, para desensamblarlos y reordenarlos en *constelaciones* contingentes y discontinuas, en «campos de fuerza» (Adorno, 2003: 23). Vale la pena recordar que, como señalaba el propio Montaigne en uno de los primeros textos del género, «De los carruajes», esta escritura autorreflexiva surgió con la experiencia colonial y la apertura, en el pensamiento y en las artes de Europa (donde en ese mismo entonces se introduce la perspectiva linear y con ella el género del paisaje), de un horizonte abierto de tiempo y espacio[117]. Se trata nada menos que del cronotopo de la modernidad occidental, el mismo que, como observa Chakrabarty en sus tesis sobre el antropoceno, se estaría hoy día cerrando con la posibilidad real –pero impensable a partir del hombre como sujeto de la Historia– de un futuro planetario exento de la presencia humana, «un sentido del presente que desconecta el futuro del pasado, situando ese futuro más allá de la sensibilidad histórica» (Chakrabarty, 2009: 51). Podríamos pensar, sugiero, al bioarte y al arte ecológico como prácticas ensayísticas surgidas ante ese horizonte posthumano y en condiciones de «reproducción biocibernética», para citar a W. J. T. Mitchell (2003). Al montarse sobre medialidades híbridas –tanto orgánicas como digitales y análogas: *hard*, *soft* y *wetware*– el bioarte y el arte ecológico des- y reensamblan los géneros, procedimientos y regímenes de captura, administración e intervención de lo viviente, a los que inscriben un vector de inespecificación. Esto es, ellos exponen, cuestionan y subvierten tanto la especificidad de estos regímenes surgidos de la división (tardo)capitalista de trabajo como también los nuevos discursos de la especie que éstos emiten (y cuya maleabilidad «posthumanista»

[117] Escribe Montaigne: «Nuestro mundo acaba de encontrar otro, y ¿quién nos asegura que es el último de sus hermanos, puesto que los demonios, las sibilas y nosotros hemos ignorado éste hasta ahora?» (Montaigne, 1987: 153).

no necesariamente implica, en todos los casos, una actitud crítica hacia la bioeconomía del capitalismo contemporáneo).

Ensayística de la edad de reproducción biocibernética, pues, cuya potencialidad crítica será tanto mayor cuanto más ella se pliega a los regímenes cuyos procedimientos ella usurpa, incorpora y reenactúa. Remontándonos al trabajo precursor de Benedit, podríamos distinguir tres modalidades del bioarte y el arte ecológico. La primera de éstas sería –como en las series beneditianas del Beagle y de las recreaciones de los pintores viajeros criollos– la modalidad del viaje-exploración con su producción de imágenes de la lejanía; el régimen de la naturaleza *in visu* que es movilizado ahora en forma de ciertos tipos de *performance* (corporal y espacial) y de su registro en forma foto o videográfica, pero también en novedosas prácticas de trabajo de campo o de investigación artística que lidian con la botánica, la arqueología, la paleontología o la geología, entre otros. Muchas veces, esta modalidad se superpone –como ya lo hacía en la tradición artística y científica desde el Renacimiento– con la de la naturaleza *in situ*, ya sea en forma de jardín o de museo o muestrario de «trofeos» (como en *Campo* de Benedit): además de los procedimientos del trabajo de campo, el bioarte y el arte ecológico también se amalgaman con formas de mostración, de materialización de evidencias, propias del quehacer científico, pero ahora desafiándolas a partir de la inestabilidad –el carácter híbrido o literalmente inespecífico– del material de soporte. Finalmente, con la invasión o intervención del laboratorio sobre todo por parte del arte «biomedial» surge una tercera modalidad que podríamos llamar la naturaleza *in vitro*: un bioarte plegado a la producción biocibernética o tecnonatural, en la expresión de Arturo Escobar (1999: 11), de ensamblajes y agenciamientos entre organicidad viviente y artificio bioquímico, computacional y mecánico.

La épica de la expedición científica, en su búsqueda de experiencias límite en presencia de una naturaleza sublime e inhóspita, es una matriz principal del trabajo de la artista argentina Andrea

Juan. *Metano (incidencias del cambio climático)*, edición en video de una performance realizada en la base argentina de Marambio en Antártida en 2006, emplea la retórica del diario de expedición como estructura de referencia para su escenificación del cambio ambiental provocado por el efecto invernadero. Tras un intertexto que dice «Día 1», sigue un lento paneo sobre los ventisqueros que flotan en la bahía. Enseguida, Juan corta a un plano fijo de una plataforma de nieve en la orilla donde varias figuras humanas van a desplegar largas telas semitransparentes en colores chillones (rojo, naranja, violeta), cuyo movimiento, agitado por el viento, se superpone a la inmovilidad del ambiente blanco y gris de mar, nieve y cielo. En los días siguientes –el paso del tiempo es nuevamente señalado por intertítulos– la cámara y los *performers* de Juan van a ensayar nuevas posiciones y yuxtaposiciones entre las telas y fondos rocosos, nevados y acuáticos de nubosidad y viento variables (lámina 13). También en *Proyecciones* (2005) y en *Nuevas especies* (2011), la introducción de colores y formas plásticas ajenas al ambiente polar, no tanto figura de un modo alegórico, sino que corre paralelo y rivaliza con la contaminación medioambiental por efecto del calentamiento global y la degradación de la microfauna oceánica. Sus intervenciones proporcionan a partir del repertorio de las artes visuales unos elementos exógenos que resaltan tanto la plasticidad como el carácter extremadamente frágil de las localidades polares. En *Nuevas especies*, unas bolas y cintas de fieltro colorido son implantadas temporariamente en los alrededores de la base Esperanza, en la costa del mar de Weddell donde el deshielo ha expuesto una enorme cantidad de especies subacuáticas hasta entonces desconocidas; en *Proyecciones* se registra la video-instalación proyectada sobre una enorme pared de hielo en las cercanías de la misma base, consistiendo en sonidos electrónicos e imágenes de colores primarios y formas vegetales extrañas a la localidad, cuyos contornos agigantados por la proyección se superponen en la grabación a los cuerpos «empequeñecidos» de los habitantes de la base, con sus ropas polares también de fuertes colores, quienes atendieron la proyección. En estos como en otros trabajos de Juan, el arte acude al ambiente liminal de la Antártida como un elemento radicalmente exógeno y «antinatural». De un modo no disimilar a los actos poéticos realizados en las «travesías» de la Ciudad Abierta, la introducción del color y la forma producen, a partir de su no-localidad, una «marcación» estética que reconoce y revela en el entorno un lugar que se abisma. Al mismo tiempo, esa yuxtaposición de formas y elementos antitéticos –color y monocromatismo, volúmenes y geometrías vegetales e irregularidad de las rocas y los ventisqueros– anticipa un tiempo-espacio de mutaciones y trans-formaciones del que ya seremos ajenos, «una mímesis de nuestra propia autodestrucción y aniquilamiento» (Dillon, 2003: s/p), en palabras de la artista.

Como sugiere Lisa Crossman, los trabajos de Juan movilizan de un modo no habitual a los dos grandes lenguajes a través de los cuales la noción del cambio climático entró en nuestro conocimiento, la ciencia y lo sublime. La «mayor fuerza» de su obra, según la investigadora, se encuentra en el hecho de que «nos invita a que disfrutemos del descubrimiento de la Antártida y del trabajo sobre cambio climático que se está desarrollando allí, mientras mantiene respecto de éste la distancia suficiente como para cuestionar las maneras en las que fuimos conociendo a "la naturaleza" y relacionándonos con las crisis ambientales» (Crossman, 2014: 402). Juan ha viajado y realizado performances e intervenciones en la Antártida todos los años desde que comenzó a trabajar allí en 2005, y desde 2008 coordina el programa de residencias «Arte en Antártida» auspiciado por la Dirección Nacional del Antártico. El mismo, también a partir de 2008, ha resultado en numerosas exposiciones individuales y colectivas en cuatro continentes, realizadas en el marco de la red *Sur Polar (Arte + Ciencia)*[118]. Como en los trabajos de la propia Andrea Juan, en muchas de estas intervenciones predomina una actitud eufórica hacia la naturaleza «virgen»

[118] Para un listado de los artistas participantes y muestras realizadas, véase el sitio web de la red: http:// http://www.surpolar.org.

y despoblada de la Antártida como una suerte de espacio primigenio de la creación, al mismo tiempo que se resalta la extrema delicadeza y fragilidad de esa «naturaleza pura» y exterior al quehacer de los hombres y sin embargo ya alcanzada por sus efectos. En las declaraciones de Juan y de otros participantes reproducidas en la página web del programa, el arte, en su diálogo con la ciencia, es concebido como el único testigo admisible en ese entorno en el que «todo está por inventarse» y sin embargo, «todo debe conservarse» (las intervenciones artísticas son, todas ellas, de carácter no permanente y los materiales exóticos son removidos al terminar las instalaciones). Lo sublime surge, entonces, también de esa exclusividad del testimonio artístico, de la forma en que los artistas acompañan –contrastan, comentan, enmarcan– con sus intervenciones el trabajo de los científicos que son sus únicos espectadores *in situ*, al mismo tiempo que mantienen activamente a distancia al espectador común. Se trata de una retórica *contrainvitacional* propia también de un cierto tipo de visualización documental o científica que Joel Snyder, refiriéndose a las fotografías decimonónicas de Timothy O'Sullivan tomadas en los desiertos del suroeste de los Estados Unidos, caracteriza como territorial: ese tipo de imagen, sugiere Snyder, comporta «no una región geográfica sino el territorio de la ciencia moderna y de sus respectivos profesionales [...] proclama un territorio inalcanzable en términos de esquemas representacionales que son propios de las clases propietarias. [Al contrario], funciona por negarse a formular la tierra en términos de disponibilidad, bloqueando los caminos habituales de acceso imaginativo» (Snyder, 1994: 200). En los trabajos artísticos de *Sur Polar*, esa retórica contrainvitacional se articula a una noción más amplia de sublime antropocénico, donde la «magnitud inalcanzable» de la naturaleza, que había sido la marca del sublime kantiano, se asocia con un equilibrio natural en retirada que ya sólo los expedicionarios científicos y sus testigos artísticos llegan a captar momentáneamente en los confines de la tierra y de la imaginación.

El problema de esa apelación a lo sublime como una suerte de idioma propio de la Antártida y, por extensión, de la naturaleza no humana, es que al separar esa naturaleza tan tajantemente del mundo de la cultura (que sólo inscribe ahí, a través del *performance* artístico, a su propia ausencia), también se arriesga a recaer en una objetivación de lo no humano que distrae de los conflictos políticos en torno a la postnaturaleza. Porque, al situarse en una relación abismal con una naturaleza *in extremis*, ese sublime antropocénico también la vuelve a sustraer de la relación social, como un mundo-objeto autosuficiente y por eso inaccesible a nuestra subjetividad. Con la excepción de la mirada científica –que renuncia al goce subjetivo– y la del artista cuya subjetividad se abisma en la confrontación con la magnitud de una materialidad desbordante, la naturaleza estaría fuera de nuestro alcance, esperando tal vez pacientemente nuestra propia desaparición como especie: ¿pero no es ésta, al fin y al cabo, una propuesta quietista, heredera de un arte moderno del paisaje que surgió al retirarse de la interacción con la tierra y sus relaciones políticas, ecónomicas y sociales; una «visión de forastero» o de propietario más que de paisano? (Cosgrove 1998: 25). Así lo sugiere, al menos, la comparación con otro proyecto de expedición artística, *Forest Law – Selva jurídica* (2014) de Ursula Biemann y Paulo Tavares, que toma como referente a otra naturaleza liminal, la selva amazónica, pero desde una mirada y con resultados en cierta medida antitéticos a los de *Sur Polar*. El proyecto tiene su origen en un caso legal llevado a la Corte Interamericana de Derechos Humanos por la Asociación del Pueblo Kichwa de Sarayaku, donde se acusaba al Estado ecuatoriano y a la empresa petrolera argentina CGC de haber iniciado, en 1996, trabajos de exploración sísmica en áreas pertenecientes al territorio de la comunidad, sin haber obtenido el consentimiento de las autoridades políticas y espirituales de ésta, tal como lo establecen la Constitución ecuatoriana y la Convención Americana de Derechos Humanos (CEJIL, 2012: s/p). El proceso terminó por dar la razón a los indígenas, condenando al Estado ecuatoriano a remediar la situación de riesgo ambiental creada por los más de mil kilos de explosivos abandonados en la selva por la empresa petrolera, así como por la deforestación de áreas del bosque sin respetar a árboles y plantas de valor sagrado para los Kichwa de Sarayaku.

Partiendo de las actas del juicio –en el que los Kichwa invocaron con éxito, basándose en los derechos de la naturaleza resguardados en la constitución ecuatoriana de 2008, la necesidad de considerar al bosque como sujeto jurídico investido de derechos– Biemann y Tavares viajaron a Sarayaku y se entrevistaron con activistas comunitarios Kichwa y Shuar, científicos y jueces constitucionales, shamanes, geólogos y campesinos. También realizaron un amplio estudio ambiental de la historia extractiva de la Amazonia y del papel que corresponde en ella a los Estados-naciones y al capital privado, estudio en el que se valieron de tecnologías avanzadas de mapeo digital y de extracción y análisis de muestras de suelo en las inmediaciones de antiguos pozos petroleros, así como de material cartográfico y visual de archivo referente a la incursión petrolífera y misionera en la región. Esa investigación produjo la muestra *The Land Grant: Forest Law*, realizada en el Eli and Edythe Broad Art Museum de la Universidad Estatal de Michigan, en 2015, un «complejo paisaje-mosaico» –en palabras de sus autores– que consistía en una instalación en video de pantalla doble, además de «transcripciones, instantáneas de entrevistas de video y fotografías tomadas durante el trabajo de campo, [...] materiales de archivo, documentos jurídicos y análisis cartográficos» (Biemann y Tavares, 2015: 6-8). Poniendo en juego las múltiples dimensiones del conflicto e incluyendo la del «paisaje mismo como intermediario y contexto» (Biemann y Tavares, 2015: 34), los artistas se aprovechan ahí de las formas representacionales *ya desplegadas* en y por los diversos actores. *Selva jurídica*, en cierto sentido, no hace más que recoger y distribuir en el cronotopo de la muestra el carácter inmediatamente estético de esa política de la naturaleza que incluye, además del régimen visual del paisaje, a la teatralidad del proceso judicial en el que diversos actores son llamados a dar testimonio en nombre de una naturaleza cuyo estatuto contractual entre entidades humanas, espirituales, vegetales/minerales y animales es disputado, *puesto a prueba*, en el drama jurídico. En efecto, «la ley dispone que [los derechos de la comunidad Sarayaku] están limitados a la superficie, mientras que los recursos geológicos quedan bajo el control del Estado», como observan Biemann y Tavares (2015: 38). En el conflicto entre ambas jurisdicciones «no sólo se disputa el control de la tierra sino la categoría misma de la tierra y, por extensión, la definición de los derechos asociados con esta categoría». Pero también la propia actividad científica, como la realización de pruebas forenses en áreas de suelos contaminados por residuos de petróleo, entra aquí –tal y como registrada por la cámara de video– en una relación de resonancia teatral-performática con la actividad de los shamanes indígenas en su farmacia selvática. Asimismo, la compilación y el análisis de mapas registrando los límites del área comunitaria, por parte de los campesinos y pequeños productores, dialoga con la cartografía profunda de las mediciones satelitales que demuestran un complejo circuito planetario de materia mineral y orgánica, que conecta la Amazonia con los desiertos africanos. La selva es así espacio informacional, naturaleza-archivo de procesos que involucran en diversa medida a agentes humanos y no humanos, al mismo tiempo que se convierte «en un tribunal judicial y en un vasto laboratorio especializado. Con mediación de la ley y la ciencia, el lodo oleoso pasó a ser un "modelo espacial" de toda una geografía histórica…» (Biemann y Tavares, 2015: 56-58).

Ciencia y arte no interactúan aquí, como en la Antártida de Andrea Juan, sobre un escenario natural vedado al resto de los mortales. Más bien, en su «navegación por un paisaje fronterizo, las selvas vivientes de la Amazonia occidental» (Biemann y Tavares, 2015: 6), los artistas apelan a la retórica exotizante del descubrimiento sólo para sumergirnos en una densa relación social y política donde actores humanos, espirituales, orgánicos y animales traman y destraman alianzas; una naturaleza excedente que es por lo tanto inmediatamente «sobrenatural» y remite desde su compleja constelación local a «una cosmo-política» (Biemann y Tavares, 2015: 6). En lugar de la alianza artística-científica en la faz de la inalcanzable exterioridad de lo no humano, la expedición artística entra aquí en otra red de alianzas en donde la ciencia no es menos un área de disputa política que la naturaleza que ella estudia y mapea, y donde el arte sea tal vez (como la propia demanda jurídica presentada por los Kichwa de Sarayaku) un modo de desplegar esa dimensión cosmo-política. Multiplicidad de alizanzas que forjan naturalezas también variadas y contingentes, como efecto real de la perspectiva desde la que son enfocadas: de la pantalla de video de Biemann y Tavares, dividida entre secuencias espacio-temporales diferentes, pareciera emanar así una visión multinaturalista, para utilizar un término de Eduardo Viveiros de Castro (2015), a quien ellos citan con frecuencia en el libro que acompaña la muestra.

También en *World of Matter*, la red *online* de investigaciones artísticas y críticas sobre «ecologías contemporáneas de recursos» (en cuyo diseño Biemann y Tavares han participado), ese enlazamiento mutuo de dimensiones y ejes del extractivismo basado en situaciones y procesos locales presupone menos una única y esencial naturaleza hacia la que confluyen todas las secuencias individuales de video, texto e imagen, que una red de múltiples conexiones[119]. Así, por ejemplo, del video-ensayo compilado por Tavares, «Non-Human Rights», se ramifican enlaces con la historia fotográfica de la explotación de nitrato en el Atacama compilada por Xavier Ribas, con el proyecto en video de Judy Price sobre la precaria economía de las canteras de caliza en los territorios palestinos, o con las investigaciones de Mabe Bethônico sobre la sociabilidad minera en su estado nativo de Minas Gerais. Estas últimas, reunidas bajo el título «Invisibilidade mineral», forman también

[119] Sobre el proyecto «World of Matter», véase también la introducción de Ursula Biemann, Peter Mörtenböck y Helge Mooshammer a la compilación de contribuciones realizada por ellos antes del lanzamiento del sitio para la revista *Third Text* (Biemann, Mörtenböck y Mooshammer, 2014). El sitio se encuentra activo desde 2013 y puede visitarse en: http://www.worldofmatter.net (consultado en octubre de 2016).

un contrapunto interesante con las expediciones de Biemann/Tavares y las de Andrea Juan, ya que, en lugar de geografías remotas, Bethônico indaga en localidades, literalmente «a vuelta de casa», en una región poblada y desarrollada en torno a yacimientos auríferos. Generalmente, esos mundos de trabajo permanecen fuera de vista por encontrarse bajo tierra o, en el caso de la minería abierta, por situarse en áreas de acceso restringido posteriormente «abandonadas» al extinguirse su productividad. En el curso de su investigación, centrada en las trabajadoras femeninas de las minas (un enfoque gracias al cual la artista obtuvo el apoyo de muchas compañías, ansiosas por proyectar una imagen como impulsoras de oportunidades y de modernización social), Bethônico también obtuvo un amplio material fotográfico por parte de inspectores oficiales de la higiene y seguridad de trabajo en las minas. Estas fotografías «documentales» del trabajo precarizado, cedidas a la artista por funcionarios frustrados ante la ineficacia de sus intervenciones comparadas al poder omnipresente de las mineras (Bethônico, 2013: 224-226), reaparecen en su ensayo multimedial como imágenes inespecíficas. En tanto testimonios fuera de lugar, vestigios de un intento fallido de fiscalización de vidas en abandono y en riesgo, estas fotografías decidida y tristemente cotidianas y anti-exóticas, reaparecen en «Invisibilidade mineral» como algo más que meras imágenes-denuncias (lámina 14). Como los testimonios de la extracción nitrera en Chile compilados por Ribas, también estas fotografías des- y reaparecidas urgen una reflexión estética y política sobre la relación entre vida e imagen, entre abandono y re-memoración de lo visible y lo viviente, que excede la función jurídica o política «original» de las fotos pero sin reemplazarla simplemente por una función estética. Así, la expedición «hacia adentro» de Bethônico –el desplazamiento hacia las entrañas de la tierra propia– también forja alianzas que difieren del sublime científico de Juan y de la cosmo-política de Biemann y Tavares. Aquí, la artista actúa más como una agente *undercover*, esto es, usando al arte como cobertura para el extravío y la puesta en circulación de imágenes «reservadas».

El trabajo colaborativo y en red, con actores locales y con «asesores» científicos, también es una característica frecuente de los artistas cuyas obras se valen de géneros y formatos provenientes del moderno «complejo expositivo» (Bennett, 1988) y de la naturaleza *in situ*: museo, archivo, jardín, así como sus variantes populares como la huerta y el parque de atracciones. Maria Thereza Alves, artista brasileña con una trayectoria militante y profesional de larga data en asuntos indígenas y ecológicos, presentó en la *Documenta 13* de 2012 *The Return of a Lake/El regreso de un lago,* muestra-instalación luego reiterada en el Museo Universitario de Arte Contemporáneo de la Ciudad de México (MUAC) y en el Centro Andaluz de Arte Contemporáneo (CAAC) de Sevilla, entre otros. Compilada desde 2009 con el apoyo del Museo Comunitario de Xico, México –país donde Alves vivió entre 1987 y 1994–, la obra se basa en una investigación de varios años sobre la reaparición del lago Chalco en las inmediaciones del D. F., drenado hacia finales del siglo XIX por orden del latifundista asturiano Íñigo Noriega Laso, amigo personal del dictador Porfirio Díaz. Laso había adquirido enormes cantidades de tierras indígenas en las que aún se practicaba la tradicional agricultura de chinampas o jardines acuáticos, como los que habían encontrado (y destruido) los españoles en el vecino lago Texcoco en tiempos coloniales. Por un gradual descenso del suelo y cambios en las cuencas fluviales –efecto del bombeo intensivo de agua subterránea a la ciudad de México–, el lago extinto hace un siglo había comenzado a «reemerger» a principios del milenio como una suerte de memoria natural reprimida, en cuya historia política y ecológica Alves indaga en equipo con museólogos y activistas locales (ellos firmaron en 2010, con vecinos de otros municipios que rodean a la ciudad de México, el «Manifiesto del Agua», en protesta contra el secuestro persistente de recursos para la agricultura sustentable por parte de la ciudad-capital). *El retorno de un lago* está organizada en torno a tres grandes dioramas que reproducen en escala reducida la región de los lagos del Valle de México, una sección del Río de la Compañía, que fue recanalizada hacia el acuífero de la ciudad, con el efecto de periódicas inundaciones y contaminación del agua potable en la zona de Chalco y el vecino volcán Xico –sitio donde según la leyenda duerme el dios Quetzalcoatl. En torno a los modelos, que recuperan «una estética popular de tipo artesanal», Alves dispuso un gran número de fotografías, cuadros y esculturas en bajorrelieve, así como «recortes de periódicos que ofrecen ejemplos de las [...] amenazas gubernamentales industriales y políticas a la ecología de la región y a la existencia del Museo Comunitario» (Demos, 2014: 4). Al mismo tiempo que bucea en las capas históricas de devastación que el agua devuelve a la superficie en su resurgimiento –la destrucción de las bases de subsistencia de las comunidades indígenas por la violenta modernización agroindustrial cortoplacista de los «científicos» porfiristas, que a su vez remite a la propia destrucción de Tenochtitlán por Cortés–, Alves y sus colaboradores también la vinculan con la actual explotación inmobiliaria del valle de Xico, con la resultante presión sobre los pequeños productores agrarios y la comercialización de tierras y ecosistemas volcánicos. Con sus dioramas y modelos tridimensionales, cuadros e ilustraciones botánicas, e incluso una pecera con axolotes (nativos del lago Chalco y en peligro de extinción), la muestra recurre así, como observó un visitante de la *Documenta*, a «modos representacionales [que] parecen apropiados de (o apropiados para) el local mismo: el *Ottoneum*, el museo de historia natural de la ciudad de Kassel» (Hill, 2013: 244).

La noción del entorno no humano como archivo latente, contramonumental y disponible para memorias y agendas subalternas, también está presente en otros dos proyectos de Alves que vuelven a activar, no al museo de historia natural sino al jardín botánico, cuyas metodologías de recolección/selección, aislamiento y recombinación de muestras vegetales las obras adoptan como estructura de soporte. En *Wake* (2000), Alves tomó muestras de tierra de diferentes obras de construcción en Berlín, su actual lugar de residencia, disponiéndolas en condiciones optimizadas para la germinación de las semillas que yacían «durmientes» en el suelo. A esa exploración botánica Alves yuxtaponía una extensa investigación de la historia comercial y migratoria de la región, a través de la cual descubría en el material vegetal los trazos de itinerarios migrantes y exílicos que, literalmente, resurgían al paso de la última transformación sufrida por la ciudad tras la caída del Muro (Fig. 5.5). Casi simultáneamente, Alves comenzaba a trabajar en la serie de obras multimediales titulada *Seeds of Change* (Semillas del cambio, 1999 ss). El proyecto, emprendido como *Wake* en consultación con la botánica finlandesa Heli Jutila, estudia la flora «durmiente» en las ciudades portuarias europeas –diferentes iteraciones de la obra han tenido lugar en Marsella y Dunquerque, Reposaari (Finlandia), Copenhague, Exeter, Liverpool y Bristol–, donde barcos que regresaban de sus destinos ultramarinos solían depositar sus cargas de tierra llevada como lastre (en áreas designadas pero también en vertederos clandestinos para evitar el pago de las tasas correspondientes). Ya sea a través de la germinación de semillas «durmientes», ya sea a través de la investigación de fauna exótica asilvestrada, Alves re-encuentra en la fitogeografía portuaria una (contra)historia latente de trans-plantación imperial, a contracorriente del tráfico de esclavos y del comercio de minerales, especies y cultivos tropicales por parte de la metrópolis europea. La investigación, emprendida en diálogo no sólo con científicos sino también con comunidades locales de inmigrantes provenientes de los lugares de origen de las plantas halladas, suele terminar con la creación de uno o varios jardines comunitarios, como el jardín de lastre plantado en colaboración con la paisajista Gitta Gschwendtner en una barcaza fluvial, en el puerto de Bristol en 2012 (Chalcraft, 2012: s/p). Para Jean Fisher, la «excavación por parte de Alves de semillas durmientes en capas de tierra produce una lectura "excéntrica" rica y sorprendente del archivo histórico y de los usos de la documentación, en cuanto el "archivo" es tanto lo que esconde como lo que potencialmente revela» (Fisher, 2009: s/p). El uso comunitario de ese saber obtenido gracias a las excavaciones en la tierra y en el archivo, además, sugiere un proceso abierto de reclamación de esas historias cruzadas, semejante a la propia germinación de lo que yace en la tierra en estado de latencia.

5.5 Maria Thereza Alves, *Wake for Berlin*. Germinación de semillas recolectadas de sitios de construcción, 1999-2001. Fotografía M. T. Alves.

Movilizando los saberes botánicos también «durmientes» en la memoria diaspórica, en su (re)encuentro con la vegetación trans-plantada, las instalaciones de Alves y su proceso de ensamblaje comunitario son menos la reivindicación de una mitología de raíces y orígenes que una escenificación de las luchas y los placeres que comporta cualquier acto de *hacerse un lugar* –producción itinerante y translocal en la que intervienen agentes humanos y no humanos en igual medida. Ese «paisajear [*landscaping*] como práctica estética compartida por quienes han sido desplazados [...] por una historia del jardín basada en la propiedad», que Jill Casid (2005: 193), estudiando jardines de esclavos en las Antillas, ha llamado «paisaje contracolonial», también caracteriza el modo de re-visitar el paisaje *in situ* de muchos ecoartistas latinoamericanos hoy. En Argentina, el grupo Ala Plástica, fundado en 1991 por Silvina Babich y Alejandro Meitín, realizó en 1995 la obra *Junco/Especies emergentes*, reflexión artístico-botánica sobre la recuperación del ecosistema costero de Punta Lara en el Río de la Plata, a partir de «nuevas plantaciones, técnicas de crecimiento inducido e instalaciones temporarias realizadas con fibras naturales», a la vez que promovieron talleres y debates con «pobladores, junqueros de la zona, artesanos cesteros, científicos, naturalistas y [...] representantes de empresas con impacto en la ribera del río» (Torres y Stubrin, 2012: 85). En San Pablo, el grupo Contrafilé ensambló en 2010, en colaboración con la comunidad Brás de Abreu en el cinturón sur de la metrópolis brasileña, el «Parque para Brincar e Pensar», un espacio de plantíos y de juegos inventados por los propios moradores. En 2015, la muestra urbana *Jardinagem: territorialidade* en la ciudad de Curitiba contenía proyectos, entre otros, de levantamiento botánico de las hierbas que crecen en territorios baldíos (Faetusa Tezelli y Gabriela Leirias), de creación de un «Banco de Sementes Crioulas» en base a la huerta comunitaria de la favela Bairro Tatuquara (Coletivo Municipal) y de caminatas guiadas por los jardines y huertas de la misma (Faetusa Tezelli e Iracema Bernardes) (Jardinagem, 2015: s/p). Más recientemente, algunos de estos colectivos artísticos han hecho causa común con activistas de la resistencia a los agrofarmacéuticos y los cultivos transgénicos, como «Puesto Amaranto», un acampe mantenido en el municipio cordobés de Malvinas Argentinas desde 2013, en protesta contra la instalación de una fábrica de semillas transgénicas de la empresa Monsanto y que –como otras iniciativas del mismo tipo que surgieron en todo el mundo– promueve la intervención de los sembrados con bombas de amaranto que contienen semillas de esa hierba andina resistente al agrotóxico Roundup de la empresa, llegando a convertirse en un combatiente botánico de avanzada contra la agroindustria transgénica[120]. Como las obras que derivan su estructura performática

[120] Sobre el Puesto Amaranto y la expulsión de Monsanto del municipio de Malvinas Argentinas, véase: https://notas.org.ar/2016/08/04/final-monsanto-malvinas-argentinas (consultado en octubre de 2016). Las «bombas de amaranto» han proliferado también en internet, incluyendo instrucciones de ensamblaje y preparación de las semillas que se van intercambiando de España a Brasil y los Estados Unidos (véase, por ejemplo: http://elcientificojuan.blogspot.ch/2014/05/bombas-de-amaranto-combatir-

del viaje-expedición, entonces, estos trabajos de «jardinería» artística y activista también provocan un repliegue crítico dentro de un aparato clave de captura y explotación colonial y moderna de una naturaleza-objeto: el jardín. Al entrar en alianzas horizontales con comunidades locales que comparten saberes y prácticas estéticas, medicinales y culinarias, los ecoartistas escenifican el pasaje de una «naturaleza capitalista», objetivada y puesta a disposición para la extracción, a una «naturaleza orgánica» local y comunitaria, en los términos propuestos por Arturo Escobar (1999: 5).

A diferencia de estas relecturas críticas de la naturaleza *in visu* e *in situ* por parte del arte ecológico, el bioarte se asienta en una naturaleza *in vitro*, una tecnonaturaleza, ocupando el espacio físico del laboratorio científico y apropriándose de los procedimientos y las herramientas propias de la biotecnología. Aquí el arte no es, como en los trabajos de Andrea Juan, un testigo externo del trabajo científico al que contempla desde una estética de lo sublime. Por el contrario, al transparentar los procesos bioquímicos de los que echan mano, los bioartistas también pretenden participar activamente en la exploración de una «naturaleza [que] ya no se encuentra enmarcada en un determinado orden en relación al hombre» (Escobar, 1999: 11). Si para esta «tecnonaturaleza» lo biológico se torna asequible al diseño, su misma «capacidad de crear una alteridad biológica radical» (Escobar, 1999: 11) se homologa desde la perspectiva bioartística con el sueño vanguardista de fundir vida y arte, de vivir en lo estético: una vez reducido lo viviente a modulaciones del código genético, propone Eduardo Kac en un texto programático sobre el «arte transgénico», «el artista se torna literalmente un programador genético, quien puede crear formas vivas al escribir o alterar una secuencia dada [de ADN]». De ese

monsanto.html. Consultado en octubre de 2016). Una vez tiradas a una plantación de transgénicos, las plantas de amaranto se desparraman rápidamente gracias a su ritmo mayor de crecimiento que el de plantas de cultivo como la soja, debiendo abandonarse los campos «infestados» por el amaranto. El bioartista británico Heath Bunting diseñó en 2005 un misil (el *N55 Rocket System*) destinado a esparcir semillas resistentes por campos tratados con pesticidas.

modo, concluye Kac, «los artistas pueden contribuir a incrementar la biodiversidad global al inventar nuevas formas de vida» (Kac, 2005: 236, 242).

Gracias a posturas públicas hiperbólicas y la «creación» de obras como *GFP Bunny* (2000), de un valor plástico e impacto mediático que debe no poco a una tradición vanguardista moderna que se extiende de Duchamp a Warhol, Kac se ha convertido tal vez en el más contencioso de los bioartistas actuales. *GFP Bunny*, una coneja fosforescente debido al agregado a su secuencia de ADN de una proteína biolumínica proveniente de una medusa del Pacífico Norte, saltó a la fama cuando, ante la negativa del laboratorio francés con el que había colaborado Kac a entregarle el animal como mascota doméstica, el artista lanzó la campaña «Free Alba» en la que multiplicaba, a través de carteles, avisos de diario e internet, visiones del animal-cyborg supuestamente cautivo en el laboratorio genético; imágenes que, como sugiere Kristen Philipkoski (2002: s/p), probablemente correspondan a la fotografía de un conejo cualquiera, manipulada por Photoshop, antes que al conejo biolumínico «real». Paradójicamente, como nota López del Rincón (2015: 28), «la obra más conocida [...] del bioarte sólo se conoce por la documentación que la sustituye». Esto no ha impedido la proliferación de respuestas escandalizadas ante semejante pretensión de «mezcla "artística" de genes», que habría hecho perder a «la naturaleza [...] su tradicional opacidad» (Sibilia, 2009: 110) y reafirmado, en «un gesto de dominio antropocéntrico», la «fe ciega en la tecnociencia», cuya aplicación «estética» terminaría resultando en «un cierto lavado de imagen ético de las biotecnologías» (Albelda y Pisano, 2014: 121-22). Contrariamente, Katherine Hayles ha argumentado que las intervenciones bioartísticas de Kac en los propios procedimientos de la ingeniería genética no hacen más que movilizar la ambigüedad inherente en cualquier práctica estética, exponiendo y dramatizando las tensiones del soporte en que se asienta antes que tomando parte «a favor» o «en contra»: así, sugiere, «la noción de que la carne pueda ser reducida a *data* es simultáneamente criticada y reinscrita» (Hayles, 2003: 84) por las instalaciones bioartísticas.

El propio Kac se ha referido a su trabajo como un caso de «ética performativa» al crear situaciones de comunicación y afectación transespecie que exponen y exacerban las «tensiones éticas» y, así, promueven la reflexión sobre «las múltiples implicaciones sociales de la genética» para «elaborar los sentidos implícitos de la revolución biotecnológica» y extender «los conceptos de biodiversidad y evolución» (Kac, 2005: 254-55; 266). Comenzando en los años noventa con una serie de obras de telepresencia, basadas en la acción remota de los espectadores-usuarios en internet sobre instalaciones multimedia con elementos robóticos, Kac paulatinamente va extendiendo sus experimentos con tecnologías afectivas a la comunicación transespecie. En *Rara Avis* (1996), un guacamayo sintético es introducido en un aviario con gran cantidad de pinzones, equipado con una cámara dentro de su cabeza móvil. Mediante un casco de realidad virtual, los visitantes pueden operar el cuerpo del «ave rara» y obtener a través de la cámara una visión émica de la convivencia entre el ser robótico y los otros pájaros; operación que también pueden realizar los teleparticipantes que acceden a la instalación vía internet. Si ya en el arte de telepresencia de Kac hay, entonces, una marcada inquietud por acortar distancias entre artificio y experiencia viva a través de ensamblajes entre lo mecánico, lo orgánico y el cálculo computacional, el paso a lo transgénico aporta además la intervención en lo viviente a nivel de su incepción, del genoma. En *Génesis* (1999), la frase bíblica acerca del dominio del hombre sobre las formas de la creación se traduce, vía el código de Morse, a una secuencia formada por las cuatro bases químicas (adenina, guanina, citosina y tianina) cuyas combinaciones forman los peldaños de la doble hélice molecular del ADN. Ese «gen artístico» es luego insertado en bacterias *E.coli* identificadas por proteínas bioluminiscentes. Expuestas en un disco Petri –filmado y proyectado a una pantalla en el espacio de la exposición, como también transmitido en directo vía internet–, las bacterias reaccionan y transmutan cuando iluminadas con luz ultravioleta por los espectadores físicos o remotos. Ellos, por lo tanto, frente a la pantalla oscura, se encuentran con la disyuntiva o bien de conocer el mandato divino, iluminándolo (en cuyo caso posiblemente contribuyan a su distorsión), o de desconocerlo y dejarlo intacto. Al final de la exposición, el material genético es «retraducido» revelando las «reescrituras» acontecidas por la interacción entre la acción mutante de las bacterias y la de los (tele) espectadores de la muestra.

En obras posteriores como *The Eighth Day* (2001) –hábitat en miniatura enteramente poblado por animales y plantas transgénicos y bioluminescentes– y *Specimen of Secrecy About Marvelous Discoveries* (2006) –serie de biopinturas o cuadros-ambientes «pintados» con microorganismos transgénicos–, Kac sigue explorando modos de expresión particulares de una estética transgénica[121]. Estas biopinturas que, en su adaptación dinámica a las condiciones medioambientales, «siguen pintándose a sí mismas» (Tomasula, 2007: 54), también vuelven a aludir –cuando revisitan, por ejemplo, las formas orgánicas de la abstracción plástica de postguerra (Arp, Kandinsky, el grupo Cobra)– al debate plástico que el bioarte, en su paso de la *representación* a la *encarnación*, pareciera haber cerrado definitivamente (láminas 15-16). En su supuesta confluencia de imagen y sustancia, los «cuadros» de *Specimen* nos invitan a reflexionar sobre lo que fuera alguna vez el quiebre constitutivo del arte visual en Occidente: la división entre forma y materia, la no-identidad entre el conocimiento sensible del mundo y su experiencia física. Pero al mismo tiempo, la propuesta de experimentar «estéticamente» estas estructuras –como pinturas y no apenas como moho cubriendo aleatoriamente una superficie– reintroduce

[121] Estas obras en particular, pero también otros trabajos de Kac en los que la dimensión participativa colabora directamente en la materialidad y plasticidad de la obra visible como en *Genesis*, contradicen, a mi parecer, el argumento de algunos críticos del arte transgénico relativo a la ausencia de «valor plástico autosuficiente [de] la intervención transgénica» que, por lo tanto, habría requerido la «autoenunciación espectacular» como camuflaje externo de su vacuidad estética (Albelda y Pisano, 2014: 122).

de un modo performático estas oposiciones fundamentales y, con ellas, el debate ético sobre nuestra responsabilidad hacia una «obra de la naturaleza» a la que atribuimos o sobre la que proyectamos una determinada voluntad de orden.

El interés artístico por la naturaleza *in vitro* –una naturaleza que ya no puede concebirse como materialidad inerte que se somete al juicio de la razón y los sentidos, o que les indique a éstos sus límites, sino que se ha vuelto computable en sus propios procesos– ha proliferado en los últimos años, respondiendo a la consolidación y «articulación del bioarte como movimiento artístico» a escala global (López del Rincón, 2015: 116), con esquemas de residencia, materias curriculares en programas de historia del arte e instituciones como el Laboratorio de Bioarte creado en 2008 en la Universidad Maimónides de Buenos Aires. Pero también actualiza, a pesar de la renuencia de muchos bioartistas a reconocer en sus inquietudes una «dimensión latinoamericana» (Andermann y Giorgi, 2017: 281), legados propios de la naturaleza-paisaje del Nuevo Mundo y su revisitación por las neovanguardias del último siglo XX. Ese es el caso de *Cultivos Estocásticos* (2005) de Mariano Sardón: obra que en su traducción de mensajes y sonidos emitidos por visitantes de la muestra a reacciones moleculares en una solución azucarada, pasando por algorritmos evolutivos que median entre una y otra textualidad, retoma la herencia del arte cibernético del CAYC en los años sesenta y setenta del siglo pasado. La tradición del paisajismo decimonónico, en su ambigua relación con la tecnología industrial, está siendo invocada directamente por la obra de otra artista argentina, *Calor, vapor, humedad: Turner en el siglo XXI* (2007) de Marina Zerbarini –instalación que comprende, en una semiesfera de acrílico, elementos orgánicos (plantas) y anorgánicos (estructuras «arquitectónicas» provistas de calefacción y luz). A través de sensores de calor y humedad, se accionan humidificadores que equilibran las condiciones atmosféricas y que, por su parte, los espectadores presentes en la galería o interactuando con la obra vía internet, pueden manipular para observar su impacto (Matewecki, 2008: 47). También en 2007, el artista e ingeniero Joaquín Fargas, fundador del Laboratorio de Bioarte, produce *Biosfera*, proyecto que consiste en la entrega a 200 personas, para su cuidado y supervivencia, de pequeñas esferas de vidrio conteniendo un ecosistema formado por agua y una variedad de *lemnoidae*, planta acuática que sobrevive gracias a la exposición equilibrada a la luz solar (López del Rincón, 2015: 124). Más recientemente, el artista brasileño Iván Henriques, en colaboración con laboratorios universitarios en Holanda y Bélgica, ha creado una serie de «biomáquinas» que, a partir de procesos bioquímicos como la fotosíntesis o la captación de corrientes bioeléctricas, activan procesos mecánicos e informáticos por los cuales se almacenan, potencian y recanalizan flujos energéticos hacia producciones bacteriales absorbentes de contaminantes en el agua (*Caravela*, 2014; *Pedalinho*, 2016), o que ayudan a proteger el equilibrio entre especies vegetales (*fitocenosis*) en áreas de intensificación de circuitos energéticos, con sus efectos concomitantes de calentamiento y modificaciones atmosféricas, como resultado de la presencia humana (*Máquina Simbiótica*, 2014).

Muchas obras del bioarte, pero también del arte ecológico, comparten la fascinación por la vitalidad de su material, por esos «poderes que emanan de los no-sujetos» que Jane Bennett, en su libro *Vibrant Matter*, caracteriza como «la capacidad de las cosas –comestibles, mercancías, tormentas, metales– no sólo de impedir u obstaculizar la voluntad y los diseños de los humanos sino también de actuar como quasi-agentes o como fuerzas con trayectorias, propensidades y tendencias propias» (Bennett, 2010: viii). Pero así, la estructura semiótica de muchas obras, su afán por establecer, en palabras de Eduardo Kac (2005: 237), «una relación dialógica entre el artista, la criatura, y quienes entran en contacto con ellos», se tensa entre su interés, de un lado, por entrar en relaciones coagenciales con organismos no humanos a título de participantes activos en la «creación», y del otro, su interpelación de un espectador humano compelido a reflexionar críticamente. En su interpelación del espectador, como observa Nicole Anderson, el bioarte también reactiva el mecanismo moderno de producción de una subjetividad autónoma a través del cual, al menos desde Kant, la separación de lo humano respecto de lo meramente yacente, la naturaleza, fue efectuada: «A través de la autonomía y la razón, los humanos han querido inmunizarse en relación a la biosfera, pero al hacerlo han traído destrucción al ambiente y a otros seres vivos no humanos» (Anderson, 2010: 106). Pero si «la Razón [...] podría considerarse una forma de "inmunidad" que actúa para protegerse contra el orden natural del que forma parte», argumenta Anderson, esta misma Razón, por tanto, también tiene una propensión de volverse «una forma de autoinmunidad, porque de la misma manera en que se protege ([...] al producir Iluminación y así, al distanciar la humanidad del mundo biológico y de los efectos de la vida humana sobre el ambiente, como la polución y la sobrepoblación) la Razón se destruye a sí misma: su cura deviene su veneno» (Anderson, 2010: 110). El bioarte, sugiere la filósofa, debería actuar sobre su espectador de manera viral: interpelándolo como un sujeto de la Razón sólo para enseguida transformar ese sujeto en huésped de una reacción autoinmune, de un trabajo que socava y corroe las bases del escudo inmunitario.

Ahora bien, si este programa todavía preservaría un cierto grado de excepcionalidad, de distinción de lo artístico –como aquello que, por dentro de la Razón y del sujeto, desencadenaría la mutación autoinmune–, nuestra lectura del bioarte y el ecoarte contemporáneo apunta hacia una propuesta algo diferente, en cuanto apuesta al *devenir inespecífico* de las formas y prácticas científicas, documentales y militantes que estas intervenciones atraviesan, y, por tanto también, ante todo, del arte mismo. Devenir inespecífico: no se trata, con esto, apenas de dejar atrás las convenciones caducas de géneros, estilos y manierismos pasados –«innovación» que no sería sino el modo de autorreproducción del arte como institución y como mercancía. Por el contrario, ese «dejar de ser arte» apuntaría más a una revisión crítica de la especificidad, la distinción, del arte como invención (como creación *ex nihil* en la que se manifiesta y distingue lo humano), y así también a una crítica de la *especie* y su agencialidad particular o única. Al devenir inespecíficos, el bioarte y el ecoarte cumplirían su promesa al escenificar en el proceso de cada «obra» el disolverse de lo «artístico» en el *bíos* y el *oikos* que, por su parte, se transformarían de un mero soporte en un cuerpo de resonancia, un campo abierto de materia vibrante. Esa inespecificidad, por cierto, no sería la misma que anunciaba Vilém Flusser en un ensayo breve de 1988, donde el filósofo checo-brasileño profetizaba un futuro *Disneyworld* entregado enteramente a la intervención bioartística: «una gigantesca obra de arte viviente, de una riqueza y belleza aún inimaginable» (Flusser, 1988: 372). A contramano de esa tecnoutopía de estetización comprehensiva del mundo, lo estético, en su volverse inespecífico, también dejaría en un sentido radical de ser un distintivo humano para tornarse, en cambio, un modo de entendimiento posible en un mundo postnatural.

Lámina 1: Adriana Varejão, *Paisagens*.
Óleo s. madera, 1995. Colección R. y A. Setúbal.

Lámina 2: Armando Reverón, *Luz tras mi enramada.*
Óleo s. tela, 1926. Colección P. Phelps de Cisneros.

Lámina 3: Mário de Andrade, «Rio Madeira.
Retrato da minha sombra trepada na Tolda do Vitória.
Julho 1927. Que-dê o poeta?».
Colección fotográfica Mário de Andrade.
Instituto de Estudios Brasileños, USP, San Pablo.

Lámina 4: Adolfo Bioy Casares, Villa Ocampo.
Fotografía, 1959. Archivo UNESCO – Villa Ocampo.

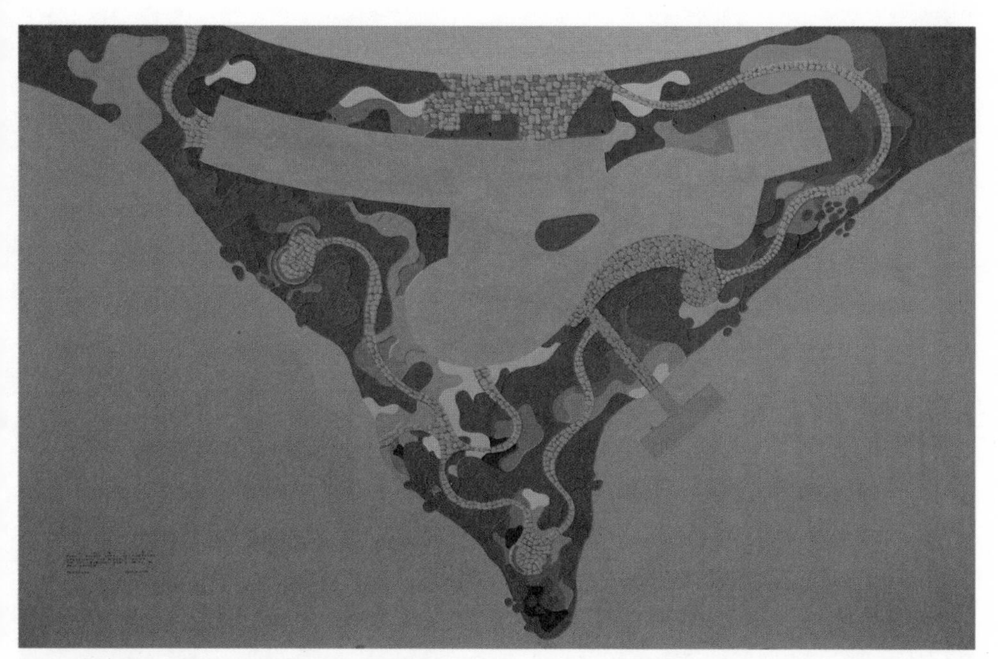

Lámina 5: Roberto Burle Marx, diseño para los jardines del Gran Hotel, Pampulha, MG (proyecto no realizado ca. 1943-1944). Burle Marx & Cia. Ltda., Río de Janeiro.

Lámina 6: Sitio San Antônio da Bica (hoy Sitio Roberto Burle Marx/IPHAN-MinC). Fotografía J. A., 2015.

Lámina 7: Hélio Oiticica, *Projeto Cães de Caça.*
Maqueta, 1961. Proyecto Helio Oiticica, Río de Janeiro.

Lámina 8: Hélio Oiticica, *Magic Square nº 05.*
Instalación realizada a partir de maqueta de H. O.,
Museo do Açude, Río de Janeiro. Fotografía J. A., 2015.

Lámina 9: Artur Barrio, registro de *Situação T/T1*.
Realizado por César Carneiro, 20 de abril de 1970,
Belo Horizonte. Colección del artista.

Lámina 10: Toma de *Serras da Desordem*.
Dirigido por Andrea Tonacci, 2006, Brasil.

Lámina 11: Nazarena Duarte en *La rabia*.
Dirigido por Albertina Carri, 2006, Argentina.

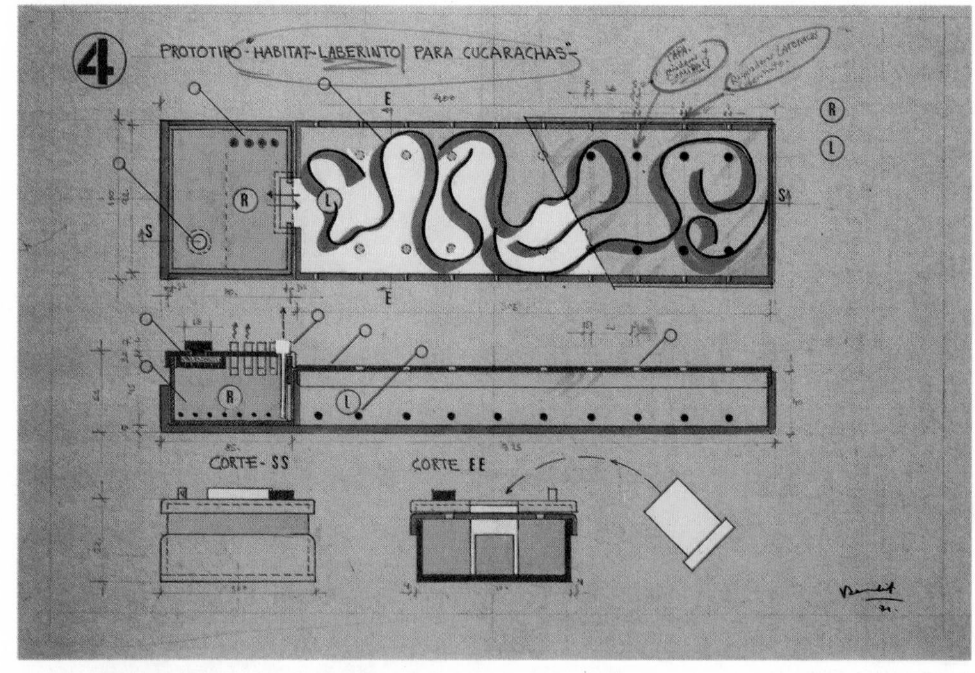

Lámina 12: Luis F. Benedit, *Prototipo - «Habitat» - Laberinto para cucarachas*.
Pintura de barniz y marcador s. cianotipo, 1971.
Colección Daros Latin America, Zurich.

Lámina 13: Andrea Juan, *Metano.* Fotografía, 2006.
Colección de la artista.

Lámina 14: Mabe Bethônico, fotografía del Ministerio
de Trabajo y Empleo, Sector Minería, Minas Gerais, sin fecha.
Fotografía gentileza de la artista.

Lámina 15: Eduardo Kac, *Oblivion* de *Specimen of Secrecy About Marvelous Discoveries*.
Biopintura con materiales orgánicos, 2006.
Fotografiada en 2006. Fotografía gentileza del artista.

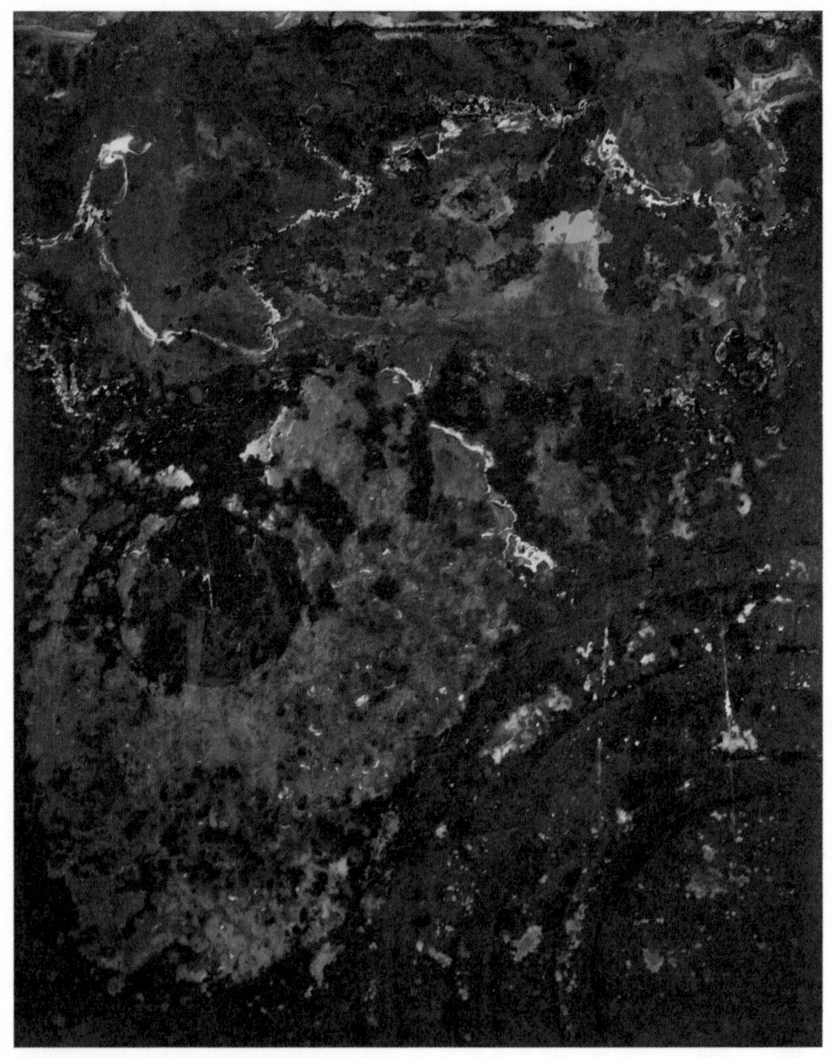

Lámina 16: Eduardo Kac, *Oblivion* de *Specimen of Secrecy About Marvelous Discoveries*.
Biopintura con materiales orgánicos, 2006.
Fotografiada en 2010. Fotografía gentileza del artista.

Conclusión

O chão é a grande pergunta
haver chão
se tudo voa
e quer cantar.

Nuno Ramos, *Junco*

El nuestro podría haber sido un itinerario melancólico: una serie de lecturas que, de haber constatado ya en la producción de las primeras vanguardias el fin del paisaje –tan instrumental en la formulación colonial y decimonónica de identidades americanas–, hubiese terminado declarando, una vez más, el fin del arte, el agotamiento de su sensibilidad particular a la hora de enfrentar al in-mundo contemporáneo, al horizonte de la postnaturaleza. Sin embargo, éste ha sido un libro de trances: nos interesaba lo que emerge en ese desvanecer de las formas, los nuevos agenciamientos y ensamblajes que ese ausentamiento genera. «Dejar de ser arte», devenir inespecífico –esa manera de aludir a los legados de la tradición artística sólo para atravesar sus límites, que hallamos en algunas expresiones del bioarte y el ecoarte– no significaría por tanto renunciar a la experiencia estética sino, en cambio, a una forma determinada de entenderla como aquello que nos distingue y nos constituye en humanos y sujetos: como aquello que nos especifica. Porque, al especificarnos, ese goce relegado a tal o cual facultad sensorial –aquello que los críticos de la Escuela de Frankfurt designaban con el término de sublimación– también nos apartaba de un mundo figurado ahí apenas como su origen, su «materia bruta»[122]. El devenir inespecífico de lo estético implicaría, entonces,

[122] Norbert Elias y Raymond Williams, entre otros, han hecho la historia social de esta forma particularmente moderna de concebir el goce estético. Ver Elias, 1976; Williams, 1958.

despedirnos de esa facultad estética modelada según el padrón del paisaje: objetivación del mundo, espiritualización del sujeto observador, y eliminación activa del trabajo que media entre ambos.

Habría que hacer de lo estético el facilitador, el umbral mismo de nuestra inespecificación: esa es, me parece, la propuesta más audaz que nos entregan hoy día las nuevas artes de lo viviente. Lo estético como la instancia misma de nuestro agenciamiento, de nuestra entrada en coagencialidad, con un entorno que, entonces, ya no sería apenas envoltura exterior sino que nos atravesaría y articularía a sus encadenamientos: para poder avanzar hacia ese tipo de reconceptualización, habría que repensar el αἴσθησις (*aísthesis*), no apenas como repercusión sensorial, al interior de la mente, de los objetos exteriores que ésta percibe (esto es, re-conoce en el proceso de su nombramiento y valoración). En cambio, siguiendo la huella abierta por Merleau-Ponty con su idea de la percepción como «carne del mundo» (*chair du monde*), asentada en el cuerpo como condición material de nuestra apertura hacia la otredad (noción formulada en su obra póstuma *Le visible et l'invisible*) (Merleau-Ponty, 1964b: 319), deberíamos reconsiderar la dimensión estética como el ensamblaje entre nuestra materialidad sensible y aquello con lo que entra en agenciamientos, en «transfecciones» (Haraway, 2008: 15).

El lenguaje –la dimensión estética supuestamente más alejada de la impronta sensorial directa del «mundo exterior» al que sólo sería capaz de alcanzar como objeto mental, a través del nombre– es, en realidad, la modalidad ejemplar de ese agenciamiento. En su dimensión poética, el lenguaje deviene un campo vibratorio donde la palabra se materializa al entrar en agenciamientos múltiples, no tanto con la cosa individual y autónoma (el «referente» de la lingüística saussuriana) sino más bien con los ensamblajes heterogéneos y contingentes en los cuales las cosas nos enfrentan en la vida real y de los que deriva su poder de afectarnos (Bennett, 2010: 23). Consideremos, a modo de conclusión, a dos poetas modernos, tal vez los más importantes en el idioma español y portugués en cuanto a su reelaboración de las formas líricas referentes al paisaje: el argentino Juan L. Ortiz y el brasileño João Cabral de Melo Neto. En particular, es su dedicación insistente al elemento líquido que atraviesa y abisma su entorno terrestre –los ríos Villaguay y Gualeguay, así como otros afluentes menores del sistema acuático entrerriano, en Ortiz; el río Capibaribe en su percurso por Pernambuco, en Cabral– la que da origen, en ambos autores, a una concepción materialista del lenguaje como alternación entre lo líquido y lo espeso, entre lo vibrante y lo mineral, entre la voz y su esqueleto. El largo poema «El Gualeguay» de Ortiz, publicado por primera vez en 1971 como parte de la colección *En el aura del sauce* (que reunía a toda la obra del poeta escrita hasta esa fecha), y del poemario *O cão sem plumas* (1949-50) de Cabral –primer libro del llamado «ciclo das águas», que también comprende a *O rio* (1953) y *Morte e vida severina* (1954-55)–, son momentos de culminación y síntesis, en la obra de ambos autores, de la reflexión poetológica en torno a ese río de la lengua que se pliega y despliega sobre su contraparte acuática y en relación al modo en que ambos, río y poema, atraviesan y dinamizan el medio de materialidades vivientes, los espacios y tiempos de formas orgánicas que convergen sobre ellos.

El río Gualeguay, en cuyas orillas nació Ortiz y donde vivió hasta jubilarse en 1959 de su cargo en la administración pública, es un afluente del Paraná que recorre el territorio de Entre Ríos, la provincia litoraleña argentina encerrada por este último y el río Uruguay (de su límite noreste al sudoeste), recibiendo en su percurso las aguas de un sinnúmero de afluentes menores que corren entre las cuchillas de la provincia. Es, por lo tanto, él mismo un río entre ríos –tronco principal del juego de agua y tierra sedimentada que dio origen a la provincia–, como también un río interior; «río íntimo» («Gualeguay y su paisaje»; Ortiz, 1996: 1016) que nace y muere dentro del espacio provincial, a diferencia de sus hermanos mayores que traspasan los límites de nación y continente. «El Gualeguay», el texto en que culmina el trabajo poético de toda una vida en torno al ambiente provinciano y en particular a sus ríos interiores, se presenta a primera vista como la escritura de una historia natural de Entre Ríos desde sus orígenes geológicos más remotos hasta un punto vagamente ubicado en la segunda mitad del siglo XIX –esto es, apenas anterior al nacimiento del propio Ortiz en 1896, que es el horizonte hacia donde avanza la escritura, como indica la anotación "continúa", agregada en paréntesis tras la última línea del poema (poema cuya última palabra, efectivamente, es «destino») y que, por su parte, remite otra vez a la palabra «fragmento» agregada, también en paréntesis, al título del poema, antes de comenzar el texto. Como el propio río (que nace de la confluencia de dos afluentes menores y desemboca en el delta del Paraná), también el poema permanece abierto en ambos extremos: de la «continuación» anunciada pero nunca completada apenas sobrevive un único verso, «Cuando el río me ahogue» (Notas a «El Gualeguay»; Ortiz, 1996: 927). Ese límite imposible hacia donde se vuelca la escritura no es otro, entonces, que el confluir entre el tiempo del río y el de la propia vida del poeta que es, también, el tiempo de enunciación del texto, el tiempo de la voz poética: es el sumergirse de ésta en la caída hacia delante de la corriente fluvial. O más bien, es la apuesta de hacer del lenguaje poético la instancia misma de esta con-fluencia, en la que el tiempo vivido y por vivir se vuelve a unir al puro fluir que es el tiempo del río: «a vida mais definida e clara» [«la vida más definida y clara»], coincide también Cabral, es «viver com a língua da água» [«vivir con la lengua del agua»]; es producir y al mismo tiempo ser producido por el tiempo que se vuelve uno con el movimiento: «O rio corre; e assim viver para o rio/ vale não só ser corrido pelo tempo;/ o rio o corre» [«El río corre; y así; vivir para el río/ equivale no sólo a ser corrido por el tiempo;/ el río lo corre»] («Os rios de um dia»; Cabral, 2008: 326).

Ese movimiento que contiene el tiempo, a la vez que se consume en él, *es* así el río, más que la liquidez acuática que es sólo el medio en que éste se desenvuelve: «El río era el tiempo, todo...» («El Gualeguay»; Ortiz, 1996: 665). Comprende a todas las temporalidades vitales y singulares que convergen sobre él, emergiendo de él en su propia sustancia viviente a la vez que son reflejadas por su superficie acuática, esto es: contempladas por la mirada del río, sus «pupilas» que son la medida común de todas las formas. «Mas su divagar, al fin/ sólo, sólo podía ser el del espejo que se corre frente a todas las escenas:/ cómo se explicaría, así, sus aventuras más allá de sus pupilas,/ del ángulo de sus pupilas?» («El Gualeguay», Ortiz, 1996: 719). Así, vemos surgiendo ante nosotros, tal como los ve el río y en el tiempo de la experiencia viva de cada uno (de su nacer y perecer, crecimiento y perambulaciones), a árboles, pájaros, mamíferos y reptiles, y también, eventualmente, a los habitantes humanos. El río, por eso, no es apenas una metáfora del tiempo, figurándolo en su fluir, sino que es el elemento que ensambla materialmente a múltiples tiempos vitales: «Todo nacía de él, o venía evangélicamente/ a él» («El Gualeguay»; Ortiz, 1996: 665). Sin embargo, contra lo que pareciera sugerir ese verso, la singularidad de cada uno de estos tiempos no es subsumida aquí a un todo mayor. El río, como el poema, no sutura los tiempos particulares de vidas individuales al tiempo abstracto, cronométrico, que los contiene sino que es la coagencialidad siempre peculiar en la que entra con cada uno de ellos, del mismo modo en que cada frase y cada expresión figurativa posee un ritmo y una extensión espacio-temporal particulares que el poema admite a su decorrer, sin que esa particularidad tuviera que subordinarse a un orden mayor. El lenguaje poético, de esta manera, emerge del río tanto figurativa como literalmente: como uno de los múltiples tiempos-acontecimientos que surgen de su corriente y, eventualmente, volverán a sumergirse en ésta; así también, consecuentemente, como su expresión-reflejo que puja por coincidir con su imagen. Al cabo de las primeras tres estrofas, Ortiz ya ha construido un complejo sistema de analogías que ensamblan «naturaleza» y «lenguaje» a una textura común: el «arpa ciega» de la lluvia –pero también de la poesía– puede así remitir a los «juncos de vidrio» y a las «ramillas rápidas» que forman la silueta móvil del sauce; ese «ligero árbol de plata [...] ahogado de cortinas» («El Gualeguay»; Ortiz, 1996: 661-62). Al mismo tiempo, estos elementos del paisaje ribereño van trazando el mapa del sistema «arborescente» que es la cuenca del Gualeguay: el árbol, en su figura, remite al río del que ha surgido para que sus raíces aseguren la sedimentación de tierras que encauzan las aguas de aquél, correspondencia de formas que vuelve a plasmarse en el lenguaje poético que es otro más de sus emanaciones (como lo es la lluvia). La poesía, en otras palabras, es apenas una de las formas que participan en el todo abierto; ambiente semiótico que, de un modo similar al que el antropólogo Eduardo Kohn ha descrito en la selva amazónica, «amplifica la forma en un sinnúmero de direcciones gracias a la manera en que muchos tipos de seres [*selves*] interactúan» (Kohn, 2013: 27, 182). La propia relación entre el elemento líquido y el espeso, entre agua y tierra, en su acción mutuamente *formativa*, es así también figura de la relación entre la naturaleza y su imagen poética, imagen que, sin embargo, se re-conoce ella misma como elemento perteneciente al propio orden natural y no como herramienta de captura externa a éste.

Es esta tensión entre liquidez y espesura la que también organiza el abordaje poético del ambiente pernambucano por parte de João Cabral de Melo Neto, en particular el del río Capibaribe; río de corriente lenta y caracterizado por su escasez de agua en el curso superior (atravesando la zona seca del sertón) y por el empantanamiento en el área ancha de su desembocadura en el Atlántico, donde sus orillas lodosas ofrecen un asiento traicionero a los *mocambos* donde se refugian los retirantes del interior. En *O rio* y *Morte e vida severina*, ese viaje aguas abajo es cantado dos veces, primero en la voz del propio río que, como narrador distante en primera persona, describe con «simpatia calada» (*O rio*; Cabral, 2008: 118) los universos sociales que atraviesa, narración cuyos ecos volvemos a escuchar en la multiplicidad de voces –correspondientes a todo un abanico de formas arcaicas de versificación inspiradas en la redondilla ibérica– con las que el retirante Severino dialoga en *Morte e vida*. Pero es en *O cão sem plumas* donde el río, entrevisto desde la ciudad que cruza «como uma rua/ é passada por um cachorro» [«como una calle/ es atravesada por un perro»] (*O cão sem plumas*; Cabral, 2008: 81), desencadena un discurso poetológico en donde su liquidez espesa recoge y desarrolla la reflexión acerca de la fluidez y petrificación de la lengua iniciada en poemas como «O poema e a àgua», «Pequena ode mineral» y sobre todo en la «Fábula de Anfion» que precede a los poemas-ensayos reunidos en *Psicologia da composi*ção (1946-47). Anfión, el cantor mitológico que, con la música de su lira, ponía en movimiento a las piedras y así construyó las murallas de Tebas, aparece en Cabral como el artista que fracasa en su huida del lirismo al silencio del desierto cuyo «aire mineral» no consigue secar su flauta, a la que el acaso vuelve a despertar. La poesía, en esa «fábula» cabralina, va en busca de la palabra-objeto, depurada de todo lirismo –«São minerais/ as flores e as plantas/ as frutas, os bichos/ quando em estado de palavra» [«Son minerales/ las flores y las plantas/ las frutas, los bichos/ cuando están en estado de palabra»] (*Psicologia da composição*; Cabral, 2008: 72)–, pero vuelve a enlazarla de inmediato al «rio-discurso de água» («Rios sem discurso»; Cabral, 2008: 324). La construcción poética se tensa así entre la mineralidad de la palabra y la liquidez de la frase; equivale a «un sendero pedregoso» (Rebuzzi, 2010: 29) de palabras-piedras hilvanadas por el agua de la sintaxis. A su vez, el decorrer del verso se endurece y objetiva en su encuentro con la palabra: es notable la recurrencia entre «las mismas veinte palabras» («Graciliano Ramos»; Cabral, 2008: 287) a las que Cabral vuelve una y otra vez, del propio término «piedra» (*pedra*); palabra que, en portugués y en castellano, realiza en su propia fonética (dos vocales cautivas y vueltas a liberar entre consonantes, obligando a cortar el flujo respiratorio por la cerrazón de boca, lengua y paladar) el endurecimiento, la «mineralidad» a la que refiere. «Pedra», en el acto de ser pronunciada, deviene ella misma un umbral de solidificación, de «cosificación» (Peixoto, 1997: 120), en la relación entre ambiente y cuerpo, aire y anatomía; y es así como es empleada en una poesía que «procura a ordem/ que vês na pedra» [«busca el orden/ que ves en la piedra»] («Pequena ode mineral»; Cabral, 2008: 59). Al mismo tiempo, tal como la palabra casi igual de recurrente, «cabra», ella también remite a un tipo de habla y de geografía, «remarcando el acento nordestino (en la forma de hablar típica del nordestino que enfatiza las sonoridades en R)», como observa Solange Rebuzzi (2010: 8). En su curso, el propio río Capibaribe enfrenta también diferentes tipos de mineralización, desde la sequía y el silencio por el cual «a água se quebra em pedaços,/ em poços de água, em água paralítica» [«el agua estalla en pedazos,/ en pozos de agua, en agua paralítica»] («Rios sem discurso»; Cabral, 2008: 324), hasta el enlodamiento, la «fecundidade pobre,/ grávido de terra negra» [«fecundidad pobre,/ preñado de tierra negra»] (*O cão sem plumas*; Cabral, 2008: 82) que arrastra el río en su desembocadura.

En el cruce entre liquidez semántica y mineralidad sonora, la poesía inscribe así al ambiente en el cuerpo y viceversa: ella deviene, en Cabral, la dimensión misma de coagencialidad entre ambos. En Cabral y también en Ortiz, la poesía se abre camino, así, entre las «dos historias» que, según la advertencia de Isabelle Stengers (2015: 20), hoy se encuentran en correlación inextrincable; ella deviene un modo de expresión para la «acción conjunta» [*conjoined action*] de actores humanos y no humanos que, según Jane Bennett (2010: 100, 104), requiere un «mayor número de canales de comunicación entre los miembros» de una comunidad de vidas interrelacionadas. En Cabral, la lucha entre liquidez y mineralización que escanden al «discurso-río» corresponde a la lucha de la población de retirantes que sigue su curso, entre la «gran sed sin fondo» de las tierras altas y la podredumbre de la vida «en el nivel del lodo y del pantano» (*O rio;* Cabral, 2008: 95, 118). Escasez mineral y espesura lodosa: entre estas «dos aguas» oscila también la «poética negativa» cabralina (Carone, 1979: 64), al mismo tiempo rigurosa y austeramente objetual y descriptiva de universos sociales concretos (*Dúas águas* era el título, precisamente, de la antología publicada en 1956 por la editora José Olympio, que reunía los libros previamente publicados en pequeñas tiradas en la impresora del propio autor, «O Livro Inconsútil»).

En Ortiz, el propio río –interpelado en segunda persona en «El Gualeguay», como oyente-escucha de la voz poética que lo canta– es también el testigo, el espejo vivo que mira, escucha y sueña con las tintilaciones y vibraciones que capta de las formas vivas que convergen sobre él: la historia humana, entrevista desde el río, es apenas uno más de los rumores que rizan a su superficie: «Mas la "historia", lo advertía nuevamente, tenía sus caminos,/ y él, otra vez, latiría bajo ellos» («El Gualeguay»; Ortiz, 1996: 687). A diferencia del *Canto general* nerudiano, donde aún el «acudir de los ríos» se contempla desde una visión elevada y providencial –esto es, histórica– (Neruda, 1968: 18-20), aquí el punto de vista se caracteriza por una doble minoridad: el río mira tanto «desde adentro» (desde la provincia, el interior) y «desde abajo» (desde el lecho, la hondonada). Como observa Sergio Delgado, el «programa paisajístico» del poema «se sitúa en las antípodas de un proyecto como el del *Canto general* de Pablo Neruda, que se origina como un "Canto de Chile" para proyectarse luego a escala continental [...] *El Gualeguay* puede pensarse como un anti-canto general o, más propiamente, como un "canto particular"» (Delgado, 2004: 29-30). La relación entre naturaleza e historia no es así del orden de la alegoría visible, que descubre el sentido providencial del devenir temporal en las formas sublimes de la geografía continental. En cambio, el tiempo humano es humillado en el sentido más literal, al registrarse sus vibraciones y rumores por parte de un tipo de percepción que, contrario al relevamiento colonial y capitalista de la naturaleza americana, proviene de abajo y adentro. En las palpitaciones que laten por debajo de los caminos de la historia, el río entra en sucesivos y contingentes ensamblajes con fuerzas oprimidas y contestatarias (animales, anarquistas, indígenas, obreros), con «los de abajo» con quienes mantiene una proximidad como si fuera congénita. El río es a la historia una gran pulsión antiépica, un constante devenir-menor (en la expresión de Deleuze y Guattari) que abre el relato histórico hacia sus virtualidades. Aún más que en Cabral, la crítica, el trabajo del fluir de la lengua contra el nombre, es en Ortiz un método fundamental de esa virtualización de historia y naturaleza. Se trata no sólo de la crítica de la toponimia y su relación con la colonización y con la historia de los vencedores sino, además, del cuestionamiento sistemático de la irrevocabilidad del nombrar a través de las comillas que empiezan a proliferar en el poema, no sólo en torno a sustantivos (como «historia») sino también de verbos y adverbios. El poema-río trabaja así, incansablemente, en una virtualización que reconvierte el «hecho» histórico en rumor, palpitación, potencialidad: esto es, en una interpelación enigmática, que es el modo, precisamente, en que la «segunda historia» (Gaia, el chthuluceno, el calentamiento global) irrumpe hoy –y lo viene haciendo, en realidad, desde los inicios de lo que llamamos modernidad– en el *continuum* histórico.

El «rio-discurso de água», podríamos concluir, es lo que trabaja y mueve a partir de otros lenguajes y tiempos vivos al «camino de la historia», pavimentado con nombres-piedras: «Aquele rio/ está na memória/ como um cão vivo/ dentro de uma sala» [«Aquel río/ está en la memoria/ como un can vivo/ dentro de una sala»] (*O cão sem plumas*; Cabral, 2008: 90). El río animaliza (y vegetaliza, mineraliza) el tiempo domesticado de una historia puramente humana, devolviéndola al espacio-tiempo tenso y conflictivo de agenciamientos múltiples con vidas y materialidades otras cuyos movimientos son imprevisibles y chocan, confunden y hieren a los nuestros: «O que vive fere./ O homem,/ porque vive/ choca com o que vive / Viver/ é ir entre o que vive» [«Lo que vive hiere./ El hombre,/ porque vive/ choca contra lo que vive./ Vivir/ es ir entre lo que vive»] (*O cão sem plumas*; Cabral, 2008: 90). Vivir es ir entre lo que vive: es lo que hace el río al «cruzar la ciudad como un perro cruza una calle». No vacila, entra (porque ya ha entrado desde siempre) a lo real espeso y *deviene ese real*. «Como todo o real/ é espesso./ Aquele rio/ é espesso e real» [«Como todo lo real/ es espeso./

Aquel río/ es espeso y real»] (*O cão sem plumas*; Cabral, 2008: 91). «Discurso do Capibaribe», el cuarto canto de *O cão sem plumas*, es, él mismo, un texto espeso debido a la recurrencia de esa palabra que, a manera del lodo que cubre los mocambos de Recife, mancha y se adhiere a cualquier nombre o concepto que va apareciendo en el transcurso del texto («hombre», «can», «manzana», «sangre», «real»). «El concepto de lo "espeso" –señala Rebuzzi– es utilizado al extremo en el poema [donde] funciona también como un recurso que viene a despertar a la percepción sensorial del lector» (Rebuzzi, 2010: 47). Espesura que no es, por otra parte, sino la con-vivencia de lo que está vivo y que, de un modo particular, distingue tanto al río como al perro. Ambos son seres espesos porque sus vidas transcurren «al lado de»; ambos, el río en relación a la tierra y el perro, el «animal humano», en relación a las vidas humanas y animales que lo bordean y a los que sirve –como vimos en Quiroga y en Graciliano– de límite inestable. Como la mancha de aceite en *Historia de la física* de Eugenio Dittborn, también aquí lo real espeso es donde el discurso poético, en su tensión entre el estado líquido y el mineral –que no son, finalmente, sino las «materialidades vitales» que componen y destruyen a nuestros propios cuerpos, como nos recuerda Bennett (2010: 11)–, encuentra una *Umwelt*, un entorno viviente y vibrante en el que, como el perro y el río, no podemos sino entrar, buscando traducir –como hace el poeta– en nombres sus rumores, sus tintilaciones. Es lo que, de manera vacilante y tímida, por cierto, ha intentado hacer este libro: nombrar el rumor, la vibración, transmitida por las obras recorridas en su itinerario. Nombrar no en sentido de una verdad última, sino en el sentido pragmático en el que, como sugiere Stengers, el nombre emite un llamado y posibilita una acción: «Nombrar no es decir lo que es cierto sino conferir sobre aquello que es nombrado el poder de hacernos sentir y pensar según el modo que ese nombre reclama» (Stengers, 2015: 43). Lo espeso, en ese sentido, no debería llamarnos a la resignación o al inmovilismo, sino todo lo contrario, como nos advierte Cabral: «Espesso/ porque é mais espessa/ a vida que se luta/ cada dia,/ o dia que se adquire/ cada dia/ (como uma ave/ que vai cada segundo/ conquistando seu vôo)» [«Espeso/ porque es más espesa/ la vida por la que se lucha/ cada día,/ el día que se gana/ cada día/ (como un ave/ que va en cada segundo/ a conquistar su vuelo)»] (*O cão sem plumas*; Cabral, 2008: 92).

Bibliografía

Adorno, Theodor W. 2003. «El ensayo como forma», en *Notas sobre literatura.* Trad. Alfredo Brotons Muñoz. Madrid, Akal: 11-34.

Aínsa, Fernando. 1977. *Los buscadores de la utopía.* Caracas: Monte Ávila.

Agamben, Giorgio. 2004. *The Open. Man and Animal.* Trad. Kevin Attell. Stanford: Stanford University Press. [*Lo abierto. El hombre y el animal.* Buenos Aires: Adriana Hidalgo Editoria, 2006.]

—— 2003. *Infancia e historia.* Trad. Sílvio Mattoni. Buenos Aires: Adriana Hidalgo.

—— 1998. *Homo sacer. Sovereign Power and Bare Life.* Trad. Daniel Heller-Roazen. Stanford: Stanford University Press. [*Homo sacer. El poder soberano y la nuda vida.* Valencia: Pre-Textos, 2003.]

Aguilar, Gonzalo. 2009. *Episodios cosmopolitas en la cultura argentina.* Buenos Aires: Santiago Arcos.

—— 2006. *Otros mundos. Ensayo sobre el nuevo cine argentino.* Buenos Aires: Santiago Arcos.

Albelda, José y Serena Pisano. 2014. «Bioarte: entre el deslumbramiento tecnológico y la mirada crítica», en *Arte y políticas de identidad* 10-11 (jul.-dic. 2014): 113-134.

Alfieri, Massimo. 2000. *La ciudad abierta. Una comunità di architetti fatta in comune.* Roma: Editrice Dedalo.

Aliata, Fernando y Graciela Silvestri. 1994. *El paisaje en el arte y las ciencias humanas.* Buenos Aires: Centro Editor de América Latina.

Alonso, Carlos J. 1990. *The Spanish American Regional Novel: Modernity and Autochthony.* Cambridge: Cambridge University Press.

Amado, Ana. 2006. «Velocidades, generaciones y utopías: a propósito de *La ciénaga*, de Lucrecia Martel», en *Alceu: Revista de Comunicação, Cultura e Política* 6, 12: 48-56.

Amaral, Aracy. 1997. *Blaise Cendrars no Brasil e os modernistas.* São Paulo: Editora 34.

—— (ed.). 1994. *Arte y arquitectura del modernismo brasileño.* Caracas: Biblioteca Ayacucho.

Ambasz, Emilio. 1976. *The Architecture of Luis Barragán.* New York: Museum of Modern Art.

Amereida. 1991. Volumen tercero. Travesías 1984 a 1988. Viña del Mar: Escuela de Arquitectura y Diseño, Pontífica Universidad Católica de Valparaíso.

—— 1986. Volumen segundo. Viña del Mar: Talleres de Investigaciones Gráficas de la Escuela de Arquitectura de la Universidad Católica de Valparaíso.

—— 1967. Volumen primero. Santiago de Chile: Editorial Cooperativa Lambda.

Ancona Lopez, Telê. 1993. *Mário de Andrade - fotógrafo e turista aprendiz*. São Paulo: Instituto de Estudos Brasileiros.

Andermann, Jens y Gabriel Giorgi. 2017. «We Are Never Alone: a Conversation on Bio Art with Eduardo Kac», *Journal of Latin American Cultural Studies* 26, 2: 279-297.

Andermann, Jens. 2015. *Nuevo cine argentino*. Trad. Fermín Rodríguez. Buenos Aires: Paidós.

—— 2012. «El infierno santiagueño: sequía, paisaje y escritura en el Noroeste argentino», en *Iberoamericana* 12, 45: 23-43.

—— 2011. «Tesis sobre la metamorfosis», en *Boletín del Centro de Estudios de Teoría y Crítica Literaria* 16 (2011): 1-14.

—— 2007. «La imagen limítrofe: naturaleza, economía y política en dos filmes de Lisandro Alonso», en *Estudios. Revista de investigaciones literarias y culturales* 15, 30: 279-304.

Anderson, Nicole. 2010. «(Auto)Immunity: The Deconstruction and Politics of "Bio-art" and Criticism», en *Parallax* 16, 4: 101-116.

Andrade, Mário de. 1983. *O turista aprendiz*, org. Telê Porto Ancona Lopez. São Paulo: Duas Cidades.

Andrade, Oswald de. 1990. *Pau-Brasil.* São Paulo: Editora Globo.

Antelo, Raúl. 2006. *Maria con Marcel. Duchamp en los trópicos.* Buenos Aires: Siglo Veintiuno.

—— 2002. «La aporía amazónica», en *La naturaleza en disputa. Retóricas del cuerpo y el paisaje en América Latina*, ed. Gabriela Nouzeilles. Buenos Aires, Paidós: 113-137.

Arlt, Roberto. 1997. *En el país del viento. Viaje a la Patagonia.* Buenos Aires: Simurg.

—— 1934a. «Hasta donde termina el riel», en Aguafuertes patagónicas, *El Mundo*, 15 de enero de 1934.

—— 1934b. «Llegamos al Neuquén», en Aguafuertes patagónicas, *El Mundo*, 16 de enero de 1934.

—— 1934c. «Tranco lento hacia las casas», en Aguafuertes patagónicas, *El Mundo*, 31 de enero de 1934.

—— 1934d. «Hombres y mujeres fuertes de Bariloche», en Aguafuertes patagónicas, *El Mundo*, 5 de febrero de 1934.

—— 1934e. «Hay hambre entre los escolares del Sur», en Aguafuertes patagónicas, *El Mundo*, 6 de febrero de 1934

—— 1933a. «En el "Rodolfo Aebi"», en Aguafuertes fluviales, *El Mundo*, 10 de agosto de 1933.

—— 1933b. «Hombres de mar y hombres de tierra», en Aguafuertes fluviales, *El Mundo*, viernes 11 de agosto de 1933.

—— 1933c. «Horizontes ribereños», en Aguafuertes fluviales, *El Mundo*, lunes 14 de agosto.

—— 1933d. «El cine y estos pueblitos», en Aguafuertes fluviales, *El Mundo*, 30 de agosto de 1933.

—— 1933e. «Rancherío de Reconquista», en Aguafuertes fluviales, *El Mundo*, 1 de setiembre de 1933.

—— 1933f. «Camino a Resistencia», en Aguafuertes fluviales, *El Mundo*, 4 de setiembre de 1933.

—— 1933g. «Resistencia, ciudad de cine», en Aguafuertes fluviales, *El Mundo*, 5 de septiembre de 1933.

—— 1933h. «Terminó el viaje», en Aguafuertes fluviales, *El Mundo*, 20 de setiembre de 1933.

—— 1932a. «Ninfas en la selva santiagueña», en Aguafuertes porteñas, *El Mundo*, jueves 25 de agosto de 1932.

—— 1932b. «El oro de Sumampa», en Viñetas santiagueñas, *El Mundo*, sábado 27 de agosto de 1932.

Arrese, Sol et. al. 2004. *Tucumán Arde: eine Erfahrung. Aus dem Archiv von Graciela Carnevale.* Berlin: B Books.

Arrigucci Júnior, Davi. 1997. *O Cacto e as Ruinas: a Poesia entre outras Artes.* São Paulo: Duas Cidades.

Artaud, Antonin. 1971. *Mensajes revolucionarios.* Madrid: Fundamentos.

—— 1956. *Les Tarahumaras.* Paris: Gallimard. [*Los Tarahumaras*. Buenos Aires: El Cuenco de Plata, 2014.]

Arteagabeitía, Rodrigo de. 1997. *Parque por la Paz Villa Grimaldi: una deuda con nosotros mismos.* Santiago de Chile: Ministerio de Viviendo y Urbanismo/Corporación Parque por la Paz Villa Grimaldi.

Assmann, Jan. 2007. *Das kulturelle Gedächtnis. Schrift, Erinnerung und politische Identität in frühen Hochkulturen.* Munich: C. H. Beck.

Avelar, Idelber. 2000. *Alegorías de la derrota: la ficción posdictatorial y el trabajo del duelo.* Santiago de Chile: Cuarto Propio.

Azevedo, Neroaldo Pontes de. 1996. *Modernismo e regionalismo: os anos 20 em Pernambuco.* Recife: Editora UFPB.

Azevedo, Paulo Cézar de y Vladimir Sacchetta (org.) 1989. *O século do automóvel no Brasil.* São Caetano do Sul: Brasinca.

Bac, Ferdinand. 1925. *Les Colombières.* Paris: Louis Conard.

Baddeley, Oriana y Valerie Fraser. 1989. *Drawing the Line. Art and Cultural Identity in Contemporary Latin America.* London: Verso.

Barragán, Luis. 2000. *Escritos y conversaciones*, ed. Antonio Riggen Martínez. Madrid: El Croquis.

Barthes, Roland. 1980. *La chambre claire: Note sur la photographie.* Paris: Gallimard/Seuil.

Bastide, Roger. 2000 [1958]. *Le Candomblé de Bahia. Transe et possession du rite du Candomblé (Brésil).* Paris: Plon.

Bátiz, César. 2007. *La desgracia de ayer: los primeros accidentes del automovilismo en Venezuela.* Caracas: Fundación Empresas Pomar.

Bazán, Armando Raúl. 1992. *El Noroeste y la Argentina contemporánea.* Buenos Aires: Plus Ultra.

Becerra, Marina. 2012. «"¿Qué quieren las mujeres?" Ciudadanía femenina y escrituras de la intimidad en la Argentina de inicios del siglo XX», *Estudos feministas* 384, setembro-dezembro: 869-880.

Beckman, Ericka. 2012. *Capital Fictions. The Literature of Latin America's Export Age.* Minneapolis: University of Minnesota Press.

Benedit, Luis Fernando. 1976. *Plant- en dierhabitaten.* Antwerpen: Internationaal Cultureel Centrum.

Bennett, Tony. 1995. *The Birth of the Museum: History, Theory, Politics.* London: Routledge.

—— 1988. «The Exhibitionary Complex», en *New Formations* 4: 73-102.

Bennett, Jane. 2010. *Vibrant Matter. A Political Ecology of Things.* Durham, NC: Duke University Press.

Bentes, Ivana. 2013. «Derivas desterritorializantes. Rural, urbano, global», en *Imaginação da terra. Memória e utopia no cinema brasileiro*, ed. Heloísa Starling y Augusto Carvalho Borges. Belo Horizonte, Editora UFMG: 94-129.

—— 2007. «Sertões e favelas no cinema brasileiro contemporâneo», en *Ecos do cinema: de Lumière ao digital*, ed. Ivana Bentes. Rio de Janeiro, Editora UFRJ: 191-224.

Berenstein Jacques, Paola. 2003. *Estética da ginga. A arquitetura das favelas através da obra de Hélio Oiticica* Rio de Janeiro: Casa da Palabra.

Bergdoll, Barry. 2015. «Learning from Latin America: Public Space, Housing, and Landscape», en *Latin America in Construction: Architecture 1955-1980*, ed. Barry Bergdoll, Carlos Eduardo Comas, Jorge Francisco Liernur y Patricio del Real. New York, Museum of Modern Art: 17-39.

Berjman, Sonia. 2007. *La Victoria de los jardines. El paisaje en Victoria Ocampo.* Buenos Aires: Papers.

—— 2001. «Los parques argentinos en el siglo XIX: estilos y evolución», en *Todo es Historia* 34, 402 (2001): 8-9.

Berjman, Sonia y Ramón Gutiérrez. 1988. *La arquitectura en los parques nacionales.* Buenos Aires: Instituto de Investigaciones de Historia de la Arquitectura y el Urbanismo.

Berman, Marshall. 1988. *All That Is Solid Melts Into Air. The Experience of Modernity.* Harmondsworth: Penguin.

Best, Susan. 2011. *Visualizing Feeling. Affect and the Feminine Avant-Garde.* London: I. B. Tauris.

—— 2007. «The Serial Spaces of Ana Mendieta», *Art History* 30, 1: 57-82.

Beth*ônico*, Mabe. 2013. «Invisibilidade mineral», en *Provisões: uma conferência visual (World of Matter)*, org. M. Bethônico. Belo Horizonte, Instituto Cidades Criativas: 212-233.

Biemann, Ursula y Paulo Tavares. 2015. *Forest Law – Selva jurídica.* East Lansing: Eli and Edythe Broad Art Museum, Michigan State University.
Biemann, Ursula, Peter Mörtenböck y Helge Mooshammer. 2014. «From Supply Lines to Resource Ecologie», *Third Text* 27, 1: 76-94.
Bill, Max. 1954. «Report on Brazil» *Architectural Review* 116 (October 1954): 238-239.
Bishop, Claire. 2012. *Artifical Hells. Participatory Art and the Politics of Spectatorship.* London: Verso.
Blocker, Jane. 1999. *Where Is Ana Mendieta? Identity, Performativity, and Exile.* Durham, NC: Duke University Press.
Booth, Rodrigo y Cynthia Lavín. 2013. «Un hotel para contener el sur», *ARQ* 83 (abril de 2013): 56-61.
Borges, Jorge Luis. 1990. *Obras completas.* Buenos Aires: Emecé.
Braga, Paula. 2013. *Hélio Oiticica: singularidade, multiplicidade.* São Paulo: Perspectiva.
Brailovsky, Antonio E. 1987. *Introducción al estudio de los recursos naturales.* Buenos Aires: Eudeba.
Brailovsky, Antonio E. y Dina Foguelman. 1991. *Memoria verde. Historia ecológica de la Argentina.* Buenos Aires: Sudamericana.
Brett, Guy. 2005. *Brasil experimental. Arte/vida: proposições e paradoxos.* Rio de Janeiro: Contracapa.
Brito, Ronaldo. 1985. *Neoconcretismo. Vértice e ruptura do projeto construtivo brasileiro.* Rio de Janeiro: Funarte.
Browne, Enrique. 1985. «La Ciudad Abierta en Valparaíso», en *Summa* 214 (julio de 1985): 74-81.
Bryson, Norman. 1983. *Vision and Painting. The Logic of the Gaze.* New Haven: Yale University Press. [*Visión y pintura. La lógica de la mirada*. Madrid: Alianza Editorial, 1991.]
Buendía Júlbez, José María et. al. 1996. «The Mago House», en *The Life and Work of Luis Barragán.* New York, Rizzoli: 85-95.
Burdiles Perucci, Gabriela. 2012. «Explotación del litio: salares y ecosistemas en peligro», en *Veo Verde,* 18 de octubre de 2012, https://www.veoverde.com/2012/10/explotacion-del-litio-salares-y-ecosistemas-en-peligro/ (consultado en agosto de 2016).
Burle Marx, Roberto. 1987. *Arte e paisagem. Conferências escolhidas.* Rio de Janeiro: Nobel.
Bustillo, Alejandro. 1957. *La belleza primero: hipótesis metafísica.* Buenos Aires: Guillermo Kraft.
Bustillo, Exequiel. 1999. *El despertar de Bariloche. Una estrategia patagónica* [1968]. Buenos Aires: Sudamericana.
—— 1972. *Huellas de un largo quehacer. Discursos, artículos y publicaciones diversas.* Buenos Aires: Depalma.

Boulton, Alfredo. 1966. *La obra de Armando Reverón.* Caracas: Fundación Neumann.
Bracamonte, Jorge. 2011. «Medios de transporte, tecnificación y poéticas: o cómo revisitar clásicos narrativos latinoamericanos», en *Autos, barcos, trenes y aviones: medios de transporte, modernidad y lenguajes artísticos en América Latina,* ed. Fernando Reati. Córdoba, Alción: 25-45.
Bryson, Norman. 1983. *Vision and Painting. The Logic of the Gaze.* Basingstoke: Palgrave.
Caballero Calderón, Eduardo. 1936. *Caminos subterráneos. Ensayo de interpretación del paisaje.* Bogotá: Editorial Santafé.
Cabral de Melo Neto, João. 2008. *Poesia completa e prosa.* Rio de Janeiro: Nova Aguilar.
Carone, Modesto. 1979. *A poética do silêncio. João Cabral de Melo Neto e Paul Celan.* São Paulo: Perspectiva.
Cabezas, Omar. 1982. *La montaña es algo más que una inmensa estepa verde.* Managua: Editorial Nueva Nicaragua.
Calirman, Claudia. 2012. *Brazilian Art under Dictatorship. Antonio Manuel, Artur Barrio, and Cildo Meireles.* Durham, NC: Duke University Press.
Camnitzer, Luis. 2008. *Didáctica de la liberación. Arte conceptualista latinoamericano.* Montevideo: Casa Editorial HUM.
—— 1989. «Ana Mendieta», en *Third Text* 3, 7: 47-52.
Campomizzi, Clarissa Spigiorin. 2015. «Arte, guerilha e experiência: Frederico Morais e suas propostas em *Do corpo à terra*», comunicação apresentada no *XXVIII Simpósio Nacional de Historia,* Florianópolis, SC. http://www.snh2015.anpuh.org. Consultado en septiembre de 2016.
Canal Feijóo, Bernardo. 1932a. *Sol alto.* Buenos Aires: La Facultad.
—— 1932b. «El paisaje y el alma», en *Ñan - Revista de Santiago* 1: 9-31.
—— 1934. «El asalto a la selva», en *Ñan - Revista de Santiago* 2: 60-76.
—— 1937. *Ensayo sobre la expresión popular artística en Santiago.* Buenos Aires: Compañía Impresora.
—— 1948. *De la estructura mediterránea argentina.* Buenos Aires: López.
Cândido, Antonio. 1987. «Literatura e subdesenvolvimento», en *A educação pela noite e outros ensaios.* São Paulo, Ática: 140-162.
Canongia, Ligia (org.). 2002a. *Artur Barrio.* Rio de Janeiro: Modo Edições.
—— 2002b. «Barrio Dinamite», en *Artur Barrio,* ed. Ligia Candongia. Rio de Janeiro, Modo Edições: 195-205.
Cánovas, Rodrigo. 1987. «Llamado a la tradición, mirada hacia el futuro o parodia del presente», en *Arte en Chile desde 1973. Escena de avanzada y sociedad,* ed. Nelly Richard. Santiago de Chile, FLACSO: 17-24.
Carpentier, Alejo. 2005. *Visión de América.* Caracas: Centro de Estudios Latinoamericanos Rómulo Gallegos.
—— 197 [1959]. *Los pasos perdidos.* México, D.F.: Compañía General de Ediciones.

Casal Tetlock, Álvaro. 1996. *El automóvil en América del Sur: orígenes. Argentina, Brasil, Paraguay, Uruguay.* Montevideo: Ediciones de la Banda Oriental.

Casey, Edward S. 2002. *Representing Place. Landscape Painting and Maps.* Minneapolis: University of Minnesota Press.

Casid, Jill H. 2005. *Sowing Empire. Landscape and Colonization.* Minneapolis: University of Minnesota Press.

Cauquelin, Anne. 2008. *A Invenção da Paisagem.* Lisboa: Edições 70.

Cavalcanti, Lauro y Farès el-Dahdah. 2009. *Roberto Burle Marx: a permanência do instável.* Rio de Janeiro: Rocco.

CEJIL (Centro por la Justicia y el Derecho Internacional). 2012. «Corte Interamericana condena a Ecuador por violar los derechos del pueblo indígena de Sarayaku», https://www.cejil.org/es/corte-interamericana-condena-ecuador-violar-derechos-del-pueblo-indigena-sarayaku. Consultado en octubre de 2016.

Cendrars, Blaise. 1971. *Oeuvres complètes.* Paris: Club Français du Livre.

—— 1944. *Poésies complètes de Blaise Cendrars.* Paris: Denoël.

Chakrabarty, Dipesh. 2009. «Clima e historia: cuatro tesis», en: *Pasajes: revista de pensamiento contemporáneo* 31: 51-69.

Chalcraft, Emilie. 2012. «*Seeds of Change*, by Gitta Gschwendtner and Maria Thereza Alves», en *Dezeen*, September 14, 2012: http://www.dezeen.com/2012/09/14/ballast-seed-garden-by-gitta-gschwendtner-and-maria-thereza-alves/. Consultado en octubre de 2016.

Childs, Matt D. 1995. «An Historical Critique of the Emergence and Evolution of Ernesto Che Guevara's *Foco* Theory», en *Journal of Latin American Studies* 27: 593-624.

Cohen, Tom (ed.) 2012. *Telemorphosis. Theory in the Era of Climate Change.* Vol. I. Ann Arbor: Open Humanities Press.

Conley, Tom. 2007. *Cartographic Cinema.* Minneapolis: University of Minnesota Press.

Cosgrove, Denis E. 2008. *Geography and Vision. Seeing, Imagining and Representing the World.* London: I. B. Tauris.

—— 1998. *Social Formation and Symbolic Landscape.* Madison: Wisconsin University Press.

Costa, Flavia y Lucía Stubrin. 2012. «Bioarte», en *Tecnopoéticas argentinas. Archivo blando de arte y tecnología,* ed. Claudia Kozak. Buenos Aires, Caja Negra: 22-30.

Courteville, Roger. 1930. *La première traversée de l'Amérique du Sud en automobile, de Rio de Janeiro à La Paz et Lima.* Paris: Plon.

Coutinho, Afrânio. 1986. «O regionalismo na ficção», en *A literatura no Brasil.* Rio de Janeiro, José Olympio: 234-312.

Curtis, William. 1996. *Modern Architecture Since 1900.* London: Phaidon.

Crossman, Lisa. 2014. «Facing Climate Change: Andrea Juan's Visual Play with Science and the Sublime», en *Journal of Latin Amertican Cultural Studies* 23, 4: 401-418.

Crutzen, Paul J. y Eugene F. Stoermer. 2000. «The Anthropocene», *Global Change Newsletter* 41: 17-18.

Cruz Covarrubias, Alberto. 1972. *Pizarras escritas.* Exposición, Viña del Mar: Instituto de Arquitectura de la Universidad Católica de Valparaíso. Archivo José Vial Armstrong.

Dargoltz, Raúl. 1994. *El santiagueñazo. Gestación y crónica de una pueblada argentina.* Buenos Aires: El Despertador.

Dávalos, Juan Carlos. 1996. *Obras completas.* Buenos Aires: Senado de la Nación.

De Certeau, Michel. 1990. *L'invention du quotidien: arts de faire.* París: Gallimard. [*La invención de lo cotidiano. El arte de hacer.* México, D. F.: Universidad Iberoamericana]

De la Vega Alfaro, Eduardo. 1998. *La aventura de Eisenstein en México.* México, D. F.: Cineteca Nacional.

Deleuze, Gilles. 1985. *L'image-temps. Cinéma II.* Paris: Minuit. [*La imagen-tiempo. Estudios sobre cine 2.* Barcelona: Ediciones Paidós Ibérica, 1987.]

—— 1983. *L'image-mouvement. Cinéma I.* Paris: Minuit.

Deleuze, Gilles y Félix Guattari. 1980. *Mille plateaux. Capitalisme et schizophrénie II.* Paris: Minuit. [*Mil Mesetas. Capitalismo y esquizofrenia.* Valencia: Pre-textos, 1998.]

Delgado, Sergio. 2004. «El río interior (estudio preliminar)», en Juan L. Ortiz, *El Gualeguay* (estudio y notas de Sergio Delgado). Rosario, Beatriz Viterbo: 7-54.

Demaría, Laura. 2014. *Buenos Aires y las provincias. Relatos para desarmar.* Rosario: Beatriz Viterbo.

Demos, T. J. 2014. «El regreso de un lago: arte contemporáneo y ecología política en México», *Rufián* 17. http://rufianrevista.org/?portfolio=el-regreso-de-un-lago-arte-contemporaneo-y-ecologia-politica-en-mexico. Consultado en octubre de 2016.

Derrida, Jacques. 2008. *La bête et le souverain. Séminaire.* Vol. I. (2001-2003). Paris: Galilée. [*La bestia y el soberano. Volumen I (2001-2002).* Buenos Aires: Ediciones Manantial, 2010.]

Descola, Philippe. 2005. *Par-delà nature et culture.* Paris: Gallimard. [*Más allá de naturaleza y cultura.* Madrid: Amorrortu, 2012.]

Dias Comas, Carlos Eduardo. 2005. «Niemeyer's Casino and the Misdeeds of Brazilian Architecture», en *Transculturation: Cities, Spaces and Architectures in Latin America*, ed. Felipe Hernández, Mark Milligton e Iain Borden. Amsterdam, Rodopi: 169-188.

Dillon, Marta. 2003. «Teoría de la catástrofe», en *Página 12*, viernes 18 de abril de 2003, suplemento *Las 12*, http://www.pagina12.com.ar/diario/

suplementos/las12/13-600-2003-04-18.html. Consultado en octubre de 2016.
Di Lullo, Orestes. 1937. *El bosque sin leyenda. Ensayo económico-social.* Santiago del Estero: Tipografía Arcuri & Caro.
—— 1959. «Grandeza y decadencia de Santiago del Estero», en *Boletín del Museo de la Provincia* 10 (1959): 3-30.
Dirección de Parques Nacionales. 1937a. *Obra pública, cultural y turística realizada en los Parques Nacionales.* Buenos Aires: Dirección de Parques Nacionales.
—— 1937b. *Nuevos parques nacionales. Proyecto de reservas para la creación de parques nacionales en los Territorios Nacionales del Neuquén, Chubut y Santa Cruz.* Buenos Aires: Dirección de Parques Nacionales.
Domínguez V., Martín. 2000. «Parque Cousiño y Parque O'Higgins: imagen pasada, presente y futura de un espacio verde en la metrópoli de Santiago», *Revista de Urbanismo* 3: http://revistaurbanismo.uchile.cl/index.php/RU/article/viewFile/11774/12137. Consultado en abril de 2016.
Dos Anjos, Moacyr. 2012. «As ruas e as bobagens: anotações sobre o *delirium ambulatorium* de Hélio Oiticica», en *ARS* 10, 20: 23-44.
Duarte, Luis Fernando Dias. 2011. «Damascus in Dahlem. Art and Nature in Burle Marx', Tropical Landscape Design», en *Vibrant* 8, 1: 495-509.
Duchesne Winter, Juan. 2010. *La guerrilla narrada. Acción, acontecimiento, sujeto.* San Juan: Ediciones Callejón.
—— 1992. *La narrativa de testimonio en América Latina: cinco estudios.* Río Piedras: Editorial de la Universidad de Puerto Rico.
Eggener, Keith. 2001. *Luis Barragán's Gardens of El Pedregal.* New York: Princeton Architectural Press.
—— 2000. «Contrasting Images of Identity in the Post-War Mexican Architecture of Luis Barragán and Juan O'Gorman», en *Journal of Latin American Cultural Studies* 9, 1: 27-45.
Eisenstein, Sergej. 1984. *Yo: Ich selbst. Memoiren.* Wien: Löcker.
Elderfield, John. 2007. «The Natural History of Armando Reverón», en *Armando Reverón*, ed. John Elderfield, Luis Pérez-Oramas and Nora Lawrence. New York, MoMA: 14-87.
Elflein, Ada María. 1926. *Por campos históricos (impresiones de viaje).* Buenos Aires: Talleres Gráficos Argentinos L. Rosso.
Elias, Norbert. 1976. *Über den Prozess der Zivilisation. Soziogenetische und psychogenetische Untersuchungen.* Frankfurt am Main: Suhrkamp.
Encina, Paz. 2008. «Arrastrando la tormenta», en *Hacer cine: producción audiovisual en América Latina*, ed. Eduardo A. Russo. Buenos Aires, Paidós: 331-341.
Escobar, Arturo. 1999. «After Nature: Steps to an Antiessentialist Ecology», *Current Anthropology* 40, 1: 1-30.

Espartaco, Carlos. 1978. *Introducción a Benedit.* Buenos Aires: Ediciones Ruth Bencazar.

Esposito, Roberto. 2008. *Bíos. Biopolitics and Philosophy.* Trad. Timothy Campbell. Minneapolis: University of Minnesota Press. [*Bíos. Biopolítica y filosofía.* Buenos Aires: Amorrortu, 2006.]

Eulálio, Alexandre (org.) 2001. *A aventura brasileira de Blaise Cendrars.* São Paulo: Edusp.

Farberman, Judith. 2010. «Tres miradas sobre paisaje, identidad regional y cultura folclórica en Santiago del Estero», *Prismas* 14: 71-94.

Favaretto, Celso. 2000. *A Invenção* de Hélio Oiticica. São Paulo: EdUSP.

Fisher, Jean. 2009. «Maria Thereza Alves: Seeds of Change Marseille. Migration's Silent Witnesses», en *Going Public 08: Port City Safari*, ed. Claudia Zanfi. Milano, Silvana Editoriale: 101-111. Reproducido en: http://www.jeanfisher.com/migrations-silence-witnesses-maria-thereza-alves-seeds-change/. Consultado en octubre de 2016.

Flores, Enrique. 2005. «¿A qué vino Artaud a México», en *Revista de la Universidad de México* 14: 34-40.

Flores, Silvana. 2013. *El Nuevo Cine Latinoamericano y su dimensión continental. Regionalismo e integración cinematográfica.* Buenos Aires: Imago Mundi.

Flusser, Vilém. 1988. «Curie's Children. Vilém Flusser on Science», en *Artforum* 25, 1 (September): 12. Reeditado en *Signs of Life: Bio Art and Beyond*, ed. Eduardo Kac. Cambridge, MA, MIT Press, 2007: 371-372.

Foucault, Michel. 2004a. *Naissance de la biopolitique. Cours au Collège de France (1978-1979).* Paris: EHESS/Gallimard/Seuil.

—— 2004b. *Sécurité, territoire, population. Cours au Collège de France (1977-1978).* Paris: EHESS/Gallimard/Seuil.

—— 1994. «Des espaces autres», en *Dits et écrits*, t. IV, Paris, Gallimard: 752-762.

Frank, Waldo. 1931. *América Hispana.* New York: Charles Scribner's Sons.

Fraser, Valerie. 2000. *Building the New World. Studies in the Modern Architecture of Latin America, 1930-1960.* London: Verso.

French, Jennifer. 2005. *Nature, Neo-Colonialism and the Spanish American Regional Writers.* Lebanon, NH: Dartmouth College Press.

Freyre, Gilberto. 1996 [1926]. *Manifesto regionalista.* Recife: Ed. Massangana.

Gabara, Esther. 2008. *Errant Modernism. The Ethos of Photography in Mexico and Brazil.* Durham, N. C.: Duke University Press.

Gallegos, Rómulo. 1984 [1935]. *Canaíma.* Barcelona: Plaza y Janés.

Ganz, Louise. 2015. *Imaginários da terra. Ensaios sobre natureza e arte na contemporaneidade.* . Rio de Janeiro: Quartet.

Garrard, Greg. 2004. *Ecocriticism.* London: Routledge.

Giorgi, Gabriel. 2014. *Formas comunes. Animalidad, cultura, biopolítica.* Buenos Aires: Eterna Cadencia.

Giúdici, Ernesto. 1938. «El agua es una arma política de ciertos caudillos», *Crítica*, domingo 2 de enero de 1938: 8.

—— 1937. «En Santiago del Estero hay que ganar una gran batalla contra el desierto», en *Crítica*, jueves, 30 de diciembre de 1937: 4.

Giunta, Andrea. 2001. *Vanguardia, internacionalismo y política. Arte argentino en los años sesenta.* Buenos Aires: Paidós.

Glotfelty, Cheryll. 1996. «Introduction», en *The Ecocriticism Reader. Landmarks in Literary Ecology*, ed. Cheryll Glotfelty y Harold Fromm. Athens: University of Georgia Press, xv-xxxvii.

González, Eduardo G. 1972. «*Los pasos perdidos*: el azar y la aventura», en *Revista iberoamericana* 38, 81: 585-613.

González Echevarría, Roberto. 2000. *Mito y archivo: una teoría de la narrativa latinoamericana.* México, D. F.: Fondo de Cultura Económica.

Goodwin, Philip L. 1943. *Brazil Builds: Architecture New and Old 1652-1942.* New York: Museum of Modern Art.

Gotlib, Nádia Battella. 1997. *Tarsila do Amaral, a modernista.* São Paulo: Senac.

Gorelik, Adrián. 2005. *Das Vanguardas a Brasília. Cultura Urbana e Arquitetura na América Latina.* Belo Horizonte: Editora UFMG.

—— 2004. «Mapas de identidad. La imaginación territorial en el ensayo de interpretación nacional: de Ezequiel Martínez Estrada a Bernardo Canal Feijóo», en *Miradas sobre Buenos Aires. Historia cultural y crítica urbana*, Buenos Aires, Ariel: 17-68.

—— 1998. *La grilla y el parque: espacio público y cultura urbana en Buenos Aires, 1887-1936.* Bernal: Universidad Nacional de Quilmes.

Gori, Gastón. 1999. *La Forestal. La tragedia del quebracho colorado.* Rosario: Ameghino.

Greenpeace. 2011. *Barrick: minería responsable – de destruir los glaciares.* Buenos Aires, julio de 2011.

Grementieri, Fabio. 2010. «Victoria y la arquitectura», en *Testimonios de Villa Ocampo* 3 (2010), 1-4.

Guevara, Ernesto Che. 2007. *La guerra de guerrillas.* Melbourne/La Habana: Ocean Sur/Proyecto Editorial Che Guevara.

—— 2004. *Diarios de motocicleta.* Melbourne/La Habana: Ocean Sur/Proyecto Editorial Che Guevara.

—— 1986. *Pasajes de la guerra revolucionaria.* México, D.F.: Era.

Gullar, Ferreira. 1985. *Etapas da arte contemporânea.* São Paulo: Nobel.

Gundermann, Christian. 2007. *Actos melancólicos: Formas de resistencia en la posdictadura argentina.* Rosario: Beatriz Viterbo.

—— 2005. «La libertad, entre los escombros de la globalización», en *Ciberletras: Revista de crítica literaria y de cultura* 13, disponible en: http://www.lehman.cuny.edu/ciberletras/v13/gunderman.htm. Consultado en diciembre de 2016.

—— 2004. «La revolución más profunda: Julio Cortázar entre literatura y política revolucionaria», en *Horizontes* (Puerto Rico), septiembre de 2004, consultado en: http://blogs.periodistadigital.com/eldivan.php/2008/03/07/julio-cortazar-literatura-y-revolucion.

Haraway. Donna. 2016a. *Staying with the Trouble. Making Kin in the Chthulucene.* Durham, NC: Duke University Press.

—— 2016b. «Tentacular Thinking: Anthropocene, Capitalocene, Chthulucene», en *e-flux* 75, septiembre de 2016. http://www.e-flux.com/journal/75/67125/tentacular-thinking-anthropocene-capitalocene-chthulucene/. Consultado en diciembre de 2016.

—— 2008. *When Species Meet.* Minneapolis: University of Minnesota Press.

Harvey, David. 2005. *A Brief History of Neoliberalism.* Oxford: Oxford University Press.

Hauser, Jens. 2003. *L'art biotech.* Nantes: Le Lieu Unique.

Hayles, Katherine. 2003. «Who Is in Control Here? Meditating on Eduardo Kac's Transgenic Art», in *The Eigth Day. The Transgenic Art of Eduardo Kac*, ed. Sheilah Britton y Dan Collins. Tempe, Arizona State University Institute for Studies in the Arts: 79-86.

Heath, Stephen. 1981. *Questions of Cinema.* Bloomington: Indiana University Press.

Heidegger, Martin. 1994. «Construir, habitar, pensar' [1951] en *Conferencias y art*ículos. Barcelona, Ediciones del Serbal: 127-142.

Herrera y Reissig, Julio. 1978. *Poesía completa y prosa selecta.* Caracas: Biblioteca Ayacucho.

Hill, Richard William. 2013. «Exhibition Review: *The Return of a Lake*», *Public: Art, Culture, Ideas* 47 (spring 2013): 244-247.

Holston, James. 1989. *The Modernist City. An Anthropological Critique of Brasília.* Chicago: The University of Chicago Press.

Humboldt, Alexander von. 2004 [1808]. *Ansichten der Natur, mit wissenschaftlichen Erläuterungen und sechs Farbtafeln, nach Skizzen des Autors.* Frankfurt am Main: Eichborn.

Huyssen, Andreas. 2000. «El Parque de la Memoria: una glosa desde lejos», en *Punto de Vista* 68: 18-28.

Iommi, Godofredo. 1983. *Hoy me voy a ocupar de mi cólera.* Valparaíso: Talleres de Investigaciones Gráficas, Escuela de Arquitectura U. C. V.

—— 1971a. *Los actos poéticos de apertura de los terrenos.* Manuscrito, s. f. Ciudad Abierta, Ritoque: Archivo Hospedería de la Entrada.

—— 1971b. *Notas sobre la Ciudad Abierta. Agora - Hospitalidad - Riqueza - Bottega - Gerencia.* Manuscrito, s. f. Ciudad Abierta, Ritoque: Archivo Hospedería de la Entrada.

—— 1971c. *Notas a propósito de vida, trabajo y estudio y el real sentido contemporáneo de la hospitalidad como forma de vida cotidiana en la Ciudad Abier-*

ta. Manuscrito, 5 de febrero de 1971. Ciudad Abierta, Ritoque: Archivo Hospedería de la Entrada.

Jagoe, Eva-Lynn Alicia. 2008. *The End of the World as They Knew it: Writing Experiences of the Argentine South.* Lewisburg: Bucknell University Press.

Jardinagem: territorialidade. 2015. http://www.jardinagemterritorialidade.wordpress.com. Consultado en octubre de 2016.

Jay, Martin. 2007. «No State of Grace: Violence in the Garden», in *Sites Unseen: Landscape and Vision*, ed. Dianne Harris and D. Fairchild Ruggles. Pittsburgh, University of Pittsburgh Press: 45-60.

Johnston Stoker, James. 1969. *Differential Geometry.* Hoboken: Wiley.

Kac, Eduardo. 2007. «Art That Looks You in the Eye. Hybrids, Clones, Mutants, Synthetics, and Transgenics», en *Signs of Life: Bio Art and Beyond*, ed. Eduardo Kac. Cambridge, MA, MIT Press: 1-27.

—— 2005. *Telepresence and Bio Art. Networking Humans, Rabbits & Robots.* Ann Arbor: University of Michigan Press.

Karetnikova, Inga. 1991. *Mexico According to Eisenstein.* Albuquerque: University of New Mexico Press.

Kern, Stephen. 2003 [1983]. *The Culture of Time and Space, 1880-1918.* Cambridge, MA: Harvard University Press.

King, John. 1985. *El Di Tella y el desarrollo cultural argentino en la década del sesenta.* Buenos Aires: Gaglianone.

Kohn, Eduardo. 2013. *How Forests Think. Toward an Anthropology Beyond the Human.* Berkeley: University of California Press.

Koolhaas, Rem. 2002. «Junkspace», en *October* 100, spring 2000: 175-190.

Kozak, Claudia. 2004. *Contra la pared. Sobre graffitis, pintadas y otras intervenciones urbanas.* Buenos Aires: Libros del Rojas.

Krauss, Rosalind. 1996. «La escultura en el campo expandido», en: *La originalidad de la vanguardia y otros mitos modernos.* Madrid: Alianza. (orig. «Sculpture in the Expanded Field», en *October* 8 [Spring 1979]: 30-44).

La Nación. 1937. «Valores que surgen pujantes y viejos prestigios mantenidos». Buenos Aires, 7 de agosto de 1937: 9

Lange, Norah. 1957. *Cuadernos de infancia* [1931]. Buenos Aires: Losada.

Lackey, Kris. 1998. *RoadFrames: The American Highway Narrative.* Lincoln: University of Nebraska Press.

Lascano, Raúl Alen. 1972. *El obraje.* Buenos Aires: Centro Editor de América Latina.

Latour, Bruno. 1993. *We Have Never Been Modern.* Cambridge, MA: Harvard University Press. [*Nunca fuimos modernos. Ensayos de antropología simétrica.* Buenos Aires: Siglo Veitiuno Editores, 2007.]

Lawner, Miguel. 2003. *La vida a pesar de todo. Isla Dawson, Ritoque, Tres Álamos.* Santiago de Chile: LOM Ediciones.

Lazo, Carlos. 1952. *Pensamiento y destino de la Ciudad Universitaria.* México, D. F.: Porrúa.

Lazzara, Michael J. 2003. «Tres recorridos de Villa Grimaldi», en *Monumentos, memoriales y marcas territoriales*, ed. Elizabeth Jelin y Victoria Langland. Madrid/Buenos Aires, Siglo XXI: 127-146.

Le Bot, Yvon. 1996. *La guerra en tierras mayas. Comunidad, violencia y modernidad en Guatemala 1970-1992.* México, DF: Fondo de Cultura Económica.

Le Corbusier. 1964. *The Radiant City* [1933]. New York: Orion Press.

—— 1960. *Précisions sur un état présent de l'architecture et de l'urbanisme* [1930]. Paris: Éditions Vincent, Fréal & Cie.

Leenhardt, Jacques (org.). 2000. *Nos jardins de Burle Marx.* São Paulo: Perspectiva.

Lefebvre, Martin. 2006. «Between Setting and Landscape in the Cinema», in *Landscape and Film*, edited by M. Lefebvre. London, Routledge: 19-59.

León, Ana María. 2012. «Prisoners of Ritoque: The Open City and the Ritoque Concentration Camp», *Journal of Architectural Education* 66, 1: 84-97.

Levey, Cara. 2016. *Fragile Memory, Shifting Impunity. Commemoration and Contestation in Post-Dictatorship Argentina and Uruguay.* Oxford, New York: Peter Lang.

Levisman, Martha (ed.). 2007. *Bustillo: un proyecto de «arquitectura nacional».* Buenos Aires: ARCA.

Liernur, Jorge Francisco con Pablo Pschepiurca. 2008. *La red austral. Obras y proyectos de Le Corbusier y sus discípulos en la Argentina, 1924-1965.* Bernal: Universidad Nacional de Quilmes / Prometeo.

Lindsay, Claire. 2010. *Contemporary Travel Writing of Latin America.* Londres: Routledge.

Lissovsky, Maurício y Paulo Sérgio Morães de Sá (orgs.) 1996. *Colunas da Educação: a Construção do Ministério da Educação e Saúde.* Rio de Janeiro: MinC/IPHAN - Fundação Getúlio Vargas.

Longoni, Ana. 2014. «El mito de *Tucumán Arde*», en *Artelogie* 6, junio de 2014. http://cral.in2p3.fr/artelogie/spip.php?article308. Consultado en julio de 2016.

Longoni, Ana y Mestman, Mariano. 2008. *Del Di Tella a «Tucumán Arde». Vanguardia artística y política en el 68 argentino.* Buenos Aires: Eudeba.

López del Rincón, Daniel. 2015. *Bioarte. Arte y vida en la era de la biotecnología.* Madrid: Akal.

Lugones, Leopoldo. 1982. *Los crepúsculos del jardín.* Buenos Aires: Centro Editor de América Latina.

Lyotard. Jean-François. 1991. «Scapeland», en *The Inhuman. Reflections on Time*, trad. Geoffrey Bennington y Rachel Bowlby. Cambridge, Polity Press: 182-190. [*Lo inhumano. Charlas sobre el tiempo*. Buenos Aires: Ediciones Manantial, 1998.]

MacCannell, Dean. 1976. *The Tourist. A New Theory of the Leisure Class*. Berkeley: University of California Press.
Machado, Lourival Gomes. 1946. «Sobre a influência francesa na arte brasileira», *Revista Acadêmica* 67: 100-108.
Manzi, Homero. 1998. *Poemas, prosa y cuentos cortos*. Buenos Aires: Corregidor.
Marechal, Leopoldo. 1944. *Bustillo, arquitecto*. Buenos Aires: Peuser.
Margulies, Ivone. 2013. «El actor (de lo) real. Reescenificación y transmisión en *S21* y *Serras da Desordem*», en *La escena y la pantalla. Cine contemporáneo y el retorno de lo real*,139-158. ed. Jens Andermann y Álvaro Fernández Bravo. Buenos Aires, Colihue:
Martínez, Ana Teresa. 2014. «"La Brasa", un "precipitado del ambiente". Leer, escribir, publicar, entre la provincia y el pago», en *Políticas de la Memoria* 14 (verano 2013/14): 110-117.
Masiello, Francine. 2001.*The Art of Transition. Latin American Culture and Neoliberal Crisis*. Durham, NC: Duke University Press.
Massey, Doreen. 2005. *For Space*. London: Sage.
Matewecki, Natalia. 2008. «El discurso de la biología en el arte argentino contemporáneo», en *Ensayos: Historia y Teoría del Arte* 15 (octubre de 2008): 20-53.
Mazza Dourado, Guilherme. 2009. *Modernidade verde: Jardins de Burle Marx*. São Paulo: Senac/Edusp.
Mbembe, Achille. 2003. «Necropolitics», trad. Libby Meintjes, *Public Culture* 15, 1: 11-40. [*Necropolítica*. Barcelona: Editorial Melusina, 2011]
«Memorial». 2003. «Memorial de los Detenidos Desaparecidos Uruguay», *Trama–arquitectura y diseño desde Ecuador* 82, disponible en: http://www.trama.com.ec/espanol/revistas/articuloCompleto.php?idRevista=6&numeroRevista=82&articuloId=64. Consultado en marzo de 2011.
Merleau-Ponty, Maurice. 1964a. *L'Oeuil et l'esprit*. Paris: Gallimard.
—— 1964b. *Le visible et l'invisible, suivi de notes de travail*. Paris: Gallimard.
Miceli, Sérgio. 1979. *Intelectuais e classe dirigente no Brasil (1920-1945)*. São Paulo: Difel.
Mihalache, Andreea. 2009. «Poetic Techniques of Space-Making: La Ciudad Abierta, Chile», en *Re-Building. Proceedings of the 98th ACSA Annual Meeting*, ed. B. Goodwin y J. Kinnard. Washington, DC, ACSA Press: 884-890.
—— 2006. «Huellas de la Ciudad Abierta», *ARQ* 64 (diciembre de 2006): 24-27.
Miller Klubock, Thomas. 2014. *La Frontera. Forests and Ecological Conflict in Chile's Frontier Territory*. Durham, NC: Duke University Press.
Mitchell, W. J. T. 2003. «The Work of Art in the Age of Biocybernetic Reproduction», en *Modernism/Modernity* 10, 3: 481-500.
—— 1994. «Introduction», en *Landscape and Power*, ed. W. J. T. Mitchell. Chicago, University of Chicago Press.

Moholy-Nagy, Sibyl. 1959. «Brasília: Majestic Concept or Autocratic Monument?», en *Progressive Architecture* 40, 10 (October 1959): 88-89.
Montaigne, Michel de. 1987 [1580]. *Ensayos.* Tomo I. Trad. Almudena Montojo Micó. Madrid: Cátedra.
Montaldo, Graciela. 2001. «Estudio preliminar», en Ricardo Rojas, *El país de la selva.* Buenos Aires, Taurus: 9-51.
Moore, Jason. 2015. *Capitalism in the Web of Life.* London, New York: Verso.
Morales, Mario Roberto. 1998. *Los que se fueron por la libre. Historia personal de la lucha armada y la guerra popular.* Guatemala: Editorial Praxis.
Montero, Marta Iris. 2001. *Burle Marx: The Lyrical Landscape.* London: Thames & Hudson.
Morton, Timothy. 2013. *Hyperobjects. Philosophy and Ecology After the End of the World.* Minneapolis: University of Minnesota Press.
Nagib, Lúcia. 2007. *Brazil on Screen: Cinema Novo, New Cinema, Utopia.* London: I. B. Tauris.
Nancy, Jean-Luc. 2005. 2005. «Uncanny Landscape», en *The Ground of the Image*, trad. Jeff Fort. New York, Fordham University Press: 51-62.
Narváez, Jorge. 1982. *Esencia del testimonio en el sistema literario nacional: 1972-1982.* Santiago de Chile: Ceneca.
Navarro Floria, Pedro. 2008a. «El proceso de construcción social de la región del Nahuel Huapi en la práctica simbólica y material de Exequiel Bustillo (1934-1944)», en *Revista Pilquen,* sección Ciencias Sociales 10, 10: 1-14.
—— 2008b. «La "Suiza argentina", de utopía agraria a postal turística. La resignificación de un espacio entre los siglos XIX y XX». *3as Jornadas de Historia de la Patagonia*, San Carlos de Bariloche, 6-8 de noviembre de 2008.
Navarro Floria, Pedro y Vejsberg, Laila. 2009. «El proyecto turístico barilochense antes de Bustillo. Entre la prehistoria del Parque Nacional Nahuel Huapi y el desarrollo local», en *Estudios y perspectivas del turismo* 18, 4: 414-433.
Neustadt, Robert. 2006. *CADA DÍA: la creación de un arte social.* Santiago de Chile: Cuarto Propio.
Neruda, Pablo. 1968 [1950]. *Canto general.* Buenos Aires: Losada.
Niemeyer, Oscar. 1992. *Meu sósia e eu.* Rio de Janeiro: Revan.
Nouzeilles, Gabriela. 2005. «Desert Dreams: Nomadic Tourists and Cultural Discontent», en *Images of Power. Iconography, Culture and the State in Latin America,* ed. Jens Andermann y William Rowe. Oxford, Berghahn Books: 255-270.
Novo, Salvador. 1965. *La vida en México en el período presidencial de Manuel Ávila Camacho.* México, D. F.: Empresas Editoriales.
Núñez, Estuardo. 1971. «Realidad y mitos latinoamericanos en el surrealismo francés», *Revista iberoamericana* 37, 75: 311-324.
Núñez, Paula Gabriela, Brenda Matossian y Laila Vejsbjerg. 2012. «Patagonia, de margen exótico a periferia turística: Una mirada sobre un área natural

protegida de frontera, en *Pasos: Revista de Turismo y Patrimonio Cultural* 10, 1: 47-59.

Ocampo, Beatriz. 2004. *La nación interior. Canal Feijóo, Di Lullo y los hermanos Wagner.* Buenos Aires: Editorial Antropofagía.

Ocampo, Victoria. 1993. *Testimonios. Sexta a décima serie.* Buenos Aires: Sudamericana.

—— 1963. *Testimonios. Tercera serie.* Buenos Aires: Sudamericana.

—— 1946. *Testimonios. Sexta serie.* Buenos Aires: Sur.

—— 1941. *Testimonios. Segunda serie.* Buenos Aires: Sur.

—— 1931a. «Carta a Waldo Frank», *Sur* 1, 1: 7-15.

—— 1931b. «La aventura del mueble», en *Sur,* año 1, número 1 (verano de 1931), 166-174.

O'Gorman, Edmundo. 1958. *La invención de América.* México, D. F.: Fondo de Cultura Económica.

Oiticica, Hélio. 1992. *Hélio Oiticica.* Rotterdam: Witte de Wit.

—— 1986. *Aspiro ao grande labirinto.* Org. de Luciano Figueiredo, Lygia Pape y Waly Salomão. Rio de Janeiro: Rocco.

—— 1979a. «Manifesto Caju». Manuscrito, Rio de Janeiro, 7 de octubre de 1979. Reproducido en *Programa Hélio Oiticica,* consultado en mayo de 2016: http://54.232.114.233/extranet/enciclopedia/ho/home/dsp_home.cfm

—— 1979b. «Acontecimento poético-urbano». Manuscrito, Rio de Janeiro, s/d. Reproducido en *Programa Hélio Oiticica,* consultado en mayo de 2016: http://54.232.114.233/extranet/enciclopedia/ho/home/dsp_home.cfm

—— 1978. «Ready-Constructible». Manuscrito, Rio de Janeiro, 21 de agosto de 1978. Reproducido en *Programa Hélio Oiticica,* consultado en mayo de 2016: http://54.232.114.233/extranet/enciclopedia/ho/home/dsp_home.cfm

—— 1973. «Mundo-abrigo». Manuscrito, New York, 21 de julio de 1973. Reproducido en *Programa Hélio Oiticica,* consultado en mayo de 2016: http://54.232.114.233/extranet/enciclopedia/ho/home/dsp_home.cfm

—— 1972. «Experimentar o experimental». Manuscrito, New York, 22 de marzo de 1972. Reproducido en *Programa Hélio Oiticica,* consultado en abril de 2016: http://54.232.114.233/extranet/enciclopedia/ho/home/dsp_home.cfm

—— 1969. «Tropicália, the new image». Manuscript, London, s. f. Reproducido en *Programa Hélio Oiticica,* consultado en abril de 2016: http://54.232.114.233/extranet/enciclopedia/ho/home/dsp_home.cfm

—— 1969b. «Barracão». Manuscrito, Londres, 19 de agosto de 1969. Reproducido en *Programa Hélio Oiticica,* consultado en mayo de 2016: http://54.232.114.233/extranet/enciclopedia/ho/home/dsp_home.cfm

Oiticica Filho, César (org.). 2010. *Hélio Oiticica: Encontros.* Rio de Janeiro: Azougue.

Oliver, María Rosa. 1969. *La vida cotidiana.* Buenos Aires: Sudamericana.

Orendáin, María Emilia. 2004. *En busca de Luis Barragán: el recorrido de la simplicidad.* México, D.F.: Ediciones de la Noche.

Orr, Brianne. 2009. «From *Machista* to *New Man*? Omar Cabezas Negotiates Manhood From the Mountain in Nicaragua», en *Ciberletras* 22: http://www.lehman.cuny.edu/ciberletras/v22/orr.html. Consultado en octubre de 2016.

Ortiz, Juan L. 1996. *Obra completa.* Santa Fe: Universidad Nacional del Litoral.

—— 2008. *Una poesía del futuro. Conversaciones con Juan L. Ortiz.* Buenos Aires: Mansalva.

Ospital, María Sílvia. 2005. «Turismo y territorio nacional en Argentina: actores sociales y políticas públicas, 1920-1940», *Estudios Interdisciplinarios de América Latina y el Caribe* 16, 2: 63-83.

Oyarzún, Pablo. 1987. «Sobre el libro *Márgenes e instituciones* de Nelly Richard», en *Arte en Chile desde 1973. Escena de avanzada y sociedad*, ed. Nelly Richard. Santiago de Chile, FLACSO: 43-51.

Page, Joanna. 2005. «Memory and Mediation in *Los rubios*: A Contemporary Perspective of the Argentine Dictatorship», en *New Cinemas* 3, 1: 29-40.

Panofsky, Erwin. 1999 [1928]. *La perspectiva como forma simb*ólica. Trad. Virginia Careaga. Barcelona: Tusquets.

Pauly, Daniele. 2002. *Barragán: Raum und Schatten, Mauer und Farbe.* Basilea: Birkhäuser.

Payeras, Mario. 1998. *Los días de la selva.* Guatemala: Piedra Santa.

Pedrosa, Adriano. 2013. *Adriana Varejão. Histórias às margens.* São Paulo: Museu de Arte Moderna.

Pedrosa, Mário. 1966. «Arte ambiental, arte pós-moderna, Hélio Oiticica», en *Correio da* Manhã, 26 de junio de 1966; republicado en: Dos *murais de Portinari aos espaç*os de Brasília. Org. Aracy A. Amaral. São Paulo, Perspectiva, 1981: 205-209.

Peixoto, Marta. 1997. *Poesia com coisas.* São Paulo: Iluminuras.

Pendleton-Jullian, Ann M. 1996. *The Road That is not a Road and the Open City, Ritoque, Chile.* Cambridge, MA: MIT Press.

Pereira, Susana (ed.) 1984. *Viajeros del soglo XX y la realidad nacional.* Buenos Aires: Centro Editor de América Latina.

Pérez Oyarzun, Fernando. 1993. «The Valparaíso School», en *Harvard Architecture Review* 9: 82-101.

Pérez, Soledad y Barro, Abadín. 2011. *Cortázar y Che Guevara. Lectura de «Reunión»,.* Berna: Peter Lang.

Pérus, Françoise. 1982. *Historia y crítica literaria. El realismo social y la crisis de la dominación oligárquica.* La Habana: Casa de las Américas.

Philipkoski, Kristen. 2002. «RIP: Alba, the Glowing Bunny», en *Wired,* 8 de diciembre de 2002. http://archive.wired.com/medtech/health/news/2002/08/54399?currentPage=all. Consultado en octubre de 2016.

Piglia, Melina. 2014. *Autos, rutas y turismo. El Automóvil Club Argentino y el Estado.* Buenos Aires: Siglo XXI.

Piglia, Ricardo. 2005. «Ernesto Guevara, rastros de lectura», en: *El último lector.* Barcelona, Anagrama: 103-138.

Pires da Silva, Anderson. 2009. *Mário e Oswald. Uma história privada do modernismo.* Rio de Janeiro: 7 Letras.

Pogue Harrison, Robert. 2008, *Gardens. An Essay on the Human Condition.* Chicago: The University of Chicago Press.

—— 2003. *The Dominion of the Dead.* Chicago: University of Chicago Press.

Porter, Katherine Anne. 1934. *Hacienda.* Paris: Harrison.

—— 1992. *Forests: The Shadow of Civilization.* Chicago: The University of Chicago Press.

Pratt, Mary Louise. 1992. *Imperial Eyes: Travel Writing and Transculturation.* London: Routledge. [*Ojos imperiales: literatura de viajes y transculturación.* Buenos Aires: FCE, 2010]

Prebisch, Alberto. 1931a. «Una ciudad de América», en *Sur,* año 1, número 2 (otoño de 1931), 218-220.

—— 1931b. «Precisiones de Le Corbusier», en *Sur,* año 1, número 1 (verano de 1931), 179-182.

Prieto, Adolfo. 1996. *Los viajeros ingleses y la emergencia de la literatura argentina, 1820-1850.* Buenos Aires: Sudamericana.

Quezado Dekker, Zilah. 2001. *Brazil Built: The Architecture of the Modern Movement in Brazil.* London: Spon Press.

Quiroga, Horacio. 1996. *Todos los cuentos.* Edición crítica a cargo de Napoleón Baccino Ponce de León y Jorge Lafforgue. Madrid: Colección Archivos.

Raine, Anne. 2009. «Embodied Geographies: Subjectivity and Materiality in the Work of Ana Mendieta», en *Generations and Geographies in the Visual Arts: Feminist Readings,* ed. Griselda Pollock. London, Routledge: 228-249.

Rama, Ángel. 1973. «Los procesos de transculturación en la narrativa latinoamericana», en *Revista de Literatura Hispanoamericana* 5: 9-38.

—— 2007. *Transculturación narrativa en América Latina.* Buenos Aires: El Andariego.

Ramos, Graciliano. 2001. *Vidas secas.* Traducción de Florencia Garramuño. Buenos Aires: Corregidor.

—— 1965 [1938]. *Vidas secas.* São Paulo: Martins.

Ramos, Jorge. 1993. «Alejandro Bustillo: de la Héliade a la Pampa», en *Instituto de Arte Americano e Investigaciones Estéticas,* seminario de crítica, abril de 1993: 1-40.

Rancière, Jacques. 2001. *La fable cinématographique.* Paris: Seuil.

Reati, Fernando (ed.) 2011. *Autos, barcos, trenes y aviones: medios de transporte, modernidad y lenguajes artísticos en América Latina.* Córdoba: Alción.

—— 1992. *Nombrar lo innombrable: Violencia política y novela argentina, 1975-1985*. Buenos Aires: Legasa.

Rebuzzi, Solange. 2010. *O idioma pedra de João Cabral.* São Paulo: Perspectiva.

Reisz, Karel y Millar, Gavin. 1968. *The Technique of Film Editing.* New York: Hastings.

Reynolds, Ann. 2003. *Robert Smithson. Returning from New Jersey and Elsewhere.* Cambridge, MA: MIT Press.

Richard, Nelly. 1986. *Márgenes e Institución: arte en Chile desde 1973 / Margins and Institutions: Art in Chile Since 1973.* Melbourne: Experimental Art Foundation.

—— 2001. «Sitios de la memoria, vaciamiento del recuerdo», en *Revista de crítica cultural* 23 (noviembre): 11-13.

Rivera, José Eustasio. 2006 [1924]. *La vorágine* [1924]. Edición de Montserrat Ordóñez. Madrid: Cátedra.

Rizzo, Patricia. 1996. «Biografía documentada», en *Luis Fernando Benedit en el Museo Nacional de Bellas Artes. Obras, 1960-1996*, ed. Jorge Glusberg. Buenos Aires, MNBA: 282-289.

Roger, Alain. 1997. *Court traité du paysage.* Paris: Gallimard. [*Breve tratado del paisaje*. Madrid: Biblioteca Nueva, 2007]

Rojas, Ricardo. 2001 [1907]. *El país de la selva.* Buenos Aires: Taurus.

Romero, José Luis. 1976. *Latinoamérica: las ciudades y las ideas.* México, D. F.

Roque-Baldovinos, Ricardo. 2008. «Prohibido decir "yo": *Los días de la selva* y la voz de la vanguardia revolucionaria», en *Istmo* 16 (julio-diciembre 2008). Consultado en: http://istmo.denison.edu/n16/articulos/roque.html

Rosenberg, Fernando J. 2006. *The Avantgarde and Geopolitics in Latin America.* Pittsburgh: University of Pittsburgh Press.

Rossetti, Fulvio. 2009. *Arquitectura del paisaje en Chile.* Santiago de Chile: Ocholibros.

Rowe, William. 2000. *Poets of Contemporary Latin America: History and the Inner Life*. Oxford: Oxford University Press.

Sá, Lúcia. 2004. *Rain Forest Literatures: Amazonian Texts and Latin American Culture.* Minneapolis: University of Minnesota Press.

Sacco, Graciela; Sueldo, Andrea y Andino, Silvia. 1987. Tucumán Arde. Rosario: Sacco-Sueldo.

Santa Cruz Mendoza, Santiago. 2004. *Insurgentes. Guatemala, la paz arrancada.* Santiago de Chile: Ediciones LOM.

Saint-Exupéry, Antoine de. 1983. *Vol de nuit.* París: Gallimard.

Salazkina, Masha. 2009. *In Excess: Sergei Eisenstein's Mexico.* Chicago: University of Chicago Press.

Santiago, Silviano. 1978. *Uma literatura nos trópicos.* São Paulo: Editorial Perspectiva.

Sarlo, Beatriz. 1998. *La máquina cultural. Maestras, traductoras y vanguardistas.* Buenos Aires: Ariel.

Sarmiento, Domingo Faustino. 1875. «Discurso Inaugural del Parque 3 de Febrero» (11 de noviembre de 1875), en: *Obras Completas*. Buenos Aires, Editorial Luz del Dia, 1945, tomo XXII: 11-13.

Scarzanella, Eugenia. 2005. «Las bellezas naturales y la nación: los parques nacionales en la Argentina en la primera mitad del siglo XX», *Revista Europea de Estudios Latinoamericanos y del Caribe* 73: 5-31.

Schiebinger, Londa. 2007. «Prospecting for Drugs: European Naturalists in the West Indies», en *Colonial Botany: Science, Commerce, and Politics in the Early Modern World*, ed. Londa Schiebinger y Claudia Swan. Philadelphia, University of Pennsylvania Press: 119-133.

Schivelbusch, Wolfgang. 2000. *Geschichte der Eisenbahnreise. Zur Industrialisierung von Raum und Zeit im 19. Jahrhhundert.* Frankfurt am Main: Fischer.

Schwarz, Roberto. 1970. «Cultura e política no Brasil: 1964-1969», orig. en francés en *Les Temps Modernes*, reproducido en *Tropicália: uma revolução na cultura brasileira*, org. Carlos Basualdo. São Paulo, Cosac Neify, 2007: 279-308.

Seel, Martin. 1991. *Eine Ästhetik der Natur.* Frankfurt am Main: Suhrkamp.

Serrano, Margarita. 1991. «Godofredo Iommi: la vida peligrosa», en *Mundo* 105: 11-12.

Serres, Michel. 1990. *Le contrat naturel.* Paris: François Bourin. [*El contrato natural.* Valencia: Pre-textos, 1991]

—— 1987. *Statues*. Paris: Flammarion.

Sevcenko, Nicolau. 1992. *Orféu extático na metrópole. São Paulo, sociedade e cultura nos frementes anos 20.* São Paulo: Companhia das Letras.

Sibilia, Paula. 2009. *El hombre posorgánico. Cuerpo, subjetividad y tecnologías digitales.* Buenos Aires: Fondo de Cultura Económica.

Silvestri, Graciela. 2011. *El lugar común. Una historia de las figuras del paisaje en el Río de la Plata.* Buenos Aires: Eudeba.

Siskind, Mariano. 2014. *Cosmopolitan Desire: Global Modernity and World Literature in Latin America.* Evanston: Northwestern University Press.

Siqueira, Vera Beatriz. 2001. *Burle Marx.* São Paulo: Cosac Neify.

Smithson, Robert. 1996. *The Collected Writings*, ed. Jack Flam. Berkeley: University of California Press.

Snyder, Joel. 1994. «Territorial Photography», en *Landscape and Power*, ed. W. J. T. Mitchell. Chicago, University of Chicago Press: 175-201.

Sosa, Cecilia. 2015. «Affect, Memory and the Blue Jumper: Queer Languages of Loss in Argentina's Aftermath of Violence», *Subjectivity* 8, 4: 358-381.

Spence, Mark David. 1999. *Dispossessing the Wilderness: Indian Removal and the Making of the National Parks.* Oxford: Oxford University Press.

Spicer Escalante, J. P. 2011. «Ernesto "Che" Guevara, *Reminiscences of the Cuban Revolutionary War*, and the Politics of Guerrilla Travel Writing», en *Studies in Travel Writing* 15, 4: 393-405.

Stengers, Isabelle. 2015. *In Catastrophic Times. Resisting the Coming Barbarism.* Ann Arbor: Open Humanities Press. [*En tiempos de catástrofes. Cómo resistir a la barbarie que viene.* Barcelona: Ned Ediciones, 2017.]

Stewart, Susan. 2005. «Armando Reverón: Paintings and Objects», in *The Open Studio: Essays on Art and Aesthetics.* Chicago, University of Chicago Press: 67-72.

Süssekind, Flora. 1990. *O Brasil não é longe daqui. O narrador, a viagem.* São Paulo: Companhia das Letras.

Sussman, Henry (ed.) 2012. *Impasses of the Post-Global. Theory in the Era of Climate Change.* Vol II. Ann Arbor: Open Humanities Press.

Tasso, Alberto. 2014. «La Biblioteca Sarmiento de Santiago del Estero (1880-1915)», *Políticas de la memoria* 14 (verano de 2013/14): 105-109.

Taussig, Michael. 1987. *Shamanism, Colonialism and the Wild Man. A Study in Terror and Healing.* Chicago: University of Chicago Press.

Tomasula, Steve. 2007. «(Gen)esis», en *Eduardo Kac*, ed. Ángel Kalenberg. Valencia: Institut Valencià d«Art Modern: 54-71.

Torres, Alejandra y Lucía Stubrin. 2012. «Ecoarte», en *Tecnopoéticas argentinas. Archivo blando de arte y tecnología,* ed. Claudia Kozak. Buenos Aires, Caja Negra: 83-88.

Torres Corral, Alicia. 2000. *El paisaje y la mirada. Historia del Parque Rodó.* Montevideo: Cal y Canto.

Treib, Marc. 2001. «Schauplatz der Einsamkeit: Die Landschaften des Luis Barragán», en *Luis Barragán: Die stille Revolution*, ed. Federica Zanco. Zürich, Barragán Foundation, 2001: 116-139.

Trucco Dalmas, Ana Belén M. 2014. «*Dimensión*, una revista de cultura y crítica», *Políticas de la memoria* 14 (2013/12014): 124-129.

Vaccarino, Rossana. 2002. «The Inclusion of Modernism: *Brasilidade* and the Garden», in *The Architecture of Landscape, 1940—1960*, ed. Marc Treib. Philadelphia, University of Pennsylvania Press: 206-237.

Varas, Alberto. 2010. «El Parque de la Memoria en el paisaje urbano costero de Buenos Aires», en *Monumento a las Víctimas del Terrorismo de Estado. Parque de la Memoria,* ed. Nora Hochbaum y Florencia Battiti. Buenos Aires, Consejo de la Gestión Parque de la Memoria: 49-65.

Vasconcelos, José. 1925. *La raza cósmica.* Bogotá: Oveja Negra, s/d.

Venancio Filho, Paulo. 2007. «*Tropicália*, its time and place», en *Oiticica in London*, ed. Guy Brett y Luciano Figueiredo. London, Tate Publishing: 29-39.

Viñas, David. 1982. *Literatura argentina y realidad política.* Buenos Aires: Centro Editor de América Latina.

Virilio, Paul. 1988. *La machine de vision.* Paris: Galilée. [*La máquina de visión.* Madrid: Cátedra, 1998].

Viveiros de Castro, Eduardo. 2015. *Metafísicas canibais. Elementos para uma antropologia pós-estrutural.* São Paulo: Cosac Naify. [*Metafísicas caníbales. Líneas de antropología postestructural.* Buenos Aires: Katz Editores, 2010.]
—— 2013. *A inconstância da alma selvagem e outros ensaios de antropologia.* São Paulo: Cosac Naify.
—— 1996. «Os pronomes cosmológicos e o perspectivismo ameríndio», en *Mana* 2, 2: 115-144.
Velilla Moreno, Pilar y Jairo Upeguy Montoya. 1982. *Desafiar la geografía: una historia del transporte en Colombia.* Medellín: Museo de Antioquia.
Wakild, Emily. 2012. «A Revolutionary Civilization. National Parks, Transnational Exchanges and the Construction of Modern Mexico», en *Civilizing Nature. National Parks in Global Historical Perspective*, ed. Bernhard Gissibl, Susanne Höhler and Patrick Kupper. Oxford, Berghahn: 191-205.
—— 2011. *Revolutionary Parks. Conservation, Social Justice, and Mexico's National Parks, 1910-1940.* Tucson: University of Arizona Press.
—— 2007. «Naturalizing Modernity: Urban Parks, Public Gardens and Drainage Projects in Porfirian Mexico», en *Mexican Studies/Estudios Mexicanos* 23, 1: 101-123.
Williams, Raymond. 1958. *Culture and Society: 1780-1950.* New York: Columbia University Press
—— 1976. *The Country and the City.* New York: Oxford University Press.
Willson, Patricia. 2004. *La constelació*n del sur. Traductores y traducciones en la literatura argentina del siglo XX. Buenos Aires: Siglo XXI.
Wolfe, Joel. 2010. *Autos and Progress: The Brazilian Search for Modernity.* New York: Oxford University Press.
Wylie, Lesley. 2009. *Colonial Tropes and Postcolonial Tricks. Rewriting the Tropics in the Novela de la Selva.* Liverpool: Liverpool University Press.
Xavier, Alberto. 1987. *Arquitetura moderna brasileira: depoimento de uma gera*ção. São Paulo: Cosac Neify.
Xavier, Ismail. 2007. *Sertão-mar. Glauber Rocha e a estética da fome.* São Paulo: Cosac Naify.
Young, James E. 1993. *The Texture of Memory: Holocaust Memorials and Meaning.* New Haven: Yale University Press.
Zurita, Raúl. 2010. *Canto a su amor desaparecido* [1985]. Notre Dame, IN: Action Books.
—— 2009. *Purgatorio* [1979]. Berkeley: University of California Press.
—— 2007. *In Memoriam.* Santiago de Chile: Ediciones Tácitas.
—— 1986. *Anteparaíso* [1982]. Berkeley: University of California Press.

Agradecimientos

Este libro surgió de una investigación que estuvo a punto de ser abandonada infinitas veces, hasta que entendí que el abandono, como el destierro y el despaisamiento, era su propio tema. Pude realizarla gracias a una beca del British Academy y otra de la Fundación Nacional Suiza (SNF), entre 2008 y 2011 y 2014 y 2017, respectivamente. Las investigaciones de archivo contaron con el invaluable apoyo, en Buenos Aires, de Horacio González y de los trabajadores de la Biblioteca Nacional, además de la ayuda de Mauro Greco en las búsquedas bibliográficas; en Río de Janeiro, de los funcionarios del Archivo del IPHAN; en São Paulo, de las coordinadoras del archivo y de la colección de artes visuales del Instituto de Estudos Brasileiros de la USP, Gabriela Giacomini de Almeida y Bianca Dettino; y en la Escuela de Arquitectura y Diseño de la Universidad Católica de Valparaíso, de Adolfo Espinoza Bernal, conservador del Archivo Histórico José Vial Armstrong. A todos ellos, mi agradecimiento profundo y sentido por su diligencia y sus consejos sin los cuales este libro no hubiese sido posible.

En la Universidad de Zúrich, agradezco a los miembros de mi equipo –a Lisa Blackmore, Dayron Carrillo Morell, André Masseno y Hannes Sättele– y a mis colegas Liliana Gómez-Popescu y Eduardo Jorge de Oliveira, por la calidez con que acompañaron esta investigación con sus sugerencias y críticas, y a Marisa Gago Iglesias, del Departamento de Estudios Hispánicos, y Alice Froidevaux, del Centro Latinoamericano, por el incansable apoyo logístico. A Beatriz Jaguaribe, Emil Rodríguez Garabot, Margareth da Silva Pereira, Priscilla Peixoto, Mário Magalhães, Gabriel Giorgi, Eduardo Kac, Celeste Olalquiaga, Ursula Biemann, Jill Casid, Nuno Ramos, Maria Thereza Alves, Álvaro Fernández Bravo, Javier Correa y Oliver Lubrich, por haber participado en nuestras jornadas de trabajo y compartido ideas con pasión e intensidad.

Es casi imposible dar cuenta, en un trabajo de tantos años, de cuántos me han beneficiado con referencias, argumentos e indicaciones. Fueron especialmente decisivos para mí los aportes de Peter Hulme, Valerie Fraser, Maurício Lissovsky, Matías Ayala, Maria Esther Maciel, Jennifer French, Andrea Giunta, Valeria de los Ríos, Perla Zusman, Isis Sadek, Rosana Monteiro, Carolina Aguilera, Gonzalo Conte, Fernando Cocciarale, Constanza Vergara, Betina Keizman, Carolina Pizarro, Paola Cortés Rocca, Silviano Santiago, Denilson Lopes, Tiziana Panizza, Ximena Briceño, Fermín Rodríguez, Flora Süssekind, Ana Chiara, Italo Moriconi, Nicolás Behr, Axel Lazzari, Javier Trímboli, Constanza Ceresa, Carolina Pizarro, Tristan Weddigen, Kevin Coleman y Florencia Garramuño. A todos ellos, y a los alumnos de mis seminarios de postgrado en la Universidad de Buenos Aires, la Universidad Federal de Río de Janeiro y las Universidades de Zúrich, Princeton y Columbia, mis gracias nuevamente por sus enseñanzas, sus contestaciones y estímulos. Y a Ana Álvarez, por la generosidad y la confianza con que acompañó este trabajo, y por sus lecturas implacables que son, al fin y al cabo, la prueba de fuego para todo lo que escribo.